Le FRANÇAIS

de A à Z

BÉNÉDICTE GAILLARD

HATIER

Avant-propos

■ Présentation générale

Cet ouvrage s'adresse aux élèves du second cycle, aux étudiants et à tous ceux qui veulent améliorer leur expression écrite ou orale : il apporte des réponses claires et immédiates aux problèmes les plus fréquents que pose la pratique du français. Il fournit toutes les bases grammaticales qui font défaut pour comprendre et appliquer les règles d'**orthographe**, pour éviter les confusions de **vocabulaire**, les **constructions syntaxiques** incorrectes... Par ses orientations pédagogiques à la fois concrètes et théoriques, *Le français de A à Z* sera aussi un outil efficace pour le perfectionnement en français langue étrangère.

■ Contenu des articles

Les articles sont classés par ordre alphabétique. Chacun d'eux aborde une **difficulté** pouvant porter sur un **mot** (la conjugaison de *Acquérir*, les homonymes *Censé/sensé*, l'emploi de *Dont*...) ou sur une **notion** (l'accord du Participe passé, les Mots composés...). Certains proposent un travail plus spécifique sur le **style** (les équivalents de *N'avoir qu'à*, *Quand même*, l'expression du But, de la Cause...).

La difficulté est expliquée brièvement en quelques paragraphes, illustrée par des **exemples** et accompagnée de **règles** à retenir (RETENEZ) ou de **précisions** (POUR ALLER PLUS LOIN). Ces rubriques se rattachent en général au paragraphe qui précède, parfois à l'article dans son ensemble (le titre est alors rappelé en vis-à-vis).

Chaque article se termine par un **exercice** permettant d'appliquer les règles et de s'assurer que la difficulté n'est plus source d'erreurs. L'exercice peut aussi servir de test avant la lecture de l'article et révéler ainsi d'éventuelles lacunes.

■ En annexe

La fin de l'ouvrage comporte :
– les conjugaisons de *avoir, être* et *aller* (pp. 350-352) ;
– les corrigés des exercices (pp. 354-365) ;
– un lexique des principaux termes et abréviations utilisés (pp. 366-370) ;
– un index recensant toutes les difficultés et renvoyant aux articles où elles sont traitées (pp. 371-384).

L'éditeur.

Un **test préliminaire** (ci-contre), portant sur 50 questions ponctuelles, propose au lecteur d'évaluer ses connaissances en français.

Symboles utilisés

* : mot défini dans le lexique.
► : renvoi à un article.
✕ : forme incorrecte.

© HATIER PARIS MAI 1995   ISSN 1140-0048   ISBN 2-218-71809-X

Test

En guise de préambule, nous vous proposons de faire le point sur l'état de vos connaissances en français. Le test ci-dessous porte sur quelques-unes des difficultés que vous trouverez expliquées dans *Le français de A à Z*.

Prêtez-vous au jeu : répondez à toutes les questions en justifiant à chaque fois votre choix ; ensuite seulement consultez les solutions (p. 353).

◆

Dans les phrases suivantes, remplacez si besoin est les pointillés par les lettres ou mots manquants ; choisissez la forme qui convient pour les termes entre parenthèses.

1. Le chapitre conclu… que le monde évolu… sans cesse.

2. On … en … aura pas avant lundi.

3. Ils ont *(du/dû)* acheter une autre voiture.

4. Il s'agit d'exemples peu *(banals/banaux)*.

5. Évid…, il a réponse à tout.

6. Je n'ai rien vu. Moi *(aussi/non plus)*.

7. Que faites-vous *(ici/içi)* ?

8. Nous vous *(rappeler)* quand nous aurons fini.

9. Il viendra dans une demi…-heure.

10. Ils vous répondront eux-même… .

11. Cela fait *(parti/partie)* des joies du métier.

12. *(Quoiqu'/Quoi qu')* il dise, on le croit.

13. Est…ce…qu'il est venu ? *(avec ou sans trait d'union ?)*

14. Quand pense…elle arriver ?

15. Il attein… son but. Elle atten… son bus.

16. Nous recevons toute l'affection … nous avons besoin.

17. Je voudrais des pommes. Donnez … deux kilos.

18. L'argument qu'il *(évoque/invoque)* est convaincant.

19. Aucun… des élèves n'… échoué à l'examen.

20. De toute façon cela *(aurait/serait)* revenu au même.

21. Il était *(censé/sensé)* arriver cet après-midi.

22. Elle s'est permis… de le solliciter.

23. Il leur… dira leur… quatre vérités.

24. Il nous fit de nombreu… éloges.

25. Madame *(le/ la)* ministre.

26. Dis-moi *(ce qu'/quest-ce qu')* il fait.

27. Un ton infanti… et un comportement puéri… .

28. Rien … y fera : il ne veut rien … entendre.

29. Ce jeune …llemand connaît très bien le …rançais.

30. Apport…-lui des fleurs : tu lui feras plaisir.

31. Sécurité et sobriété vont de *(pair/paire)*.

32. Les étudiant… désirant… s'inscrire passeront me voir.

33. Préviens-moi *(si/s')* il arrive.

34. Les soi…-disant… spécialistes n'ont pas résolu la question.

35. Vingt...et...un, vingt...deux *(avec ou sans trait d'union ?)*

36. Le commerçant *(étiqueter)* le matin tous ses produits.

37. Que faut-il faire pour que vous appréc… ce travail ?

38. Grâce à ses lectures, il a acqu… de solides connaissances.

39. Il ne veut *(pas/ø)* s'engager sous aucun prétexte.

40. Je ne sais pas *(quelle/qu'elle)* est sa position sur le sujet.

41. D'ici quelque… temps, vous pourrez sortir.

42. C'est le seul évènement … je me rappelle bien.

43. Elle est arrivée tout… pensive et tout… ennuyée.

44. Ses i…ombrables exploits sont i…ouïs.

45. Les *(pare-soleil)* de la voiture.

46. Les œuvres … il fait allusion me sont inconnues.

47. A-t-elle les yeux bleu… ou vert… clair… ?

48. Parmi les participants, combien ont *(ils/ø)* bien répondu ?

49. Cela *(tente/tend)* à prouver notre bonne foi.

50. Si j'*(avoir)* su, je serais venu plus tôt.

1. À OU CHEZ ?
LE LIEU

À la boucherie
Chez le boucher

Les prépositions **à** et **chez** introduisent des compléments circonstanciels* de lieu, mais elles ne sont pas interchangeables.

1 À INTRODUIT DES NOMS DE LIEUX *À la boucherie*

- Ces noms de lieux peuvent désigner un local, un commerce (un inanimé*)…

  Il passe d'abord à la poste et va ensuite au cabinet médical.

2 CHEZ INTRODUIT DES NOMS *Chez le boucher*
DE PERSONNES, DE MÉTIERS

- Ces noms de personnes, de métiers peuvent être un nom commun, un nom propre ou un pronom.

  Il passe d'abord chez le médecin et va ensuite chez Paul.
  Il travaille depuis plusieurs années chez nous.

RETENEZ

- Ne confondez pas le lieu où s'exerce un métier (**à**) et la personne qui exerce ce métier (**chez**). **À** ne peut **jamais** introduire des compléments de lieu constitués par un nom de personne.

  Je vais chez le boucher.   et non *Je vais àu boucher.*

À OU CHEZ ?   POUR ALLER PLUS LOIN

- Des personnes ont donné leur nom à des sociétés. Souvent, on garde la préposition **chez** devant le nom de personne même s'il désigne l'entreprise (donc un inanimé*).

  Il travaille depuis plusieurs années chez Hatier.

Les autres noms de sociétés sont introduits par **à** (voir 1).

  Il travaille depuis plusieurs années à Mondialmarché.

À est maintenu devant des noms propres de personnes quand un nom commun est sous-entendu.

  Il enseigne à Jules-Ferry. (= à l'école Jules-Ferry.)

EXERCICE

Rayez la mention inutile.

1. Vous trouverez votre dictionnaire *(chez/à)* ce libraire. **2.** Elle est encore *(chez le/au)* coiffeur. **3.** Il toussait beaucoup et je l'ai envoyé *(chez le/au)* spécialiste. **4.** Après un stage de trois mois *(chez/à)* Peugeot, il a obtenu une promesse d'embauche. **5.** Passe *(chez/à)* la pharmacie prendre l'ordonnance.

2. À OU DE ?
L'APPARTENANCE

Les livres de Pierre
Une idée à moi

Un nom, un groupe nominal ou un pronom peuvent être accompagnés d'un complément qui exprime une relation d'appartenance : le complément renseigne sur le possesseur*.

La résidence secondaire *du maire.*
GROUPE NOMINAL   COMPLÉMENT DU GN (= possesseur)
= la résidence secondaire que possède le maire.

Les prépositions *de* et *à* introduisent ces compléments, mais elles ne sont pas interchangeables.

1 | **DE INTRODUIT LES NOMS** *Les livres de Pierre*

• Si le complément est un nom (qu'il s'agisse d'un nom de chose ou d'un nom de personne, d'un nom commun ou d'un nom propre), c'est la préposition *de* qui introduit ce complément.

Les livres de la bibliothèque.
Les livres de Pierre.
Les richesses des musées de France.
Les richesses de ses parents.

RETENEZ

• Ne faites pas la confusion avec les tournures verbales de l'appartenance *être à, appartenir à* dans lesquelles on utilise *à*.
Comparez :
*Ces affaires **sont à** Pierre, **appartiennent à** Pierre.*
mais   *Les affaires **de** Pierre.*
et non *Les affaires à̶ Pierre.*

POUR ALLER PLUS LOIN

• Si le complément est un pronom* autre qu'un pronom personnel (sinon voir **2**), on utilise également *de*.

« *L'accent de ceux qui n'ont pas d'accent* » P. QUIGNARD
C'est l'avis de plusieurs d'entre nous.

2 À INTRODUIT LES PRONOMS PERSONNELS

Une idée à moi

- Si le complément est un pronom personnel, il est introduit par la préposition *à*.

  Je connais Pierre : c'est un vieil ami à moi et il s'agit là d'une façon bien à lui de répondre.

  RETENEZ

  - Avec un pronom personnel pour complément, on n'emploie jamais *de* pour exprimer une relation d'appartenance.

POUR ALLER PLUS LOIN

- À peut aussi introduire un complément (nom, groupe nominal ou pronom) qui **renforce le possessif***.

  C'est sa manière à lui de voir les choses.
  Quel est leur avis à tous ces spécialistes ?

- À s'emploie à titre exceptionnel dans des locutions* figées telles que *la bête à bon Dieu, un fils à papa, la barbe à papa…*

EXERCICE

Complétez les phrases suivantes avec à *ou* de *; justifiez votre réponse.*

1. Tous les amis … ses parents étaient présents lors de cette grande fête. **2.** Il y va de votre intérêt … tous d'être très vigilants. **3.** Il y va de l'intérêt … tous d'être très vigilants. **4.** Selon la thèse … l'auteur, ce serait différent. **5.** Chacun rêve d'avoir une maison … soi.

3. ACCENT AIGU, GRAVE OU CIRCONFLEXE ?

Élevé, là, sûr

Il ne faut pas négliger l'accentuation qui sert soit à transcrire une prononciation, soit à distinguer des mots.

1 L'ACCENT AIGU : É

Élevé

- Il ne peut porter que sur un *e*, le plus souvent pour noter le son [e]. Son emploi répond à de nombreuses règles. ▶ 71

2 L'ACCENT GRAVE : È, À, Ù

Là, où

- On le met le plus souvent sur un *e* pour noter le son [ɛ]. Son emploi répond à de nombreuses règles. ▶ 71

- On le met sur le *e* de certains verbes en *-eler* et *-eter,* qui, au lieu de doubler le *l* ou le *t* (*appelle, jette*), s'écrivent *è* (*gèle, achète*). ▶ 196

- On le met sur *a* et *u* pour distinguer des termes qui, sinon, s'écriraient de la même façon (homographes*) :

où	(pronom)	≠	ou	(conjonction)
à	(préposition)	≠	a	(du verbe *avoir*)
là	(adverbe)	≠	la	(article, pronom)
çà	(adverbe)	≠	ça	(pronom)

*Elle avait trouvé **çà** et **là** quelques indices : **ça la** confortait dans ses hypothèses.*
*Vous **a**-t-il dit **où** il partait **ou** avait-il trop **à** faire ?*

RETENEZ

- Les composés *voilà, deçà, delà, holà,* gardent l'accent grave mais *cela* s'écrit **sans** accent.

- On écrit de même avec accent *là-bas, là-haut, là-dedans...*

---

3 **L'ACCENT CIRCONFLEXE : Â, Ê, Î, Ô, Û** *Château, sûr*

Hormis dans la conjugaison (▸ 4), l'usage de l'accent circonflexe ne répond à aucune règle précise ni rigoureuse. Le seul recours fiable reste le dictionnaire. Tout au plus peut-on parfois donner des explications à sa présence.

- **L'accent circonflexe distingue des mots qui se ressemblent**
On distingue par l'accent circonflexe certains mots qui se ressemblent (homonymes*) : l'adjectif *sûr* de la préposition *sur*. Mais aucune distinction n'est faite entre l'adverbe de négation *pas* et le nom *pas*. Il faut donc se résoudre à consulter le dictionnaire ou à apprendre des listes.
Comparez :

la boîte (nom)	il boite (de *boiter*)	pâle (adjectif)	la pale (nom)
la côte «os, bord»	la cote «valeur»	la pâte (à tarte)	la patte «membre»
crû (de *croître*)	cru (de *croire*)	pêcher un poisson	pécher (faute)
dû (de *devoir*)	du pain	rôder «errer»	roder «user»
la gêne «malaise»	le gène (en science)	sûr (adjectif)	sur (préposition)
le jeûne (nom)	jeune (adjectif)		sur «aigre»
mûr «prêt»	le mur «cloison»	la tâche «travail»	la tache «saleté»

- **L'accent circonflexe peut avoir une raison historique**
Il a parfois remplacé une lettre (là encore la règle est loin d'être infaillible) :
– un *s* autrefois écrit, mais non prononcé, qui rappelait l'origine du mot. On retrouve ce *s* dans des mots de la même famille.

forêt / forestier — prêter / prestation — hôpital / hospitalier épître / épistolaire — bête / bestiaire — bâton / bastonnade...

– un *e* dans certains adverbes en -*ment* formés sur le féminin de l'adjectif.

crûment, assidûment, gaîment (ou gaiement)...
mais : *absolument, prétendument...*

POUR ALLER PLUS LOIN

- L'adjectif *saoul* s'écrit aussi *soûl*, l'accent circonflexe marquant alors la chute du *a*.

A

- *Sûr* et *mûr* gardent **toujours** l'accent circonflexe quels que soient le genre et le nombre, contrairement à *dû* et *crû*. ▸ 4

Comparez :

C'est sûr, il a dû oublier.
Elles sont sûres d'avoir déjà réglé les sommes dues.

- Distinguez bien les pronoms possessifs qui portent l'accent circonflexe (*son amie et la nôtre*) et les déterminants possessifs qui s'écrivent sans accent (*notre amie*). ▸ 146

- Distinguez bien :
    -*âtre*, suffixe de noms et d'adjectifs à valeur péjorative et -*iatre*, suffixe de noms de médecins : pas d'accent.

Comparez :

la marâtre – le bellâtre – folâtre...
le pédiatre – le psychiatre...

- Dans une même famille de mots, on constate la présence ou l'absence d'accent circonflexe.

Comparez :

Les symptômes d'une maladie.
Un évènement symptomatique d'une époque.

En général, l'accent circonflexe disparaît lorsque la voyelle en question est suivie d'une syllabe sans *e* muet.

Comparez :

avec *e* muet	sans *e* muet
pôle	polaire
âcre et âcreté	acrimonie
grâce	gracieux, gracier, etc.

- L'accent circonflexe peut modifier la prononciation d'une voyelle (*côte* [o] et *cote* [ɔ]). Mais ce n'est pas toujours le cas. Il n'y a donc pas de rapport strict entre la présence d'un accent circonflexe et la prononciation.

Comparez :

un diplôme	[o]	*un atome*	[o]
le bât	[ɑ]	*en bas*	[ɑ]
même	[ɛ]	*la crème*	[ɛ]
pêcher	[e]	*pécher*	[e]

Accentuez correctement les mots en italique.

1. Nos amies les *(betes)*. **2.** Il nous *(a)* *(deja)* dit *(cela)* *(a)* plusieurs reprises. **3.** *(Voila)* la *(foret)* *(ou)* nous nous sommes *(promenes)*. **4.** Elle n'*(a)* pas encore vu son *(psychiatre)*. **5.** *(Ou)* habite *(votre)* notaire ? Je sais que le *(notre)* *(a)* *(du)* déménager. **6.** *(Ou)* *(a)*-t-il passé ses vacances ? *(a)* la montagne *(ou)* *(a)* la mer ? **7.** Tous ses succès sont *(dus)* *(a)* un travail de qualité. **8.** Ne croyez pas que *(ça)* n'arrive jamais : j'ai *(deja)* rencontré le problème *(ça)* et *(la)*.

4. ACCENT CIRCONFLEXE ET CONJUGAISON

Il paraît que vous fûtes ravis

Dans la conjugaison, l'emploi de l'accent circonflexe suit des règles précises : il faut les connaître et les appliquer.

1 AU PASSÉ SIMPLE DE L'INDICATIF ET À L'IMPARFAIT DU SUBJONCTIF

Nous fûmes
Qu'il fît

Tous les verbes prennent un accent circonflexe :

- Aux 1re et 2e personnes du pluriel du passé simple.

-âmes -âtes	-îmes -îtes	-înmes -întes	-ûmes -ûtes
nous aimâmes	*vous fîtes*	*vous vîntes*	*nous fûmes*

- À la 3e personne du singulier de l'imparfait du subjonctif.

-ât	-ît	-înt	-ût
qu'il chantât	*qu'il fît*	*qu'il vînt*	*qu'il fût*

RETENEZ

- On ne met **jamais** d'accent circonflexe à la 3e personne du singulier du passé simple.

  *Natacha **fut** ravie d'apprendre la nouvelle.*

Pour les verbes des 2e et 3e groupes, seul l'accent circonflexe distingue, à cette personne, le passé simple et l'imparfait du subjonctif. ▶ 137

Comparez :

> *Il **revint** au pays après plusieurs années d'absence.* (p. simple)
> *J'aurais aimé qu'il **revînt** plus tôt.* (imp. subj.)

POUR ALLER PLUS LOIN

- **Haïr** garde le tréma et n'a pas d'accent circonflexe.

  nous haïmes, vous haïtes   et   *qu'il haït*

2 SUR LE I DES VERBES EN -AÎTRE , -OÎTRE ET DE PLAIRE

Il paraît

- Ces verbes ont un accent circonflexe quand *i* est devant un *t*.

Comparez :

Tu parais.	*Il paraît ne pas être sûr.*
Je le connais.	*Il me connaît.*
Les gains s'accroissent.	*Les gains s'accroîtront.*
Puisque vous leur plaisez.	*Puisqu'il nous plaît.*

- Les verbes formés sur **plaire** (**complaire** et **déplaire**) suivent la même règle.

  Cela ne me déplaît nullement.
  Elle se complaît dans le malheur.

RETENEZ

• Certaines formes de **croître** portent aussi un accent circonflexe sur le **i** et sur le **u**, quand il y a risque de confusion avec
des formes du verbe **croire**.

Comparez :

	croître	croire
prés. ind.	*tu croîs*	*tu crois*
p. simple	*ils crûrent*	*ils crurent*
impér.	*croîs*	*crois*
prés. ind.	*nous croissons*	*nous croyons*
prés. subj.	*qu'il croisse*, etc.	*qu'il croie*, etc.

Pour le participe passé, voir ci-après **3**.

POUR ALLER PLUS LOIN

• Notez le présent de **gésir** : *il gît*, avec accent sur le **i** devant **t**.

• De même, **clore** prend un accent sur **o** devant **t** : *il clôt*.
Dans les grammaires et dictionnaires, les avis divergent pour les
verbes **déclore, éclore, enclore** : pour certains, ils n'ont jamais
d'accent circonflexe ; pour d'autres, ils suivent la conjugaison de
clore et prennent donc un accent devant **t**.

3 | **SUR LE U DES PARTICIPES PASSÉS** *Dû, dus*
DÛ, MÛ, CRÛ ET RECRÛ

• Ces participes passés portent un accent circonflexe au masculin singulier. Cela évite la confusion avec d'autres mots ou
d'autres participes.

Comparez :

dû	*(devoir)*	du	(article)
mû	*(mouvoir)*	mu	(lettre grecque)
crû	*(croître)*	cru	(participe passé de *croire*)
recrû	*(recroître)*	recru	(adjectif «épuisé, harassé»)

RETENEZ

• La confusion n'étant possible qu'au masculin singulier, ces
participes n'ont pas d'accent au féminin ni au pluriel.
Des sommes dues.
Des arriérés dus.
Une machine mue par l'électricité.
La rivière est crue. (aujourd'hui on dira plutôt : *a crû*) ▶ **19-3**

EXERCICE

Accentuez s'il y a lieu les verbes en italique en justifiant votre choix.

1. Lorsque nous *(arrivames)* il *(reconnut)* la maison. **2.** Qui l'*(eut)*
(cru) ? **3.** Il *(parait)* qu'il a *(du)* renoncer. **4.** Il *(fut)* très aimable
avec elle bien qu'elle ne lui *(fit)* aucun sourire. **5.** S'il te *(plait)*.
6. Je la *(connais)* bien et je sais par quel sentiment elle est *(mue)*.
7. Puisqu'elle le *(connait)* bien, elle sait par quel sentiment il est
(mu). **8.** Comment expliquer que la production se soit soudainement
(accrue) ? **9.** On a fini par *(reconnaitre)* son innocence.

5. ACQUÉRIR, CONQUÉRIR...
QUELLE CONJUGAISON ?

J'ai acquis la conviction que...
Cela requiert toute notre attention

• **Acquérir, conquérir, s'enquérir** et **requérir** sont des verbes du 3ᵉ groupe. Ne confondez pas leur conjugaison avec celle des verbes du 2ᵉ groupe.

Comparez :

	type **acquérir**, 3ᵉ groupe	type **guérir**, 2ᵉ groupe
présent	{ il acquiert { nous conquérons	{ il guérit { nous guérissons
imparfait	il s'enquérait	il guérissait
p. composé	il a acquis	il a guéri
futur	il conquerra	il guérira
subjonctif	{ qu'il requière { que nous acquérions	{ qu'il guérisse { que nous guérissions

RETENEZ

• Ces verbes ont deux radicaux : l'un est en **-quier-**, l'autre en **-quér-**.

Comparez :

-QUIER-		-QUÉR-	
j'acquier-**s** il acquier-**t** que tu acquièr-**es** } [akjɛʀ] qu'il acquièr-**e** qu'ils acquièr-**ent**		nous acquér-**ons** vous acquér-**ez** j'acquér-**ais** ils acquér-**aient** que vous acquér-**iez**	[ɔ̃] [e] [ɛ] [ɛ] [je]
-quier- est le radical utilisé quand **la terminaison est muette** (elle ne s'entend pas).		-quér- est le radical utilisé quand **la terminaison est tonique** (elle s'entend).	

• Ces verbes ont toujours **rr** au futur et au conditionnel.
  *Toutes les connaissances que vous acque**rr**ez au cours de l'année seront exigibles le jour de l'examen.*

• Leur participe passé est en **-is** contrairement aux autres verbes en *-ir*. ▶ **135**
  *César a **conquis** la Gaule au Iᵉʳ siècle av. J.-C.*

• N'oubliez pas le *c* de **ac**quérir, formé avec le préfixe *a (c)-*. (Pensez à *ac-courir*.)

POUR ALLER PLUS LOIN

• Ces verbes sont formés sur le verbe **quérir** «chercher» qui, lui, ne s'emploie qu'à l'infinitif et appartient au registre* soutenu.
  *On l'envoya **quérir** l'aïeule.*

• Ne confondez pas :
– *un acquis* (de *acquérir*)
  = ce que l'on connaît, ce que l'on possède, ce que l'on a acquis.
– *un acquit* (de *acquitter*)
  = ce qui atteste qu'un paiement a été fait, ce qui vous acquitte.

  Les syndicats refusent la remise en cause de leurs **acquis**.
  Par **acquit** *de conscience*.

EXERCICE

Complétez par la forme qui est demandée.

1. Ces meubles (*acquérir,* futur) de la valeur avec le temps. **2.** Aujourd'hui les procureurs (*requérir*, présent) au maximum la réclusion à perpétuité. **3.** Grâce à de nombreuses lectures il (*acquérir,* passé composé) de solides connaissances. **4.** Elle (*s'enquérir*, imparfait) de tout le monde. **5.** J'ai bien envoyé ma cotisation, mais je n'ai pas encore reçu d'(*acquis / acquit*). **6.** Les (*acquis / acquit*) de l'expérience personnelle sont les plus profitables.

6. ADJECTIF OU ADVERBE?

Des chanteurs aux voix justes
Des chanteurs qui chantent juste

1	**RECONNAÎTRE UN ADJECTIF**	*Bon*
	D'UN ADVERBE	*Bien*

• Adjectifs et adverbes se ressemblent car ils ont souvent entre eux des liens étroits de sens (*bon* et *bien*, *rapide* et *vite…*). Ils apportent tous deux un complément d'information.
Comparez :

ADJECTIF	ADVERBE
J'ai mangé un gâteau.	*Ils ont chanté.*
⇒ *J'ai mangé un* **bon** *gâteau.*	⇒ *Ils ont* **bien** *chanté.*

Il est important de savoir reconnaître l'adjectif de l'adverbe pour les écrire correctement car **l'adjectif est variable** en genre et en nombre, **l'adverbe est invariable**. Ce sont deux classes grammaticales différentes. ▶ 39 et ▶ 190

RETENEZ

ADJECTIF	ADVERBE
L'adjectif porte sur un **nom**.	**L'adverbe** porte sur un **verbe**, un **adjectif**, un autre **adverbe** ou une **phrase**.
Elle m'a parlé d'une <u>manière</u> franche.	*Elle m'a <u>parlé</u> franchement.*

2 QUAND ADJECTIF ET ADVERBE ÉCHANGENT LEUR VALEUR

Des gens bien
Sentir bon

- Quelques adverbes offrent la possibilité de s'employer comme adjectifs, et réciproquement certains adjectifs s'emploient comme adverbes.

Comparez :

> *Ce serait **mieux** ainsi.*
> *mieux*, adverbe, est attribut de *ce*
> (tout comme l'adj. *préférable* dans : *Ce serait préférable ainsi.*)
> *Ce vieux cor **sonne** encore **juste**.*
> *juste*, adjectif, se rapporte au verbe *sonner*
> (tout comme l'adv. *bien* dans : *Ce vieux cor sonne bien.*)

- L'adverbe employé comme adjectif reste **invariable**.

> *Ah! les vacances, comme elles sont **loin**!*
> *Vous pouvez leur faire confiance : ces gens sont très **bien**.*
> *Ma voiture a deux portes **arrière**.*
> *Un bus avec trente places assises et dix places **debout**.*

- L'adjectif employé comme adverbe reste **invariable** s'il est employé avec un verbe.

> *Ces fleurs sentent **bon**.*
> *Ce sont des vacances qui coûtent **cher**.*
> *Mais vous ne voyez pas **clair**!*

- Dans quelques locutions* figées, l'adjectif employé comme adverbe porte sur un autre adjectif : il est **variable**.

> **ivre** mort, **raide** mort – **fou** furieux, **fou** amoureux –
> **grand**, **large** ouvert – des fleurs **fraîches** écloses
> *Il avait laissé les fenêtres **grandes** ouvertes.*
> *Elle est **folle** amoureuse de lui.*
> = elle est follement amoureuse...

RETENEZ

- Dans le nom composé ***nouveau-né***, l'adjectif ***nouveau*** est employé comme adverbe (= une personne née nouvellement). ***Nouveau*** reste invariable. ▶ 121

> *La maternité compte une dizaine de **nouveau-nés** par jour.*

- L'adjectif *fin* employé devant un autre adjectif signifie «entièrement, tout à fait». Il reste invariable.

> *Elles étaient **fin** prêtes quand je suis passé les prendre.*

Dans cet emploi, *fin* appartient au registre* familier.

- Tous les adjectifs n'offrent pas la possibilité de s'employer comme adverbes avec un verbe. Les plus fréquents sont :

bas	droit	fort
bon	dru	haut
cher	dur	juste
clair	faux	mauvais, *etc.*

Cependant, la langue publicitaire élargit cette possibilité à un grand nombre d'autres adjectifs.

> *Votez **utile**.*
> *Vivez **moderne**.*

> Ce procédé ne doit pas dépasser le slogan. Dans les autres emplois, il est préférable d'utiliser un adverbe (en *-ment*) ou l'expression équivalente *de manière..., de façon...*, ou encore de transformer le verbe en nom.
>
> *Il nous a bien recommandé de voter **utilement**.*
> *Ces deux petits vieux vivent **d'une façon plutôt moderne**.*
> *Ces deux petits vieux mènent **une vie plutôt moderne**.*
>
> En particulier, préférez *pareillement* (ou *de même...*) à **pareil** quand le terme porte sur le verbe.
>
> *L'auteur défend cette idée, mais je ne pense pas **pareil**.*
> *L'auteur défend cette idée, mais je ne pense pas **de même**.*

POUR ALLER PLUS LOIN

● Parfois le choix de l'accord s'effectue suivant que l'on veut faire porter l'adjectif sur le verbe ou sur le nom.

*La <u>fumée</u> monte **droite** dans le ciel.*
= la fumée est droite quand elle monte.

*La fumée <u>monte</u> **droit** au ciel.*
= la fumée monte directement au ciel.

EXERCICE

Notez pour chacun des termes entre parenthèses s'il s'agit d'un adverbe ou d'un adjectif. Donnez sa valeur et faites l'accord en conséquence.

1. Les voitures aujourd'hui sont très *(rapide)*. Elles vont très *(vite)*.
2. Ils sont *(ensemble)* depuis plusieurs années. **3.** Les bons orateurs parlent *(haut)* et *(clair)*. **4.** Ces fleurs sentent bien *(meilleur)* que les roses. **5.** Ces propos l'ont rendue *(fou)* furieuse.

7. AFFAIRE OU À FAIRE?

Nous avons affaire à Pierre
Nous avons à faire ce travail

Il faut s'interroger sur le sens pour savoir s'il faut écrire **affaire** ou **à faire**.

1 | **AVOIR AFFAIRE À QUELQU'UN, À QUELQUE CHOSE**

Vous aurez
<u>affaire à moi</u>

● Avoir **affaire** à quelqu'un, à quelque chose, c'est être en rapport avec cette personne, être confronté à cette chose.

*Ils ont eu **affaire** non pas **au** directeur, mais **à** sa secrétaire.*
*Quel est ce curieux phénomène **auquel** nous avons **affaire**?*

- *Avoir affaire* est une locution* verbale construite avec *à*.

Comparez : *avoir affaire* *à quelqu'un*
              parler *à quelqu'un*

2 **AVOIR À FAIRE**   *Vous aurez à faire ce travail*
   QUELQUE CHOSE

- *Avoir **à faire** quelque chose*, c'est devoir effectuer, devoir accomplir quelque chose.

   *Vous aurez **à faire** deux exercices pour demain.*
   *Je n'ai plus rien **à faire**.*

- *Avoir **à faire*** peut s'employer sans complément d'objet* et signifier «avoir divers travaux, diverses tâches à accomplir».

   *Laissez-nous seuls, nous avons **à faire** ensemble.*
   *Pour ce dossier, j'ai **à faire avec** lui.*
   = j'ai à travailler, à traiter avec lui.

AFFAIRE ou À FAIRE ?   **RETENEZ**

- Ne faites pas de télescopage et remarquez qu'on ne peut pas avoir deux fois la préposition *à* dans l'expression.

        Nous aurons à faire à lui.
   mais *Nous aurons affaire à lui.*
   ou   *Nous aurons à faire avec lui.*

EXERCICE

Remplacez les pointillés par affaire *ou* à faire *selon le cas.*

1. N'as-tu rien d'autre …? **2.** Il vaut mieux avoir … au bon Dieu qu'à ses saints. **3.** Ne recommencez plus ou vous aurez … à moi! **4.** Je n'ai pas pu venir vous voir ces derniers temps car j'ai eu beaucoup … . **5.** Que nous reste-t-il …?

8. AFFLIGER OU INFLIGER ?
Cela m'afflige
La punition qu'on lui inflige

1 **AFFLIGER : «DÉSOLER»**   *Cela m'afflige*

- **Affliger** quelqu'un, c'est lui causer une douleur morale, une peine extrême, le décevoir vivement. Il se construit avec un complément qui désigne un nom de personne.

   *Enfant, il était si sage! Sa conduite aujourd'hui nous **afflige**.*
   Affliger appartient au registre* soutenu (synonymes courants : *attrister, peiner, chagriner, désoler*).

2 INFLIGER : «IMPOSER» *Infliger une punition*

- **Infliger** quelque chose **à** quelqu'un, c'est lui donner quelque chose pour punition, lui faire subir quelque chose comme une contrainte. Il se construit avec un complément qui désigne la peine, le châtiment... et un complément introduit par **à** (nom de personne ou pronom personnel).

   *À nouveau, cet importun **inflige** sa présence **à** l'assistance.*
   *Avait-il mérité la punition que ses parents lui **infligent** ?*

- Il appartient au registre* courant et peut avoir pour synonymes *donner, administrer (une correction), imposer...*

EXERCICE

Remplacez les pointillés par affliger *ou* infliger. *Donnez à chaque fois un synonyme du verbe.*

1. «Nous sommes si aveugles que nous se savons quand nous devons nous ... ou nous réjouir.» MONTESQUIEU. **2.** Chez Molière, les maîtres ... toutes sortes de corrections à leurs valets. **3.** «Le talent sans âme m'irrite ou m'...» SACY. **4.** Vous m'... si vous refusiez mon invitation. **5.** La SPA s'élève contre ceux qui ... des mauvais traitements aux animaux. **6.** Pourvu qu'il ne nous ... pas son discours !

9. IL S'AGIT DE *Ce dont il s'agit*

1 QUELLE CONSTRUCTION ? *Il s'agit de...*

- La tournure impersonnelle* *il s'agit* est toujours suivie d'un complément introduit par *de*.

   *Il s'agit seulement **de** <u>tous les numéros gagnants</u>.*
   *Il s'agit juste **de** <u>ne pas se tromper</u>.*
   ***De** <u>quoi</u> s'agit-il ?*

RETENEZ

- Quand *il s'agit* est employé dans une relative*, pensez bien à utiliser le pronom *dont* (= *de* + antécédent*). ▶ **70**
   *Le thème **dont** il s'agit dans cette œuvre...*
   = il s'agit de tel thème dans cette œuvre.

- Avec le présentatif* *c'est*, on peut avoir deux constructions :
   *C'est **de cela qu'**il s'agit.*
   ou *C'est **ce dont** il s'agit.*

POUR ALLER PLUS LOIN

- L'expression synonyme *il est question de* s'utilise de la même façon.
   *C'est un thème **dont** il n'est jamais question dans l'œuvre.*
   *C'est **de cela qu'**il est question.*
   *C'est **ce dont** il est question.*

2 **QUELLE CONJUGAISON AUX TEMPS COMPOSÉS ?**

Il s'est agi de...

• *Il s'agit de* est une forme pronominale : aux temps composés (▶ **49**), on le conjugue avec l'auxiliaire *être*. Le pronom *s'* se place devant l'auxiliaire.

Il a s'agi de notre dernier projet.
Il s'est agi de notre dernier projet.

IL S'AGIT DE | **POUR ALLER PLUS LOIN**

• *Il s'agit que*, suivi du subjonctif et signifiant « il faut », n'est pas accepté par tous les grammairiens et correcteurs.

Il s'agit que vous vous dépêchiez un peu.

On peut lui préférer des tournures équivalentes :

Il faut que vous vous dépêchiez.
Il faut vous dépêcher.

EXERCICE

Remplacez les pointillés par le ou les termes qui manquent, puis mettez chacune de ces phrases au passé composé.

1. S'il s'agit … moi, j'ai aussi mon avis à donner. **2.** Je ne me rappelle plus ce … il s'agit. **3.** Lorsqu'il s'agira … partir, prévenez-les. **4.** Si c'est … il s'agit, cela ne m'intéresse pas. *(2 solutions)*

10. -AILS OU -AUX AU PLURIEL ?

Les détails des vitraux

• La plupart des noms qui se terminent par **-ail** ont un pluriel régulier en **-ails**.

un éventail / des éventails
un chandail / des chandails

RETENEZ

• Huit noms courants en **-ail** ont un pluriel en **-aux**.

bail / baux   corail / coraux
émail / émaux   gemmail / gemmaux
soupirail / soupiraux   travail / travaux
vantail / vantaux   vitrail / vitraux

• Ne mettez jamais de *e* devant **-aux** pour ces pluriels :

un vitrail / des vitraux   et non *des vitréaux*

Seuls les mots qui ont un singulier en *-eau* s'écrivent **-eaux** au pluriel.

un marteau
des marteaux

POUR ALLER PLUS LOIN

- *Sans-travail* (composé* de *travail)* a un pluriel **invariable** :

  des sans-travail (= des personnes qui sont sans travail)

- *Corail* a un pluriel **régulier** lorsqu'il désigne la partie orangée des coquilles Saint-Jacques :

  des corails

- Les composés de *bail* ont un pluriel régulier en *-s* :

  des crédits-bails, des cessions-bails

EXERCICE

Complétez la grille.

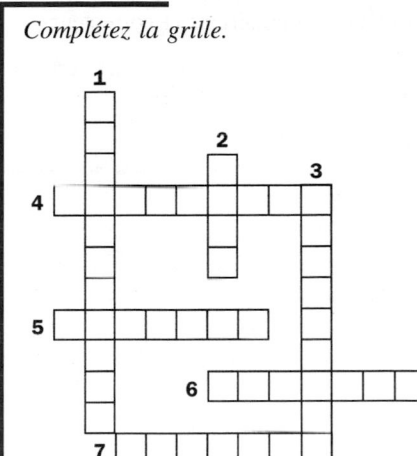

1. Sans eux, on partirait à la dérive.

2. Ils peuvent être faits pour trois, six ou neuf ans.

3. Apportent de la lumière.

4. Grâce à eux, vous ne manquerez pas d'air.

5. Souvent doubles.

6. Les plus minutieux en sont friands.

7. S'ils sont utiles, peu importe qu'ils soient publics, dirigés, pratiques ou autres.

11. AVOIR L'AIR : COMMENT ACCORDER L'ADJECTIF ?

Elle a l'air coquine
Elle a l'air coquin

L'accord de l'adjectif se fait selon le sens que l'on donne à *avoir l'air*.

1 AVOIR L'AIR : «SEMBLER ÊTRE, PARAÎTRE»

Elle a l'air coquine

- Quand *avoir l'air* signifie «sembler être, paraître», on accorde l'adjectif avec le **sujet** : l'adjectif est attribut* du sujet.

  *La maison a l'air **neuve**.*
  = elle semble neuve.

  *Ils ont l'air **satisfaits** de leurs résultats.*
  = ils paraissent satisfaits de leurs résultats.

2 AVOIR L'AIR: «AVOIR UNE MINE, UNE EXPRESSION»   *Elle a l'air coquin*

• Quand *avoir l'air* signifie «avoir une mine, une expression», on accorde l'adjectif avec le nom *air*: l'adjectif est épithète* de *air*.

Elle a l'air radieux.
= elle a une mine radieuse, une expression radieuse.

Ils ont l'air satisfait des snobs.
= ils ont l'allure satisfaite qu'ont les snobs.

Dans ce cas, l'expression s'emploie surtout à propos de personnes.

AVOIR L'AIR   **POUR ALLER PLUS LOIN**

• Dans le premier sens, *air* fait partie de la locution* verbale *avoir l'air*; dans le deuxième sens, il est COD.

Comparez:

1er sens: «sembler être»			2e sens: «avoir une expression»		
Elle	a l'air	coquine.	Elle	a	l'air coquin.
Elle	est	coquine.	Elle	a	une mine coquine.
SUJ.	VERBE	ATTRIBUT	SUJ.	VERBE	COD

EXERCICE

A. *Écrivez les adjectifs entre parenthèses à la forme voulue.*

1. Ma sœur avait encore l'air (*fatigué*) des convalescents. **2.** Elle a l'air encore plus (*grand*) avec cette robe. **3.** C'est une maison qui a l'air (*vieux*). **4.** J'accepte ces propositions qui ont l'air (*sérieux*).

B. *Comment comprenez-vous chacune de ces deux phrases?*

1. Elle a l'air fière de ses fils. **2.** Elle a l'air fier de ses fils.

12. -ALS OU -AUX AU PLURIEL?   *Et si Saint-Saëns avait écrit plusieurs* Carnavals des animaux?

1 PLURIEL EN -AUX   *Des journaux*

• La plupart des noms et adjectifs masculins qui se terminent par *-al* au singulier ont un pluriel en *-aux*.

un journal local / des journaux locaux

RETENEZ

• N'écrivez jamais de *e* devant *-aux* pour ces pluriels.

un journal / des journaux   et non *des journeaux*

Seuls les mots en *-eau* s'écrivent *-eaux* au pluriel.

un marteau
des marteaux

2 PLURIEL EN -ALS   *Des festivals*

- **Noms**
- quelques noms à connaître par cœur car rien dans la forme
ou le sens ne permet de les distinguer :

des b**als**	des c**als**
des festiv**als**	des p**als**
des carnav**als**	des chor**als**
des récit**als**	des tri**als**
des cérémoni**als**	des av**als** «cautions»
des rég**als**	des ét**als**
des fin**als** (en musique) ▶ **108**	des virgin**als**

- des noms propres pris comme noms de choses.
  *cant**als**, emmenth**als**, pasc**als*** (unité)...
- des noms d'origine étrangère qui désignent des réalités exotiques (plantes, animaux, etc.).
  *chac**als**, gavi**als**, nop**als**, sant**als**, sarou**als***...
sauf : *des orign**aux***
- des noms de produits chimiques, pharmaceutiques.
  *chlor**als**, gardén**als**®...*
- les noms des mois du calendrier révolutionnaire.
  *germin**als**...*
- des noms familiers ou argotiques.
  *Rit**als**, morf**als**...*

- **Adjectifs**
Cinq adjectifs (et leurs composés) ont un pluriel en **-als**.
Retenez-les.

banc**als**	nav**als**
fat**als**	ton**als**
nat**als**	

*Des assauts aéronav**als**.*

3 DEUX PLURIELS : -ALS ET -AUX   *Idéals et idéaux*

Certains mots peuvent avoir les deux pluriels.

- Suivant **l'expression** dans laquelle ils sont employés :
- *val* : le pluriel *vaux* n'existe que dans la locution* *par monts
et par vaux*. Dans les autres cas, on a le pluriel *des vals*.
- *banal* : le pluriel au sens courant est *banals*. On emploie
banaux seulement pour le terme d'histoire : *des fours banaux*
«qui appartiennent au seigneur et sont à la disposition de tous».

- Parce que **l'usage** hésite :
- *idéal* (nom et adjectif).
  Les jeunes n'ont-ils plus d'idéaux (ou d'idéals)?
  Existe-t-il un ou plusieurs mondes idéals (ou idéaux)?
- les adjectifs *austral, boréal, causal, final, glacial, marial,*
pascal (de Pâques).
  Des états finals (ou finaux).

EXERCICE

Mettez les termes entre parenthèses à la forme -als *ou* -aux *qui convient.*

1. Les petits *(bal) (estival)* du samedi soir. **2.** Les deux *(terminal)* de l'aéroport. **3.** La chanteuse a remporté le même succès dans tous ses *(récital)*. **4.** Au nom des grands principes *(moral)*. **5.** Restauration de clavecins et de *(virginal)*. **6.** Une voix aux accents *(virginal)*. **7.** Des examens *(prénuptial)*. **8.** Les juges *(prud'homal)* ne dépendent pas des *(tribunal) (commercial)*.

13. AMENER
OU APPORTER ?

*Je vous y amènerai
Apportez vos photos*

1   AMENER : «CONDUIRE»   *Amener qqn*

- *Amener* signifie «conduire, mener avec soi». On amène ce qui peut se déplacer seul. C'est le verbe qu'on utilise avec les noms de personnes, les noms d'animaux.

  C'est lui qui m'amènera au bureau aujourd'hui.
  Nous n'amenons jamais notre chien chez eux.

POUR ALLER PLUS LOIN

- Les compléments de *amener* peuvent être des noms d'inanimés* s'ils désignent quelque chose qu'on peut déplacer sans soulever du sol (voiture, eau…).

  Il a fallu amener la voiture au garage.
  De gigantesques oléoducs amènent le pétrole à la raffinerie.

2   APPORTER : «PORTER»   *Apporter qqch.*

- *Apporter* signifie «porter avec soi». Il s'utilise avec des noms d'inanimés. Contrairement à *amener,* il suppose qu'on soulève l'objet du sol.

  Il nous a montré les photos de vacances qu'il avait apportées.

AMENER OU APPORTER ?   *RETENEZ*

- *Amener* ne peut convenir que si *conduire* convient.

Comparez :

  On ne dira pas : *Il a conduit des vivres pour dix jours.*
  Donc on ne peut pas dire : *Il a amené des vivres…*
  Dans ce cas, c'est *apporter* qui convient.

  Il a apporté des vivres pour dix jours.

> • Les verbes *ramener* et *rapporter*, *emmener* et *emporter* suivent la même règle.
>
> «*Ramener* chaque soir, sains et saufs, sûrs d'être soi, des centaines de chiens dans leurs tanières habituelles.»
> J.-M.-G. LE CLÉZIO
>
> *Il a fait enregistrer les bagages qu'il voulait **emporter**.*

EXERCICE

Remplacez les pointillés par le verbe qui convient.

1. Pensez à ra... à la bibliothèque les livres que vous avez empruntés. **2.** Depuis que l'on avait a... l'eau au village, plus personne ne se servait du puits. **3.** Vous avez oublié d'a... l'eau à table. **4.** Il est conseillé d'em... quelques vêtements chauds.

14. -AMMENT OU -EMMENT?
LES ADVERBES EN [amã]?

Puissamment
Patiemment

1 **COMBIEN DE M ?**

• **Tous** les adverbes qui se prononcent [amã] s'écrivent avec *mm*. Comparez :

sav*amm*ent	[savamã]
grav*em*ent	[gravəmã]

2 **A OU E ?**

• L'adverbe s'écrit :
– avec *a* quand l'adjectif correspondant se termine par *-ant*.
– avec *e* quand l'adjectif correspondant se termine par *-ent*. ▶ **15**

puiss***ant*** ⇒ puiss*amm*ent
pati***ent*** ⇒ pati*emm*ent

RETENEZ

> • *Nuitamment, notamment* et *précipitamment* qui n'ont pas d'adjectif correspondant en [ã], s'écrivent avec *a*.
>
> • L'adjectif qui correspondait à *sciemment* n'est plus en usage. Pensez à *conscient, consciemment* ou à *bon escient.*

EXERCICE

Écrivez les adverbes sous leur forme complète après avoir donné l'adjectif correspondant.

1. Pes... **2.** Indépend... **3.** Nonchal... **4.** Suffis... **5.** Étonn... **6.** Appar... **7.** Sav... **8.** Différ... **9.** Évid...

15. -ANT OU -ENT?
LES ADJECTIFS EN [ã, ãt]

Puissant
Patient

1 LES DÉRIVÉS DE VERBES *Fuyant*

- Quand l'adjectif est dérivé d'un verbe, il s'écrit **-ant**, comme le participe présent.

fuir, fuyant	*Un regard* **fuyant.**
colorer, colorant	*Une substance* **colorante.**
rougir, rougissant	*L'aurore* **rougissante.**
descendre, descendant	*La marée* **descendante.**

RETENEZ

- **Attention :** les adjectifs suivants, bien que dérivés de verbes, s'écrivent **-ent** et se distinguent ainsi du participe présent en **-ant. ▶16**

adhér**ent**	différ**ent**	excell**ent**	précéd**ent**
converg**ent**	diverg**ent**	influ**ent**	somnol**ent**
défér**ent**	équival**ent**	néglig**ent**	viol**ent**

Une personne négligente. (adj.)
Une personne négligeant sa santé. (part. prés.)

- Certains adjectifs en **-cant** et **-gant** se distinguent du participe présent en **-quant** et **-guant. ▶28** et **97-3**

2 LES AUTRES ADJECTIFS *Fréquent*
Flagrant

- Il est très difficile de prévoir la voyelle des adjectifs qui ne sont pas dérivés de verbes : **e** ou **a** ?

Comparez :

*grandiloqu**ent***	*élég**ant***
*fréqu**ent***	*infam**ant***
*indulg**ent***	*pimp**ant***
*transpar**ent***	*flagr**ant***

N'hésitez donc pas à vérifier dans un dictionnaire.

RETENEZ

- **-isant** est un suffixe* qui signifie «qui a une aptitude, une tendance à faire, à être». Il sert à former des noms et des adjectifs qui s'écrivent alors toujours avec **a**.

arabisant, rhumatisant, sympathisant, fascisant...

- **-escent** est un suffixe d'origine latine qui signifie «en cours de». Les noms et adjectifs formés avec ce suffixe s'écrivent toujours avec un **e**.

arborescent, adolescent, convalescent, incandescent...

-ANT OU -ENT ? POUR ALLER PLUS LOIN

- Aux adjectifs en **-ant** et **-ent** correspondent respectivement :
- des adverbes en **-amment** et **-emment**. ▸ 14
- des noms en **-ance** et **-ence**.

correspondant, ante et		*correspond**ance***
innocent, ente		*innoc**ence***
sauf : *existant, ante*	mais	*exist**ence***
résidant, ante		*résid**ence***
exigeant, exigeante		*exig**ence***

- Certains adjectifs en **-ant** ou **-ent** peuvent s'employer comme noms sans changer d'orthographe.

  *Elle a écrit à sa correspond**ante**.*
  *Les innoc**ents** et les coupables.*

  sauf : *résid**ant*** (adjectif) et *résid**ent*** (nom)
  *Les membres **résidants** d'une académie.*
  *Les **résidents** français à l'étranger.*

EXERCICE

Remplacez les pointillés par la terminaison adéquate.

1. Il nous a encore raconté une histoire abracadabr… . **2.** Nous avons été très indulg… avec lui. **3.** Ces odeurs appétiss… me mettent l'eau à la bouche. **4.** Prends un cachet effervesc… . **5.** Nous enverrons un abonnement à tous nos adhér… . **6.** La cafétéria est ouverte aux résid… du foyer. **7.** Soyez davantage exig… avec vous-même.

16. LES FORMES EN -ANT : QUAND LES ACCORDER ?

La jeune fille souriant à son fiancé
Elle partit en souriant
Des visages souriants

Les formes verbales en **-ant** peuvent être des participes présents, des gérondifs ou encore des adjectifs. Pour savoir s'il faut les accorder, il faut reconnaître ces différents emplois.

1 LE PARTICIPE PRÉSENT : *Les élèves désirant s'inscrire*
INVARIABLE

- **Comment le reconnaître ?**
- Le participe présent a valeur de **verbe** : il exprime une action.
  *«Puis elle s'est perdue dans la foule, **s'immisçant** avec elle dans les moindres recoins du Magasin.»* D. PENNAC
  = elle s'immisce avec la foule dans les moindres recoins…

– Il est le noyau d'un groupe : il reçoit les mêmes compléments qu'un verbe : COD, COI, compléments circonstanciels…

*Les personnes **parlant** fort sont-elles mieux écoutées ?*

fort = CC Manière de *parlant*

*Notez d'une croix la case **correspondant** à votre choix.*

à votre choix = COI de *correspondant*

*Les lots **comprenant** deux articles, j'ai tout en double.*

deux articles = COD de *comprenant*

RETENEZ

• Une forme en **-ant** suivie d'un COD est **toujours** un participe présent.

POUR ALLER PLUS LOIN

• Le participe présent est employé sans complément dans le registre* soutenu.

*Le temps **aidant**, tu oublieras.*

• **Comment l'écrire ?**

Le participe présent est **invariable**. Il s'écrit toujours **-ant**.

Un exercice	***abordant*** *une difficulté.*	
Des exercices	***abordant*** *une difficulté.*	
Une question	***abordant*** *une difficulté.*	
Des questions	***abordant*** *une difficulté.*	

POUR ALLER PLUS LOIN

• Dans le registre* soutenu, *aller* suivi d'un participe présent (***aller** croissant*, ***aller** diminuant*…) exprime une action qui dure ; le participe présent est invariable.

*Son impatience allait **croissant**.*

• La locution **soi-disant** est **toujours** invariable car *disant* est un participe présent. ▶ 175

2 LE GÉRONDIF : INVARIABLE   *En courant*

• **Comment le reconnaître ?**

– Le gérondif est formé du participe présent précédé de **en**.

*C'est **en forgeant** qu'on devient forgeron.*

– Il a la valeur d'un complément circonstanciel, d'un adverbe.

*Elle est sortie **en courant**.* (= elle est sortie précipitamment.)

• **Comment l'écrire ?**

Le gérondif est **invariable**. Il s'écrit toujours **-ant**.

3 L'ADJECTIF VERBAL :   *Des résultats encourageants*
VARIABLE

• **Comment le reconnaître ?**

– On appelle *adjectif verbal* l'adjectif formé sur le participe présent d'un verbe.

L'adjectif **amusant** qui signifie «drôle» est formé sur le participe présent du verbe *amuser*.

– L'adjectif verbal exprime un état, une qualité. Il peut **toujours** être remplacé par un autre adjectif qualificatif.

*Je lui ai toujours connu ce regard **pétillant**.* (= ce regard vif.)

- **Comment l'écrire ?**

L'adjectif verbal **s'accorde** en genre et en nombre avec le nom auquel il se rapporte.

Un résultat   encourageant.
Des résultats   encourageants.
Une note   encourageante.
Des notes   encourageantes.

RETENEZ

- Certains adjectifs verbaux se distinguent des participes présents non seulement par le fait qu'ils sont variables, mais aussi par leur orthographe :

– les adjectifs dérivés de verbes en *-guer* s'écrivent *-gant*. ▶ 97
*Un travail **fatigant**.* (adj.)
*Un travail **fatiguant** les yeux.* (part. présent)

– certains adjectifs dérivés de verbes en *-quer* s'écrivent *-cant*.
▶ 28
*Des gestes provo**cants**.* (adj.)
*Des gestes provo**quant** la colère.* (part. présent)

– certains adjectifs s'écrivent *-ent*. ▶ 15
*La page précéd**ente**.* (adj.)
*La page précéd**ant** le sommaire.* (part. présent)

POUR ALLER PLUS LOIN

- Certains adjectifs verbaux ont donné des noms variables.
*Les étudi**ants** en lettres passeront leur examen début juin.*

- On peut avoir le choix entre l'accord et l'invariabilité selon que l'on veut mettre en évidence l'état, la **qualité** (adjectif verbal) ou **l'action** (verbe au participe présent).
Comparez :

«*la tête **bourdonnante** de phrases essayées, biffées, recommencées*» BOILEAU-NARCEJAC	= sa tête est bourdonnante, pleine de phrases... : **adjectif verbal**
*la tête **bourdonnant** de phrases essayées, biffées, recommencées*	= sa tête bourdonne à cause des phrases... : **verbe**

EXERCICE

Donnez pour chacune des formes en -ant sa valeur : participe présent, gérondif, adjectif verbal ou nom et accordez en conséquence.

1. J'ai vu mes cousins en *sortant...* du cinéma. **2.** Lisez les exemples *suivant...* . **3.** Jeune fille allemande cherche *correspondant...* francophones *habitant...* Paris. **4.** Les *étudiant... désirant...* passer le concours devront s'inscrire avant le 1er mai. **5.** La souris, *méfiant...,* n'approcha pas la tapette. **6.** La souris, se *méfiant...,* n'approcha pas la tapette. **7.** Nous avons vu la mariée *resplendissant...* de bonheur.

17. AUCUN, AUCUNE

Sans aucun supplément

1 SINGULIER OU PLURIEL? *Aucun souci*

- *Aucun*, dans son emploi le plus courant, indique que l'on a affaire à une quantité nulle.

  *Je n'admets **aucune** exception.*
  = pas une seule exception, nulle exception.

RETENEZ

- *Aucun* est donc le plus souvent **au singulier**.
  *Le ciel était sans **aucun** nuage.*
  *De toutes ses œuvres, je n'en ai lu **aucune**.*

- Le verbe qui a pour sujet le pronom *aucun* ou un nom dont le déterminant est *aucun, aucune*, se met au singulier.
  *Aucun des élèves n'a échoué : aucun ne **redoublera**.*
  *Aucune participation des familles ne **sera** demandée.*

POUR ALLER PLUS LOIN

- Devant un nom qui ne s'emploie qu'au pluriel, le déterminant *aucun* se met au pluriel. Les différents accords se font au pluriel. L'expression garde son sens négatif de quantité nulle.
  *Cela ne vous engage à **aucuns** frais.*
  ***Aucuns** dommages et intérêts ne leur seront versés.*

- Dans l'expression *d'aucuns* (locution* pronominale signifiant « certains, plusieurs personnes »), *aucun* n'a pas de valeur négative (voir **2**) et prend obligatoirement la marque du pluriel. L'expression appartient au registre* soutenu.
  *Je sais que **d'aucuns** penseront le contraire.*
  = je sais que quelques-uns penseront le contraire.

2 AUCUN **ET NÉGATION** *Il n'abandonnera en aucun cas*

- *Aucun* a le plus souvent une valeur négative. Il s'emploie alors avec *ne* ou *sans*.
  *Ils n'ont fait **aucune** faute.*
  *Je vous le dis **sans aucune** arrière-pensée.*
  ***Aucun** n'envisage de partir.*

RETENEZ

- Dans une phrase négative, *aucun* et *ne* sont les deux éléments qui marquent la négation (▶ 125). Il est donc inutile d'employer en plus *pas* ou *point*.
  Comparez :
  > *Aucun d'entre eux **ne** s'est découragé.*
  > *Ils **ne** se sont **pas** découragés.*

  et non *Aucun d'entre eux ne s'est pas découragé.*
  Aucun d'entre eux ✕ *s'est découragé.*

POUR ALLER PLUS LOIN

- *Aucun* vient du latin *aliquem unum* «un certain». Au fil du temps, à force d'être employé avec la négation *ne*, il s'est chargé d'un sens négatif. Aujourd'hui c'est ce sens qui domine, de sorte qu'il peut marquer à lui seul la négation dans une **phrase sans verbe**.

> *Je pose la question.* **Aucune** *réponse.*
> *Combien de réponses avez-vous reçues?* – **Aucune**.

- *Aucun* s'emploie aussi dans le registre* soutenu avec le sens de «quelconque, quelqu'un».

> *Je doute qu'**aucune** personne sensée accepte ces conditions.*
> = qu'une quelconque personne sensée…
>
> *Je doute qu'**aucun** accepte ces conditions.*
> = que quelqu'un accepte ces conditions.

Dans ce sens, *aucun* n'a pas une valeur négative, mais une valeur positive. Il s'emploie sans le *ne* de la négation.

Comparez:

> *Croyez-vous qu'il **ne** reste **aucun** espoir?*
> = qu'il ne reste plus du tout d'espoir. *(négatif)*
>
> *Croyez-vous qu'il reste **aucun** espoir?*
> = qu'il reste quelque espoir, un certain espoir. *(positif)*

EXERCICE

Transformez les phrases suivantes en les mettant à la forme négative et en utilisant aucun.

1. Il a fourni de nombreux efforts ce trimestre. **2.** Il y avait encore des victuailles dans les boutiques. **3.** Ils sont tous venus. **4.** Il accepterait cela sous n'importe quel prétexte. **5.** On en a encore quelques-uns en réserve.

18. AUSSI ET NON PLUS

> *J'ai tout entendu.* – *Moi aussi*
> *Je n'ai rien vu.* – *Moi non plus*

Aussi et *non plus* servent à relier logiquement deux propositions. Ils signifient tous les deux «également, de même», mais ils ne sont pas interchangeables.

1 **AUSSI**

Je l'ai lu aussi

- On emploie *aussi* dans une proposition affirmative.

> *Avez-vous lu son dernier roman?* – *Oui, j'ai lu **aussi** son autobiographie.*

2 NON PLUS   *Je n'irai pas non plus*

- Dans une proposition négative, il faut utiliser **non plus**.
  Elle a oublié de le prévenir et elle <u>ne</u> nous a <u>pas</u> prévenus
  ***non plus**.*
  *Nous **non plus** nous n'avons rien vu.*
  *Il n'a rien mangé, il <u>n'a rien</u> bu **non plus**.*

AUSSI ET NON PLUS   *RETENEZ*

- ***Aussi*** et ***non plus*** peuvent s'employer dans des propositions sans verbe. Il faut alors s'interroger sur le sens (affirmation ou négation) pour savoir lequel des deux employer.
  Comparez :
  *Viendra-t-il ? – Oui, et moi **aussi**.*
  = et moi aussi, je viendrai.
  *Viendra-t-il ? – Non, et moi **non plus**.*
  = et moi non plus, je ne viendrai pas.
  *Ils n'ont rien perdu, j'espère que vous **non plus**.*

EXERCICE

Remplacez les pointillés par aussi *ou par* non plus *suivant le cas.*

1. Je ne les ai pas vus. – Moi … . **2.** Toi … tu pars en vacances ?
3. Il n'a rien compris … au film. **4.** Je n'aime pas les épinards, les
artichauts … . **5.** Lui … ne m'a rien dit. **6.** Lui … a oublié de me
prévenir. **7.** Il ne suffit pas d'être doué, il faut … travailler.

19. AVOIR ou ÊTRE
DANS LES TEMPS COMPOSÉS ?

Il est tombé
Il a trébuché

RAPPELS

- Les temps composés (▶ **49**) d'un verbe sont formés avec
  l'auxiliaire **avoir** ou **être** (conjugué ou non) et le participe
  passé du verbe.

		auxiliaire	part. passé
passé composé	je	**suis**	arrivé
futur antérieur	vous	**aurez**	fini
subjonctif passé	qu'il	**soit**	parti
infinitif passé...		**avoir**	bu

- L'emploi de l'auxiliaire a des conséquences sur l'accord
  du participe passé. ▶ **134**

• Pour comprendre comment se choisit l'auxiliaire, il faut savoir ce qu'est un verbe transitif, intransitif… ▸ **193**

• Ne confondez pas le passif* (qui se forme toujours avec l'auxiliaire *être* suivi du participe passé) et les temps composés de la conjugaison.
Comparez :

Je prends un rendez-vous pour mardi.
Le rendez-vous est pris pour mardi. } présent < actif / passif

1 ON EMPLOIE L'AUXILIAIRE AVOIR   *J'ai bien dormi*

• Avec la plupart des verbes, notamment :
– avec les verbes *avoir* et *être* eux-mêmes.
  avoir : *Nous **avons** eu beaucoup de chance.*
  être : *Ils **ont** été très accueillants avec nous.*

– avec TOUS les verbes transitifs (non pronominaux).
  acheter qqch. : *Ils **ont** acheté une voiture neuve.*
  devoir qqch. : *Tu **aurais** dû arriver plus tôt.*

2 ON EMPLOIE L'AUXILIAIRE ÊTRE   *Il est parti*

• Avec TOUS les verbes pronominaux. ▸ **151**
*Il s'**est** agi de notre projet au cours de la dernière réunion.*
*Ces questions, il se les **était** posées plus d'une fois.*

• Avec **quelques verbes intransitifs** qui indiquent un mouvement ou un changement d'état.

aller	mourir	venir
arriver	naître	*et* advenir
décéder	partir	intervenir
descendre	*et* repartir	parvenir
et redescendre	rester	revenir
devenir	retourner	survenir
entrer	sortir	
et rentrer	*et* ressortir	
monter	tomber	
et remonter	*et* retomber	

*Votre courrier m'**est** parvenu lundi dernier.*
*Quand il **est** né, le cinéma n'existait pas encore.*

RETENEZ

• On conjugue ces verbes intransitifs avec *être*, même s'ils sont employés dans un sens figuré.
*Ils **sont** enfin arrivés à les faire changer d'avis.*
*De toute façon cela **serait** revenu au même.*

POUR ALLER PLUS LOIN

• Les verbes intransitifs *apparaître* et *accourir* se conjuguent aujourd'hui avec *être* sans que l'emploi de *avoir* soit incorrect.
*Ils **sont** accourus dès que le bateau **est** apparu.*
ou *Ils **ont** accouru* (plus rare) *dès que le bateau **a** apparu.*

3 **ON EMPLOIE ÊTRE OU AVOIR**

Je suis monté au grenier
J'ai monté le courrier

- Certains **verbes de mouvement** se conjuguent avec *être* en emploi intransitif (voir **2**), mais ils se conjuguent avec *avoir* en emploi transitif, c'est-à-dire s'ils ont un complément d'objet*.
Comparez :

> *Nous **sommes rentrés** cette nuit.*
>   (emploi intransitif)
> *Nous **avons rentré** <u>la voiture</u> au garage.*
>   (emploi transitif)   COD

RETENEZ

- En emploi transitif, les verbes suivants se conjuguent comme **TOUS** les verbes transitifs, c'est-à-dire avec *avoir* (voir **1**).

verbe	COD	verbe	COD
descendre monter remonter	} *l'escalier* *le courrier*	retourner	*ses poches*
		entrer	*un meuble par la fenêtre*
rentrer sortir ressortir	} *la voiture*	tomber	{ *sa veste «l'enlever»* *un adversaire «le vaincre»*

- Quelques verbes qui se conjuguent normalement avec *avoir* peuvent s'employer aussi avec *être* si on veut évoquer davantage le **résultat de l'action** que l'action elle-même.
Comparez :

> *J'ai appris qu'ils **étaient** divorcés.*
>   (résultat d'action)
> *– Oui, ils **ont** divorcé le mois dernier.*
>   (action)
>
> *Il faut réparer le pneu qui **est** crevé.*
> *Le pneu **a** crevé sur l'autoroute.*

RETENEZ

- C'est souvent le cas des verbes de changement : ils peuvent exprimer le résultat du changement (avec *être*) ou le changement lui-même (avec *avoir*).

changer	disparaître	ressusciter
crever	divorcer	vieillir
croître	éclater	*etc.*
dégeler	pourrir	
diminuer	rajeunir	

- Certains verbes se conjuguent avec *être* ou avec *avoir* selon le **sens** dans lequel on les emploie.
Comparez :

> *Il **est** toujours <u>demeuré</u> fidèle à ses convictions.*
>   demeurer «rester»
> *La maison où j'**ai** <u>demeuré</u> pendant toute mon enfance.*
>   demeurer «habiter»

C'est le cas de ***convenir*** (▶ **54**) et aussi de ***passer*** (▶ **138**).

POUR ALLER PLUS LOIN

- *Paraître* s'emploie avec *avoir*. Mais quand il s'agit de livres, de publications que l'on met en vente, l'emploi des deux auxiliaires est possible, sans qu'il y ait de véritable distinction de sens entre le résultat et l'action.

> Le livre *a* <u>paru</u> la semaine dernière.
>
> ou   Le livre *est* <u>paru</u> la semaine dernière.

EXERCICE

Remplacez les pointillés par l'auxiliaire avoir *ou* être *qui convient.*

1. Il … intervenu avant que je prenne la parole. **2.** Si tu … su, tu ne … pas venu! **3.** Ce problème ne nous … pas paru très difficile. **4.** Finalement, tous ses petits voyages lui … revenus assez cher. **5.** Qu'…-il resté de toutes ces discussions? **6.** Ils … descendu une partie du Nil puis … remontés vers Le Caire par avion. **7.** Il … arrangé notre affaire et s'… occupé des moindres détails.

20. BIEN ... MIEUX

Il a bien mangé
Il a mieux mangé

L'emploi du comparatif de supériorité (▸ **40**) de **bien** présente quelques particularités.

1 QUEL COMPARATIF POUR L'ADVERBE BIEN?

Il a mieux dormi

● Quand **bien** exprime une qualité – il s'oppose à *mal* –, il a pour comparatif de supériorité **mieux**.

*Ils travaillent **mieux** depuis qu'ils ont du matériel adéquat.*

RETENEZ

● Le comparatif de **bien** ne se forme pas avec *plus* comme celui des autres adverbes. Il se présente en **un seul mot** : **mieux**.
Comparez :

Il court vite.	⟹	*Il court **plus** vite.*
J'aime bien.	⟹	*J'aime **mieux**.*
		et non *J'aime plus~~bien~~.*

● Le superlatif de supériorité (▸ **179**) est **le mieux**.
*Il a **bien** travaillé.* ⟹ *C'est lui qui a **le mieux** travaillé.*

POUR ALLER PLUS LOIN

● Quand **bien** sert à exprimer une quantité – il signifie *très, beaucoup* –, le comparatif se marque par **plus**.

*Il mangeait déjà bien, mais maintenant qu'elle lui prépare de bons petits plats, il mange encore **plus**.*

● Quand **bien** renforce seulement l'expression – on peut le supprimer sans changer le sens de la phrase –, il est impossible d'employer le comparatif.

*Nous verrons (**bien**).*
*Je savais (**bien**) qu'il était passé.*

2 QUELS TERMES PEUVENT RENFORCER MIEUX ?

C'est bien mieux ainsi

- Comme les autres comparatifs, *mieux* peut être renforcé par *bien, extrêmement...*

  *Il ferait **bien** mieux de s'occuper de ses affaires.*
  *Il n'a pas bien dormi cette nuit, **guère** mieux que la nuit dernière.*

RETENEZ

- *Mieux* n'est jamais précédé de *plus, moins* ou *aussi* car *mieux* renferme déjà *plus.*

  C'est ***mieux**.*
  et non   *C'est plus mieux.*

EXERCICE

Employez lorsque c'est possible le comparatif de supériorité de bien *dans les phrases suivantes.*

1. Il a bien répondu à la deuxième question. **2.** Tu seras bien dans ton lit. **3.** Réfléchis bien avant de répondre. **4.** J'aime bien la montagne. **5.** Oui, ce sont bien ses paroles.

21. BON ... MEILLEUR

C'est bon
C'est meilleur

L'emploi du comparatif de supériorité (▶ 40) de **bon** présente quelques particularités.

1 MEILLEUR : COMPARATIF DE L'ADJECTIF BON

C'est meilleur

- Le comparatif de l'adjectif **bon** est **meilleur**.

  *Leurs résultats sont **meilleurs** depuis qu'ils ont du matériel adéquat.*

RETENEZ

- Le comparatif de **bon** ne se forme pas avec *plus* comme celui des autres adjectifs. Il se présente **en un seul mot** : *meilleur*.

  Comparez :

C'est grand.	⇒	*C'est **plus** grand.*
C'est bon.	⇒	*C'est **meilleur**.*

  et non   *C'est plus bon.*

- Le superlatif de supériorité (▶ 179) est *le meilleur.*

  *C'est **le meilleur** pianiste que je connaisse.*

POUR ALLER PLUS LOIN

- On utilise **meilleur** même lorsque **bon** est employé dans une locution* figée.

    Bonne santé!   ⇒   **Meilleure** santé!
    Un article **bon** marché. ⇒   Un article **meilleur** marché.

- Lorsque **bon** est employé comme adverbe (▸ 6), on utilise également **meilleur** pour exprimer le comparatif de supériorité.

    Sentir **bon**. ⇒   Sentir **meilleur**.

2 QUELS TERMES PEUVENT RENFORCER MEILLEUR?   *Bien meilleur*

- Comme les autres comparatifs, **meilleur** peut être renforcé par *bien, encore...*

    Ses résultats sont **bien** meilleurs qu'il n'espérait.
    Ils seraient **encore** meilleurs s'il travaillait davantage.

RETENEZ

- **Meilleur** n'est jamais précédé de *plus, moins* ou *aussi* car **meilleur** renferme déjà *plus*.
    C'est ~~aussi meilleur~~ sans sucre.
    C'est aussi bon sans sucre.

EXERCICE

Mettez les phrases suivantes au comparatif de supériorité de bon.

1. Elle est de bonne humeur aujourd'hui. **2.** Un bon repas. **3.** Il faisait bon hier. **4.** J'espère que vous ferez bonne route. **5.** Ce remède contre la fatigue est bon. **6.** Il est arrivé de bonne heure. **7.** Il fait bon vivre ici. **8.** De bon goût.

22. BOUILLIR :
QUELLE CONJUGAISON ?

L'eau bout à 100 °C
Ils bouillent d'impatience

- Le verbe **bouillir** [bujiʀ] garde le radical *bouill-* et le son [j] de l'infinitif dans **toute** sa conjugaison, **sauf** au singulier du présent de l'indicatif et de l'impératif où il est formé sur le radical *bou-*. Il a les terminaisons des verbes du 3e groupe. ▸ 48

Comparez :

    je **bous** – tu **bous** – il **bout** – **bous**
    nous **bouill**ons – je **bouill**ais – **bouill**ez...
    Quand le lait **bout**, il déborde.
    N'attendez pas que le lait **bouille**.

• Au participe passé, au passé simple, au futur et au conditionnel, on garde la voyelle *i* dans la terminaison.
*Le café **bouilli** n'est plus bon à boire.*
*Aussitôt que les crustacés **bouillirent**, elle interrompit la cuisson.*

EXERCICE

Mettez bouillir *à la forme qui convient.*

1. Je ... *(présent)* quand je pense à tout ce gaspillage. **2.** Comment tenir tous ces enfants qui ... *(présent)* d'impatience? **3.** Si j'étais à sa place, je ... *(conditionnel)* de colère. **4.** Il faut que le lait ... *(subjonctif)* pour qu'il soit stérilisé. **5.** Quand l'eau ... *(présent)*, versez le riz. **6.** Quand l'eau ... *(futur)*, vous verserez le riz.

23. LE BUT : COMMENT L'EXPRIMER?

*Manger pour vivre
ou vivre pour manger?*

• Le but exprime ce que l'on se propose d'atteindre, ce que l'on cherche à réaliser. Les principaux termes servant à introduire l'idée de but sont :

| pour | afin (de, que) |
| en vue de | dans le but de |

• Ces termes peuvent introduire divers types de compléments de but : un nom, un infinitif ou une subordonnée dont le verbe est **toujours** au subjonctif.

	+ nom	+ infinitif	+ subjonctif
POUR	Les démarches à faire **pour** l'obtention d'un prêt.	Un produit **pour** nettoyer. Il travaille **pour** réussir.	Il a fait abattre la cloison **pour** que la pièce soit plus grande.
AFIN (registre soutenu)		**Afin de** répondre à votre demande.	**Afin que** tous le sachent.
EN VUE DE	Une nouvelle rencontre **en vue d'**un accord.	Ils ont négocié **en vue d'**obtenir davantage de subventions.	
DANS LE BUT DE		Nous avons créé ce journal **dans le but d'**améliorer les échanges.	

RETENEZ

- **À la forme négative**, respectez la place de *ne... pas* :
- *ne... pas* encadre le verbe de la subordonnée au subjonctif.
  *Il parle à voix basse pour qu'on **ne** l'entende **pas**.*
  Il parle à voix basse pour ne̶ ̶pas qu'on l'entende.
- *ne pas* précède l'infinitif.
  *Il parle à voix basse pour **ne pas** vous déranger.*

Sachez qu'on peut toujours remplacer ***pour... ne... pas...*** par
de crainte de**, **de peur de (+ inf.) et ***de crainte que**, **de peur
que*** (+ subj.).
  *Il parle à voix basse **de peur d'**être entendu.*
  *Il parle à voix basse **de crainte qu'**on ne l'entende.*
Pour l'emploi de ***ne*** dans la subordonnée : ▶ **123**

- Pour l'emploi de l'infinitif ou du subjonctif : ▶ **176-2**

POUR ALLER PLUS LOIN

- ***Dans l'intention de*** et ***dans le dessein de*** (registre* soutenu)
s'emploient dans les mêmes conditions que ***dans le but de*** (+ inf.).
  *Il était passé **dans l'intention de** vous remettre le document.*

- Après un impératif, on peut employer ***que*** seul : il a le même
sens que ***pour que***. La tournure appartient au registre* soutenu.
  *Parle plus fort **qu'**on t'entende.*
  *Ôte-toi de là **que** je m'y mette.*

- Dans le registre* familier, ***histoire de*** marque le but.
  « *On n'aurait retenu que cet épisode-là, **histoire de** river son
  clou au vieil enfant génial, aux espaces infinis et au silence
  éternel.* » J. ROUAUD

- Les locutions* ***de façon à ce que**, **de manière à ce que***
expriment **toujours** le but et sont **toujours** suivies du subjonctif.

- ***De façon, de manière*** et ***de sorte*** qui servent plutôt à la conséquence (avec l'indicatif ▶ **50**) s'emploient aussi pour exprimer le
but :
- avec l'infinitif.
  Il se place   ***de façon à** être vu.*
           ***de manière à** être vu.*
- avec le subjonctif.
  Il se place   ***de façon qu'**on le voie.*
           ***de manière qu'**on le voie.*
           ***de sorte qu'**on le voie.*

EXERCICE

Reliez chacune des deux propositions en exprimant le but.
EXEMPLE : *J'ouvre la fenêtre. Vous entendrez les oiseaux chanter.*
⇒ *J'ouvre la fenêtre pour que vous entendiez les oiseaux chanter.*
1. Travaillez. Vous obtiendrez de meilleurs résultats. **2.** Il viendra.
Tu ne seras pas seule. **3.** Il s'appuie contre le mur. Il ne tombe pas.

24. C OU Ç?
LA CÉDILLE

Le maçon
La ville de Mâcon

La cédille est un signe typographique qui renseigne sur la prononciation du *c*. Il faut l'utiliser à bon escient.

1 **C PRONONCÉ [s] DEVANT A, O OU U :**
TOUJOURS Ç

Le maçon

- Pour indiquer que *c* se prononce [s] devant *a, o, u*, il faut l'écrire avec une cédille.

Comparez :

mercantile [mɛʀkɑ̃til]	*Mâcon* [makɔ̃]	*écu* [eky]
commerçant [komɛʀsɑ̃]	*maçon* [masɔ̃]	*déçu* [desy]

- Quand *ç* est majuscule, il garde sa cédille.
  Ça devait arriver.

2 **C DEVANT E, I :**
JAMAIS DE CÉDILLE

Ici
Nous forcions

- *c* devant *e* et *i* se prononce toujours [s] : la cédille n'a donc **jamais** besoin d'être utilisée.

  ici – faisceau – percer...

RETENEZ

- Pensez à appliquer ces règles dans la conjugaison des verbes.

c/ç	[s]	c/ç	[s]
percer	[pɛʀse]	*percevoir*	[pɛʀsəvwaʀ]
nous perçons	[pɛʀsɔ̃]	*je perçois*	[pɛʀswa]
nous percions	[pɛʀsjɔ̃]	*je percevais*	[pɛʀsəvɛ]
il perçait	[pɛʀsɛ]	*perçu*	[pɛʀsy]

- On ne met pas de cédille non plus devant œ ou æ, dans les mots savants :

cœlioscopie	[seljɔskɔpi]	«examen médical»
cæcum	[sekɔm]	«partie de l'intestin»

- *Douceâtre* est encore écrit comme au XVIᵉ siècle avant l'usage de la cédille. La graphie *douçâtre* tend à se généraliser.

EXERCICE

Notez les cédilles qui manquent en lisant les phrases à voix haute.

1. Ca n'a pas été si facile. **2.** Ils commencaient juste à boire leur citronnade. **3.** Ceci fut concu d'une curieuse facon. **4.** Efforcons-nous de poursuivre cette ascension. **5.** Elle a remercié les invités pour les cadeaux de fiancailles qu'elle a recus. **6.** Que c'est agacant d'être coincé ici ! **7.** Si vous êtes comme ca, si vous êtes comme ci. **8.** Le macon de Mâcon était un commercant mercantile.

25. -C OU -QUE EN FIN DE MOT?

*La bique loufoque
et son pébroc*

Les mots terminés par le son [k] s'écrivent **-que** ou **-c**.

1 LA FINALE EST -QUE   *Dynamique*

- **Dans tous les noms féminins**
  une *flaque* – une *pastèque* – une *bique* – une *toque* – la *nuque* – une *tactique*...
  sauf : *aérobic* (emprunt à l'américain) et *fac* (troncation* de faculté).

- **Dans tous les adjectifs**
  démoniaque – *intrinsèque* – *véridique* – *loufoque* – *rauque*...
  La plupart des adjectifs sont formés avec les suffixes* **-ique, -atique, -iaque**.

RETENEZ

- Six adjectifs s'écrivent au masculin avec un **c** :
  ammoniac   caduc   grec
  public   turc   sec
  *Le gaz **ammoniac** est facilement liquéfiable.*
  *Tous les règlements devenaient ainsi **caducs**.*
  – *Ammoniac, public, caduc* et *turc* ont un féminin en **-que**.
  – *Grec* s'écrit **-cqu-** au féminin.
  *Les populations **grecques** et **turques** de Chypre.*
  – *Sec* a pour féminin *sèche*.
  – Faites bien la différence entre :
  *le gaz **ammoniac*** (adjectif)
  *l'**ammoniaque*** (nom féminin) «solution de gaz ammoniac»

C

2 LA FINALE EST -C

Trafic

- **Dans la plupart des noms masculins**
  un bac – un soc – le trafic – le public – le plastic «explosif» –
  un diagnostic – un pronostic...

RETENEZ

- On écrit avec **-que** :
- quelques noms.

un chè**que**	un dis**que**	un pi**que**-ni**que**
un cir**que**	le lexi**que**	un porti**que**
un colchi**que**	un monar**que**	un zodia**que**...
un collo**que**	un pho**que**	

- les noms qui viennent des verbes en **-quer**.
  *un cal**que** – un ris**que** – un man**que**...*
- les noms correspondant à des adjectifs.
  *le plas**ti**que* (*la matière plastique*)
  *un grap**hi**que* (*une représentation graphique*)

POUR ALLER PLUS LOIN

- Beaucoup de ces noms masculins sont des emprunts. ▶ 83
  *un hamac – un échec – un fennec – un alambic –
  un loustic – le manioc...*

- **Dans les noms et adjectifs de la langue familière**
  un plouc – un micmac – un flic – un pébroc – mastoc...
Un certain nombre d'entre eux sont des troncations* : ils ont été
formés en réduisant le mot à la ou les premières syllabes.
  la fac – un réac – impec
  et *un mac* (pour *maquereau*)...

- **Dans les onomatopées**
  flac, clic, tic (et aussi nom masc.), *toc* (et aussi nom masc.)...
  *Le **tic-tac** du réveil m'empêche de dormir.*

-C OU -QUE ?   POUR ALLER PLUS LOIN

- L'adjectif *laïque* s'écrit aujourd'hui **-que** au masculin
comme au féminin.
  *l'enseignement **laïque** – l'école **laïque***
Pour le nom masculin, on écrit : *un laïc* ou *un laïque*.

EXERCICE

Complétez la grille.

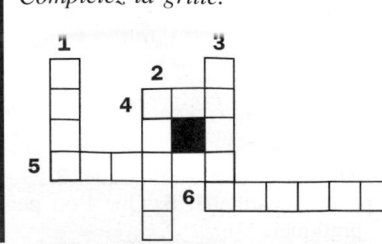

1. Remontant pour roue crevée.
2. Ennemie du chien.
3. Cuisant quand il est mat.
4. Habitude.
5. À éviter s'il est en bois ou en blanc.
6. Plage abritée.

26. C OU QU DEVANT -ABLE ?

*Critiquable
Impraticable*

Dans les adjectifs en *-able*, il y a parfois hésitation entre *c* et *qu* pour transcrire le son [k], surtout si l'adjectif est dérivé d'un verbe en *-quer*.

1 L'ADJECTIF EST DÉRIVÉ D'UN VERBE EN -QUER

*Expliquer/explicable
Critiquer/critiquable*

- L'adjectif s'écrit *-cable* s'il existe un nom correspondant en *-cation*.

expli**quer**	⇒	expli**cation**	⇒	expli**cable**
révo**quer**	⇒	révo**cation**	⇒	révo**cable**

- L'adjectif s'écrit *-quable* s'il n'existe pas de nom correspondant en *-cation*.

criti**quer**	⇒	criti**quable**
remar**quer**	⇒	remar**quable**

RETENEZ

- *Hypothé**cable*** et *prati**cable*** s'écrivent avec un *c* bien qu'il n'existe pas de nom correspondant en *-cation*.

- Le contraire en *in-* (ou *il-*, *im-*, *ir-*) garde la même finale que l'adjectif sur lequel il est formé.

expli**cable**	⇒	inexpli**cable**
prati**cable**	⇒	imprati**cable**

2 L'ADJECTIF N'EST PAS DÉRIVÉ D'UN VERBE EN -QUER

Inextricable

- L'adjectif s'écrit *-cable*.
  impec**cable**
  inextri**cable**
  sé**cable** (pensez à *sécateur*)

-C OU -QU ... -ABLE ?   *POUR ALLER PLUS LOIN*

- On applique cette même règle pour les adjectifs et noms en *-cant* ou *-quant*. ▶ 28

EXERCICE

Trouvez les adjectifs en -cable *ou* -quable *qui répondent aux définitions suivantes.*

1. Que l'on ne peut révoquer. **2.** Qui mérite d'être remarqué. **3.** Que l'on peut confisquer. **4.** Qui ne peut être attaqué. **5.** Que l'on peut couper. **6.** Que l'on ne peut pas pratiquer.

27. C OU QU
DEVANT -AGE?

Blocage
Braquage

Dans les noms en *-age*, il y a parfois hésitation entre *c* et *qu* pour transcrire le son [k], surtout si le nom est dérivé d'un verbe en *-quer*.

1 LE NOM EST DÉRIVÉ D'UN VERBE EN -QUER

Bloquer/blocage
Braquer/braquage

● Le dérivé s'écrit *-cage* s'il existe un nom correspondant qui se termine par *c*.

tru**quer**	⇒	truc	⇒	tru**cage**
blo**quer**	⇒	bloc	⇒	blo**cage**
plasti**quer**	⇒	plastic	⇒	plasti**cage**

● Le dérivé s'écrit *-quage* s'il n'existe aucun nom correspondant se terminant par *c*.

remor**quer**	⇒	remor**quage**
bra**quer**	⇒	bra**quage**
mar**quer**	⇒	mar**quage**

RETENEZ

● Il existe deux dérivés du verbe ***plaquer*** :
placage : «revêtement fait dans une autre matière».
plaquage : «action de plaquer un adversaire au sol» (au rugby).

● On écrit *piquage* bien qu'il existe un nom en *c* : *pic*.

POUR ALLER PLUS LOIN
● On trouve aussi dans certains dictionnaires les graphies *truquage* et *plastiquage*.

2 DANS LES AUTRES CAS

Marécage

● Les autres noms qui se prononcent [kaʒ] s'écrivent *-cage*.
bocage – *saccage* – *marécage*...

POUR ALLER PLUS LOIN
● *Stockage* est formé sur *stock* (emprunt à l'anglais).

EXERCICE

Utilisez les noms dérivés en -age pour transformer les groupes verbaux en groupes nominaux suivant le modèle.
EXEMPLE : *Astiquer la maison.* ⇒ *L'astiquage de la maison.*
1. Se claquer un muscle. **2.** Truquer un film. **3.** Démarquer des articles que l'on solde. **4.** Décalquer un dessin. **5.** Débloquer une serrure.

28. C OU QU
DEVANT -ANT?

Provocant
Provoquant

Dans les mots en **-ant**, il y a parfois hésitation entre **c** et **qu** pour transcrire le son [k]. Il faut tout d'abord voir si le mot en **-ant** est un adjectif ou un nom dérivé d'un verbe, ou s'il s'agit du verbe même au participe présent. Pour distinguer ces catégories : ▶ 16.

1 **ADJECTIFS ET NOMS :**
-CANT OU -QUANT ?

Un air provocant
Une sauce piquante

● Les adjectifs et noms dérivés de verbes s'écrivent **-cant** s'il existe un nom correspondant en *-cation*.

provo**quer** ⇒ provo**cation** ⇒ provo**cant(e)** (adj.)
fabri**quer** ⇒ fabri**cation** ⇒ un fabri**cant** (nom)
*Ils aménageront d'abord ces deux chambres **communicantes**.*
*Je cherche un **fabricant** de meubles sur mesure.*

● Les dérivés s'écrivent **-quant** s'il n'existe pas de nom correspondant en *-cation*.

pi**quer** ⇒ pi**quant(e)** (adj.)
mar**quer** ⇒ mar**quant(e)** (adj.)
trafi**quer** ⇒ un trafi**quant** (nom)
*Comment peut-il tenir des propos aussi **choquants** ?*

RETENEZ

● L'adjectif dérivé de *convaincre* s'écrit avec **-cant**, bien qu'il n'existe pas de nom correspondant en *-cation*.
*Tous ces exemples sont très **convaincants**.*

POUR ALLER PLUS LOIN
● On observe la même règle pour les adjectifs en **-able** dérivés de verbes en *-quer*. ▶ 26

● Le nom *délinquant* est dérivé d'un ancien verbe *délinquer* «commettre un délit», aujourd'hui disparu.

2 **PARTICIPE PRÉSENT :**
TOUJOURS -QUANT

Provoquant qqch.
Évoquant qqch.

● Les verbes en *-quer* gardent leur radical en **-qu-** dans toute la conjugaison, y compris au participe présent.
*Vous nous tiendrez informés en nous **communiquant** tous les documents **évoquant** cette période.*
*Je cherche un artisan **fabriquant** des meubles sur mesure.*

RETENEZ

● Tout comme les verbes en *-quer*, *convaincre* s'écrit avec **-qu-** au participe présent.
*En le **convainquant**, vous nous avez rendu un grand service.*

EXERCICE

Remplacez les pointillés par la terminaison adéquate.

1. Qui ne connaît le principe des vases communi…? **2.** Le gouvernement désire mener une lutte acharnée contre les trafi… de drogue. **3.** Il était chez lui, va… à ses occupations habituelles. **4.** Elle a postulé pour le poste va… . **5.** Cette odeur suffo… faisait fuir tout le monde. **6.** L'auteur fait du lecteur son allié, le convain… du bien-fondé de sa théorie. **7.** Il est catholique mais non prati… .

29. LA CAUSE:
COMMENT L'EXPRIMER?

Pourquoi…? Parce que

1 QU'EST-CE QUE LA CAUSE?

• La cause est la raison pour laquelle se produit un évènement, un fait. Elle répond à la question *pourquoi?* ou *d'où vient (le fait) que?* Il ne faut pas la confondre avec la conséquence qui, elle, exprime le résultat d'une action. ▶ 50

> *Elle ne sortira pas car elle a encore du travail.*
>   fait   **cause** (pourquoi ne sortira-t-elle pas?)
> *Je ne la verrai donc pas avant demain.*
>   **conséquence**

• La relation logique entre la cause et le fait peut s'exprimer de différentes façons (voir ci-après). Elle peut aussi être simplement marquée par la ponctuation.

> *L'électricité est coupée : il y a eu de l'orage.*
>   cause

2 LA CAUSE DANS UN COMPLÉMENT CIRCONSTANCIEL

À cause du gel

• Le nom (ou groupe nominal) complément de cause peut être introduit par une préposition ou locution* prépositive :

à cause de	faute de	à la suite de
pour cause de	par la faute de	en vertu de
eu égard à	grâce à	étant donné
sous l'effet de	en raison de	vu
du fait de	par suite de	de par…

> *Nous avons dû interrompre notre émission **à la suite d'**un incident technique indépendant de notre volonté.*
> *Le magasin sera fermé **pour cause d'**inventaire.*
> *La neige fond **sous l'effet de** la chaleur.*
> ***De par** ses convictions, il a refusé de signer la pétition.*

RETENEZ

> • Les tournures verbales *étant donné*, *vu* sont aujourd'hui le plus souvent **invariables** car elles jouent le rôle d'une préposition. ▶ 134-5
>
> *Étant **donné** ses efforts, nous pouvons le féliciter.*
>
> • *À **cause de*** ne peut pas s'employer si le résultat est heureux. Il faut dans ce cas employer **grâce à**.
>
> **Grâce à** *ses nombreuses expériences, il a rapidement trouvé un emploi.*
>
> • ***Rapport à*** appartient au registre* familier ou populaire. On veillera à ne l'employer que si le contexte s'y prête. ▶ 166
>
> *« D'abord ce fut la rigolade, **rapport à** sa cuite, puis voilà qu'il sort un flingue. »* M. CHAREF

POUR ALLER PLUS LOIN

• *Par*, *de*, *pour* introduisent des compléments de cause de façon moins apparente.

*Il a jeté un coup d'œil à ce livre **par** curiosité.*
(pourquoi a-t-il jeté un coup d'œil ?)

*Il tombe **de sommeil**.*
(à cause de quoi tombe-t-il ?)

*Elle a été récompensée **pour** son travail.*
(pourquoi, pour quelle raison a-t-elle été récompensée ?)
  (à ne pas confondre avec le but : ▶ 23)

3 **LA CAUSE DANS UNE PROPOSITION SUBORDONNÉE**   *Parce qu'il a gelé*

• Le fait est exprimé dans la proposition principale et la cause dans une subordonnée circonstancielle qui dépend du verbe de la principale.

Comme *vous n'étiez pas là, il est parti.*
SUB. de cause   PRINC. (fait)

*Elle a du mal à choisir **du fait que** tout l'intéresse.*
PRINC. (fait)   SUB. de cause

• Les principales conjonctions et locutions* conjonctives introduisant une proposition circonstancielle de cause sont :

comme	étant donné que
puisque	sous prétexte que
parce que	vu que
attendu que	soit que..., soit que... (+ *subj.*)
du fait que	non (pas) que (+ *subj.*)...

• Des groupes dont le noyau est un participe présent ou passé peuvent avoir la valeur d'une subordonnée de cause.

Étant *très sensible, il fut ému par ce geste.*
= comme il est très sensible...

*Les négociations **terminées**, les deux parties signent l'accord.*
= puisque les négociations sont terminées...

RETENEZ

• Il est inutile – mais pas incorrect – d'employer ***parce que*** devant ***sinon***, la notion de cause apparaissant clairement.

*Je pars maintenant **sinon** je serai en retard.*

= parce que si je ne pars pas maintenant, je serai en retard.

POUR ALLER PLUS LOIN

• On peut mettre en valeur une cause en utilisant les tournures contenant le présentatif* ***c'est*** :

*S'il n'est pas venu, **c'est qu**'il avait autre chose à faire.*
    fait   cause

***C'est parce qu**'il a autre chose à faire qu'il ne vient pas.*
             cause   fait

• ***Sous prétexte que*** permet de donner une cause avancée par quelqu'un et éventuellement d'en contester la validité.

*Jean a démissionné **sous prétexte qu**'on ne le payait pas assez.*
c'est Jean qui prétend qu'on ne le paie pas assez.

• ***Non (pas) que... mais*** sert à rejeter une cause pour en avancer une autre.

*Il se trompe souvent, **non qu**'il soit bête, **mais** il est étourdi.*
la cause de ses erreurs n'est pas la bêtise, mais l'étourderie.

• ***Puisque*** souligne le caractère incontestable de la relation logique entre la cause et le fait : celui qui parle sous-entend que la relation de cause est évidente pour son interlocuteur.
Comparez :

*Il n'est pas venu **parce que** tu le lui as interdit.*
*Il n'est pas venu **puisque** tu le lui as interdit.*

4 **LA CAUSE DANS UNE PROPOSITION COORDONNÉE**   *Car il a gelé*

• Le fait est exprimé dans la première proposition et sa cause dans la seconde. La relation de cause à effet est marquée par ***car*** ou ***en effet*** :

*J'ai bon espoir **car** j'ai pu enfin le rencontrer.*
  PROP. 1 (fait)   PROP. 2 (cause)

*J'ai bon espoir. **En effet**, j'ai pu enfin le rencontrer.*
  PROP. 1 (fait)   PROP. 2 (cause)

RETENEZ

• ***Car*** et ***en effet*** ont le même sens. Utilisez l'un ou l'autre, mais non les deux ensemble.

• Si on a besoin de donner une deuxième cause, on ne répète pas ***car*** ; on utilise ***et*** ou ***ou*** (sans *que*).

*Ils se sentent bafoués **car** leurs demandes ne sont pas entendues **et** on ne leur accorde aucun droit.*

et non   ...car leurs demandes ne sont pas entendues et qu'on ne leur accorde aucun droit.

5 LA CAUSE LIÉE AU SENS DU VERBE

Le gel a causé des dégâts

• La cause peut être exprimée par :

– le sujet de verbes tels que ***causer, susciter, provoquer, impliquer, entraîner, faire*** (+ inf.)… ou d'expressions synonymes telles que ***être la cause de, avoir pour cause, pour origine, être à l'origine de***…

La chaleur **a fait fondre** *la neige.*
Son intervention **a suscité** *un fou rire général.*

– le complément de verbes tels que ***venir de, découler de, résulter de, se déduire de, émaner de, procéder de, dériver de, être dû à***…

Ses erreurs **sont** *simplement* **dues à** *l'étourderie.*
Ses erreurs **viennent** *simplement* **de** *son étourderie.*

EXERCICE

Reliez les phrases entre elles pour en obtenir une seule. Utilisez à chaque fois une tournure différente pour exprimer la cause (complément circonstanciel, proposition subordonnée, proposition coordonnée, verbe…).

1. Je viendrai un peu plus tard. J'ai encore beaucoup de choses à faire. **2.** Il n'y avait plus de combattants. Le combat cessa. **3.** Le pouvoir d'achat a diminué. Les salaires n'ont pas augmenté. **4.** Vous pouvez compter sur notre soutien. Nous avons confiance dans votre projet. **5.** Elle a ri. Il a fait une grimace.

30. C'EST OU CE SONT?

présents what follows.

C'est une bonne chose
Ce ne sont pas des choses à faire

Le présentatif* ***c'est*** est une tournure impersonnelle* où le pronom *c'* (*ce*) est le sujet* apparent et le mot (ou groupe de mots) introduit est le sujet réel. ▸ **191-1**

Qui est là ? – *C'est* *encore* *Pierre et moi.*
          SUJ. apparent   SUJ. réel

1 QUEL ACCORD?

• *Être* s'accorde le plus souvent avec le sujet apparent *c'* : *c'est* reste à la 3e personne du singulier.

Comparez :

C'est moi qui les ai aidés dans leur démarche.
C'est nous qui les avons aidés dans leur démarche.
C'est vous qui les avez aidés dans leur démarche.

- Mais *c'est* se met à la 3ᵉ personne du pluriel (*ce sont, c'étaient...*) si le sujet réel est un nom ou un groupe nominal de la 3ᵉ personne du pluriel.
> *Ce ne sont pas des choses à faire.*
> et non *C'est pas des choses à faire.*
> *C'étaient les deux seuls jours où nous étions absents.*
> *Il voulait que ce soient les enfants qui en bénéficient.*

POUR ALLER PLUS LOIN

- On a le choix entre *c'est* ou *ce sont* :
– avec les pronoms *eux* ou *ceux.*
> *« Ceux qui vivent, ce sont ceux qui luttent. »* V. HUGO
> *« Ce n'est pas eux que je combats. »* A. DE SAINT-EXUPÉRY

– avec une énumération.
> *Parmi les sports qu'il a pratiqués, c'est (ou ce sont) la natation, le tennis et les arts martiaux qu'il préfère.*

– si *ce* ou *c'* reprend un nom ou un pronom au singulier mentionné précédemment.
> *Tout ce blablabla, ce sont autant de faux prétextes pour refuser.*
> *« Pas besoin de gril, l'enfer c'est les Autres. »* J.-P. SARTRE

- En ancien français, *c'est moi* se disait *ce sui je* : on accordait *être* avec le sujet réel *je*. Aujourd'hui, l'expression s'est figée à la 3ᵉ personne (*c'est moi*). On remarque aussi une certaine tendance à laisser l'expression au présent.
> *Et qui devra payer ? C'est moi !* (pour *ce sera moi*)
L'expression finira sans doute par se figer complètement et les correcteurs ne condamneront plus *c'est* avec un sujet réel au pluriel (*ce n'est pas des choses à faire*).

2 **QUELQUES EXPRESSIONS**

- Retenez ces quelques locutions* figées où *être* ne varie ni en temps ni en nombre.

si *ce n'est* « sauf »	*n'est-ce pas*	*fût-ce* « même »
si *ce n'était* « s'il n'y avait pas »	*est-ce que... ?*	*serait-ce*
n'était-ce	*est-ce... ?*	*c'est-à-dire*

> *Il n'y a pas de fautes, si ce n'est quelques erreurs d'étourderie.*
> *Est-ce les véritables raisons de son absence ?*
> *Si ce n'était la crainte de rester sans travail, il démissionnerait.*
> *Passez le voir, ne serait-ce qu'un bref instant.*

EXERCICE

Remplacez les pointillés par c'est *ou* ce sont.

1. Toutes ces veillées au coin du feu, ... de bons souvenirs. **2.** ... vous qui le dites. **3.** Il ne faut pas vraiment chercher à comprendre ; ... tout simplement les habitudes de la maison. **4.** ... nous qui avons pensé à tout. **5.** Quelles sont les matières au plus fort coefficient ? ... le français et les mathématiques.

31. CELUI, CELLE…:
QUELS COMPLÉMENTS?

Ceux qui sont parvenus à la gloire
Ceux parvenus à la gloire

• Le pronom démonstratif **celui** se construit avec une proposition relative* ou un groupe nominal introduit par la préposition *de*.

*Merci à **ceux qui** nous ont répondu.*
          PROP. RELATIVE

*Tu prends le train de 11 heures? – Non, **celui de** midi.*
                                              GN

• Pour alléger son style, on peut faire l'économie de la relative; on utilise alors **celui** complété par:
– un participe ou un adjectif (s'ils ont eux-mêmes un complément)
– un groupe nominal introduit par une autre préposition que *de*.
Comparez:

	celui + compléments divers	**celui** + relative
avec un part. ou un adjectif **complétés**	*«**ceux** me **semblant** dignes d'entrer dans le saint des saints du veau d'or»* J.-L. BENOZIGLIO	= ceux qui me **semblent** dignes
avec une autre prép.	*«Mais, […] commence l'autre dame. **Celle en** deuil l'interrompt.»* A. GIDE	= **celle qui est** en deuil

Ces constructions sont parfois condamnées par des correcteurs qui n'admettent **celui** qu'avec une relative ou un complément introduit par *de*.

RETENEZ

• Il n'est pas possible d'employer **celui** avec un participe ou un adjectif **s'ils n'ont pas de complément**.
Les auteurs classiques et ceux modernes.
Il faut alors utiliser l'article défini ou répéter le nom.
Les auteurs classiques et les modernes.
ou *Les auteurs classiques et les auteurs modernes.*

POUR ALLER PLUS LOIN

• L'emploi de **celui** permet d'éviter des ambiguïtés dans les comparaisons. ▶ 40

EXERCICE

Complétez les phrases suivantes par le pronom démonstratif lorsque c'est possible. Utilisez dans les autres cas une autre tournure.

1. Tous … ayant passé avec succès les premières épreuves ont été convoqués pour les épreuves suivantes. **2.** Lesquelles de ces chaussures préfères-tu? … en cuir ou … en daim? **3.** Les élections législatives et … municipales. **4.** Les idées choquantes et … admises.

32. CENSÉ ou SENSÉ?

*Que sont censées savoir
les personnes sensées?*

Il ne faut pas confondre ces deux adjectifs homonymes* qui ont des sens bien distincts.

1 CENSÉ: «SUPPOSÉ»   *Il est censé être là*

• *Censé* signifie «qui est supposé, présumé». Il s'emploie généralement à propos de personnes, mais peut s'appliquer aussi à des choses. Il a **toujours** un complément, le plus souvent un infinitif.

*Nul n'est **censé** ignorer la loi.*
= nul n'est supposé ignorer la loi.
*Ce remède **censé** agir rapidement n'est pas très efficace.*

On le trouve le plus souvent en fonction d'attribut* employé avec le verbe *être*.

*N'es-tu pas **censé** travailler cet après-midi?*
*Elles **étaient censées** rendre toutes leurs affaires la semaine dernière.*

RETENEZ

• *Censé* vient d'un ancien verbe *censer* qui signifiait «censurer, réformer». Il appartient à la même famille que *censeur*, *censure*: pensez bien au *c* initial.

2 SENSÉ: «RAISONNABLE»   *Une idée sensée*

• *Sensé* signifie «qui a du bon sens, qui est raisonnable». Il s'emploie à propos de personnes ou de choses. On le trouve en fonction d'épithète* ou d'attribut*.

*On peut se fier au jugement de cette **personne** sensée.*
= au jugement de cette personne raisonnable.
*Ses **remarques** étaient tout à fait **sensées**.*

RETENEZ

• *Sensé* est de la même famille que *sens*: pensez bien au *s* initial. Pensez également à son contraire *insensé* qui s'écrit aussi avec un *s*.
    *Ce que vous dites me semble **sensé**.*
⇒ *Ce que vous dites me semble **insensé**.*

EXERCICE

Remplacez dans les phrases suivantes les pointillés par sensé *ou* censé *selon le sens.*

1. Jean arrivera demain alors qu'il était … arriver après-demain. **2.** Ce projet n'est pas …, nous ne pouvons pas l'accepter. **3.** Une personne … ne peut croire de telles histoires. **4.** Que fais-tu ici? N'étais-tu pas … rentrer après tes cours?

33. CENT : AVEC OU SANS S ?

Deux cents francs
Deux cent trente francs

Contrairement aux autres numéraux cardinaux qui sont invariables (▶ 127), *cent* prend parfois un *s*, marque du pluriel.

1 CENT PREND UN S   *Onze cents francs*

- Quand il est multiplié et qu'il n'est suivi d'aucun autre déterminant numéral.

    *Un livre de deux **cents** pages.*   (= 2 × 100)
    *Trois **cents** millions de francs.*
    (le numéral *million* est un nom et non un déterminant.)

POUR ALLER PLUS LOIN

- *Cent* prend également un *s* :

– quand il est «multiplié» par un indéfini.

    *Pour les quelques **cents** francs que cela va me coûter!*
    = pour les trois, quatre ou cinq cents francs que cela va me coûter.

– quand il est pris comme nom.

    *Cela m'a coûté des mille et des **cents**.*

2 CENT NE PREND JAMAIS DE S   *Mille cent francs*

- S'il n'est pas multiplié.

    *La poste est à un peu plus de **cent** mètres d'ici.*
    *Cela m'a coûté deux mille **cent** francs.*   (= 2 000 + 100)

- S'il est suivi d'un autre déterminant numéral.

    *Un livre de trois **cent** cinquante pages.*

- S'il a une valeur ordinale (numéro de page, année…). ▶ 127

    *Vous trouverez la réponse à la page deux **cent**.*
    *Cette gravure date des années dix-neuf **cent**.*

CENT   **POUR ALLER PLUS LOIN**

- Il n'y a jamais de trait d'union avant ou après *cent*. ▶ 187

- *Cent* multiplié peut s'employer à la place de *mille* : on dit indifféremment *quinze **cents*** ou *mille cinq **cents***. ▶ 116

EXERCICE

Mettez cent *au pluriel s'il y a lieu et justifiez votre réponse.*

1. Ils font un plein d'essence tous les *cent* kilomètres. **2.** Cela pèse plus de cinq *cent* kilos. **3.** Il a tiré le numéro trois *cent*. **4.** Ils ont vendu près de trois *cent* numéros. **5.** Nous consacrerons les *cent* dernières pages à un index détaillé. **6.** Nous en sommes à la page deux *cent*. **7.** L'ouvrage a été tiré à trois *cent* mille exemplaires.

34. CESSION ou SESSION?

La cession d'un droit
Les sessions d'un tribunal

Ces deux noms homonymes* ont des sens bien distincts.

1 **CESSION : «DON»** *Cession de biens*

● **Une cession**, c'est l'acte par lequel on donne, on abandonne un bien, un droit, etc. à quelqu'un. Ce terme appartient au vocabulaire des juristes.
   *La **cession** de ses biens au profit d'une œuvre de bienfaisance.*
   ***Cession** de bail.*
Il a pour synonymes *abandon, donation, transmission.*

RETENEZ

● ***Cession*** est de la même famille que le verbe *céder* : pensez au *c* initial.
   *La **cession** d'un droit.* (= céder un droit)

● Ne le confondez pas avec ***cessation***, qui signifie «fin, arrêt».
   *La **cessation** des hostilités s'est traduite par la signature de l'armistice.*

2 **SESSION : «SÉANCE»** *Session parlementaire*

● **Une session**, c'est la période pendant laquelle une assemblée se réunit pour délibérer. Il peut s'agir de magistrats (tribunal), de parlementaires, d'un jury pour un examen…
   *Le Parlement s'est réuni au cours d'une **session** extraordinaire.*
Il peut avoir pour synonymes *séance, audience.*

● ***Session*** désigne aussi une période pendant laquelle plusieurs personnes se réunissent pour débattre d'un même sujet. Il a alors pour synonymes *séminaire, congrès, symposium…*
   *Les savants nous ont fait part de leur découverte à l'issue de leur dernière **session**.*

RETENEZ

● ***Session*** a les mêmes origines que les mots *séance, assise, siéger* (verbe latin *sidere* «s'asseoir») : pensez au *s* initial.

EXERCICE

Remplacez les pointillés par session *ou* cession *selon le cas.*

1. Deux stages vous seront proposés au cours de l'année. Inscrivez-vous à la … de votre choix. **2.** Elle a obtenu sa licence à la … de juin. **3.** La … d'un fonds de commerce doit faire l'objet d'un acte notarié. **4.** Le procès est renvoyé à la prochaine … du tribunal. **5.** Le contrat de location peut autoriser la … ou la sous-location du bail.

35. CHACUN, CHAQUE :
ACCORD ET EMPLOI

Chaque exemplaire
Un exemplaire de chacun

- Les pronoms **chacun, chacune** et le déterminant **chaque** sont **toujours au singulier** parce qu'ils ne désignent qu'une personne, un animal, une chose à la fois.

    Chacun d'entre eux a trois enfants.
    Ils ont chacun trois enfants.
    Elles auront droit à deux billets chacune.
    Il vient chaque jeudi.
    Chaque chose en son temps.

RETENEZ

- Un nom déterminé par **chaque** est **toujours au singulier**, même si le sens est «tous les».

    Une circulaire sera envoyée à chaque participant.
    = à tous les participants.

Un verbe dont le sujet est **chacun** ou un groupe nominal déterminé par **chaque** est donc **toujours au singulier**.
Comparez :

    Chaque participant devra répondre immédiatement.
    Chacun d'eux devra répondre immédiatement.
    = tous les participants devront répondre immédiatement.

- **Chaque** est un **déterminant** : il doit toujours accompagner un nom et ne peut pas s'employer à la place du **pronom** qui est **chacun, chacune**.

        Ces deux livres coûtent 100 F chacun.
    et non *Ces deux livres coûtent 100 F chaque.*
    Voici plusieurs modèles : prenez un exemplaire de chacun.
    et non ...*un exemplaire de chaque.*

POUR ALLER PLUS LOIN

- **Chacun** est invariable dans les locutions* figées **un chacun**, **tout un chacun** «n'importe qui».
    Cette mésaventure peut arriver à tout un chacun.

- Pour l'emploi des possessifs et des pronoms personnels avec **chacun, chacune** : ▶ 36

EXERCICE

Complétez l'intitulé de ce problème en utilisant chacun, chacune *et* chaque.

Il a 2 fils et 4 filles. ... fils a 2 enfants. Les 2 filles aînées ont 1 garçon ... et les 2 plus jeunes filles ont ... 1 fille et 1 garçon. Sachant que ... dimanche ses enfants viennent déjeuner ... avec leurs enfants, quel est le menu du repas ?

36. CHACUN, CHACUNE: QUEL POSSESSIF, QUEL PRONOM EMPLOYER?

Chacun à son tour
Chacun à votre tour

- *Chacun* sert à désigner un par un les éléments d'un tout, d'un ensemble. Cet ensemble est le plus souvent désigné dans la phrase par un nom, un groupe nominal ou un pronom **au pluriel**.

  *Les enfants ont reçu **chacun** une récompense.*
  = les enfants pris un par un dans l'ensemble des enfants.
  ***Chacun** d'eux a reçu une récompense.*

- Il y a parfois hésitation sur les accords de la phrase : la forme des pronoms* personnels et des possessifs* est déterminée soit par le singulier *chacun*, soit par **le pluriel** de l'ensemble. Comparez :

  ***Chacun** de nous emportera son livre et ses cahiers.*
  *Nous emporterons **chacun** nos livres et nos cahiers.*

1 SI CHACUN PRÉCÈDE LE PLURIEL

Chacun de vous
apportera son matériel

- C'est *chacun* qui détermine la forme des possessifs et des pronoms : ils sont donc à la **3e personne du singulier**. Le pluriel introduit par *de* est complément de *chacun*.

  *J'interrogerai chacun de vous à **son** tour.*
  chacun précède le plur. *vous* ⇒ dét. poss. de la 3e pers. sing.

  *Voici mon projet. Chacun de nous doit présenter **le sien**.*
  chacun précède le plur. *nous* ⇒ pron. poss. de la 3e pers. sing.

  *Elle explique à chacun des participants ce qu'**il** doit faire.*
  chacun précède le plur. *participants* ⇒ pron. pers. de la 3e pers. sing.

2 SI LE PLURIEL PRÉCÈDE CHACUN

Vous apporterez
chacun votre matériel

- C'est **le pluriel** de l'ensemble qui détermine la forme des possessifs et des pronoms personnels : ils sont donc **de la même personne** que le pluriel.

  *Je vous interrogerai chacun à **votre** tour.*
  plur. *vous* précède *chacun* ⇒ dét. poss. 2e pers. plur.

  *Voici mon projet. Nous devions chacun expliquer **le nôtre**.*
  plur. *nous* précède *chacun* ⇒ pron. poss. 1re pers. plur.

  *Les enfants choisissent chacun ce qui **leur** plaît.*
  plur. *les enfants* précède *chacun* ⇒ pron. pers. 3e pers. plur.

- À l'impératif, c'est la personne du verbe qui renseigne sur la forme du possessif ou du pronom personnel.

  *Partons chacun de **notre** côté.*
  1re pers. plur. ⇒ dét. poss. 1re pers. plur.

- Quand *chacun* est employé sans pluriel, la forme des possessifs et des pronoms personnels est évidemment déterminée par *chacun* : ils sont à la 3ᵉ personne du singulier.

  *Chacun était content de **son** sort.*
  *Chacun était content du **sien**.*

- À la 3ᵉ personne du pluriel, l'usage accepte les deux déterminants possessifs, sans différence de sens.

  *Ils sont partis **chacun** de **leur** côté (ou de **son** côté).*
  *Chacun d'eux est parti de **son** côté (ou de **leur** côté).*

- Pour l'emploi de *soi* ou de *lui* avec ***chacun*** : ▸ 174

EXERCICE

Complétez les phrases suivantes par le possessif ou le pronom personnel qui convient. Faites les accords de verbe qui s'ensuivent.

1. Chacun de vous doit faire respecter … droits. **2.** Dans cette affaire nous avons chacun … mot à dire. **3.** Faites chacun ce que … *(avoir)* à faire, nous verrons le reste ensuite. **4.** Que chacun d'entre vous fasse ce que … *(avoir)* à faire, nous verrons le reste ensuite.

37. AUTRE CHOSE, QUELQUE CHOSE : QUEL GENRE ?

C'est une bonne chose
Quelque chose de bon

- ***Chose*** est un nom féminin : ***une*** *chose.* Mais les locutions* ***quelque chose*** et ***autre chose*** ont un autre genre.

Comparez :

  *Il y a une deuxième chose que je n'ai pas **comprise**.*
  *Il y a autre chose que je n'ai pas **compris**.*

1 QUELQUE CHOSE, AUTRE CHOSE

Quelque chose de beau

- ***Quelque chose**, **autre chose*** sont des locutions* pronominales indéfinies : elles fonctionnent comme un pronom simple.

Comparez :

  J'ai vu quelque chose.
       LOC. PRON.
  J'ai vu cela.
       PRONOM

RETENEZ

• Tous les mots (adjectifs, participes passés, pronoms…) qui se rapportent aux locutions *quelque chose, autre chose* sont **au masculin singulier**.

*J'ai vu <u>autre chose</u> de plus **beau** encore.*
  LOC. PRON.   ADJ. masc. sing.

*C'est <u>quelque chose</u> que tu n'as pas <u>**vu**</u>.*
  LOC. PRON.   PART. masc. sing.

S'il te dit <u>quelque chose</u> pour moi, retiens-<u>le</u> bien.
    LOC. PRON.   PRON. masc. sing.

• Même s'il s'agit d'une locution* figée, sentie comme un seul terme, *quelque chose* s'écrit en **deux mots**.

POUR ALLER PLUS LOIN

• *Quelque chose* et *autre chose* étant des locutions pronominales indéfinies, elles ont une valeur **neutre**. Le genre neutre est marqué en français par le **masculin singulier**. ▸ **98**

• *Quelque chose* peut être employé comme nom masculin.

«*Là tout de même, ça me fait **un petit quelque chose**.*»
D. PENNAC

2 **QUELQUE CHOSE:** *Quelque chose de bon*
LOCUTION PRONOMINALE *Quelque bonne chose*
OU GROUPE NOMINAL?

• Il ne faut pas confondre:

– la locution pronominale, neutre, *quelque chose* (on ne peut alors rien insérer entre les deux mots);

– le groupe nominal *quelque chose*, où *chose* est un nom féminin et *quelque* un déterminant signifiant «certain, quelconque»; cet emploi appartient au registre* soutenu. ▸ **156**

Attention aux différences d'accord et de construction.
Comparez:

*Y a-t-il **<u>quelque chose</u>** (de <u>bon</u>) à manger?*
      LOC. PRON.   ADJ.

*Y a-t-il **<u>quelque</u>** (bonne) <u>chose</u> à manger?*
   DÉT.   ADJ.   NOM
= y a-t-il une bonne chose quelconque à manger?

EXERCICE

Remplacez les parenthèses et leur contenu par un adjectif de votre choix, le participe passé du verbe ou le pronom qui convient.

1. As-tu déjà vu quelque chose d'aussi *(adjectif)*? **2.** C'est quelque chose que j'ai déjà *(entendre)*. **3.** Maintenant, il doit s'occuper d'autre chose de beaucoup plus *(adjectif)*. **4.** Quand je vous demande quelque chose, je veux que vous *(pronom)* fassiez tout de suite. **5.** S'il y a autre chose que je peux faire pour vous, je *(pronom)* ferai. **6.** Il faudrait que quelque chose soit *(faire)* rapidement pour eux.

38. CI ET LÀ : AVEC OU SANS TRAIT D'UNION ?

« J'ai déjà entendu ce nom-là dans ce secteur-ci » D. Pennac

1 AVEC **TRAIT D'UNION** *Ce jour-là*

- On met **toujours** un trait d'union quand les adverbes *ci* et *là* sont employés avec un **démonstratif***.

  ces deux-là – *ces jours-ci* – *ce porte-bagages-là*
  celle-là – *ceux-ci*

- *Ci*, en début de mot, est **toujours** suivi du trait d'union.

  ci-dessus – *ci-joint* – *ci-gît...*

POUR ALLER PLUS LOIN

- Quand un nom employé avec un démonstratif est suivi d'un adjectif ou d'un complément, l'usage hésite.

  cette boîte aux lettres-là ou *cette boîte aux lettres là*

2 SANS **TRAIT D'UNION** *Par là*

- *Là* s'écrit sans trait d'union quand il ne renforce pas le démonstratif (voir **1**).

  Il est parti par là.
  De là, nous avons une belle vue.
  Ne voyez là aucun reproche.

RETENEZ

- Mais *là* prend un trait d'union dans quelques locutions* :

de-**ci** de-**là**	**là**-dedans	**là**-derrière
par-**ci** par-**là**	**là**-dessus	**là**-haut
là-bas	**là**-dessous	jusque-**là**

CI ET LÀ — POUR ALLER PLUS LOIN

- Sachez à quoi renvoient les mots composés avec *ci* et *là* :
- *ci* renvoie à ce qui est le plus proche.
- *là* renvoie à ce qui est le plus éloigné.

  *Socrate et Platon sont deux philosophes grecs : celui-**ci** était le disciple de celui-**là**.*

  celui-ci = Platon ; *celui-là* = Socrate

EXERCICE

Notez les traits d'union manquants dans les phrases suivantes.

1. Il a fait meilleur *ces jours ci*. **2.** Nous sommes tous passés *par là*. **3.** Vous trouverez *ci joint* un double du contrat. **4.** Je ne suis encore jamais allée *là bas*. **5.** Il ne le savait pas encore *à ce moment là*. **6.** Elle a glané *par ci par là* quelques renseignements. **7.** *Restez là*, je n'en ai pas pour longtemps.

39. LES CLASSES GRAMMATICALES

Nom, verbe, adjectif...

Les mots de la langue sont rangés en différentes **classes** selon certaines caractéristiques qu'ils partagent.

confort : nom masculin	*réconforter* : verbe
confortable : adjectif	*confortablement* : adverbe

Reconnaître la **nature** d'un mot, savoir à quelle classe grammaticale il appartient, permet d'éviter bien des erreurs.

1 LE VERBE   *Il vient*

■ Identification

• Le verbe exprime le plus souvent une action *(partir, chanter...)* ou un état *(être, sembler...)*.

■ Fonction

• Le verbe est le noyau de la phrase ou de la proposition : les différents groupes sont en relation avec lui.

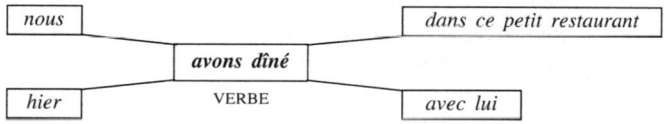

POUR ALLER PLUS LOIN

• La présence du verbe n'est pas toujours indispensable : les phrases nominales sont construites sans verbe.

Sortie obligatoire.
Quelle chance!

• Pour les distinctions faites à propos du verbe : ▶ 191

2 LE NOM (OU SUBSTANTIF)   *La musique*

■ Identification

• C'est un mot qui désigne un animé (personne, animal...) ou un inanimé (objet, idée, notion...).

un élève – une cigogne – un livre – Pierre – la beauté...

• On distingue :

– les noms **communs** qui désignent les personnes, les choses en général. Ils ont chacun une définition.

vin : «boisson obtenue par la fermentation du raisin»
chien, livre, ville, liberté...

– les noms **propres** qui permettent d'identifier directement une personne, un lieu, une chose. Ils n'ont pas de définition.

Amandine, Médor, Paris, Germinal...

Les noms propres s'écrivent avec une majuscule (▶ 113) et s'emploient généralement sans déterminant.

- On peut opposer :
- les noms **concrets** (*un livre, une cigogne...*) et les noms **abstraits** (*une idée, la beauté...*).
- les noms **animés**, désignant des personnes, des êtres vivants (*enfant, boucher, girafe...*) et les noms **inanimés** désignant des choses, des idées... (*enfance, boucherie, clarté...*).
- les noms **comptables**, désignant des êtres ou des choses qu'on peut compter (*une assiette ; deux, trois assiettes*) et les noms **non comptables** (*du lait*).

- Le **nom collectif** est un nom singulier qui désigne un ensemble d'unités.

  le personnel : «ensemble des personnes d'une entreprise».

POUR ALLER PLUS LOIN
- Certains noms communs sont issus de noms propres.

  la poubelle : du nom du préfet Poubelle qui en instaura l'usage.
C'est le cas de *silhouette, béchamel, macadam...*

■ Fonction
- Dans la phrase, le nom s'emploie :
- parfois seul.

  Pierre *est* **médecin**.
- souvent dans un groupe nominal (GN) dont il est le noyau.

  Le **père** *de nos voisins est* *notre* **médecin** *de famille*.
  ⎯⎯⎯⎯⎯⎯⎯⎯⎯⎯⎯   ⎯⎯⎯⎯⎯⎯⎯⎯⎯⎯⎯
        GN   GN

- Le nom ou le GN occupe différentes fonctions dans la phrase :
  Son **frère** *est arrivé*.
       SUJET du v. *arriver*
  J'ai acheté trois **livres**.
             COD du v. *acheter*
  Il est parti toute la **journée**.
            CCT du v. *partir*
  Elle est **professeur** *au collège Paul Éluard*.
       ATTR. du suj. *elle*
  Ma sœur, **professeur** *de français, enseigne depuis dix ans*.
        APPOSÉ au nom *sœur*

3   **LE** DÉTERMINANT   *La musique*

■ Identification
- Le déterminant fait partie du groupe nominal. Dans la plupart des cas, notamment en fonction de sujet, le nom commun ne peut s'employer sans lui. Inversement, le déterminant ne peut jamais s'employer seul.

  On ne dira pas : *Enfants sont arrivés*.
                      Les sont arrivés.
  mais   **Les** *enfants...*
                 Mes *enfants...*
            Quelques *enfants...*
               Trois *enfants...*

- On distingue plusieurs sortes de déterminants :

articles définis	*le, la, l', les*
articles indéfinis	*un, une, des*
articles partitifs	*du, de la, de l'*
déterminants numéraux cardinaux	*un, deux, trois...* ▶ **127**
déterminants démonstratifs	*ce, cet, cette, ces*
déterminants possessifs	*mon, ma, mes, notre...* ▶ **146**
déterminants indéfinis	*aucun, plusieurs, tout...*
déterminants interrogatifs	*quel, combien de...*
déterminants exclamatifs	*quel, que de, combien de...*

Les déterminants cardinaux, démonstratifs, possessifs, indéfinis, interrogatifs et exclamatifs sont aussi appelés *adjectifs cardinaux, adjectifs démonstratifs...*

■ **Fonction**

- Le déterminant a une seule fonction : il détermine le nom auquel il se rapporte.

POUR ALLER PLUS LOIN

- À certains **déterminants** (cardinaux, démonstratifs, indéfinis…) correspondent des **pronoms** (voir **5**). Sachez les reconnaître. De même, distinguez bien les formes communes *le, la, les* articles et *le, la, les* pronoms.

Tout effort sera récompensé.	*Il a tout vu.*
DÉT. INDÉFINI	PRON. INDÉFINI
Il a accepté les propositions.	*Il les a déjà vus.*
ART. DÉFINI	PRON. PERSONNEL

4 L'ADJECTIF *Un bon repas*

■ **Identification**

- L'adjectif est toujours en relation avec un nom (ou un pronom), mais contrairement au déterminant, dans le groupe nominal, sa présence n'est pas obligatoire.

Le jeune faon ne s'est pas enfui : il n'est pas farouche.

- On distingue parfois :
- l'adjectif **qualificatif** qui exprime une qualité du nom.

Une famille nombreuse.
La neige est blanche. Elle est froide.

- l'adjectif **de relation** qui équivaut à un complément du nom.

L'élection présidentielle. (= l'élection du président.)

■ **Fonction**

- L'adjectif est **épithète** ou **attribut** (du sujet ou du COD).

Cette belle maison nous conviendrait parfaitement.
ÉPITHÈTE du nom *maison*

Elle serait assez grande pour nous tous.
ATTR. du sujet *elle*

Je la trouve très agréable.
ATTR. du COD *la*

5 LE PRONOM

Il vient

■ Identification

• Le pronom est un mot qui peut se substituer à un nom, mais contrairement au nom, un pronom *(il, tout…)* n'a pas de définition en soi.

• Le pronom peut avoir deux rôles différents :

– soit il **nomme** une personne qui participe à la communication *(je, tu, nous, vous),* ou des personnes, des choses non déterminées, notamment dans les proverbes ou les questions.

> *Viens-tu avec nous ?*
> *Tout est bien qui finit bien.*
> *Qui est venu aujourd'hui ?*

Dans ce cas, le pronom ne «remplace» aucun autre terme.

– soit il **représente** un mot ou un groupe de mots (nom, adjectif, proposition…) mentionné ailleurs dans le texte afin d'éviter une répétition. Le mot ou le groupe représenté s'appelle **antécédent**.

> *Paul a vu Pierre et Jacques avec qui il a pris rendez-vous.*
>
> antéc. de *qui*
>
> antéc. de *il*
>
> *Quand elles sont bien présentées, les demandes ont plus de chance d'aboutir.*

• On distingue plusieurs sortes de pronoms :

pronoms démonstratifs	*celui, celle…*
pronoms indéfinis	*rien, aucun, tout, un/une…*
pronoms interrogatifs	*qui, que, quoi…*
pronoms personnels	*je, tu, il, le, la, moi, en…* ▶ **150**
pronoms possessifs	*le mien, le nôtre…* ▶ **146**
pronoms relatifs	*qui, que, quoi, dont, où, lequel…*
pronoms numéraux	*deux, trois…*

■ Fonction

• Les pronoms occupent les mêmes fonctions que le nom.

> *Certains nous ont déjà prévenus.*
> SUJET du v. *prévenir*

> *Je le raconterai aux autres.*
> COD du v. *raconter*   COS du v. *raconter*

> *Il est venu avec elle.*
> CC Accompagnement du v. *venir*

> *Têtue, elle l'est et elle le restera.*
> ATTR. du suj. *elle*   ATTR. du suj. *elle*

> *Ma sœur, une de vos collègues, a travaillé dans ce collège.*
> APPOSÉ au nom *sœur*

POUR ALLER PLUS LOIN

• Distinguez bien **pronoms** et **déterminants** (voir **3**) : un pronom n'est **jamais** accompagné d'un nom. Notamment ne confondez pas *leur,* pronom personnel, et *leur, leurs,* déterminant possessif. ▶ **111**

C

6   L'ADVERBE

*J'ai **bien** mangé*

■ Identification

• L'adverbe se rapporte à un verbe, un adjectif, un autre adverbe ou une phrase auxquels il apporte un complément d'information.

*Nous avons **bien** mangé.*
bien apporte une information sur le v. *manger*

*Ce fut un **très** bon repas.*
très apporte une information sur l'adj. *bon.*

• Selon leur sens, on distingue les adverbes de lieu *(ici, là...)*, de temps *(hier, bientôt...)*, de manière *(bien, vite...)*, de quantité *(beaucoup, peu...)*, de doute *(probablement...)*, d'affirmation *(si, certainement...)*, de négation *(ne pas, guère...)*, etc.

■ Fonction

• L'adverbe est **complément** d'un verbe, d'un adjectif, d'un adverbe ou d'une phrase.

*Pour vous parler **franchement**...*
              COMPL. du v. *parler*

*C'est **franchement** mauvais.*
      COMPL. de l'adj. *mauvais*

*Parlez-moi **très** franchement.*
        COMPL. de l'adv. *franchement*

***Franchement**, je ne sais pas ce qu'il a voulu dire.*
    COMPL. de la phrase *je ne sais pas...*

POUR ALLER PLUS LOIN

• Distinguez bien l'**adjectif** (il porte sur un nom) et l'**adverbe** (il porte sur un verbe, un adjectif, un adverbe ou une phrase). ▶ 6

7   LA PRÉPOSITION

*Le livre **de** Pierre*

■ Identification

• La préposition introduit le plus souvent un nom (ou un groupe nominal), un pronom ou un infinitif. Elle peut aussi introduire une proposition relative.

*La maison **de** nos amis.*
           GN

*C'est gentil **à** vous d'être passés.*
        PRONOM

*Il a fait cela **pour** rendre service.*
          INFINITIF

*Ce sont des gens **à** qui nous devons beaucoup.*
        PROP. REL.

• Selon les cas, les prépositions apportent ou non une information de sens :

*Il rentrera demain **de** Lille.*
de marque la provenance.

*Je me souviens très bien **de** mon premier cours de piano.*
de n'apporte pas d'information de sens et n'a ici qu'un rôle syntaxique.

■ Fonction
• La préposition sert à marquer **le lien de dépendance** entre un groupe et le mot (le plus souvent un nom ou un verbe) dont ce groupe dépend.

Tous les jours
    ↳   *de* → *la semaine prochaine.*
               COMPL. du nom *jours*

As-tu pensé
    ↳   *à* → *le prévenir?*
             COMPL. du v. *penser*

POUR ALLER PLUS LOIN
• Distinguez bien *du, des* préposition *de* combinée avec *le, les* et *du, des* simples déterminants (voir **3**).
Comparez :

*Elle s'occupe **des** enfants.*	*Elle garde **des** enfants.*
= elle s'occupe ***de**+les* enfants.	= elle garde plusieurs enfants.

8 **LA CONJONCTION DE SUBORDINATION**   *Je crois **qu**'il est là*

■ Identification
• La conjonction de subordination introduit une proposition subordonnée complément du verbe de la principale.

*Il nous a expliqué **que** d'autres objectifs avaient été définis.*
prop. princ.   prop. conj., COD du v. *expliquer*

***Quand** nous aurons terminé, nous vous préviendrons.*
prop. conj., CCT du v. *prévenir*   prop. princ.

• Les conjonctions de subordination donnent une nuance de sens, sauf *que* qui n'a pas de valeur sémantique.

quand, lorsque : temps
si : condition
comme, puisque : cause
quoique : concession

*Je viendrai **quand** j'aurai fini.*
*Je viendrai **si** j'ai fini.*

• Il existe aussi de nombreuses locutions conjonctives (voir **11**).

■ Fonction
• La conjonction de subordination sert à marquer **le lien de dépendance** (subordination) entre une proposition et le verbe de la principale dont la proposition dépend.

Tu dois partir maintenant
    ↳   *si* → *tu veux être à l'heure.*
        prop. CC Condition du v. *partir*

Je voudrais
    ↳   *que* → *notre projet aboutisse rapidement.*
          prop. COD du v. *vouloir*

(handwritten note in margin: Be aware that 'que' can be relative pronoun = which)

POUR ALLER PLUS LOIN

• Il faut bien distinguer :

	si	(conjonction)	*Je ne sais **si** elle est là.*
et	*si*	(adverbe)	*Elle est **si** belle.* ▶ 173
	que	(conjonction)	*J'espère **que** tu seras là.*
et	*que*	(pron. relatif)	*J'ai pris le livre **que** tu as lu.* ▶ 154

• La conjonction de subordination peut aussi introduire des propositions qui dépendent d'un nom.

*Je me réjouis à l'idée **que** vous nous rejoignez.*
prop. compl. du nom *idée*

• La conjonction de subordination joue le même rôle vis-à-vis d'une proposition conjonctive que la préposition vis-à-vis d'un groupe nominal.
Comparez :

*Je reviendrai **quand** les travaux seront finis.*
prop. CCT du v. *revenir*

et *Je reviendrai **après** la fin des travaux.*
GN CCT du v. *revenir*

*L'espoir **de** sa guérison ne nous a jamais abandonnés.*
GN compl. du nom *espoir*

et *L'espoir **qu'**il guérisse ne nous a jamais abandonnés.*
prop. compl. du nom *espoir*

---

9 **LA CONJONCTION DE COORDINATION**   *Pierre **et** Paul*

■ **Identification**

• La conjonction de coordination établit un lien logique entre plusieurs mots ou groupes de mots. Sa place est fixe : entre ces mots ou groupes de mots.

*Il concilie parfaitement son travail **et** ses études.*
└─ deux GN coordonnés ─┘

*Il est parti rapidement **car** il avait encore du travail.*
└─── deux prop. coordonnées ───┘

• Chaque conjonction de coordination exprime un lien logique :

mais : opposition	*or* : transition
ou : choix	*ni* : addition dans la négation
et : addition	*car* : cause

POUR ALLER PLUS LOIN

• *Donc* est traditionnellement classé parmi les conjonctions de coordination. Or, contrairement à celle des conjonctions, la place de *donc* dans la phrase est libre.
Comparez :

*J'ai raté mon train.   J'ai **donc** pris le bus.*
ou   ***Donc** j'ai pris le bus.*

*J'ai pris le bus **car** j'ai raté mon train.* (seule possibilité)

Donc est par conséquent à ranger dans la classe des adverbes, au même titre que *néanmoins, pourtant...*

■ **Fonction**

● Une conjonction de coordination **unit** des phrases ou des mots (ou groupes de mots) de même fonction. Ces phrases, mots ou groupes de mots ne sont pas dépendants les uns des autres.

Il était arrivé la veille. **Or** *nous l'attendions le lendemain.*
phrase 1   phrase 2

Je passe vous voir ce soir **ou** *dès que je sors du bureau.*
                   CCT 1   CCT 2

POUR ALLER PLUS LOIN

● Les conjonctions présentent des particularités d'emploi : *et* et *ou* (▶ 88), *ni* (▶ 126), *car* (▶ 29-4).

10 **L'INTERJECTION** *Ouf! c'est fini*

■ **Identification**

● L'interjection apporte une information sur l'attitude, le sentiment de celui qui parle.

● Parmi les interjections, on distingue :
– celles qui expriment un sentiment.

oh! eh!	étonnement
ouf!	soulagement
zut!	regret, agacement...

– celles qui reproduisent un bruit (on les appelle ***onomatopées***). *chut! boum! miaou!...*

■ **Fonction**

● L'interjection n'est complément d'aucun terme, elle n'introduit aucun terme : elle n'a donc pas de fonction syntaxique.

POUR ALLER PLUS LOIN

● Un grand nombre d'interjections sont fréquemment utilisées comme noms.

*Nous avons tous poussé **un ouf** de soulagement.*
*Il n'entendait plus **le tic-tac** de sa montre.*

11 **CLASSES GRAMMATICALES** *En vue de son examen*
ET LOCUTIONS

● On appelle *locution verbale, adjective, adverbiale, prépositive, conjonctive,* etc., une suite fixe de mots qui présente une unité de sens et qui s'emploie dans les mêmes conditions qu'un verbe, un adjectif, un adverbe, une préposition, une conjonction, etc. Comparez :

locutions		mots simples
verbales	*avoir l'air*	*sembler*
adjectives	*comme il faut*	*convenable*
adverbiales	*à peu près*	*environ*
prépositives	*en vue de*	*pour*
conjonctives...	*au cas où*	*si*

• Les locutions adverbiales et prépositives sont très fréquentes. Les locutions conjonctives sont plus nombreuses que les conjonctions elles-mêmes (voir **8**).

dès que – pendant que – parce que – afin que – pour que – de sorte que – au cas où – bien que...

• Une suite fixe de mots équivalant à un nom est plus couramment appelée ***nom composé***. ▶ **119**

Comparez :

chemin de fer et *train*
rouge-gorge et *pivert*

LES CLASSES...　　　　　***POUR ALLER PLUS LOIN***

• Les dictionnaires de langue donnent la nature de chaque mot sous forme abrégée (*adv., adj., n., interj.*, etc.). Mais les classes sont plus ou moins étanches !

– Un mot peut occuper une fonction généralement réservée à une autre classe. Le cas est fréquent pour des adjectifs employés comme adverbes, et inversement. ▶ **6**

*Ces fleurs sentent très **bon**.*

– Au cours de l'évolution de la langue, on crée de nouveaux mots en donnant une autre nature à un mot.

Personne, nom, est aussi un pronom indéfini. ▶ **140**
Loisir, aujourd'hui nom, est un ancien verbe.

– On peut en particulier faire de tout mot, de toute locution un **nom** en le faisant précéder d'un déterminant.

*Joindre l'**utile** à l'**agréable**.*
*« Je reste avec **mes** « Je t'aime »/Madeleine ne viendra pas. »* J. BREL

– Certains mots appartiennent à plusieurs classes : ***même*** (▶ **115**), ***que*** (▶ **154**), ***quelque*** (▶ **156**), ***tout*** (▶ **184**).

• On répartit les différentes classes grammaticales en deux : les classes **variables** (verbe, nom, adjectif, déterminant, pronom) et les classes **invariables** (adverbe, préposition, conjonction de subordination, conjonction de coordination, interjection). ▶ **190**

EXERCICE

Dites à quelle classe grammaticale appartient chacun des termes ou groupes soulignés.

« Je suis **(1)** sûr d'aimer, dit-il. Du moins je suis sûr d'aimer un jour. **(2)** Quelque chose me l'indiquera, j'en suis sûr. Je cherche quelqu'un. Je ne sais pas comment exprimer la façon **(3)** dont je **(4)** le **(5)** ressens. Je cherche. C'est **(6)** peut-être toi. Je ne sais pas **(7)** si c'est toi. Je sais qu'un jour, **(8)** d'un seul coup, **(9)** tout s'écrabouillera. Je sais **(10)** que j'aimerai. »

P. QUIGNARD, *Les Escaliers de Chambord*

40. LE COMPARATIF DE L'ADJECTIF ET DE L'ADVERBE

Ce serait bien meilleur si c'était plus chaud

1 LA FORMATION DU COMPARATIF *Plus chaud*

● On peut établir un rapport de supériorité, d'infériorité ou d'égalité en comparant deux quantités ou deux qualités : c'est le **comparatif**. Avec des adjectifs ou des adverbes, ce rapport se marque le plus souvent avec les adverbes *plus*, *moins*, *aussi*.

PLUS supériorité	*Les échecs ont été **plus nombreux** cette année.*
MOINS infériorité	*Le concours était pourtant **moins difficile** que l'année dernière.*
AUSSI égalité	*Les candidats l'avaient-ils **aussi bien** préparé que leurs prédécesseurs?*

RETENEZ

● Certains adjectifs et adverbes ne peuvent pas être modifiés par *plus*, *moins* ou *aussi* car :

– soit leur sens est **incompatible avec la comparaison** :
Une figure géométrique est *triangulaire* ou ne l'est pas; elle ne peut pas l'être plus ou moins.
Une élection ne peut pas être plus ou moins *présidentielle*.
C'est le cas notamment des adjectifs de relation (▶ **39-4**) ou de ceux qui contiennent une idée de totalité, d'achèvement :
entier, plein, vide, nullement, excellent...

– soit leur sens contient **déjà une idée de comparaison** :
favori, préféré; premier, dernier; inférieur, supérieur; majeur, mineur...
C'est le cas des comparatifs *meilleur, moindre, pire...* (voir **2**).

2 LES FORMES PARTICULIÈRES (OU FORMES SYNTHÉTIQUES)

Meilleur
Moindre

● *Bon* et *bien* ne forment pas leur comparatif de supériorité avec *plus*. Ils ont chacun une forme particulière de comparatif : **meilleur** (▶ **21**) et **mieux** (▶ **20**).
*C'est bon, mais ce serait **meilleur** chaud.*

● *Petit* et *mauvais* ont deux comparatifs de supériorité possibles : **plus petit** ou **moindre**, **plus mauvais** ou **pire**.
*L'effet sera ainsi **plus petit** (ou **moindre**).*
*Le temps n'est pas **plus mauvais** (ou **pas pire**) qu'hier.*
Moindre et **pire** appartiennent au registre* soutenu.

• *Mal* a également deux comparatifs de supériorité possibles : **plus mal** et **pis** (▶ **141**). *Pis* ne s'emploie que dans quelques expressions *aller de mal en pis, tant pis*... Dans les autres cas, on emploie **plus mal**.

*Il ne va pas **plus mal** qu'hier.*

RETENEZ

• Les formes synthétiques étant déjà des comparatifs, elles ne peuvent être modifiées par **plus, moins, aussi**... qui servent à marquer le comparatif.

C'est plus meilleur.	mais *C'est **meilleur**.*
C'est moins pire.	mais *C'est **moins grave**,*
	moins mauvais.
D'aussi moindres détails.	mais *D'**aussi petits** détails.*

---

3 **LE RENFORCEMENT DU COMPARATIF**   *Bien plus grand*

• Les comparatifs de supériorité et d'infériorité peuvent être renforcés par différents adverbes, tels que **bien, beaucoup, infiniment, énormément, encore, encore bien, guère** (avec une négation)…

*Il fait **bien** (**encore, encore bien, nettement, beaucoup**...) plus chaud qu'hier.*
*Il n'a fait **guère** mieux que l'année dernière.*
*Il ne court **guère** moins vite que moi.*

• Le comparatif d'égalité peut être renforcé par **tout**.
*Il court **tout** aussi vite que moi.*
*Ne faisait-il pas **tout** aussi chaud hier ?*

POUR ALLER PLUS LOIN
• Aujourd'hui, l'usage préfère ne pas employer **beaucoup** avec **meilleur**.

---

4 **LE COMPLÉMENT DU COMPARATIF**   *Aussi grand que moi*

• Le complément du comparatif est une proposition circonstancielle introduite par **que**.
*Elle est moins exigeante **qu**'elle l'était autrefois.*
*Il est aussi blond **que** sa mère est brune.*

• La proposition comparative est à l'indicatif ou au conditionnel.
*C'était bien mieux qu'on n'**aurait pu** espérer.*

• Dans ce type de compléments, on omet souvent **le verbe** (il y a ellipse* du verbe).
Comparez :
*Elle est moins exigeante **qu'elle l'était** autrefois.*
*Elle est moins exigeante **qu'autrefois**.*

RETENEZ

- Pensez au verbe sous-entendu pour bien faire les accords.
  *Les résultats sont meilleurs que **prévu**.*
  = qu'il était prévu. (tournure impersonnelle)

- Attention aux ellipses contraires à la logique.
  Ma voiture roule plus vite que sa ~~sœur~~.
  *Ma voiture roule plus vite que **celle de** sa sœur.*
  ou *Ma voiture roule plus vite que **la sienne**.*

POUR ALLER PLUS LOIN

- Dans la proposition comparative, on emploie souvent le pronom *le, l'* qui représente la proposition principale et qui est du masculin singulier. Attention au participe passé. ▶ 134

  *La météo n'est pas aussi mauvaise qu'on l'**a annoncé**.*
  l' = que la météo est mauvaise (COD de *annoncer*)

- Dans ces propositions, on emploie parfois *ne*. ▶ 123

EXERCICE

Mettez les phrases suivantes au comparatif de supériorité (>), d'infériorité (<) ou d'égalité (=). Ajoutez un renforcement. Expliquez pourquoi dans certains cas le comparatif est impossible.

1. Il fait plus froid qu'ici (=). **2.** Un petit défaut (>). **3.** La salle est comble (<). **4.** A-t-elle trouvé cela bon (>)? **5.** Il habite plus loin (=). **6.** Le remède est aussi mauvais que le mal (>). **7.** Aujourd'hui, il va mieux qu'hier (<). **8.** Son bol est vide (>). **9.** Il écoute sa chanson préférée (>).

41. COMPRÉHENSIBLE OU COMPRÉHENSIF?

Un homme compréhensif
Une phrase compréhensible

Ces deux adjectifs construits sur le même radical n'ont pas du tout le même sens et ne doivent pas être confondus.

1 COMPRÉHENSIBLE: «QUI PEUT ÊTRE COMPRIS»

Un texte compréhensible

- **Compréhensible** s'emploie à propos de paroles, d'écrits… qui ne présentent pas de difficultés pour la compréhension.
  *Il faut que ce texte reste **compréhensible** pour un jeune public.*
  Dans ce sens, **compréhensible** a pour synonymes *clair, intelligible, accessible, limpide…*

• Il s'emploie aussi à propos d'attitudes, de réactions... qui s'expliquent facilement et que l'on admet.

*Il est tout à fait **compréhensible** qu'elle ait refusé.*

Dans ce sens, ***compréhensible*** a pour synonymes *acceptable, concevable, naturel, normal...*

RETENEZ

• Le suffixe* ***-ible*** (ou *-able*) signifie : «qui peut être...».

lisible :   qui peut être *lu*
applicable :   qui peut être *appliqué*

2 **COMPRÉHENSIF:**   *Un père compréhensif*
«QUI COMPREND»

• ***Compréhensif*** s'emploie à propos de personnes qui font preuve de compréhension, de tolérance envers les autres.

*Sa mère, très **compréhensive**, avait accepté son choix.*

Dans ce sens, ***compréhensif*** peut avoir pour synonymes *bienveillant, indulgent, large d'esprit, tolérant...*

COMPRÉHENSIBLE ...   **RETENEZ**

• Distinguez de même les adjectifs contraires :
*Articulez davantage : ce que vous dites est **incompréhensible**.*
*Il se montrait plus **incompréhensif** et sévère que jamais.*

EXERCICE

Remplacez les pointillés par compréhensible *ou* compréhensif.

1. Malgré la complexité de la situation, il nous a présenté un résumé tout à fait ... . **2.** Elle ne lui en a jamais voulu et s'est montrée très ... à son égard. **3.** La réaction de Julie est ... et personne ne lui en veut. **4.** Nous avions beaucoup de mal à suivre ces propos peu ... . **5.** Nous serions plus ... s'il était plus tolérant avec nous.

42. LA CONCESSION : COMMENT L'EXPRIMER ?

Il réussit malgré les difficultés
Il réussit bien que ce soit difficile

La concession est la façon de marquer que deux faits apparemment incompatibles se réalisent, contrairement à ce qu'on pouvait attendre en toute logique.

On l'a accepté au stage   *bien qu'il n'ait pas l'âge requis.*
 fait 1   fait 2 (concession)
= il n'a pas l'âge requis : on s'attendait à ce qu'il ne soit pas accepté.

1 **LA CONCESSION DANS UN COMPLÉMENT CIRCONSTANCIEL**   *Malgré le vent*

- Les compléments de concession sont introduits par :
- la préposition ***malgré***.
  *Nous avions très chaud **malgré** le vent qui soufflait.*
  CC Concession
- la locution* prépositive ***en dépit de***.
  ***En dépit de** l'obscurité, il reconnaît les silhouettes.*
  CC Concession

2 **LA CONCESSION DANS UNE PROPOSITION CIRCONSTANCIELLE**   *Bien qu'il pleuve*

- Les subordonnées de concession sont introduites :
- par des **conjonctions** ou des **locutions*** conjonctives.

QUOIQUE	Il se tait **quoiqu**'il ait très envie de tout dire.
BIEN QUE	Elle sort sans parapluie **bien qu**'il pleuve.
SI ... QUE AUSSI ... QUE	**Si** puissant **qu**'il soit, il ne peut rien contre toi. **Aussi** incroyable **que** cela paraisse, c'est vrai.
TOUT... QUE	**Tout** prévoyant **qu**'il soit, il n'y a pas pensé.
QUELQUE... QUE (registre soutenu)	Faites-le de **quelque** manière **que** ce soit.

- par des **locutions*** pronominales.

QUI QUE	Ils vous respecteront **qui que** vous soyez.
QUOI QUE	**Quoi qu**'il fasse, on l'applaudit partout.
OÙ QUE	Je te suivrai **où que** tu ailles.
QUEL QUE	**Quel que** soit ton problème, tu dois le résoudre.

R E T E N E Z

- La subordonnée de concession est toujours au **subjonctif**.
  *Bien qu'il **croie** à une amélioration de la situation, il agit avec prudence.*
Mais avec ***tout... que*** on a le subjonctif ou l'indicatif.
  *Il joue très bien tout débutant qu'il **soit** (ou qu'il **est**).*

- Faites bien la différence entre :
- ***quoi que*** et ***quoique*** ▶ 160
- ***quel que*** et ***quelque*** ▶ 157

P O U R   A L L E R   P L U S   L O I N

- *Quoique* et *bien que* peuvent introduire des subordonnées sans verbe conjugué.

  *«Le ministre est-il responsable **bien que** ignorant ou parce que ignorant ?»* B. KOUCHNER (in *Le Monde* 10/92)

- On peut écrire *si (aussi)... soit-il*, au lieu de *si (aussi)... qu'il soit*.

  *Si puissant **soit-il**, il ne peut rien contre toi.*
  *Aussi incroyable **cela soit-il**, c'est vrai.*

- Les locutions **quand (bien) même**, **même si** marquent à la fois la concession et la condition. ► **44**

Même si *tu voyais cela de tes yeux, tu ne le croirais pas.*

- L'usage de **malgré que** est contesté. ► **114**

3 LA CONCESSION DANS LES PROPOSITIONS INDÉPENDANTES
Pourtant, il pleuvait

- On peut exprimer une concession en juxtaposant deux propositions indépendantes avec :

– un adverbe ou une locution* adverbiale tels que : **pourtant, néanmoins, seulement, tout de même, quand même** (► **153**)...

*J'ai oublié son nom. Il me l'a **pourtant** souvent répété.*

     PROP. 1   PROP. 2
= j'ai oublié son nom bien qu'il me l'ait souvent répété.

*Il a invoqué notre amitié. Je n'ai **cependant** pas cédé.*

     PROP. 1   PROP. 2

– la locution verbale **avoir beau** (+ inf.).

J'ai beau crier, il ne m'entend pas.

     PROP. 1   PROP. 2
= il ne m'entend pas bien que je crie.

4 CONCESSION ET OPPOSITION
Alors que...

- Il ne faut pas confondre la concession avec la simple opposition dans laquelle il n'y a pas d'incompatibilité logique. Comparez :

Il pleut à Paris bien que l'on ait annoncé du beau temps.

          concession (les deux faits sont logiquement incompatibles)

Il pleut à Paris alors qu'il fait beau à Nice.

          opposition (il n'y a pas d'incompatibilité entre les deux faits)

- **Alors que**, qui sert plutôt à marquer une simple opposition, peut s'employer aussi avec une valeur concessive.

*Il a démissionné **alors que** la direction lui proposait un poste plus intéressant.*

Alors que est toujours suivi de l'indicatif.

EXERCICE

Reliez les propositions suivantes de manière à exprimer la concession. Utilisez à chaque fois une tournure différente.

1. Le pays a de nombreuses ressources. Il ne parvient à surmonter la crise. **2.** Ils arrosent régulièrement. Le gazon ne pousse pas. **3.** J'avais des arguments très convaincants. Il refuse mon projet. **4.** Il avait beaucoup d'expérience. Ils ne l'ont pas pris.

43. CONCLURE, EXCLURE, INCLURE : QUELLE CONJUGAISON ?

On évalue d'abord
On conclut ensuite

Les verbes **conclure**, **exclure** et **inclure** sont des verbes du 3ᵉ groupe. Ils ont les terminaisons correspondant à ce groupe. ▶ **48**

RETENEZ

• Ne confondez pas ces verbes avec les verbes en **-uer** du 1ᵉʳ groupe même si certaines formes, notamment au futur et au présent, se prononcent de la même façon : les terminaisons sont différentes, le futur ne se forme pas sur le même radical.
Comparez :

	présent de l'indicatif		futur
3ᵉ groupe **-URE**	j'exclu-*s*	il inclu-*t*	il conclur-*a*
1ᵉʳ groupe **-UER**	je distribu-*e*	il dilu-*e*	il évoluer-*a*

• Attention également aux formes du passé simple.
*Ils **conclurent** leur contrat dans la semaine qui suivit.*
et non *Ils conclurent…*

• Retenez les participes passés au masculin singulier :
– *conclu* et *exclu*.
*Nous en avons **conclu** que le fautif serait **exclu**.*
– *inclus* : seul participe passé en [y] qui s'écrit *-us*. ▶ **136**
*Le supplément est **inclus** dans le tarif indiqué.*

POUR ALLER PLUS LOIN

• Il est cependant tout à fait normal que d'autres formes de ces verbes du 3ᵉ groupe ressemblent à celles des verbes du 1ᵉʳ groupe.

prés. ind. plur. : { *ils conclu**ent*** (conclure)
{ *ils contribu**ent*** (contribuer)

prés. subj. : { *que tu inclu**es*** (inclure)
{ *que tu dilu**es*** (diluer)

EXERCICE

Complétez les pointillés par la bonne terminaison.
1. Le prix inclu… *(présent)* la TVA. **2.** C'est ainsi que les choses évolu… *(présent)*. **3.** Ils évalu… *(passé simple)* le prix de la maison. **4.** Personne ne sut jamais pourquoi ils l'exclu… *(passé simple)* de leur assemblée. **5.** Tout cela contribu… *(présent)* au succès de l'entreprise. **6.** Les journaux affirment qu'on dévalu… *(conditionnel)* prochainement le franc et que l'on conclu… un nouvel accord *(conditionnel)*. **7.** Les tableaux qui constitu… *(présent)* sa collection datent du XVIIᵉ siècle. **8.** Il n'est pas excl… *(participe passé)* que nous ayons un nouveau directeur.

44. LA CONDITION :
COMMENT L'EXPRIMER ?

Si, à condition que, au cas où...

▌1 QU'EST-CE QUE LA CONDITION ?

● La réalisation d'un fait est parfois soumise à celle d'un autre : la condition.

Il peut gagner s'il franchit les éliminatoires.
    fait   condition
= la réalisation de *gagner* dépend de la réussite aux éliminatoires.

POUR ALLER PLUS LOIN

● L'analyse grammaticale traditionnelle parle de «proposition circonstancielle de condition» ou de «complément circonstanciel de condition»; elle regroupe ainsi sous le terme *condition* des notions à la fois très différentes et très proches telles que l'hypothèse, la cause ou la conséquence...

Que fera-t-il s'il échoue ?
= que fera-t-il dans **l'hypothèse** où il échouerait ?
Si on lui pose une question, il rougit.
= il rougit **parce qu'**on lui pose une question.

▌2 L'EXPRESSION DE LA CONDITION   *Si tu es là*

● Les principaux termes pouvant introduire la condition sont :

si	en admettant que
au cas où	à supposer que
en cas de	à condition

● Ils peuvent introduire divers types de compléments :

	+ nom	+ infinitif	+ subordonnée
SI			*S'il le faut, je passerai vous voir.*
À CONDITION		*C'est possible à condition de ne rien dire.*	*C'est possible à condition que tu ne dises rien.*
EN ADMETTANT, À SUPPOSER			*En admettant, (à supposer) qu'il vienne, on annoncera la nouvelle.*
AU CAS OÙ			*Rejoins-nous au cas où tu n'aurais rien à faire.*
EN CAS DE	*Je passerai en cas d'urgence seulement.*		

RETENEZ

- Le **mode de la subordonnée** dépend de la conjonction ou de la locution* conjonctive qui l'introduit.

Comparez :

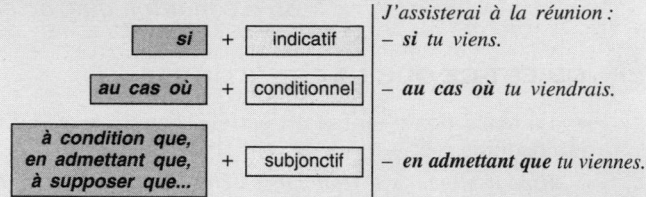

si	+	indicatif	*J'assisterai à la réunion :*
			– si tu viens.
au cas où	+	conditionnel	*– au cas où tu viendrais.*
à condition que, en admettant que, à supposer que...	+	subjonctif	*– en admettant que tu viennes.*

- *Si* ne peut pas être suivi du conditionnel ni du futur ; le temps de la proposition dépend de celui de la principale. ▶ **172**

- D'autres termes peuvent servir à marquer la condition.

SANS	***Sans** ton aide, nous aurions échoué.* = si tu ne nous avais pas aidés...
AVEC	***Avec** un peu de chance, tu réussiras.* = si tu as un peu de chance...
POUR PEU QUE (+ subj.)	*Il y parviendra **pour peu qu**'il le veuille.* = s'il le veut.
SI TANT EST QUE (+ subj.)	*Il le fera **si tant est qu**'il en soit capable.* = s'il en est capable.
POURVU QUE (+ subj.) (soutenu)	*Il partira **pourvu qu**'il fasse beau.* = s'il fait beau.

- On peut exprimer la condition à l'aide de deux propositions coordonnées dont la première est au subjonctif.

*Qu'il ose répéter cela **et je me fâche**.*

PROP. 1 (condition)   PROP. 2

= s'il ose répéter cela, je me fâche.

POUR ALLER PLUS LOIN

- Certaines locutions conjonctives introduisent des subordonnées qui expriment à la fois la condition et une autre nuance de sens.

nuance supplémentaire	locutions	exemple
concession	MÊME SI, QUAND (BIEN) MÊME ▶ **153** QUE... QUE...	***Même si** tu avais raison, je ne te croirais pas.* = à supposer que tu aies raison (condition) et malgré le fait que tu aies raison (concession)...
restriction OU négation	À MOINS DE (+ inf.), À MOINS QUE (+ subj.), SAUF SI...	*Il démissionnera **à moins qu**'on ne lui propose autre chose.* = si (condition) on ne lui propose pas (négation) autre chose.
comparaison	COMME SI	*C'est un peu **comme si** on était encore en vacances.* = si on était en vacances (condition) ce serait comme cela (comparaison).

- *Sinon* envisage le cas où la condition n'est pas réalisée. ▶ **29-3**

EXERCICE

Reliez les phrases entre elles de façon à exprimer une condition. Utilisez à chaque fois une tournure différente.

1. Les ventes n'augmentent pas. Nos bénéfices vont baisser. **2.** Vous n'êtes pas d'accord. Vous pouvez intenter un procès. **3.** Je ne suis pas chez moi. Laissez un message sur mon répondeur. **4.** Certaines difficultés apparaissent. Il ne faut pas se décourager.

45. CONJECTURE OU CONJONCTURE?

La conjoncture actuelle n'autorise pas que l'on se perde en conjectures

1 CONJECTURE: «SUPPOSITION»   *Se perdre en conjectures*

• **Une conjecture**, c'est un jugement, une opinion que l'on fonde sur de simples probabilités ou sur les apparences.
De telles conjectures ne sauraient élucider cette question.
Conjecture a pour synonymes *hypothèse, supposition, présomption...*

2 CONJONCTURE: «SITUATION»   *La conjoncture actuelle*

• **La conjoncture**, c'est un concours de circonstances, une situation à un moment donné.
*La hausse des prix est liée à la **conjoncture** économique.*
Conjoncture a pour synonymes *cas, circonstance, occasion, condition, situation...*

CONJECTURE ...   **RETENEZ**

• L'adjectif dérivé de **conjecture** est *conjectural*, celui dérivé de **conjoncture** est *conjoncturel*. Faites bien la différence.
*Il ne faut accorder aucun crédit à cette hypothèse toute **conjecturale**.* (= liée à des conjectures)
*Le blocage des prix tentait de mettre fin aux fluctuations **conjoncturelles**.* (= liées à la conjoncture)

EXERCICE

Remplacez les pointillés par conjecture, conjoncture *ou un dérivé.*

1. De telles ... ne peuvent servir de fondements à une théorie. **2.** Profitons de la ... qui semble être favorable pour mener à bien notre projet. **3.** Ces mesures ... ne suffiront pas à résorber le déficit. **4.** Il n'agit qu'au gré de la ... . **5.** Ils se livraient à toutes sortes de ... sur ma conduite. **6.** Les sciences ... se fondent sur des hypothèses.

46. CONJUGAISON : INTRODUCTION

● La conjugaison d'un verbe est l'ensemble des formes qu'il peut prendre dans le discours.

Aimer, aimera, aimeriez, aimant, aimé, ont aimé, aurais aimé, ayant aimé... sont diverses formes du même verbe *aimer*.

● Traditionnellement, les formes sont regroupées par modes (indicatif, subjonctif, impératif... ▶ 117 et ▶ 118) et par temps (présent, imparfait, futur...).

● *Ont aimé, aurais aimé, ayant aimé...* sont des formes des **temps composés**. Les temps composés sont formés avec un auxiliaire (ici *avoir*) et le participe passé (ici *aimé*). ▶ 49

● *Aimer, aimera, aimeriez, aimant, aimé...* sont des formes des **temps simples**. Toute forme verbale d'un temps simple se compose :
– d'un **radical**, qui porte le sens. Certains verbes changent de radical au cours de la conjugaison. ▶ 47
Comparez :

*nous **sav**-ons*	*ils **veul**-ent*
*nous **saur**-ons*	*ils **voul**-aient*

– et d'une **terminaison** (appelée aussi **désinence**) qui donne des indications de personne, de nombre, de temps et de mode. ▶ 48

*cour-**ûmes***   1re pers. plur. du passé simple de l'indicatif
*cour-**es***   2e pers. sing. du présent du subjonctif

R E T E N E Z

● On classe les verbes en trois groupes :

1er groupe {	les verbes en *-er*	*aimer, placer, broyer, nager, diluer...*
2e groupe {	les verbes en *-ir* (part. prés. en *-issant*)	*finir, blanchir...*
3e groupe {	les autres verbes en *-ir* (part. prés. en *-ant*)	*dormir, cueillir...*
	les verbes en *-re*	*croire, rendre, lire, mettre...*
	les verbes en *-oir*	*savoir, devoir, asseoir...*

● *Aller* fait partie du 3e groupe (voir p. 352).

POUR ALLER PLUS LOIN

● Les **temps surcomposés** sont formés de l'auxiliaire lui-même à un temps composé et du participe passé. Ils sont employés dans le langage parlé pour marquer un aspect accompli. ▶ 191

*Quand il **a eu fini** son travail, je suis allé le rejoindre.*
a eu = auxiliaire *avoir* au passé composé
fini = participe passé de *finir*

47. CONJUGAISON :
LES RADICAUX

Je sais
Nous savons

• Le radical renseigne sur le sens du verbe. C'est la partie à laquelle s'ajoute la terminaison. ▶ 48

Comparez :

radical	terminaison
je **peu**	-x
nous **pouv**	-ons
ils **peuv**	-ent
ils **pourr**	-ont
nous **p**	-ûmes
que je **puiss**	-e

• Il faut connaître les différents radicaux d'un verbe comme on connaît l'orthographe d'un mot, et vérifier au besoin une forme dans une grammaire ou un dictionnaire. En effet, il n'est pas rare qu'un verbe change de radical au cours de la conjugaison, et ce, de façon plus ou moins importante.

Comparez :

> je **fin**-is, vous **finiss**-ez, ils **finir**-ont.
> je **sai**-s, ils **sav**-ent, je **saur**-ai, je **s**-us, que je **sach**-e.
> je **vai**-s, nous **all**-ons, j'**ir**-ai, que tu **aill**-es.
> il **bou**-t, ils **bouill**-ent   ▶ 22
> il **cour**-t, il **courr**-a   ▶ 56
> je **jett**-e, nous **jet**-ons   ▶ 52
> j'**appell**-e, nous **appel**-ons ▶ 52

RETENEZ

• **Pour tous les verbes :**
– le même radical sert à construire :
  (1) la 1re pers. du plur. du présent de l'indicatif,
  (2) toutes les personnes de l'imparfait de l'indicatif,
  (3) le participe présent.

	voy-	fais-	finiss-
(1)	ns **voy**ons	ns **fais**ons	ns **finiss**ons
(2)	je **voy**ais... ils **voy**aient	je **fais**ais... ils **fais**aient	je **finiss**ais... ils **finiss**aient
(3)	**voy**ant	**fais**ant	**finiss**ant

sauf : pour *être* et *avoir* (voir p. 350)
             pour *savoir (nous savons / sachant).*

– le même radical sert à toute la conjugaison du futur et du conditionnel.

fut.	il **ser**-a	ns **verr**-ons	vs **pourr**-ez	ils **mettr**-ont
cond.	il **ser**-ait	ns **verr**-ions	vs **pourr**-iez	ils **mettr**-aient

– le même radical sert à la conjugaison du passé simple et de l'imparfait du subjonctif. ▶ 137

      je **vécus** (p. simple)
   que je **vécusse** (imp. subj.)

- Souvent, **les verbes d'une même famille** se conjuguent de la même façon.

Défaire se conjugue comme *faire*.
Enjoindre comme *joindre*.

Attention cependant à quelques différences :

– *Asservir* se conjugue comme *finir* et non comme *servir*.
– *Répartir* se conjugue comme *finir*; *départir* se conjugue comme *partir*.

En asservissant ses passions, l'homme oublie ce qu'il aime.
En servant le repas, elle racontait sa journée.
Répartissez-vous en deux groupes.
Partez dès que possible.

– Selon son sens, *saillir* change de conjugaison :
saillir «couvrir une femelle» se conjugue comme *finir*;
saillir «dépasser» comme *cueillir*.

Assaillir, tressaillir se conjuguent comme *cueillir*.

L'étalon saillit la jument.
Les ruelles étroites où saillent les balcons.
Pourquoi l'assailles-tu de questions?

– De même : *dire, prédire, interdire...* ▶ **68**
            ressortir ▶ **167**
            voir, prévoir et *pourvoir* ▶ **202**

- N'ajoutez pas de son [j] quand il n'y en a pas. ▶ **204**
Comparez :

     *Il faut que vous **soyez** là demain.*   [swaje]
     *Il faut qu'il **soit** là demain.*   [swa]

POUR ALLER PLUS LOIN

- Les verbes, comme les autres mots de la langue, évoluent.

– Certains disparaissent au profit de verbes dont la conjugaison est plus «prévisible», c'est-à-dire plus facile.

Choir a disparu au profit de *tomber*.
Résoudre et *émouvoir* seront-ils remplacés par *solutionner*, *émotionner* aujourd'hui encore proscrits?

– D'autres au contraire naissent. Dans ce cas, il s'agit toujours d'un verbe du 1er groupe, voire du 2e, jamais du 3e.

taguer, alunir...

EXERCICE

Complétez la grille à l'aide des différents radicaux du verbe croire. *Notez ceux qui sont identiques.*

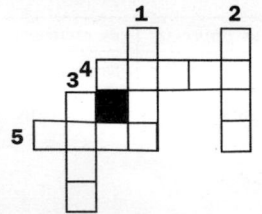

1. présent de l'indicatif, 1re pers. plur.

2. présent de l'indicatif, 3e pers. plur.

3. présent du subjonctif, 2e pers. sing.

4. futur.

5. imparfait de l'indicatif.

48. CONJUGAISON : LES TERMINAISONS DES TEMPS SIMPLES

Je lie
Je lis

Les terminaisons sont nombreuses, souvent muettes, mais elles sont stables et prévisibles. Avec un peu d'attention et de réflexion, on peut les écrire correctement.
Être, avoir et ***aller*** ont des terminaisons différentes (p. 350).

1 TERMINAISONS SELON LE GROUPE

Je broie
Je crois

temps et mode	1ᵉʳ **groupe** et quelques verbes[1] du 3ᵉ groupe		2ᵉ et 3ᵉ groupes		valoir, pouvoir, vouloir	
	term.	exemple	term.	exemple	term.	exemple
Présent indicatif singulier	je -E	*je broi-e*	je -s	*je croi-s*	je -x	*je veu-x*
	tu -ES	*tu broi-es*	tu -s	*tu croi-s*	tu -x	*tu veu-x*
	il -E	*il broi-e*	il -T	*il croi-t*	il -T	*il veu-t*
Impératif singulier	-E	*broi-e*	-s	*croi-s*	-x[2]	

(1) Les verbes du 3ᵉ gr. qui ont les mêmes terminaisons que ceux du 1ᵉʳ gr. sont :

assaillir	défaillir	saillir « dépasser »
couvrir	offrir	souffrir
cueillir	ouvrir	tressaillir

et recueillir, accueillir...
*Ne **cueille** pas ces fleurs.*

(2) L'impératif n'existe que pour *vouloir* et n'est courant que dans l'expression :
*Ne m'en **veux** pas.*   On trouve aussi la forme **veuille**.

RETENEZ

- On ne met jamais de *s* à l'impératif des verbes du 1ᵉʳ groupe.
  N'hésite pas à m'appeler en cas de besoin.
  Mais lorsqu'ils ont pour compléments les pronoms *en* ou *y*, ces verbes prennent la terminaison -ES. ▶ 84
    Manges-en.   *Penses-y.*

- Les verbes du 3ᵉ groupe dont le radical au présent se termine par -c, -t, -d ne prennent pas le *t* de la terminaison à la 3ᵉ personne du singulier. ▶ 194
    il convainc – il met – il vend...

- Ne confondez pas les verbes du 3ᵉ groupe en **-ure** et ceux du 1ᵉʳ groupe en **-uer**. ▶ 43
    je conclus – je dilue...

POUR ALLER PLUS LOIN

- Le passé simple et l'imparfait du subjonctif ont eux aussi des terminaisons qui sont différentes selon les verbes. ▶ 137

il mangea	*qu'il mangeât*
il finit	*qu'il finît*
il conclut	*qu'il conclût*

2 TERMINAISONS COMMUNES À TOUS LES VERBES

Que je broie
Que je croie

temps/mode	terminaisons		exemples	
Présent indicatif pluriel	nous	-ONS	*nous aim-**ons**, nous cour-**ons***	
	vous	-EZ	*vous jou-**ez**, vous cueill-**ez***	
	ils	-ENT	*ils parl-**ent**, ils finiss-**ent***	
Impératif pluriel		-ONS	*chant-**ons**, agiss-**ons**, ri-**ons***	
		-EZ	*chant-**ez**, agiss-**ez**, ri-**ez***	
Futur	je	-AI	*je jouer-**ai**, je cueiller-**ai***	
	tu	-AS	*tu créer-**as**, tu sortir-**as***	
	il	-A	*...*	
	nous	-ONS		
	vous	-EZ		
	ils	-ONT		
Imparfait indicatif et conditionnel	je	-AIS	imparfait	conditionnel
	tu	-AIS		
	il	-AIT	*je plaç-**ais***	*je placer-**ais***
	nous	-IONS	*il maigriss-**ait***	*il maigrir-**ait***
	vous	-IEZ	*nous pli-**ions***	*nous plier-**ions***
	ils	-AIENT	*ils sav-**aient***	*ils saur-**aient***
Présent subjonctif	je	-E	*que je trouv-**e**, que je voi-**e***	
	tu	-ES	*qu'il croi-**e**, qu'il conclu-**e***	
	il	-E	*que vous cri-**iez***	
	nous	-IONS		
	vous	-IEZ		
	ils	-ENT		

RETENEZ

- Notez les formes irrégulières de *faire* et *dire* (▶ **68**) :

  prés. indic. :   *vous faites*   et non *vous faisez*
                   vous dites   et non *vous disez*

  impér. :   *faites*
                 dites

- Notez également *ils font* (comme *ils ont, ils sont, ils vont*).

- Ne confondez pas l'indicatif et le subjonctif : TOUS les verbes ont les **mêmes** terminaisons *-e, -es, -e* au présent du **subjonctif**.
Comparez :

	1er groupe	autres verbes
prés. indicatif	*il emploi-**e***	*il voi-**t***
prés. subjonctif	*qu'il emploi-**e***	*qu'il voi-**e***

sauf : *avoir* et *être*.

    avoir : *que j'aie, que tu aies,* mais *qu'il ait.*
    être : *que je sois, que tu sois, qu'il soit.*

- Pour les verbes dont le radical se termine par *i* ou par *y*, n'oubliez pas le *i* de la **terminaison** pour les deux premières personnes du pluriel de l'imparfait de l'indicatif et du présent du subjonctif.
C'est notamment le cas des verbes en *-ier* (▶ **197**) et *-yer* (▶ **199**) qui s'écrivent alors *-iions, -iiez* et *-yions, -yiez.*
    Que faut-il faire pour que vous appréciiez ce travail ?

● Faites bien la différence entre les terminaisons :

-er de l'infinitif,

-é du participe passé,

-ez de la 2e personne du pluriel.

Après avoir justifié les raisons de votre démarche, vous aurez à expliquer les objectifs que vous recherchez.

De même, distinguez :

-ais de l'imparfait de l'indicatif ou du conditionnel,

-ai du passé simple, 1re personne du singulier.

J'étais là depuis longtemps. Pourtant quand j'entrai, tous furent surpris.

CONJUGAISON : TERMINAISONS   *RETENEZ*

● La principale difficulté des terminaisons réside dans le fait qu'on ne les entend pas toujours à l'oral.

Comparez :

lier	lire
je li-e	*je li-s*
tu li-es	*tu li-s*
il li-e	*il li-t*
ils li-ent	

Ne vous fiez donc pas uniquement à ce que vous entendez.

EXERCICE

Remplacez les pointillés par la terminaison ou la forme adéquate.

1. Il faut que nous ri… plus souvent. **2.** Il inclu… dans la facture ce qu'il nous attribu… en supplément *(présent)*. **3.** S'il se réveil…, laiss…-le se repos…. **4.** Il li… beaucoup de romans policiers *(présent)*. **5.** Elle li… facilement connaissance avec les autres *(présent)*.

---

49. CONJUGAISON : LES TEMPS COMPOSÉS

Il avait réussi
Il aurait réussi

● Les temps composés sont les temps pour lesquels les formes verbales se construisent à l'aide de l'auxiliaire *être* ou *avoir* (p. 350) suivi du participe passé du verbe.

● Chaque mode (▶ 117, 118) compte un ou plusieurs temps composés. Pour savoir comment conjuguer un verbe à un temps composé, il suffit de connaître le participe passé du verbe en question et de savoir à quel temps simple du mode se conjugue l'auxiliaire.

TEMPS COMPOSÉ	TEMPS DE L'AUXILIAIRE	EXEMPLE
mode indicatif		
passé composé	présent	j'**ai** chanté
plus-que-parfait	imparfait	j'**avais** chanté
futur antérieur	futur	j'**aurai** chanté
passé antérieur	passé simple	j'**eus** chanté
mode subjonctif		
passé	présent	que j'**aie** chanté
plus-que-parfait	imparfait	que j'**eusse** chanté
mode conditionnel		
passé 1re forme	présent	j'**aurais** chanté
passé 2e forme	imparfait du subjonctif	j'**eusse** chanté
mode impératif		
passé	présent	**aie** chanté (2e pers.)
mode infinitif		
passé	présent	**avoir** chanté
mode participe		
passé composé	présent	**ayant** chanté

RETENEZ

• La conjugaison des temps composés ne pose pas les mêmes problèmes que celle des temps simples (▸ 48). Les difficultés peuvent apparaître dans :
– le choix de l'auxiliaire. ▸ 19
– l'accord du participe passé. ▸ 134

• Les participes passés qui se terminent par le son [i] s'écrivent *i*, *is* ou *it* (▸ 135) ; ceux qui se terminent par le son [y] s'écrivent *-u* sauf *inclus* (▸ 136).

POUR ALLER PLUS LOIN

• Le passif (▸ 191-2) utilise aussi les formes composées : on le forme avec l'auxiliaire *être* conjugué et le participe passé.

*L'article **a été** rédigé par un journaliste de renom.*
    être au p. comp.   part. passé de *rédiger*

EXERCICE

Complétez le tableau suivant.

temps composé et mode	temps et mode de l'auxiliaire	*partir* 1re pers. sing.
plus-que-parfait (indicatif)		
		je serais parti
	futur (indicatif)	
passé (subjonctif)		
passé antérieur (indicatif)		
		que je fusse parti
	présent (impératif)	

---

50. LA CONSÉQUENCE : COMMENT L'EXPRIMER ?

Si bien qu'ils ont terminé plus tôt

• La conséquence est le résultat d'une action, l'effet d'une cause. Contrairement au but (▶ 23) qui énonce un résultat visé, la conséquence énonce un résultat obtenu.

Il a beaucoup travaillé si bien qu'il a réussi.
fait (= cause) **conséquence** (= résultat obtenu)

Il travaille beaucoup pour réussir.
fait **but** (= résultat visé)

1 LA CONSÉQUENCE DANS LES PROPOSITIONS INDÉPENDANTES

C'est donc lui

• Les principaux termes marquant un lien de conséquence entre deux propositions indépendantes sont :

donc	aussi
ainsi	c'est pourquoi
par conséquent	en conséquence
de cette façon	comme cela...

• La conséquence est exprimée dans la seconde proposition.

Il a toujours réussi, { **donc** / **par conséquent** / **c'est pourquoi** } *on lui fait confiance.*

POUR ALLER PLUS LOIN

• Le lien de conséquence peut être marqué par la ponctuation.
Le travail m'intéressait : j'ai accepté l'offre.

2 LA CONSÉQUENCE DANS LES PROPOSITIONS SUBORDONNÉES

Si bien qu'on le croit

• La conséquence est exprimée par une proposition subordonnée circonstancielle à l'**indicatif** ou au **conditionnel**.

• La subordonnée est introduite :
– par une locution* conjonctive.

si bien que	de (telle) sorte que
en sorte que	de (telle) façon que
au point que	de (telle) manière que...

Il avait déjà fini si bien que je ne l'ai pas entendu.
Il est venu souvent de sorte qu'il n'aurait pas dû s'égarer.

– par *que* en relation avec *tel* ou *si, tellement, tant.*
Il affirme cela avec une telle assurance qu'on le croit.
Il est si convaincant que je lui achèterais n'importe quoi.
Il le souhaitait tellement qu'il a fini par l'obtenir.

RETENEZ

- Ne confondez pas les constructions :

    *Le livre était **tellement** bien **que** je l'ai lu deux fois.*

ou *J'ai lu le livre deux fois, **tellement** il était bien.*

mais non *J'ai lu le livre deux fois ~~tellement qu'~~il était bien.*

POUR ALLER PLUS LOIN

- Des subordonnées introduites par ***pour que*** peuvent exprimer davantage une conséquence qu'un but (▸ **23**), mais elles restent au subjonctif.

    *Que lui a-t-il dit **pour qu'**enfin elle accepte ?*
    = il lui a dit quelque chose de sorte qu'elle a accepté.

Ces propositions sont souvent en relation avec ***assez, plus, trop, il suffit***, etc.

    *Il fait **trop** chaud **pour que** nous sortions maintenant.*

- ***De façon que, de manière que, de sorte que*** expriment aussi le but, mais avec un subjonctif. ▸ **23**

3 LA CONSÉQUENCE   *Il travaille assez pour réussir*
AVEC UN INFINITIF

- L'infinitif est introduit par ***pour***.

    *Qu'ai-je donc fait **pour** <u>mériter</u> cela ?*
    = j'ai fait qqch. qui a pour conséquence que je mérite cela.

Pour est souvent en relation avec ***assez, trop, suffisamment***…

    *Elles ont **assez** d'expérience **pour** <u>mener</u> à bien le projet.*
    ***Trop** poli **pour** <u>être</u> honnête.*
    *Vous en savez **suffisamment pour** vous <u>faire</u> une idée précise de la question.*

POUR ALLER PLUS LOIN

- ***À**, **au point de**…* introduisent des compléments de conséquence, mais de façon moins apparente.

    *Il court **à** perdre haleine.*
    = il court tellement qu'il en perd haleine.

    *Il est naïf **au point de** croire toutes ces fausses promesses.*
    = il est si naïf qu'il croit toutes ces fausses promesses.

- ***De manière à, de façon à*** expriment le but. ▸ **23**

    *Il se couchait de bonne heure **de façon à** être frais et dispos le lendemain.*

EXERCICE

Remplacez les pointillés par un terme marquant la conséquence et mettez le verbe entre parenthèses à la forme qui convient.

1. Il avait un autre rendez-vous. Il n'*(avoir)*… pas pu venir. **2.** Vous apprendrez votre rôle … la prochaine fois nous *(pouvoir)* jouer directement. **3.** Il s'installe … à la *(voir)* sans être vu. **4.** Il n'est jamais trop tard … bien *(faire)*. **5.** Je me suis absenté plusieurs jours … je ne *(être)* plus au courant de rien.

51. CONSONNE DOUBLE OU SIMPLE: R OU RR, N OU NN...?

La soubrette bretonne

Savoir si une consonne doit se répéter (consonne double) ou non (consonne simple) est l'une des difficultés majeures de l'orthographe du français. Dans certains cas, on résout la difficulté en analysant les mots (▶ 148). Les solutions sont différentes selon que la consonne en question est dans le radical, au début ou à la fin du mot.

1 CONSONNE DOUBLE DANS LE RADICAL

Personne
Personnel

● Au sein d'une même famille, les radicaux gardent généralement leur consonne simple ou leur consonne double.

personne – impersonnel – personnalité – personnage...
occuper – inoccupé – occupation – préoccuper...

RETENEZ

● Certaines familles de mots présentent toutefois des anomalies.

bonhomie	malgré	bonhomme
boursoufler (et boursouflement, boursouflure)	malgré	souffler...
cahute	malgré	hutte
cantonal	malgré	cantonnier
chariot	malgré	charrette...
combatif (et combativité)	malgré	battre...
donateur (et donation)	malgré	donner
homicide	malgré	homme
honorer (et honorable)	malgré	honneur
nomination	malgré	nommer
persifler (et persiflage, persifleur)	malgré	siffler...
prud'homal (et prud'homie)	malgré	prud'homme...
résonance, consonance (et assonance)	malgré	sonner, résonner...
imbécillité	malgré	imbécile...

Peu à peu, les dictionnaires et les correcteurs acceptent des graphies plus cohérentes (*combattif, imbécilité...*). On peut espérer qu'un jour elles soient acceptées par tous.

● Retenez ces mots pour lesquels on constate fréquemment des erreurs :

adresse	courrier	mourir
agglomération	enveloppe	nourrir
aggluptiné	girafe	occlusion
auxiliaire	intérêt	oculaire
concurrence	*et* intéresser	parallèle
corollaire	interroger	professeur
corrélation	moment	saccade
dilemme	monétaire	tranquillité...

2 CONSONNE DOUBLE EN DÉBUT DE MOT

Innombrable
Inondation

• Un raisonnement en deux étapes peut renseigner sur la présence ou non d'une consonne double en début de mot.

– Il faut tout d'abord se demander si le mot en question est un mot dérivé* formé à l'aide d'un préfixe (▶ 148) ou non.
Comparez :

avec préfixe		sans préfixe
surimpression	**sur**réaliste	**sureau**

– Quand on a affaire à un dérivé, il faut ensuite savoir repérer où se termine le préfixe et où commence le radical.

surimpression = sur + impression
surréaliste = sur + réaliste

RETENEZ

• Le mot s'écrit ainsi avec une consonne double si la dernière lettre du préfixe est la même que la première du radical.

innombrable = in + nombrable
inondation = in + ond(e) + ation

• L'orthographe d'un radical ne change pas, alors que le même préfixe peut prendre différentes formes selon la lettre à laquelle il se raccroche.

in- de négation ou de localisation (sens plus vague) s'écrit **il-** devant *l* **ir-** devant *r* **im-** devant *m, b, p*	in/ouï – in/augurer in/nommable – in/nervé il/lisible – il/luminé ir/responsable – ir/radié im/muable – im/meuble
é- s'écrit **ef-** devant *f* **es-** devant *s*	él/bruiter – él/couler – él/mettre él/nerver – él/rafler... ef/faroucher – ef/filer es/seulé – es/souffler...
a- privatif (= sans) s'écrit **an-** devant voyelle	a/politique – a/social an/onyme – an/alphabète
en- s'écrit **em-** devant *m, b, p*	en/orgueillir – en/neigé em/mener
dé- s'écrit **dé-** ou **des-** devant *s* **dés-** devant voyelle	dé/faire – dé/mentir des/servir – des/saler – dé/solidariser dés/altérer – dés/obéir
mé- s'écrit **més-** devant voyelle	mé/connaître més/entente – més/aventure [z]
on écrit toujours **pré-**	pré/natal – pré/salé [s] sauf pres/sentir

• Il existe un autre préfixe **a-**, différent du **a-** privatif, qui sert à former une grande quantité de mots. On le trouve sous la forme **a-** ou sous la forme «a + consonne» *(ag-, al-, ap-...)*.
Comparez :

ag/graver	*al/léger*	*ap/paraître*
a/grandir	*a/lourdir*	*a/percevoir*

3 CONSONNE DOUBLE DANS LES FINALES

Vêtement
Patiemment

• Connaître l'orthographe des suffixes* permet de bien écrire les dérivés.

– **Suffixes avec consonne simple**

-ement (pour les noms)	environn/**ement** – rougoi/**ement**
-ment (pour les adverbes en [əmã] ou [emã])	réelle/**ment** – intensé/**ment**
-ite	bronch/**ite** – méning/**ite**
-ule	gran/**ule**, ov/**ule**
-cole	arbori/**cole**
-ivore	carn/**ivore**
-at- en combinaison avec d'autres suffixes : *-atique*, *-atoire*, *-atif*, *-ateur*, *-ateux*, *-ature*...	narr/**ateur** – drol/**atique** cré/**atif** – oss/**ature**...

– **Suffixes avec double consonne**

-amment et *-emment* pour les adverbes en [amã] ▶ 14	puiss/**amment** – pati/**emment**
-ette (diminutif)	clochette
-onner	chant/**onner** – mâch/**onner**

• Retenez les suffixes d'adjectifs comportant une consonne double au féminin. ▶ 92

coquet ⇒ *coquette*

POUR ALLER PLUS LOIN

• Les mots qui se terminent par la finale *-on*, doublent ou non le *n* dans les dérivés.

rayon – rayonner – rayonnement – rayonnage...
proportion – proportionnel – proportionnalité...
nation – national – nationalité – nationaliser...
patron – patronne – patronner mais *patronat – patronage*

4 CONSONNE DOUBLE ET PRONONCIATION

Succès
Sucer

• Lire un mot à voix haute peut aider à bien l'orthographier.
– La lettre *c* doit être doublée devant *e* et *i* pour être prononcée [ks].
Comparez :

accident	[aksidã]		*succès*	[syksɛ]
acide	[asid]		*sucer*	[syse]

– La lettre *s* doit être doublée entre deux voyelles pour être prononcée [s] et non [z].
Comparez :

russe	[ʀys]		*tapisser*	[tapise]
ruse	[ʀyz]		*tamiser*	[tamize]

Cependant, dans certains mots composés ou mots dérivés (voir **2**), le radical garde sa prononciation en [s] bien qu'il ne comporte qu'un seul *s*.

asocial   parce que *social* [sɔsjal]
vraisemblable parce que *semblable* [sãblabl], etc.

– Les consonnes doivent être doublées devant *e* **sans accent** pour que *e* soit prononcé [ɛ]. ▶ **52**

Comparez :

j'appelle	[apɛl]	*soubrette*	[subʀɛt]
appeler	[apəle]	*breton*	[bʀətɔ̃]

– *e* doit se trouver devant *mm* pour être prononcé [a] (voir aussi **3**).

Comparez :

femme	[fam]	*décemment*	[desamã]
femelle	[fəmɛl]	*doucement*	[dusəmã]

EXERCICE

Complétez la grille.

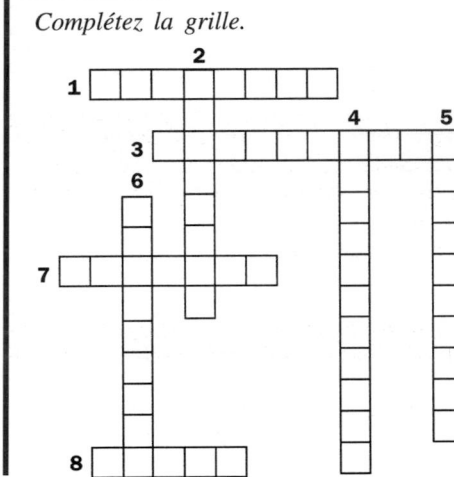

1. Ce que l'on a bâti.
2. Qui n'est pas mature.
3. Enchanté par tant de merveilles.
4. Qui ne fait pas appel à la raison.
5. De façon évidente.
6. Action d'évider.
7. Rendre ivre.
8. Sans ton.

52. CONSONNE DOUBLE ET CONJUGAISON : LL, NN, TT OU L, N, T ?
Nous jet erons
Nous je ons

Certains verbes s'écrivent dans leur conjugaison tantôt avec une consonne double *(jetterons)*, tantôt avec une consonne simple *(jetons)*. Il faut bien écouter ce qu'on prononce à l'oral pour savoir dans quel cas on se trouve.

1 LL, NN, TT AVEC LE SON [ɛ]   *Nous jetterons*

● Les verbes s'écrivent avec **ll**, **nn**, **tt** lorsque la consonne est précédée du son [ɛ].

> *nous appellerons* [apɛl(ə)ʀɔ̃]
> *ils prennent* [pʀɛn]
> *tu jettes* [ʒɛt]

RETENEZ

● Certains verbes en **-eler** ou **-eter** marquent le son [ɛ] non pas en doublant leur consonne, mais par un accent grave. ▶ 196

nous pelons – il pèle
nous achetons – il achète

2 L, N, T AVEC LE SON [ə]   *Nous jetons*

● Les verbes s'écrivent avec un seul **l**, **n** ou **t** lorsque la consonne est précédée du son [ə], prononcé ou non.

> *nous appelons* [ap(ə)lɔ̃]
> *vous prenez* [pʀəne]
> *en jetant* [ʒətɑ̃]

...LL, NN, TT OU L, N, T ?   RETENEZ

● Seul le verbe *interpeller* conserve les **ll** dans toute sa conjugaison, même avec le son [ə]. Autrefois, ce verbe se prononçait toujours [ɛ].

Trois suspects ont été interpellés dans la soirée.

...LL, NN, TT...   POUR ALLER PLUS LOIN

● Remarquez que dans le premier groupe, seuls les verbes en **-eler** et **-eter** peuvent doubler leur consonne pour marquer le son [ɛ]. Les autres verbes s'écrivent avec l'accent grave.

semer ⇒ *je sème*
mener ⇒ *tu mènes*
peser ⇒ *il pèse*

● De même, les mots dérivant de ces verbes doublent ou non la consonne suivant qu'on entend [ɛ] ou [ə].

> *jetable* [ʒətabl]
> *une appellation* [apɛlasjɔ̃]
> *un appelé* [ap(ə)le]

EXERCICE

Complétez ces instructions avec les verbes suivants ou avec des mots de leur famille : comprendre, étiqueter, rappeler, renouveler.

Pour le **(1)** ... de votre bail, retournez-nous ce dossier dûment rempli. Collez sur la première page une **(2)** ... avec vos nom, prénom et adresse. Écrivez lisiblement de façon à ce que l'on **(3)** ... tout. **(4)** ... -vous que votre bail est **(5)** ... tous les trois ans.

53. CONSONNE MUETTE
EN FIN DE MOT
Le relais, le sport...

De nombreux mots se terminent par une, voire plusieurs consonnes qu'on n'entend pas : ce sont des consonnes muettes. La difficulté est double : y a-t-il une consonne muette ? Si oui, laquelle ?
Comparez :

cor	record	porc	mors
corps	ressort	port	remords

Il n'existe pas de règle générale permettant de dire comment s'écrit la fin d'un mot, mais on dispose d'un certain nombre de repères qui peuvent aider à trouver la bonne orthographe.

1 LES CONSONNES MUETTES DU MASCULIN

Succinct
Succincte

• Pour les noms de personnes, les adjectifs et les participes passés, la forme du féminin (▸ 92) renseigne sur :
– la **présence** de consonne muette au masculin : elle s'entend au féminin.

une nature morte	[mɔʀt]	*une sainte*	[sɛ̃t]
un poids mort	[mɔʀ]	*un saint*	[sɛ̃]

– l'**absence** de consonne muette.

une chaussure noire	[nwar]	*une maison saine*	[sɛn]
un gant noir	[nwar]	*un climat sain*	[sɛ̃]

RETENEZ

• Certains noms et adjectifs ont un féminin qui modifie la consonne finale du masculin.
soucieuse / soucieux et non *soucieus*

• **Attention :** quatre adjectifs s'écrivent sans consonne finale au masculin, bien que leur féminin en comporte une.

coi *(coite)* **rigolo** *(rigolote)*
favori *(favorite)* **andalou** *(andalouse)*

• De même, on écrit *absous* et *dissous* avec *s,* malgré *absoute* et *dissoute.* ▸ 198

• Selon le sens, on écrit au masculin *béni* ou *bénit,* au féminin *bénie* ou *bénite.* ▸ 135

2 LES CONSONNES MUETTES POUR LES MOTS D'UNE MÊME FAMILLE

Abus
Abuser

• Des mots de la même famille peuvent mettre en évidence :
– la **présence** de consonne muette.

porc	climat	matelas	respect	abus	champ
porcherie	climatique	matelasser	respectueux	abuser	champêtre

– l'**absence** de consonne muette.

carton	labour	individu	vertu
cartonné	labourer	individuel	vertueux

RETENEZ

• Malgré tout, il existe un grand nombre de cas pour lesquels il y a discordance entre les mots d'une même famille.

	on écrit :	malgré :
	cauchemar	*cauchemarder*
	bazar	*bazarder*
cours, et *concours*, *recours*) (pensez à *course*)}		*courir*
	relais	*relayer*
	corps	*corporel*
pied (pensez à *piédestal*)		*piétinement*, *piéton...*
	puits	*puisatier*
	temps	*temporel*

• Parfois, seule la consonne finale permet de distinguer des homonymes*.
Comparez :

le cou	*le coup*	*le coût*
une cour	*un cours*	*court* (adj.)
la statue	*le statut*	
la tribu	*le tribut*	
le fond	*le fonds* ▶ 96	
un acquis	*un acquit* ▶ 5	

3 **LES CONSONNES MUETTES DES SUFFIXES**

Un îlot
Un plumeau

• Retenir l'orthographe des suffixes* permet de ne pas hésiter sur la finale des dérivés*.

– **Suffixes avec consonne finale**

suffixes	servant à former...	exemples
-ard	des noms et des adjectifs	*maquisard, billard*
-at *et* -ariat, -orat	des noms masculins qui désignent un titre et sont formés sur un nom, parfois sur un adjectif	*consulat, secrétariat, professorat, anonymat*
-at	des noms masculins qui désignent un état et sont formés sur un verbe	*résultat, plagiat*
-ement *et* -ament, -iment, -ument *ou* -ment	des noms masculins	*parement, ossement, département, filament, sentiment*
-is	des noms masculins formés le plus souvent sur un verbe, parfois un nom	*semis, châssis, éboulis*
-ment	des adverbes sur le féminin de l'adjectif	*franchement, lentement*
-ons *et* -etons	des locutions adverbiales	*à reculons, à croupetons*
-ot	des noms masculins	*îlot, bourricot, caillot*

– Suffixes sans consonne finale

suffixes	servant à former...	exemples
-eau *et* -ereau	des noms masculins (valeur diminutive) formés sur un nom	*caveau, plumeau, barreau*
-in	des noms masculins (valeur diminutive) formés sur un nom ou un verbe	*galopin, crachin, tambourin*
-o	des noms et adjectifs familiers formés par troncation*	*proprio, réglo, socialo*
-oir	des noms masculins	*fumoir, arrosoir*
-on	des noms masculins et d'autres suffixes (-ichon, -illon, -eton...)	*glaçon, cornichon, bottillon, caneton, échelon*

N.B. : Les suffixes servant à former uniquement les adjectifs ne sont pas cités, car on peut s'aider du féminin pour trouver la finale (voir **1**).

4 **LES CONSONNES MUETTES EN L'ABSENCE DE REPÈRE** *Voix Essor*

● Certains mots ne se rapprochent d'aucun autre, du moins pas dans la langue actuelle. Il faut vérifier dans un dictionnaire. Des connaissances en latin ou en ancien français peuvent aider.

Voix comme le latin *vox*.

Essor, «envol», est une survivance de l'ancien sens de *essorer* qui signifiait «s'envoler».

RETENEZ

● N'oubliez pas l'orthographe des prépositions et des adverbes suivants. La plupart sont composés* : il faut penser aux termes qui les composent (ici soulignés).

sans consonne muette	-s	-t	divers
autour	ailleurs	surtout	d'abord
loin	plusieurs	partout	
parmi	volontiers	souvent	beaucoup
ensemble	parfois	pendant	trop
ensuite	quelquefois	cependant	
entre	toutefois		
davantage	toujours		
malgré	jamais		
peu	sans		
	certes		
	néanmoins		
	très		

EXERCICE

Remplacez la transcription phonétique par la finale adéquate.

1. La plup[aʀ] des reg[aʀ] se perdaient dans le brouill[aʀ]. **2.** Le s[ɔʀ] de l'entreprise va dépendre du nouvel ess[ɔʀ] que l'on donnera à la production. **3.** Le gig[o] enc[ɔʀ] tout ch[o] et fum[ɑ̃] fut serv[i] sur un pl[a] d'arg[ɑ̃] accompagné d'un hach[i] Parmentier.

54. CONVENIR À OU CONVENIR DE?

Cela convient à chacun
J'ai convenu de cela avec lui

Selon le sens dans lequel on l'emploie, **convenir** se construit avec des prépositions différentes et ne se conjugue pas avec le même auxiliaire aux temps composés.

1 CONVENIR À: «ÊTRE APPROPRIÉ À»

Cela convient à chacun

• *Convenir **à*** signifie «être approprié, adapté à, fait pour». Il peut avoir pour sujet et pour objet* des noms d'animés* ou d'inanimés*.

*Cette femme convient parfaitement **à** la situation.*
SUJ. = animé   OBJ. = inanimé

*Quelle date le mois prochain **lui** conviendrait le mieux?*
SUJ. = inanimé   OBJ. = animé

*À qui ou **à** quoi cela peut-il convenir?*

RETENEZ

• *Convenir **à*** se conjugue avec **avoir** aux temps composés.
*Cela m'**aurait convenu** si vous me l'aviez proposé avant.*

2 CONVENIR DE: «SE METTRE D'ACCORD SUR»

Convenir d'une date

• *Convenir **de*** signifie «se mettre d'accord sur» ou «avouer, reconnaître». Il a pour sujet des noms de personnes et pour objet des noms d'inanimés.

*Vous conviendrez **d'**un rendez-vous avec ma secrétaire.*
SUJ. = personne   OBJ. = inanimé

*Je conviens volontiers **de** mon erreur, mais reconnaissez les vôtres.*
SUJ. = personne   OBJ. = inanimé

RETENEZ

• Utilisez bien les pronoms **en** (▶ 84) et **dont** (▶ 70), qui sont les pronoms correspondant aux objets introduits par **de**.

Je conviens de mon erreur.	*J'**en** conviens.*
	*C'est ce **dont** je conviens.*

• Aux temps composés, l'usage courant conjugue **convenir de** avec **avoir**, mais la langue soutenue préfère **être**.

*Avez-vous déjà **convenu** d'une date pour notre prochaine rencontre?*

*«Elle songea à Édouard, au rendez-vous pour le soir même dont elle **était convenue** avec lui.»* P. QUIGNARD

CONVENIR DE   *POUR ALLER PLUS LOIN*

• En tournure impersonnelle, ***convenir*** se construit avec la préposition ***de*** qui introduit l'infinitif. Il a alors le sens atténué de «il faut».

*Il **convient** d'employer cette préposition dans la construction décrite.*

EXERCICE

Remplacez dans chacune des phrases suivantes le verbe souligné par convenir *en faisant les modifications nécessaires.*

1. Ils reconnaissaient enfin l'extrême difficulté du sujet. **2.** La date que vous avez fixée avec mon collègue me va parfaitement. **3.** Qu'elle me téléphone, si cela l'arrange. **4.** Les problèmes auxquels ce type de solution est approprié ne sont pas nombreux.

55. LES COULEURS: ACCORD DES ADJECTIFS ET NOMS DE COULEUR

Des yeux bleus
Des yeux bleu clair

1   **UNE COULEUR EN PLUSIEURS**   *Une jupe bleu clair*
MOTS: PAS D'ACCORD

• Quand la couleur est exprimée à l'aide de plusieurs termes, aucun des termes ne s'accorde.

couleur exprimée par	exemples
deux adjectifs	*Une auto **gris clair**.* *Des tissus **bleu-vert**.*
un adj. et un nom	*Une écharpe **bleu pervenche**.*
un nom composé	*Une ombrelle **gorge-de-pigeon**.*
un nom qualifié	*Des rideaux **vieil or**.*

POUR ALLER PLUS LOIN

• Les adjectifs composés de deux adjectifs de couleur (*rouge, vert, bleu...*) s'écrivent avec un trait d'union.

*Des yeux **bleu-vert**.*

2   **UNE COULEUR EN UN SEUL MOT:**   *Des yeux bleus*
ACCORD OU NON   *Des yeux marron*

• Si le mot qui exprime la couleur est un **adjectif**, il **s'accorde** avec le nom auquel il se rapporte.

adjectif	exemples
bleu, bleue	*Une jupe* **bleue**.
vert, verte	*Des yeux* **verts**.
beige	*Des chaussures* **beiges**.
orangé, orangée	*Une peinture* **orangée**.
fauve	*Les tons* **fauves** *de la forêt.*

• Parfois, on utilise comme adjectif un **nom** qui désigne une plante, un animal, une pierre... parce qu'il évoque une couleur particulière : il n'y a **pas d'accord**.

Des yeux noisette. (= couleur de **noisette**.)

Des chevaux pie. (= noir et blanc comme une **pie**.)

C'est le cas de :

bistre	grenat	pastel
brique	indigo	pervenche
carmin	marron	sépia
crème	nacre	turquoise
garance	orange	vermillon...

RETENEZ

■ Invariables

• *Orange* et *marron* sont des noms (*une orange, un marron*) très fréquemment utilisés comme adjectifs de couleur. Ils ne s'accordent jamais.

Des gants marron.
Des rideaux orange.

• Les deux adjectifs *kaki* et *auburn*, empruntés à des langues étrangères, sont invariables.

Des vestes kaki.

■ Variables

• *Rose, mauve, pourpre, vermeil, écarlate,* bien que désignant des objets, plantes ou animaux, s'accordent.

Des ongles roses.
Des étoffes écarlates.
La bouche vermeille.

• L'adjectif *châtain* prend la marque du pluriel : *châtains* ; au féminin, *châtain* et *châtaine* sont en concurrence.

Une fillette châtain (ou *châtaine*).

• L'adjectif *violet* a pour féminin *violette* (différent du nom de fleur *violette*) : il s'accorde comme les autres adjectifs.

Son buvard était couvert de taches violettes.

POUR ALLER PLUS LOIN

• On peut indiquer qu'une chose est de plusieurs couleurs en coordonnant plusieurs termes.

« Les parois des grottes brun et bleu de la Meuse et vertes de la Lesse » P. QUIGNARD

« Mer odorante et vagabonde / Aux flots bleus et bruns » CH. BAUDELAIRE

- L'usage hésite sur l'accord. Ne pas le faire n'est jamais une faute et peut éviter des ambiguïtés.

*Des écharpes **blanches** et **bleues**.*
> = il y a des écharpes qui sont bleues et d'autres qui sont blanches.
> *ou* = des écharpes où le bleu et le blanc sont associés.
> *(des écharpes **blanc** et **bleu**)*

EXERCICE

Complétez les qualificatifs de couleur dans les énoncés suivants.

1. Une tenture vert... tilleul. **2.** Les abricotiers en automne : elle les revoit rose... ou orange... . D'après V. LEDUC. **3.** Il a les cheveux châtain..., plutôt châtain... clair... . **4.** Confiture aux quatre fruits rouge... . **5.** «Tout le reste de l'Olympe est baigné dans une aube vermeil...» G. FLAUBERT **6.** Les toreros et leurs capes écarlate... . **7.** Des soieries chatoyantes, violet... et indigo... . **8.** Elle était stupéfiante : yeux marron..., lèvres rose..., chaussures orange... et brique... et cheveux fauve... . Elle enfila des gants vieil... or... .

56. COURIR, SECOURIR... : QUELLE CONJUGAISON ?

Si elle discourait, ils accourraient tous

- Les verbes formés sur *courir* sont :

accourir	parcourir
concourir	recourir
discourir	secourir
encourir	

RETENEZ

- Contrairement à la plupart des verbes, *courir* et ces verbes ne forment pas leur futur (et leur conditionnel présent) sur l'infinitif, mais sur un autre radical : *courr-*. Pensez aux *rr*.

*J'**accourr**ai dès que vous m'aurez prévenu.*
*Les sportifs **courr**ont la semaine prochaine.*
*Nous prendrions l'avion et par**courr**ions ensuite l'Afrique.*

- Aux autres temps, les formes sont **toutes** construites sur le radical *cour-*, avec **un seul r**.

présent indicatif	*Tous nos partenaires con**cour**ent à la réussite du projet.*
imparfait indicatif	*Nous **cour**ions chaque jour une vingtaine de minutes.*
présent subjonctif	*Faisons en sorte qu'il en**cour**e le moins de risques possible.*
participe passé	*Ils ont se**cour**u tous les naufragés.*

EXERCICE

Mettez le verbe entre parenthèses à la forme voulue.

1. En cas de besoin, nous (*recourir*, futur) à vous. **2.** Tous les candidats (*concourir*, présent) dans les mêmes conditions. **3.** Ils (*discourir*, imparfait) des heures entières devant un auditoire toujours attentif. **4.** S'il vous demande, (*accourir*, impératif) pour l'aider. **5.** Elle (*parcourir*, conditionnel présent) le monde entier pour trouver ce qu'elle cherche. **6.** Il faudrait qu'il (*courir*, présent du subjonctif) plus vite pour la rattraper.

57. CROIRE OU CROIRE À, EN?

Il a cru mon histoire
Peut-on croire au bonheur?

Parmi les nombreux emplois de *croire*, certaines constructions prêtent à confusion. Sachez les reconnaître et les utiliser à propos.

1 **CROIRE: «ADMETTRE»** *Je le crois*

• Quand *croire* signifie «tenir pour vrai, admettre», il se construit avec un complément d'objet* direct (COD) qui désigne un récit, un énoncé...

> *Ne **croyez** pas <u>un mot</u> de cette histoire : tout est inventé.*
> COD
>
> *Il **croit** <u>tout</u> ce qu'on lui dit sans jamais rien vérifier.*
> COD

Il a alors pour synonymes *admettre, accepter*...

• **Croire** quelqu'un, c'est tenir pour vrai ce qu'il dit.
> *Ils n'ont pas voulu <u>le</u> **croire** sans preuve.*
> <u>Me</u> **croirez**-vous enfin?

• *Croire* signifie aussi «considérer comme probable, comme vraisemblable».
> *Je **crois** que cette solution est possible.*
> *Je **crois** pouvoir répondre à vos besoins.*
> *Il n'avait jamais **cru** cette solution possible.*
> *Je la **croyais** heureuse.*

Il a pour synonymes *estimer, penser, juger, supposer, imaginer*...

RETENEZ

> • *Croire* se construit avec un seul COD : *croire* quelqu'un ou *croire* que... Attention à ne pas utiliser les deux constructions ensemble.
>
> *Je te crois que c'est difficile.*
> *Je <u>te</u> **crois** <u>quand tu dis que c'est difficile</u>.*
> COD   PROP. SUB. CIRC.

2 CROIRE À, EN : «ADHÉRER» *Croire au progrès*

- *Croire à* signifie «juger quelque chose vraisemblable».
  Qui pourrait croire à sa culpabilité ?

- *Croire à* signifie «adhérer spirituellement ou intellectuellement à quelque chose».
  Il ne croit qu'aux médecines douces et refuse toute autre médication.

- Plus spécialement, *croire aux* sorcières, *aux* fantômes, *au* Père Noël signifie «tenir pour réelle leur existence».
  Les enfants qui perdent leur première dent croient à la petite souris.

- *Croire en* a le même sens, mais la conviction, la confiance accordée est totale, sans réserve.
  Croire en Dieu. «avoir la foi»
  Je crois sincèrement en lui et en la réussite de son projet.
  Il a pour synonyme *avoir confiance en*.

CROIRE... *RETENEZ*

- Avec les noms désignant **des récits, des énoncés**..., on peut avoir les deux constructions. La distinction de sens peut être alors très subtile.
  Comparez :
  Je crois sa version des faits.
  = j'estime que sa version des faits est vraie.

  Je crois à sa version des faits.
  = j'adhère à sa version des faits.

- Mais avec d'autres noms, la construction indirecte s'impose.
  Croyez à mes sentiments les plus respectueux.
  Les personnes de nature optimiste croient toujours à la chance.

EXERCICE

Remplacez s'il y a lieu les pointillés par la préposition adéquate. Le cas échéant, indiquez si plusieurs solutions sont possibles.

1. Je n'avais aucun moyen de vérifier et j'ai dû croire ... sa version des faits. **2.** Il affirmait croire ... la présence des extraterrestres dans l'univers. **3.** Pour s'aimer, il faut commencer par croire l'un ... l'autre. **4.** Le commissaire refusait de croire ... la déposition du témoin. **5.** Ils ne croiront ... son innocence que s'il apporte un alibi sérieux.

58. DAVANTAGE OU D'AVANTAGE?

Il a davantage d'avantages que moi

Sachez reconnaître les cas où *davantage* s'écrit en un seul mot.

1 DAVANTAGE : «PLUS»   *Travailler davantage*

- *Davantage* est un **adverbe**. Il est **invariable** et s'écrit en **un seul** mot. Il a pour synonyme *plus*.

   *Voilà tout ce que je sais, il ne m'en a pas dit **davantage**.*
   *Il en faut **davantage** pour le décourager.*
   *Il a beau avoir plus de temps libre, je ne le vois pas **davantage**.*

- On le trouve aussi dans les expressions ***davantage de*** et ***davantage que***.

   *On lui a confié **davantage de** responsabilités.*
   *Il a travaillé **davantage que** moi.*

2 D'AVANTAGE :   *Pas d'avantage fiscal*
   «DE BÉNÉFICE»

- *D'avantage* est un groupe de deux mots constitué du **nom** *avantage*, précédé de *de* élidé (préposition* ou déterminant*).

   *En choisissant cette option, il n'aura pas **d'avantage** fiscal.*
   = il n'aura pas **un** avantage fiscal.

   *Il s'agit **d'avantages** en nature.*
   = il s'agit **de** quelque chose : des avantages en nature.

EXERCICE

> *Remplacez les pointillés par* davantage *ou* d'avantage(s).
>
> **1.** Tu en sauras … en les appelant directement. **2.** Il a toujours bénéficié … appréciables. **3.** Tu te crois malin, mais lui l'est … . **4.** Il devait nous confier … de travail que la semaine dernière. **5.** Je ne vois pas … à faire cela.

59. DE : + SINGULIER OU PLURIEL ?

Les moyens de production
Un chiffre d'affaires

Certains compléments introduits par **de** ne présentent pas de forme apparente de déterminant*. Pour identifier le nombre (singulier ou pluriel) de ces compléments, il faut retrouver le déterminant en passant par le sens de l'expression.

*Des moyens de **production**.*
= des moyens qui servent à **la** production. *(sing.)*
*Un chiffre d'**affaires**.*
= un chiffre qui concerne **les** affaires. *(plur.)*

Mais il n'est pas toujours facile de décomposer l'expression.

1 DE SUIVI LE PLUS SOUVENT DU SINGULIER

Un terrain de sport

• On observe une grande fréquence du singulier dans le complément quand l'expression peut être traduite par :

fait dans du..., *dans de la...* *fait avec du...,* *avec de la...*	(la **matière**, le **composant**)	*Une pièce d'or.* = faite dans **de** l'or. *Un château de sable.* = fait avec **du** sable.
dû au..., à la...	(la **cause**)	*Un élan de bonté.* = dû à **la** bonté. *Des larmes de tristesse.* = dues à **la** tristesse.
pour le..., pour la... *destiné au..., à la...* *servant au..., à la...*	(la **destination**)	*Un terrain de sport.* = pour **le** sport. *Une salle de classe.* = servant à **la** classe.
concernant le, la... *relatif au..., à la...*	(la **spécification**)	*Les limites d'âge.* = concernant **l'**âge.

RETENEZ

• Avec certains noms, on emploie, quand il existe, le singulier collectif* (singulier qui a la valeur d'un pluriel).
Du pâté de foie.
= du pâté fait avec **du** foie (le foie = les foies).
*Un terrain **de** sport.*
= un terrain pour **le** sport (le sport = l'ensemble des sports).

• Le complément est au pluriel si :
– le singulier ne peut pas s'employer comme collectif.
*Un tas **de** cailloux.*
= fait avec **des** cailloux (≠ le caillou).
Un lit de feuilles mortes.
= fait avec **des** feuilles mortes (≠ la feuille morte).
– quand le nom ne s'emploie qu'au pluriel.
Un centre de loisirs.
*Des devoirs **de** vacances.*

POUR ALLER PLUS LOIN

● Avec *pâte, compote, confiture…* on trouve plus souvent le pluriel, bien que le singulier collectif soit tout à fait possible.

De la confiture de fraises.
= faite avec **des** fraises.

De la confiture de fraise.
= faite avec de **la** fraise.

---

2 **DE SUIVI DU SINGULIER OU DU PLURIEL**

Un paquet de levure
Un paquet de bonbons

● On trouve le pluriel ou le singulier dans le complément quand la préposition *de* :

marque le **contenu**	*contenant du…, de la…, contenant des…*	*Un verre de vin.* = qui contient **du** vin. *Un paquet de cigarettes.* = qui contient **des** cigarettes.
est l'équivalent d'un **COD**	verbe + COD	*Un amateur de musique.* = qui aime **la** musique. *Un vendeur de biens.* = qui vend **des** biens.

DE : + SINGULIER OU PLURIEL ?   *RETENEZ*

● Le nom est **toujours** au singulier quand il s'agit d'une notion non comptable. ▸ **39**

Une poupée de porcelaine.
Trois litres de lait.

● Le nom qui précède *de* n'a pas d'influence sur le nombre du complément.
Comparez :

L'avion est un moyen de communication encore réservé aux classes les plus aisées.

Les moyens de communication se sont considérablement développés ces dernières décennies.

● *État,* quand il signifie «manière d'être», est généralement suivi d'un complément au singulier.

état d'esprit – état de santé – état d'âme – état de choc – état de fait – en tout état de cause…
mais : *état de choses* «circonstance, situation».

EXERCICE

Donnez le sens de chacune des expressions en italique en faisant apparaître le déterminant et notez les pluriels manquants.

1. Retournez-nous *votre bulletin d'abonnement…* le plus rapidement possible. **2.** *Une pile de document…* encombrait son bureau. **3.** La boîte contient *douze crayons de couleur…* . **4.** L'entreprise a mis au point *de nouvelles techniques de production…* . **5.** Vous replacerez *cette œuvre d'art…* dans son contexte historique. **6.** *Le chiffre d'affaire…* de l'entreprise est en constante augmentation.

60. DE... EN...:
+ SINGULIER

D'année en année

- ***De... en...*** sert à marquer une idée de progression par étape.
  *Le spectacle devient nettement meilleur **de** représentation **en** représentation.*
  = d'une représentation à l'autre.

  *Il a voyagé **de** pays **en** pays.*
  = d'un pays à l'autre.

RETENEZ

- ***De... en...*** est toujours suivi de noms **au singulier**, même si l'ensemble a un sens pluriel.
  *Cette tradition se perpétuait **de** génération **en** génération.*
  = elle s'est maintenue sur **plusieurs générations**.

POUR ALLER PLUS LOIN

- ***De... en...*** peut également s'employer avec des adverbes, notamment dans quelques locutions* figées.
  de loin en loin – de proche en proche – de bas en haut...

- ***De plus en plus...***, ***de moins en moins...*** servent à marquer la progression pour des adjectifs ou des adverbes.
  *Elle est **de** plus **en** plus <u>belle</u>.*
  *Il travaille **de** moins **en** moins <u>volontiers</u>.*

EXERCICE

Transformez les phrases suivantes en employant de... en... .

1. Son état de santé s'améliore tous les jours. **2.** Ils faisaient leur tournée dans les différentes villes. **3.** Au fil des années, le nombre des inscriptions a considérablement augmenté.

61. DÉCERNER
OU DISCERNER?

*On décernera un prix
à ceux qui discerneront la différence*

1   **DÉCERNER: «ATTRIBUER»**   *Décerner un prix*

- **Décerner** quelque chose à quelqu'un, c'est lui attribuer une distinction honorifique : prix, récompense, médaille, coupe...
  *On **décerne** des médailles aux champions olympiques.*
  Il a pour synonymes *accorder, attribuer.*

2 DISCERNER: «DISTINGUER» *Discerner une différence*

• **Discerner** quelque chose (d'autre chose), c'est le percevoir distinctement (par la vue, par l'esprit...).

*Dans l'obscurité il ne **discernait** pas les objets.*
*Dans cette question, nous pouvons **discerner** deux aspects.*
***Discerner** le vrai du faux.*

Il a pour synonymes *distinguer, différencier, identifier, percevoir, reconnaître.*

RETENEZ

• N'oubliez pas le *s* du préfixe* *dis-* dans ***discerner.*** ▶ 148

EXERCICE

Remplacez les pointillés par la forme de décerner *ou* discerner *qui convient.*

1. Cette année, le prix littéraire a été ... à un jeune romancier.
2. Nous avons pu ... dans sa réponse une légère teinte d'ironie.
3. Ce sont deux nuances qu'il faut bien ... . **4.** Quel organisme est chargé de ... les Césars?

62. DEMI: QUAND L'ACCORDER?

Une heure et demie
Une demi-heure

1 DEMI- DANS UN MOT COMPOSÉ EST INVARIABLE *Une demi-heure*

• *Demi* sert à former des noms composés*, parfois des adjectifs composés (emploi littéraire). Il est toujours **invariable**.

*Un billet **demi**-tarif.*
*Une **demi**-heure.*
*Trois **demi**-douzaines.*
*«La volatile malheureuse (...) **Demi**-morte et **demi**-boiteuse»*
LA FONTAINE

RETENEZ

• Il y a **toujours** un trait d'union entre *demi* et le nom (ou l'adjectif) qui le suit.

• Pour bien orthographier *demi-*, pensez à *semi-* ou *mi-* qui eux aussi sont invariables et s'écrivent avec un trait d'union.

*Des **semi**-remorques.*
*Les yeux **mi**-clos.*

2 LA LOCUTION ADVERBIALE À DEMI EST INVARIABLE

À demi nue

• La locution* adverbiale *à demi* est **invariable**, comme tous les adverbes. Elle se rapporte le plus souvent à un adjectif.
Elle se baigne à demi nue.

• *À demi* se rapporte parfois à un verbe.
« *C'est ne vivre qu'à demi que de n'oser penser qu'à demi.* »
VOLTAIRE

RETENEZ

• Il n'y a **jamais** de trait d'union après la locution adverbiale *à demi*. Ne confondez pas les deux constructions suivantes :

à (prép.) + nom composé avec *demi-* (voir 1)	*à demi-mot* *à demi-tarif* (comme *à pied*)	trait d'union
à demi (loc. adv.) + adjectif	*à demi* nue *à demi* vides (comme **entièrement** nue)	pas de trait d'union

3 ET DEMI(E) EST VARIABLE EN GENRE

Une heure et demie

• Dans la locution *et demi(e)*, demi est **toujours au singulier**. Il est au féminin ou au masculin suivant le genre du nom sous-entendu.
Une heure et demie.
= une heure et la moitié d'une heure.

Deux ans et demi.
= deux ans et la moitié d'un an.

POUR ALLER PLUS LOIN

• On trouve : *Minuit, midi et **demi***
ou *Minuit, midi et **demie***

DEMI...   POUR ALLER PLUS LOIN

• Employé comme nom, *demi* prend les marques du pluriel et du féminin.
*Ils ont commandé trois **demis** et deux cafés.*
*La **demie** de quatre heures.*

EXERCICE

Remplacez les pointillés par demi *ou* demie *après avoir classé les phrases suivantes selon que* demi *est dans un composé, qu'il fait partie de la locution adverbiale* à demi *ou de l'expression* et demi(e). *N'oubliez pas les traits d'union.*

1. Ils sont à ... endormis. **2.** Une longueur de deux centimètres et ... . **3.** Il est trois heures et ... . **4.** Une ... bouteille de vin. **5.** Une bouteille à ... pleine. **6.** Il voyage à ... tarif.

63. DÉNUDÉ OU DÉNUÉ?

*Retirez un «d» à dénudé :
le voilà dénué de son sens*

Ne confondez pas ces deux adjectifs proches par la forme mais différents par le sens.

1 DÉNUDÉ : «MIS À NU» *Un câble dénudé*

- **Dénudé** vient du verbe *dénuder* qui signifie «retirer ce qui recouvre». Il s'emploie à propos de noms concrets.

  *Un câble **dénudé**.*
  = on a dénudé le câble.

  *Elle a les épaules **dénudées**.*
  = elle a dénudé ses épaules.

Dénudé peut avoir pour synonymes *nu, dégarni...*

2 DÉNUÉ DE : «PRIVÉ DE» *Dénué de bon sens*

- **Dénué de** signifie «privé de, qui est sans». Il est accompagné d'un complément qui, le plus souvent, est un nom abstrait.

  *Il est **dénué de** tout sens de l'humour et ne supporte pas la moindre taquinerie.*

Dénué a pour synonymes *dépourvu de, privé de, sans.* On peut également remplacer *être **dénué de*** par *manquer de.*

DÉNUDÉ OU DÉNUÉ ? RETENEZ

- **Dénudé** s'emploie sans complément alors que **dénué** se construit avec un complément introduit par *de.*

- Pensez aux noms correspondant à chacun de ces adjectifs :
  dénudé ⟹ *nudité, nudisme*
  dénué ⟹ *dénuement*

  À l'époque, les célèbres Baigneuses *de Renoir choquèrent le public par leur **nudité**.*

  *Après son accident, elle s'est trouvée dans un grand **dénuement** moral; seuls ses amis parvenaient à la réconforter.*

EXERCICE

Complétez les phrases suivantes en remplaçant les pointillés par dénudé *ou* dénué *selon le sens.*

1. On pouvait reprocher à l'auteur un style ... de simplicité. **2.** Il coiffait son crâne ... d'un béret basque. **3.** Les paysages ... de cette région ne sont pas ... de charme. **4.** S'il n'est pas ... d'intérêt, ce film manque en revanche de dynamisme.

64. DÉSINTÉRÊT OU DÉSINTÉRESSEMENT?

Son désintérêt pour ce travail
Un désintéressement tout à fait louable

Ces deux noms construits sur le même radical n'ont pas du tout le même sens et ne doivent pas être employés l'un à la place de l'autre.

1 **DÉSINTÉRÊT:**   *Le désintérêt pour une matière*
«INDIFFÉRENCE»

- **Le désintérêt**, c'est l'attitude de celui qui ne s'intéresse pas ou plus à quelque chose.

  *Le **désintérêt** des élèves pour ces matières devrait inquiéter les professeurs.*

  *Nombreuses sont les personnes qui ne vont plus voter par **désintérêt** pur et simple de la vie politique.*

Il a pour synonymes *indifférence, manque d'intérêt, lassitude…*
Il a donc un sens plutôt négatif.

2 **DÉSINTÉRESSEMENT:** *Un désintéressement louable*
«GÉNÉROSITÉ»

- **Le désintéressement**, c'est l'attitude de celui qui agit sans faire intervenir ses propres intérêts.

  *«Le motif seul fait le mérite des actions des hommes, et le **désintéressement** y met la perfection.»* LA BRUYÈRE

  *Les bénévoles sont prêts à se dévouer pour notre association par pur **désintéressement**.*

Désintéressement a pour synonymes *générosité, abnégation, altruisme, détachement, oubli de soi…* Il a un sens positif.

DÉSINTÉRÊT…   ***POUR ALLER PLUS LOIN***

- Ces noms sont de la même famille que ***intérêt*** (▸ **105**): ils s'écrivent avec un seul *r*, et un accent aigu sur le *e* qui précède le *r*.

EXERCICE

Complétez les phrases suivantes en remplaçant les pointillés par désintérêt *ou* désintéressement.

1. Un accueil aussi chaleureux est preuve de … . **2.** La routine finit toujours par provoquer le … des personnes pour leur travail. **3.** Il manque complètement de curiosité et manifeste un total … pour les gens qui l'entourent. **4.** J'ai toujours admiré le … dont fait preuve cet homme très généreux.

65. DIFFÉRENCIER OU DIFFÉRER?

Différencier les éléments qui diffèrent

Distinguez bien ces deux verbes de forme voisine et dont les sens se recoupent parfois.

1 DIFFÉRENCIER: «DISTINGUER»

Différencier deux espèces

• **Différencier** deux choses, c'est établir une différence entre elles.

> *Un botaniste saurait **différencier** ces deux espèces.*
> = un botaniste saurait faire la différence entre...

> *La raison seule **différencie**-t-elle l'homme de l'animal?*
> = la raison constitue-t-elle la seule différence entre...

Il a pour synonymes *distinguer, séparer*.

• *Se **différencier*** a pour synonymes *se distinguer, se démarquer, différer*.

> *Il **se différencie** des autres en cela qu'il est toujours serein.*
> = il est différent des autres en cela...

2 DIFFÉRER: «RETARDER» OU «S'OPPOSER»

Différer un paiement
Un avis qui diffère

• *Différer* signifie «remettre à plus tard, retarder» quand il est transitif direct (il a un complément d'objet* direct).

> *Ils ont demandé à **différer** de deux mois leur paiement.* (COD)

Il a alors pour synonymes *retarder, repousser, renvoyer*.
Il est plus courant au participe passé employé comme adjectif.

> *Jugement **différé**, émission **différée**...*

• *Différer* signifie «être différent» quand il est transitif indirect (il a un complément d'objet* indirect introduit par *de*).

> *La seconde partie **diffère** entièrement de la première.* (COI)
> *Mon avis **diffère** légèrement du sien.* (COI)

Il a pour synonymes *se différencier, se distinguer, s'opposer*.
Dans ce sens, *différer* peut être employé sans COI.

> *Nos avis **diffèrent**.*
> *C'est ce en quoi il **diffère**.*

EXERCICE

Remplacez les pointillés par différer, différencier *ou* se différencier *selon le sens.*

1. Ils sont en tous points identiques, rien ne les ... . **2.** On en a ... l'échéance pour une raison tenue secrète. **3.** Dans ce cas, seules les formes ..., le fond, lui, reste le même. **4.** Il voulait leur apprendre à ... des autres et faire d'eux les meilleurs.

66. DIFFÉREND OU DIFFÉRENT?

Un différend les oppose
Les différents aspects de la question

L'orthographe distingue ces deux homonymes* qui sont de la même famille.

1 **UN DIFFÉREND : «UN CONFLIT»** *Régler un différend*

• Le nom **différend** s'écrit avec un **d** final. Il peut être remplacé par *conflit, désaccord, démêlé...*
   *Ils ont fini par régler ce **différend** à l'amiable.*

2 **DIFFÉRENT, DIFFÉRENTE : «DISSEMBLABLE»** *Un avis différent*

• L'adjectif **différent** s'écrit avec un **t** final (pensez au féminin *différente*).
   *Ils ont tous les deux un avis **différent** sur le sujet.*
   *Nous avons étudié les **différents** aspects de la question.*

DIFFÉREND...	POUR ALLER PLUS LOIN

• Ne confondez pas non plus **différend** et **différent** avec le participe présent **différant**. ▶ 16

• Seuls deux mots en [ã] s'écrivent **-end** :
   *un révér**end*** et *un différ**end**.*

EXERCICE

Remplacez les pointillés par différent *ou* différend *selon le cas.*

1. Jamais il n'avait eu de ... avec ses frères. **2.** Un ... les a séparés de longues années. **3.** C'est tout à fait ... selon les circonstances. **4.** Ils ont pu résoudre les ... problèmes que posait le sujet.

67. DIFFÉRENT DE

Une opinion différente de la nôtre

• L'adjectif **différent**, tout comme le verbe **différer** (▶ 65), se construit avec la préposition **de**.
   *Une opinion sensiblement **différente de** la nôtre.*
   *Ces œuvres sont **différentes de** celles publiées auparavant.*
   *Ces œuvres **différeront de** celles publiées auparavant.*

RETENEZ

- De même, on construit avec *de* l'adverbe *différemment*.
  *Peu importe que vous pensiez **différemment des** autres.*

- Ne construisez pas *différent*, *différemment* avec *que*, sur le modèle de *même que*.

        *Ses espoirs sont les mêmes **que** les miens.*
  mais *Ses espoirs sont **différents des** miens.*
  et non *Ses espoirs sont différents que les miens.*

EXERCICE

Transformez les phrases en utilisant différent, différer, différemment.

1. Ses origines et les miennes ne sont pas semblables. **2.** Ce style n'a rien à voir avec celui du siècle précédent. **3.** Ils n'ont pas agi de la même façon que les autres. **4.** Il n'est pas du même avis que moi.

68. DIRE, MÉDIRE… : QUELLE CONJUGAISON ?

Dites clairement ce que vous interdisez

- Les verbes formés sur *dire* sont :

contredire	médire
se dédire	prédire
interdire	redire
maudire	

RETENEZ

- Contrairement à la plupart des verbes, au pluriel, la 2ᵉ personne du présent de l'indicatif et de l'impératif de *dire* et *redire* n'est pas formée sur le radical de la 1ʳᵉ personne.
Comparez :

nous cuis-ons	*nous dis-ons*
vous cuis-ez	*vous dit-es*

Utilisez bien les formes *dites* et *redites*.
  *Ce que vous **dites** me paraît très intéressant.*
  ***Dites**-nous quelles sont vos intentions.*
  *Ne me **redites** jamais cela.*

- Les autres composés de *dire* (sauf *maudire*) se conjuguent eux normalement.
  *Ne leur **interdisez** pas d'entrer.*
  *Pourquoi **médisez**-vous toujours de lui ?*

- *Maudire*, quant à lui, n'a rien gardé de la conjugaison de *dire*, si ce n'est l'infinitif et le participe passé (*maudit*). Ses autres formes sont celles des verbes du 2ᵉ groupe (*-ir, -issant*).
  *Ne les **maudissez** pas.*

▶ 145

EXERCICE

Mettez les verbes entre parenthèses à la forme voulue.

1. Vous les *(contredire)* avec un malin plaisir. **2.** Ne *(dire)* pas cela devant vos enfants. **3.** Vous lui *(prédire)* un bel avenir, non? **4.** Je sais bien que vous les *(maudire)*.

69. DISCOURS DIRECT ET INDIRECT

Il m'a dit : « Je l'ai vue hier »
Il m'a dit qu'il t'avait vue la veille

● On peut rapporter les paroles de quelqu'un de plusieurs façons :

– On les rapporte directement telles qu'elles ont été prononcées dans la conversation : c'est le **discours direct**.

Il m'a dit : « Je l'ai vue hier. »

On utilise alors une ponctuation spécifique : deux-points (:), guillemets (« »), tiret (–) quand il y a plusieurs répliques.

– On les intègre au récit : c'est le **discours indirect**. Les paroles sont rapportées le plus souvent dans une subordonnée introduite par *que* dépendant d'un verbe tel que *dire, annoncer, demander, répéter, raconter, avouer, écrire, déclarer...*

Il m'a dit qu'il t'avait vue la veille.

– On les intègre au récit mais sans les faire dépendre d'un verbe : c'est le **discours indirect libre**. Il n'est pas toujours facile à reconnaître ; la subordination est sous-entendue.

Elle s'est plainte de toi. Tu ne venais jamais la voir.
= elle s'est plainte (en disant) que tu n'allais jamais la voir. *(discours indirect)*
= elle s'est plainte : « Il ne vient jamais me voir. » *(discours direct)*

● Le fait d'intégrer les paroles au récit (discours indirect) implique des modifications de personnes, de temps...

1 MODIFICATIONS DE PERSONNES   *Je/il, Mon/son*

discours direct	discours indirect
Pierre m'écrit : « J'ai vu Isabelle et je lui ai parlé de ton idée. »	● Je m'adresse à Isabelle : *Pierre m'écrit qu'il t'a vue et qu'il t'a parlé de mon idée.* ● Je m'adresse à une autre personne qu'Isabelle : *Pierre m'écrit qu'il a vu Isabelle et qu'il lui a parlé de mon idée.*
Dans *Pierre m'écrit...*, les personnes sont déterminées par rapport à celui qui a **dit** les paroles (ici, *Pierre*) et non celui qui les rapporte (ici, *moi*).	Les personnes sont déterminées par rapport à celui qui **rapporte** les paroles (ici, *moi*) et à ses interlocuteurs (*Isabelle* ou *les autres*), et non par rapport à celui qui les a dites.

2 MODIFICATIONS DE TEMPS   *Il m'a dit qu'il viendrait*

• Dans le discours indirect, quand la principale est à un temps
du **présent** ou du **futur**, le temps de la subordonnée est **le même**
que celui du discours direct.
Comparez :

discours direct	discours indirect	
	principale **(présent ou futur)**	*subordonnée*
«*J'avais repéré* une belle maison.		*il avait repéré* une belle maison.
Elle me plaisait beaucoup.		*elle lui plaisait beaucoup.*
J'ai pris (ou *je pris*) *rendez-vous avec l'agence.*	*Il m'écrit qu'* *Il va m'écrire qu'* *Il m'écrira qu'*	*il a pris* (ou *il prit*) *rendez-vous avec l'agence.*
Elle se charge de la vente.		*elle se charge de la vente.*
Je visiterai la maison demain.		*il visitera la maison demain.*
J'aimerais avoir ton avis.		*il aimerait avoir mon avis.*
J'aurais dû te prévenir plus tôt.»		*il aurait dû me prévenir plus tôt.*

• Dans le discours indirect, quand la principale est à un temps
du **passé**, le temps de la subordonnée n'est **pas toujours le
même** que celui du discours direct.
Comparez :

discours direct	discours indirect	
	principale **(passé)**	*subordonnée*
«*J'avais repéré* une belle maison.		*il avait repéré* une belle maison.
Elle me plaisait beaucoup.		*elle lui plaisait beaucoup.*
J'ai pris (ou *je pris*)[1] *rendez-vous avec l'agence.*	*Il m'a écrit qu'* *Il vient de m'écrire qu'* *Il m'écrivait qu'* *Il m'écrivit qu'*	*il avait pris rendez-vous avec l'agence.*
Elle se charge[1] *de la vente.*		*elle se chargeait de la vente.*
Je visiterai[1] la *maison demain.*		*il visiterait la maison demain.*
J'aimerais avoir ton avis.		*il aimerait avoir mon avis.*
J'aurais dû te prévenir plus tôt.»		*il aurait dû me prévenir plus tôt.*

(1) Pour les temps modifiés, voir RETENEZ, p. 114.

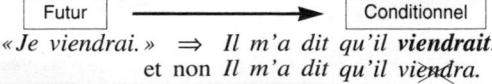

Futur ⟶ Conditionnel
«*Je viendrai.*» ⟹ *Il m'a dit qu'il* **viendrait**.
et non *Il m'a dit qu'il viendra.*

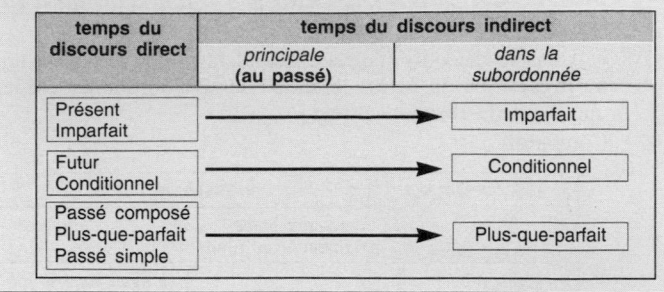

temps du discours direct	temps du discours indirect	
	principale (au passé)	dans la subordonnée
Présent / Imparfait	→	Imparfait
Futur / Conditionnel	→	Conditionnel
Passé composé / Plus-que-parfait / Passé simple	→	Plus-que-parfait

POUR ALLER PLUS LOIN

• Quand les paroles rapportées ont une valeur générale ou universelle, on peut conserver le présent.

*Je lui ai dit cent fois qu'il **faut** réfléchir avant d'agir.*
ou *qu'il **fallait**...*

3 **MODIFICATIONS DE MODES**   *Il a dit de venir à huit heures*

• L'impératif est un mode qui ne s'utilise qu'en discours direct.
*Il a dit : «**Viens** à huit heures.»*

En discours indirect, on peut utiliser notamment :

l'infinitif : *Il a dit **de venir** à huit heures.*
le subjonctif : *Il a dit que je **vienne** à huit heures.*
il faut (+ subj.) : *Il a dit qu'il **fallait que je vienne** à huit heures.*
devoir (+ inf.) : *Il a dit que je **devais venir** à huit heures.*

POUR ALLER PLUS LOIN

• La subordonnée à l'indicatif introduite par *que* peut être remplacée par une tournure infinitive dans le discours indirect.

«Je suis parti avant toi.» { *Il prétend **qu'il est parti** avant moi.* / *Il prétend **être parti** avant moi.* }

4 **MODIFICATIONS D'ADVERBES DE LIEU ET DE TEMPS**   *Demain* / *Le lendemain*

• Si, dans le discours indirect, le temps et le lieu des paroles **correspondent** à ceux du récit, on conserve les **mêmes** adverbes ; sinon on utilise un équivalent (voir RETENEZ).
Comparez :

discours direct	discours indirect
*Tout à l'heure, il m'a dit : «Je passerai **aujourd'hui**.»*	*Tout à l'heure, il m'a dit qu'il passerait **aujourd'hui**.*
*L'autre jour, il m'a dit : «Je passerai **aujourd'hui**.»*	*L'autre jour, il m'a dit qu'il passerait **ce jour-là**.*
*Je lui écris : «Je suis à Nice et il fait très beau **ici**.»*	*Je lui écris que je suis à Nice et qu'il fait très beau **ici**.*
*Elle m'écrit : «Je suis à Nice et il fait très beau **ici**.»*	*Elle m'écrit qu'elle est à Nice et qu'il fait très beau **là-bas**.*

RETENEZ

• Quand il n'y a **pas de correspondance**, il faut utiliser les équivalents suivants :

adv. et loc. du discours direct	adv. et loc. du discours indirect
ici	là/là-bas
maintenant	alors
aujourd'hui	ce jour-là
ce matin/ce soir	ce matin-là/ce soir-là
demain	le lendemain
après-demain	le surlendemain
hier	la veille
matin/soir	au matin/au soir
avant-hier	l'avant-veille
dernier	précédent *ou* d'avant
prochain	suivant *ou* d'après
dans une semaine	une semaine après
lundi	le lundi suivant
...	...

POUR ALLER PLUS LOIN

• Cependant, on utilise très souvent les adverbes par rapport au moment où on rapporte les paroles.
Comparez ces trois phrases équivalentes quant à leur sens :

discours direct : *Hier il m'a dit : « Je viendrai **demain**. »*
discours indirect : { *Hier il m'a dit qu'il viendrait **le lendemain**.*
{ *Hier il m'a dit qu'il viendrait **aujourd'hui**.*

5 **CE QUI DISPARAÎT** *Bref, ouf, ah*

• Dans le discours direct, on utilise de nombreux mots et locutions qui expriment un sentiment, une attitude... On ne retrouve pas ces termes dans le discours indirect.

*« Pourriez-vous me renseigner sur des horaires de train **s'il vous plaît** ? »*
Il demande si nous pouvons le renseigner sur des horaires de train.

• Cependant, il est souvent possible de rendre ces nuances :
– par un autre terme.
*Il demande **poliment** si nous pouvons...*
– par le verbe qui introduit la subordonnée.

discours direct	discours indirect
*« **Bref**, tu ne sais rien. »*	*Je **conclus** qu'il ne sait rien.*
*« **Ah** ! comme j'ai chaud. »*	*Il se **plaint** d'avoir chaud.*
*« Tu aurais pu m'attendre **tout de même**. »*	*Il **protesta** que j'aurais pu l'attendre.*

• Seule la conjonction *que* (et *si* pour l'interrogation indirecte) peut introduire la subordonnée du discours indirect.
Il leur explique comme quoi tout est important.
*Il leur explique **que** tout est important.*

• L'interrogation indirecte (▶ **106**) est une forme spéciale de discours indirect. Le passage de la question à l'interrogation indirecte se fait avec les mêmes modifications.

interr. directe	interr. indirecte
«Que veux-tu?»	*Il me demande <u>ce que je veux</u>.* *Il me demanda <u>ce que je voulais</u>.*

EXERCICE

Le texte suivant est au discours direct. Faites les modifications nécessaires pour obtenir un texte au discours indirect.

Tu m'as écrit : «Pierre et moi sommes arrivés hier». Tu m'as raconté : «Il faisait un temps magnifique». Tu m'as expliqué : «Nous avons retrouvé son frère et mes deux sœurs». Tu m'as annoncé : «En tout cas, ils repartiront demain et nous, nous resterons peut-être jusqu'à la semaine prochaine».

70. DONT : QUEL EMPLOI?

Tout ce dont nous aurons besoin

1 **VALEUR DE DONT**

• ***Dont*** est un pronom relatif*. Il correspond à ***de* + antécédent***.
*L'homme **dont** je reconnais la silhouette arrive vers moi.*
   ANTÉC.   PROP. REL.   (= je reconnais la silhouette **de l'homme**.)
*C'est une œuvre **dont** tu peux être fier.*
      ANTÉC.   PROP. REL.   (= tu peux être fier **de cette œuvre**.)
*Il veut me présenter quelqu'un **dont** il m'a déjà parlé.*
         ANTÉC.   PROP. REL.   (= il m'a parlé **de lui**.)

POUR ALLER PLUS LOIN

• On rencontre également ***dont*** dans une relative* sans verbe.
*Trois candidats ont été admis **dont** deux avec mention.*
*Une œuvre **dont** voici un extrait...*

2 **DONT ET QUE**

                              Ce dont j'ai peur
                                Ce que je crains

• Certains verbes ou locutions* verbales se construisent avec un complément introduit par ***de*** (par exemple : *manquer de qqch.*). Quand ils sont employés dans une relative, il faut les construire avec ***dont*** et non avec ***que***.
<u>*Les données*</u> *que je manque pour résoudre le problème...*
<u>*Les données*</u> ***dont*** *je manque pour résoudre le problème...*

> • Pensez à respecter cette construction notamment avec :
>
> il s'agit **de**... *Ce **dont** il s'agit...* ► 9
> se souvenir **de**... *Ceux **dont** il se souvient...* ► 163
> avoir envie **de**... *Ce **dont** j'ai envie...*
> avoir peur **de**... *Le résultat **dont** j'ai peur...*
> avoir besoin **de**... *Le repos **dont** il a besoin...*

• Inversement, si le verbe ou la locution verbale a une construction directe, sans *de* (par exemple : *faire qqch.*), le bon pronom est **que**. ► 154

  Voici l'usage dont il veut faire du produit.
  *Voici l'usage **qu'**il veut faire du produit.*

C'est notamment le cas pour *se rappeler qqch.* ► 163

• Avec le présentatif* **c'est**, on peut employer indifféremment les deux tournures suivantes :

c'est de (...) que	c'est (...) dont
*C'est **de** ce point **que** je parle.*	*C'est ce point **dont** je parle.*
*C'est **de** cela **qu'**il est question.*	*C'est ce **dont** il est question.*
*C'est **de** toi **qu'**il est question.*	*C'est toi **dont** il est question.*

Mais ne faites pas de télescopage ! Souvenez-vous que *de* est inclus dans *dont* : ils ne peuvent pas apparaître ensemble dans la même construction.

  C'est de ce point dont je parle.

3 | **DONT, LES POSSESSIFS ET LES PRONOMS PERSONNELS** | *L'auteur dont on lit le livre*

• Quand il est complément du nom, *dont* peut avoir la même valeur que le **possessif***.

  *L'auteur **dont** on lit le livre...*
  = on lit le livre **de l'auteur** = on lit **son** livre.

Si, dans une relative, un nom est déjà déterminé par *dont*, il ne faut pas le déterminer à nouveau par le possessif.

  L'auteur dont on lit son livre...

• De même, on ne peut pas, dans une relative, employer à la fois *dont* et un **pronom personnel** si tous deux renvoient au même terme.

  L'œuvre dont le compositeur en a enregistré une version...
  = le compositeur **de l'œuvre** a enregistré une version **de l'œuvre**.
  *L'œuvre **dont** le compositeur a enregistré une version...*

  L'auteur dont le dernier roman l'a rendu célèbre.
  = le dernier roman **de l'auteur** a rendu **l'auteur** célèbre...
  *L'auteur **que** son dernier roman a rendu célèbre...*

Même si l'antécédent (*œuvre, auteur*) n'est représenté qu'une seule fois, il n'y a aucune perte d'information.

4 DONT, DE QUI OU DUQUEL _Celui dont, celui de qui, celui duquel_

- **_Dont, de qui_** (uniquement pour les animés*) et **_duquel_** (▶110) sont équivalents.

  L'ami **dont** je tiens ces informations... (animé)
  = l'ami **de qui** je tiens ces informations.
  = l'ami **duquel** je tiens ces informations.

  Les conditions **dont** dépend ce projet... (inanimé)
  = les conditions **desquelles** dépend ce projet.

- Mais on ne peut employer **_dont_** :

  – lorsque le relatif est complément d'un **nom introduit par une préposition**.

  Il reste confiant **dans** l'avenir de ce projet.
  ⇒ _C'est un projet **dans** l'avenir duquel il reste confiant._

  – lorsque _de_ fait partie d'une **locution* prépositive**.

  Je resterai **auprès** de cet ami.
  ⇒ _L'ami **auprès** duquel (ou de qui) je resterai..._

EXERCICE

Transformez la deuxième phrase en une relative.
EXEMPLE : _J'aime ce pays. Le climat de ce pays est doux._
⇒ _J'aime ce pays dont le climat est doux._

1. J'aperçois une femme. Son chapeau est bleu. **2.** Il a deux enfants. Un de ses enfants est marié. **3.** L'affaire nous préoccupe. Il est question de cette affaire dans les journaux. **4.** Ils ont acheté une maison. Dans le jardin de la maison, il y a un cerisier. **5.** Le cinéaste a reçu une récompense. On voit son film sur tous les écrans. **6.** Le succès est garanti. Nous tenons la qualité du travail pour responsable du succès.

71. E, É OU È
POUR ÉCRIRE LES SONS
[e] ET [ɛ]?

Un élève bien élevé
Exercices de flexion

- L'accentuation du *e* ne doit pas être négligée car :
- elle donne des indications sur la prononciation.
- elle permet de reconnaître les mots.
  Eleve n'a pas de sens : s'agit-il de *élève* ou de *élevé*?

- Mais encore faut-il savoir choisir entre les graphies *e*, *é*, *è*
pour transcrire les sons [e] et [ɛ][1].

1 **E PRONONCÉ** [e] **OU** [ɛ]
S'ÉCRIT SANS ACCENT   *Elle, exigu*

- **Devant deux consonnes**.
  accessibilité – elle – espoir – anecdote...
Mais on met un accent sur *e* :
- si la seconde consonne (différente de la première) est *l* ou *r*.
  fébrile – réflexion – trèfle – algèbre...
- si les deux consonnes forment un seul son :
  ch [ʃ], *th* [t], *ph* [f], *gn* [ɲ].
  mèche – méthylène – éphémère – zéphyr – règne...

- **Devant *x***.
  exercice – flexible – Saint-Exupéry...

- **Devant une consonne finale**, sauf *s* (voir **3**).
  hier – cuiller – nez – pied...   mais   *accès*

POUR ALLER PLUS LOIN
- L'élément de composition *inter-* «entre» n'a jamais d'accent.
  interactif – interurbain...

---

1. Les sons [e], [ɛ] sont aussi transcrits par l'accent circonflexe. ▶ **3**

2   E S'ÉCRIT TOUJOURS AVEC UN ACCENT AIGU

Accéder

- S'il est suivi d'une **syllabe ne contenant pas de e muet*** (dite syllabe accentuée).

Comparez :

> syllabe sans *e* muet : *fid**é**lité*
> syllabe avec *e* muet : *fid**è**lement*
> *acc**é**der – m**é**dia – vous all**é**gez – dor**é**navant...*

- S'il est la **première lettre** du mot.
> *élève – écrevisse...*

sauf : *ère* et *ès* (voir **3**).

- Sur les préfixes **dé-**, **pré-** et **mé-**.
> *dépecer – dépister – prévenir – prémunir – mésentente...*

- S'il est la **dernière lettre** du mot.
> *malgré – amitié...*

Les *s* du pluriel et les *e* muets* ne changent pas la règle.
> *enchantés – dictées – il crée – une fée...*

POUR ALLER PLUS LOIN

- Dans le verbe, lorsque le sujet *je* est inversé, on écrit *-é* à la place du *-e* **de la terminaison**.
> *dussé-je – aimé-je – pensé-je* (tour littéraire)...

3   E S'ÉCRIT TOUJOURS AVEC UN ACCENT GRAVE

Collègue

- S'il est suivi d'une **finale en e muet**.
> *un collègue – guère – elle est fière – il accède – tu mènes...*

C'est notamment le cas de *ère*.

- S'il est dans la **dernière syllabe** d'un mot qui se termine par un *s* (autre que le *s* du pluriel) prononcé ou non.
> *dès – après – succès* [ɛ]
> *cacatoès* [ɛs]

C'est notamment le cas de *ès* (*docteur ès lettres*).

RETENEZ

- *è* n'est **jamais** la dernière lettre d'un mot.
- *è* n'est **jamais** suivi d'une syllabe accentuée.

4   E S'ÉCRIT LE PLUS SOUVENT AVEC UN ACCENT GRAVE

Évènement
Événement

- Quand il est suivi d'une **syllabe contenant un e muet**.
> *pèlerinage – chènevis...*

Le cas est fréquent dans les mots contenant le suffixe* *-ement*, *-ment* ou *-erie*.
> *abrègement – amèrement – espièglerie...*

RETENEZ

• Un certain nombre de mots s'écrivaient jusqu'à maintenant avec un accent aigu malgré la présence d'un *e* muet.

événement – céleri – réglementaire...
je céderai – nous gérerions... au futur et au conditionnel, tous les verbes qui ont *é* dans leur avant-dernière syllabe à l'infinitif.

Les rectifications de l'orthographe de 1990 recommandent d'écrire ces mots avec l'accent grave et c'est ainsi que les écrivent désormais la plupart des dictionnaires.

évènement – cèleri – règlementaire...
je cèderai – nous gèrerions...

• Seuls *médecin* et *médecine* gardent l'accent aigu.

TABLEAU RÉCAPITULATIF : *e*, *é* ou *è*

RÈGLE		SAUF	REMARQUE
e	*e* + 2 consonnes **elle**, **grecque**, **errer**	*é* ou *è* + consonne + *l*, *r* **fébrile**, **réflexion**, **trèfle**, **algèbre**	l'élément *inter* n'a jamais d'accent **inter**actif
		é ou *è* + *ch*, *gn*, *th*, *ph*... **éléphant**, **règne**	
	e + *x* **flexion**, **exercice**		
	e + consonne finale **pied**, **hier**, **nez**	*è* + *s* final **accès**	
é	*é* + syllabe accentuée **accéder**, **éléphant**	aussi **médecin** et **médecine**	dans l'ancienne orthographe de certains mots **événement**, **crémerie**
	à l'initiale **élève**, **écrevisse**	sauf **ère**, **ès**	
	préfixes *dé-*, *pré-*, *mé-* **prévenir**, **dépecer**		
	dernière lettre **amitié**, **enchantées**		
è	toujours *è* + finale en *e* muet **grève**, **collègue**, **ère**		• jamais *è* + syllabe accentuée • jamais à l'initiale sauf **ère** et **ès** • jamais la dernière lettre
	dans la dernière syllabe avec *s* **succès**		
	souvent *è* + *e* muet non final **pèlerinage**, **amèrement**	sauf **médecin** et **médecine**	

E, É OU È ? *POUR ALLER PLUS LOIN*

• L'usage hésite pour quelques mots qui se prononcent aujourd'hui [e] ou [ɛ], mais qui s'écrivent *e* sans accent :
– soit parce qu'ils se prononçaient autrefois [ə] et qu'ils ont gardé leur orthographe.

papeterie [papɛʀi] (pensez à *papetier* [papətje]).

– soit parce qu'il s'agit d'emprunts. ▶ 83

veto – penalty – pedigree – placebo – revolver...

EXERCICE

Accentuez s'il y a lieu les mots donnés en italique.

1. L'*acces* à l'*etage* est *reserve* aux membres du *personnel*. **2.** On *recolte* ce que l'on a *seme*. **3.** C'est au printemps qu'on *seme* les *bles*. **4.** Il n'a pas encore *prevenu* ceux qui l'avaient *precede*. **5.** Elle *recitait fierement* le *poeme* qu'elle avait *etudie*.

72. LE E MUET DANS LES MOTS

Boulevard, remerciement, tu joueras

Certains mots s'écrivent avec un *e* qui ne se prononce pas (*e* muet*). Attention à ne pas l'oublier ou, au contraire, à ne pas en mettre un de façon indue.

1 DANS LES VERBES

Il éternuera

● N'oubliez pas le *e* qui sert à former le futur et le conditionnel des verbes du 1ᵉʳ groupe dont le radical se termine par une **voyelle**.

infinitif	futur	conditionnel
cr**é**-er	je cr**é**erai	je cr**é**erais
appréci-er	tu appré**ci**eras	tu appré**ci**erais
sit**u**-er	il sit**u**era	il sit**u**erait
n**ou**-er	nous n**ou**erons	nous n**ou**erions
empl**oy**-er	ils empl**oi**eront	ils empl**oi**eraient

RETENEZ

● Ces verbes suivent exactement la même règle que les autres verbes du 1ᵉʳ groupe : le futur et le conditionnel se forment sur l'infinitif en **-er**. La difficulté réside dans le fait que dans ce cas, le *e* est muet et on a donc tendance à l'oublier. Comparez :

| *parler* | ⇒ | *tu parleras* | [paʀləʀa] |
| *parier* | ⇒ | *tu parieras* | [paʀiʀa] |

Mais ne mettez **pas de** *e* quand il s'agit d'un verbe du 2ᵉ ou du 3ᵉ groupe.

| *exclure* | ⇒ | *il exclura* | et non *il excluera* |
| *lire* | ⇒ | *elle lira* | |

● Les verbes en **-yer** changent le *y* en *i* devant le *e* muet.
▶ **199**

Vous essuierez le tableau à la fin du cours.
Nous leur octroierons un prêt.

E

2 DANS LES DÉRIVÉS DES VERBES   *Un éternuement*

• Les dérivés* en **-ement** et **-erie** des verbes dont le radical se termine par une voyelle ont un *e* muet.

$$\begin{array}{rcl}
\textit{éternu-er} & \Rightarrow & \textit{éternu-ement}\\
\textit{gré-er} & \Rightarrow & \textit{gré-ement}\\
\textit{aboy-er} & \Rightarrow & \textit{aboi-ement}\\
\textit{sci-er} & \Rightarrow & \textit{sci-erie}
\end{array}$$

RETENEZ

• Formé sur ce modèle, *ingénierie* a remplacé l'anglicisme *engeneering*.

• On écrit **sans *e* muet** *agrément*, *châtiment* et *plaidoirie* bien qu'ils dérivent des verbes *agréer*, *châtier* et de l'ancien verbe *plaidoyer*.

• *Voirie, mairie, métairie* et *prairie*… ne sont pas des dérivés de verbes. Ils s'écrivent **sans *e* muet**.

3 DANS CERTAINS MOTS   *Boulevard*

• Certains mots s'écrivent avec un *e* après *g* pour garder le son [ʒ] devant *a, o, u*.

un gage ⇒ *une gageure* [gaʒyʀ] «défi»
obliger ⇒ *obligeant, obligeance, obligeons*…

De même après *c* pour *douceâtre* (ou *douçâtre*) [s]. ▶ 24

• Certains mots s'écrivent avec un *e* muet dans leur radical.
asseoir – boulevard – calepin – charretier – étiqueter – carreler…

RETENEZ

• Parfois, il s'agit de noms composés dont les deux termes ont été soudés. ▶ 119

betterave : composé de *bette* et de *rave*.
bouleverser : composé de *bouler* et de *verser*.

• *Asseoir* ne garde le *e* **qu'à l'infinitif**. Toutes les autres formes de la conjugaison en *-oi-* s'écrivent sans *e*, y compris au futur.

Il s'assoit là d'habitude ; cette fois-ci il s'assoira ailleurs.
Mais *surseoir* «différer» garde le *e* au futur.

Le gouvernement surseoira à l'application du décret.

POUR ALLER PLUS LOIN

• On écrit : *gaieté* ou *gaîté, gaiement* ou *gaîment*. ▶ 3

EXERCICE

Remplacez les pointillés par un e *muet si besoin est.*

Le service de la **(1)** voi…rie **(2)** attribu…ra un nouveau nom au **(3)** boul…vard. Cet heureux **(4)** dénou…ment **(5)** conclu…rait l'histoire bien mieux qu'une affreuse **(6)** tu…rie.

73. LE E MUET
EN FIN DE NOM *Une quantité de dictées*

Certains noms se terminent par un *e* qui ne se prononce pas
(*e* muet*). Attention à ne pas l'oublier ou, au contraire, à ne
pas en mettre un de façon indue.

1 E FINAL APRÈS CONSONNE *Une porte*

• Le problème se pose surtout pour les noms terminés par le
son [l] (▶ 108) ou [R] (▶ 161) ; en effet, dans les autres cas, la
prononciation renseigne sur la présence d'un *e*.
Comparez :

après consonne (autre que *l* ou *r*)		après *l*		après *r*	
un loup	[lu]	*profil*	[pʀɔfil]	*essor*	[esɔʀ]
une loupe	[lup]	*domicile*	[dɔmisil]	*score*	[skɔʀ]

2 E FINAL APRÈS VOYELLE *La vue*

• Le *e* muet après voyelle ne modifiant pas la prononciation,
l'orthographe de ces mots est plus délicate.
Comparez :

> *la foi* [fwa]
> *le foie* [fwa] ▶ 94

• Le *e* muet est très souvent la marque du féminin. On le
retrouve dans la terminaison des **noms féminins**.

> *la vue – la voie – la vie – la joue – une fée – une queue –
> la banlieue...*

Un grand nombre de ces noms sont formés avec des suffixes* :
retenir l'orthographe des suffixes aide à retrouver celle du nom.

suffixes	exemples
-aie *et* -eraie (plantations)	*palmer**aie**, roser**aie**...*
-ée (action)	*dict**ée**, envol**ée**, déculott**ée**...*
-ée (contenu)	*cuillér**ée**, pellet**ée**...*
-ie *et* -erie	*graph**ie**, billetter**ie**...*

• Les **noms masculins** s'écrivent en général **sans *e***.

> *un épi – un jeu – le tissu – le verrou – l'émoi – le duché...*

LE E MUET EN FIN DE NOM **RETENEZ**

• Ne confondez pas :
– les noms en **-tée** formés avec le suffixe **-ée** (marquant
une action ou un contenu) ajouté au *t* du radical.

> *dictée, jetée, montée, assiettée...*
> (de *dicter, jeter, monter, assiette...*)

– et les noms qui se terminent par **-té** ou **-tié** : ils s'écrivent **sans** *e*. Ces finales sont fréquentes dans les noms exprimant des notions abstraites.

la cité – l'université – la moitié...
l'amitié – la volonté – la beauté...

• Quelques noms féminins s'écrivent **sans** *e*.

la clé	la foi «croyance»	la bru
la fourmi	la loi	la glu
	la paroi	la vertu
		la tribu

• Quelques noms masculins s'écrivent **-ée** ou **-ie**.

le lyc**ée**	le gén**ie**	le foie «organe»
le mus**ée**	l'incend**ie**	
le troph**ée**		
le mausol**ée**		
le caduc**ée**		
l'ath**ée**		
le scarab**ée**		
le pygm**ée**		

EXERCICE

Remplacez les pointillés par la terminaison qui convient.

1. J'ai appris avec effroi... que l'envoi... de la courroi... se ferait par voi... fluviale : cela va durer une éternit... . **2.** Les orti... aiment la plui..., et les géni... n'aiment pas les souci... . **3.** Toute la tribu... arpentait la ru..., à la recherche d'une bru... offrant toutes les vertu... . **4.** Les oliverai... du duché... produisent en grande quantit... mais n'atteignent pas la jeté... .

74. ÉCLAIRCIR OU ÉCLAIRER ?

Éclaircir une énigme
Éclairer une pensée

Sachez distinguer ces deux mots qui se ressemblent par la forme et qui sont parfois proches aussi par le sens.

1 **ÉCLAIRCIR :** «RENDRE PLUS CLAIR»

Éclaircir une énigme

• Avec pour complément un nom concret, **éclaircir** signifie «rendre moins dense».

Éclaircir une teinte, une peinture...
Éclaircir un plant, un semis...
Éclaircir une sauce.

• Avec pour complément un nom abstrait, *éclaircir* signifie «rendre clair (ce qui est difficile à comprendre)».

Éclaircir un problème, une énigme, une affaire, un mystère...
Selon les contextes, il peut avoir pour synonymes *élucider, résoudre, démêler, clarifier...*

RETENEZ

• *Éclaircir* n'a jamais pour complément un nom de personne.

2 **ÉCLAIRER :**   *Éclairer le lecteur*
«DONNER DE LA LUMIÈRE»

• *Éclairer*, au sens concret, signifie «donner de la lumière (naturelle ou artificielle) pour faire sortir de l'obscurité».
Éclairer une rue, un couloir, une place...
Le soleil éclaire un seul versant de la montagne.

• Au sens abstrait, *éclairer une pensée, une intention...* signifie «l'expliquer». En fait, c'est aussi la sortir de l'obscurité pour la rendre compréhensible.
Un bon exemple éclairera le sens de cette phrase.
Selon les contextes, il peut avoir pour synonymes *mettre en lumière, en évidence, expliquer...*

• *Éclairer quelqu'un* signifie «le sortir de l'incompréhension dans laquelle il se trouve en lui donnant des explications».
Tous ces articles éclairent le lecteur sur la vie de l'auteur.

ÉCLAIRCIR ou ÉCLAIRER ?   **RETENEZ**

• Au sens abstrait, ce qui distingue *éclaircir* et *éclairer* n'est pas tant leur sens – dans les deux cas, le résultat consiste en une meilleure compréhension – que leur complément :

– *éclaircir* s'emploie avec des compléments qui contiennent en eux la notion de difficulté.
Il est intervenu pour éclaircir une difficulté.

– *éclairer* a pour compléments des noms qui évoquent plutôt une partie cachée, occultée.
Il est intervenu pour éclairer un aspect de la question.

EXERCICE

Remplacez les pointillés par éclairer *ou* éclaircir *selon le sens.*

1. Son intervention devrait nous ... sur les différents projets de la société. **2.** Il faudrait ... cette question avant de continuer. **3.** Une bonne biographie peut-elle à votre avis ... les passages les plus obscurs d'une œuvre artistique ? **4.** Seul Œdipe a su ... l'énigme du Sphinx.

75. L'ÉCRITURE ET LES SONS : L'ALPHABET PHONÉTIQUE

[o] : au, eau
couvent : [kuv], [kuvã]

Deux codes régissent une langue : le code écrit et le code oral. Les deux sont étroitement liés, mais ne se confondent pas.

1 UNE LANGUE, DEUX ALPHABETS   *Eau [o]*

• Notre alphabet comprend 26 lettres parmi lesquelles on distingue traditionnellement 20 consonnes et 6 voyelles (*a, e, i, o, u, y*). Cet alphabet permet d'**écrire des mots**, **des textes**.

• Il existe un autre alphabet, servant à **transcrire les sons** : c'est l'alphabet phonétique international (API). À chaque son correspond un signe phonétique. Le français compte 36 sons.

12 voyelles			
[a]	*patte*	[ɔ]	*port*
[ɑ]	*pâte*	[ø]	*peu*
[e]	*bébé*	[œ]	*peur*
[ɛ]	*mer*	[ə]	*le*
[i]	*riz*	[u]	*nous*
[o]	*pot*	[y]	*rue*

17 consonnes			
[b]	*bien*	[ʀ]	*rue*
[k]	*cou*	[s]	*sous*
[d]	*dent*	[t]	*ton*
[f]	*feu*	[v]	*vos*
[g]	*gai*	[z]	*zéro*
[l]	*loup*	[ʃ]	*chat*
[m]	*mer*	[ʒ]	*gens*
[n]	*non*	[ɲ]	*agneau*
[p]	*pain*		

4 voyelles nasales			
[ã]	*ange*	[œ̃]	*brun*
[ɛ̃]	*brin*	[ɔ̃]	*bon*

3 semi-voyelles		
[j]	*yaourt, fille*	[ɥ] *huit*
[w]	*oui, ouate*	

RETENEZ

• Pour indiquer qu'il s'agit des signes phonétiques et non des lettres, on note la transcription phonétique entre crochets.
  [papa] : transcription phonétique de *papa*.

• Ne confondez pas les signes qui ressemblent à des lettres :
  [ʒ] note le son de *germe* et non celui de *zèbre* [z].
  [j] note le son de *yaourt* et non celui de *java* [ʒ].
  [y] note le son de *rue* et non celui de *rythme* [i].
  [u] note le son de *roue* et non celui de *rue*.

POUR ALLER PLUS LOIN

• Deux consonnes sont propres à des langues étrangères. Elles ne se trouvent en français que dans des mots empruntés. ▸ 83
  [ŋ]   *camping*
  [x]   *jota* «danse à trois temps»

2 PRINCIPALES DIFFÉRENCES ENTRE ÉCRITURE ET ORAL

[o] : *o, au, eau...*

• À **un même son** peuvent correspondre **différentes graphies**.

Le son [o] peut s'écrire	o	*zone*
	ô	*diplôme*
	au	*tuyau*
	aud	*chaud*
	eau	*seau*
	ot	*sot*
	os	*gros*

Inversement, à **une lettre** peuvent correspondre **différents sons**.

La lettre *c* peut se prononcer	[s]	*remercier*
	[k]	*cadeau*
	[g]	*second*
ou ne pas se prononcer :		*banc* [bɑ̃]

• Des distinctions peuvent se faire à l'écrit (féminin, pluriel...) sans se faire à l'oral.

Comparez :

mes chers amis } [meʃɛrzami]   *il chante* } [ilʃɑ̃t]
mes chères amies   *ils chantent*

Inversement, des phénomènes de l'oral ne sont pas notés à l'écrit.

Comparez :

les héros *les héroïnes*	[leero] [lezerɔin]	liaison ou non des mots
chanteur *chanteuse*	[ʃɑ̃tœr] [ʃɑ̃tøz]	changement de son des voyelles

POUR ALLER PLUS LOIN

• L'un des rôles de la ponctuation (▶ 145) est justement de transcrire par écrit ce qui est propre à l'oral : la ligne mélodique de la phrase (intonation, pause...).

Comparez :

Tu pars. Le point marque une pause : la voix descend.
Tu pars ? Le point d'interrogation marque une pause : la voix monte.

• Dans la conjugaison, les terminaisons orales peuvent être les mêmes alors que les terminaisons écrites sont différentes. ▶ 48

je pense [ʒəpɑ̃s]   *je croyais* [ʒəkrwajɛ]
tu penses [typɑ̃s]   *il croyait* [ilkrwajɛ]
ils pensent [ilpɑ̃s]   *ils croyaient* [ilkrwajɛ]

EXERCICE

*Mots croisés phonétiques : complétez la grille en transcrivant **horizontalement**, à l'aide de l'alphabet phonétique, les mots suivants. Lisez **verticalement** les mots obtenus et chassez l'intrus.*

évené – chat – or – éliront – luttant.

76. EFFRACTION OU INFRACTION ?

L'effraction est une infraction

Ne confondez pas ces deux noms formés sur le même radical.

1 **EFFRACTION : «DESTRUCTION»**   *Vol avec effraction*

- **L'effraction**, c'est le fait de briser une clôture, une porte, de forcer une serrure pour pénétrer dans un lieu et commettre un délit.

    *Les voleurs sont-ils rentrés avec des fausses clefs ou par **effraction**?*

2 **INFRACTION : «VIOLATION»**   *Être en infraction*

- **L'infraction**, c'est le fait de manquer intentionnellement ou non à un règlement, à une loi.

    *Quelle **infraction** avait-il commise?*

Il a pour synonymes *crime, délit, manquement, transgression, violation...*

EXERCICE

Remplacez les pointillés par effraction *ou* infraction *selon le sens.*

1. En 1987, on a compté près d'un million d'... à la limitation de vitesse. **2.** La serrure de la voiture portait des marques d'... . **3.** Un vol avec ... a été commis dans nos locaux. **4.** L'usage de faux en écriture constitue une ... passible d'une peine d'emprisonnement.

77. ÉLISION ET APOSTROPHE

Presque en été
Lorsqu'en été

L'élision consiste à faire disparaître à l'oral une voyelle qui se trouve devant une autre voyelle. Ce phénomène est parfois transcrit à l'écrit par une apostrophe, mais pas toujours.
Comparez :

le sujet *un autre sujet*	[ləsyʒɛ] [otʀəsyʒɛ]	pas d'élision	
l'exemple *un autre exemple*	[lɛgzãpl] [otʀɛgzãpl]	élision	avec apostrophe sans apostrophe

1 QUELLES LETTRES S'ÉLIDENT AVEC APOSTROPHE?

• Le *a* de *la* (article ou pronom).

Nous avons visité l'ancienne demeure de Victor Hugo.
– Moi aussi je l'ai visitée.

• Le *e* de *le* (article ou pronom) et plus généralement le *e* des mots grammaticaux se composant d'**une seule** syllabe : *ce, de, je, me, te, se, ne, que.*

J'ai vu l'ami de Pierre. – Moi aussi je l'ai vu.
J'arrivais à peine, qu'aussitôt il m'en parla.
C'est ce qu'elle n'a pas encore fait.
On n'a pas voulu t'importuner avec cela.

• Le *e* de quatre composés de *que* : *jusque, lorsque, puisque, quoique.*

Il restera jusqu'au printemps.
Allons-y puisqu'il le faut.

RETENEZ

• Les autres composés de *que* (*presque* et *quelque*) n'élident pas le *e* à l'écrit.

Ils sont partis presque aussitôt.
J'avais quelque appréhension avant l'examen.

sauf dans les composés *presqu'île* et *quelqu'un, quelqu'une.*

• La lettre *i* s'élide **toujours** et **seulement** dans la conjonction *si* lorsqu'elle est devant *il* ou *ils* (▶ 173). L'élision est marquée par l'apostrophe.

Prévenez-nous s'il le faut.
Je ne sais pas s'ils viendront.

POUR ALLER PLUS LOIN

• Placés après le verbe, *je, ce, le, la* portent l'accent tonique : c'est pour cela que, même s'ils sont suivis d'une voyelle, il n'y a pas d'élision dans ce cas.

Est-ce une raison pour refuser ?
Que puis-je espérer de plus ?
Garde-le auprès de toi.

Pour l'élision des pronoms *moi, toi* devant *en* et *y* : ▶ 84-3

• Pour *on* ou *l'on* : ▶ 130

2 DEVANT QUELLES LETTRES L'ÉLISION SE FAIT-ELLE?

• La voyelle élidée se marque par une apostrophe quand elle se trouve devant une **voyelle** ou un *h* muet.

J'avais l'habitude d'entrer le dernier.
Puisqu'un autre cas s'est produit, nous l'étudierons.

RETENEZ

• Il n'y a jamais d'élision devant un *h* aspiré. ▶ 101

Le hasard a voulu que je sois le premier sur la liste.

- On ne fait pas d'élision non plus devant :
- les noms commençant par **y** et se prononçant [j].
   Un pot de yaourt.
- **oui**.
   Il pense que oui.
- **huit** (et *huitaine, huitième...*), **onze** et **onzième**.
   Il reviendra dans plus de huit jours.
   Vous êtes le onzième à me poser la question.

- Devant les noms propres, l'élision se fait généralement dans les mêmes conditions.
   La première symphonie qu'Hector Berlioz a composée.
   Le festival d'Aix-en-Provence.
Il est cependant possible de ne pas la faire quand il s'agit de prénoms ou de noms de personnes courts.
   Voilà ce que Aude nous a expliqué.
ou *Voilà ce qu'Aude...*

EXERCICE

Mettez les mots entre parenthèses à la forme qui convient : avec ou sans apostrophe.

1. *(Si)* il est vrai *(que)* aujourd'hui de nombreux progrès ont été faits, on ne sait pas *(jusque)* où cela va nous conduire. **2.** *(Le)* yacht de son grand-père est *(presque)* entièrement repeint. **3.** Pourquoi Auguste ne répond-il pas *(puisque)* il connaît la solution ? **4.** Le train en provenance *(de)* Amiens aura un retard *(de)* huit minutes.

78. ÉLUCIDER OU ÉLUDER ?

Élucidez ce problème au lieu de l'éluder

Il ne faut pas confondre ces deux mots proches par la forme, mais très différents par le sens.

1 **ÉLUCIDER : «CLARIFIER»**

Élucider une énigme

- *Élucider* signifie «rendre clair, compréhensible ce qui était confus, obscur».
   Les enquêteurs sont enfin parvenus à élucider le mystère de sa disparition.
Il a pour synonymes *clarifier, résoudre, démêler, expliquer, tirer au clair, faire la lumière sur...*

RETENEZ

- Pensez à rapprocher *élucider* des mots *lucide, lucidité* employés à propos d'une personne dont le raisonnement est clair.

2 ÉLUDER: «FUIR»

Éluder une question gênante

• **Éluder** signifie «éviter intentionnellement quelque chose d'embarrassant, de désagréable».

*Le lâche sait **éluder** toute question qui le gênerait.*

Il a pour synonymes *fuir, détourner, éviter, esquiver...*

EXERCICE

Remplacez les pointillés par le verbe qui convient : élucider *ou* éluder.

1. Si nous comprenons tout cela aujourd'hui, c'est parce que d'autres l'ont ... auparavant. **2.** Plutôt que de résoudre la difficulté, ils cherchaient à l'... . **3.** Pour peu que leur carrière soit en jeu, certains ont une réelle aptitude à ... les problèmes qu'ils dénonçaient jadis haut et fort. **4.** Nous tâcherons d'... tout ce qui nous échappe.

79. ÉMIGRÉ ou IMMIGRÉ?

Les émigrés de la Révolution
L'intégration des immigrés

Selon que l'on envisage le pays d'origine ou le pays qui accueille, on emploiera *émigré* ou *immigré*.

1 ÉMIGRÉ: «QUI EST SORTI»

• Les **émigrés** sont les personnes qui ont **quitté** leur pays d'origine pour aller s'installer dans un pays étranger.

*La France a compté de nombreux **émigrés** nobles sous la Révolution.*

2 IMMIGRÉ: «QUI EST ENTRÉ»

• Les **immigrés** sont les personnes qui sont **entrées** dans le pays pour s'y installer.

*Quelles sont les mesures gouvernementales pour l'intégration des **immigrés** ?*

ÉMIGRÉ ou IMMIGRÉ ? RETENEZ

• **Émigrer** et **immigrer** sont tous deux formés sur le verbe *migrer*. Pour ne pas les confondre, il faut les décomposer et rapprocher *é-* de *ex-* (que l'on retrouve dans *extérieur* : *émigré* «qui migre à l'extérieur») et *im-* de *in-* (que l'on retrouve dans *intérieur* : *immigré* «qui migre à l'intérieur»).

• On fait la même distinction pour tous les dérivés.

*L'ex-Allemagne de l'Est avait voulu mettre un terme à l'**émigration** en faisant construire le mur de Berlin.*
*Quelles seront les conséquences des nouvelles lois sur l'**immigration** ?*

EXERCICE

Remplacez les pointillés par émigrer, immigrer *ou un dérivé.*

1. Les ... obtiennent la nationalité de leur pays d'accueil sous certaines conditions. **2.** Ils ont tous ... pour des raisons politiques. **3.** Les gouvernements invoquent toujours le chômage pour limiter l'... . **4.** Les travailleurs ... reviennent au pays pour les vacances.

80. ÉMINENT OU IMMINENT ? *Un personnage éminent Un dénouement imminent*

Il ne faut pas confondre ces deux adjectifs formés sur le même radical, mais de sens très différents.

1 **ÉMINENT : «EXCEPTIONNEL, REMARQUABLE»** *Un éminent savant*

● *Éminent* signifie «qui est remarquable par sa qualité» et s'emploie à propos de personnes (le plus souvent) ou de choses.
> *Le colloque réunissait d'**éminents** savants.*
> *Il occupe un poste **éminent** au sein de la société.*

Il a pour synonymes selon les contextes *remarquable, exceptionnel, émérite, très important...*

2 **IMMINENT : «IMMÉDIAT»** *Une crise imminente*

● *Imminent* signifie «qui va se produire très prochainement». Il qualifie des noms d'actions. Il ne s'emploie donc **jamais avec des noms de personnes**.
> *Les réformes **imminentes** seront-elles suffisantes ?*

ÉMINENT ou IMMINENT ? *RETENEZ*

● Distinguez bien aussi les mots de la même famille.
> *L'**imminence** de la crise les poussa à réagir.*
> *Je suis **éminemment** convaincu du bien-fondé du projet.*
> *Son **Éminence** le Cardinal.*

EXERCICE

Remplacez les pointillés par éminent, imminent *ou un dérivé.*

1. Vous m'avez rendu d'... services et je ne sais comment vous remercier. **2.** La signature du contrat est ... : il reste juste à convoquer les signataires. **3.** Je laisse le soin à mon ... collègue de vous répondre. **4.** L'issue ... de cette aventure extraordinaire nous tenait tous en haleine. **5.** Malgré l'... du danger, il gardait son sang-froid.

81. EMPÊCHER :
QUELLE CONSTRUCTION?

Il faut l'empêcher de sortir

- Les compléments de **empêcher** se construisent sur le modèle **empêcher** *quelqu'un de faire quelque chose*.

    « *Un halo de lumière blanche qui **m'empêche de** distinguer les autres détails de ma vie.* » P. MODIANO

RETENEZ

- Ne confondez pas la construction de **empêcher** avec celle de son synonyme **interdire** qui, lui, se construit avec la préposition **à**.

Comparez :

> empêcher **quelqu'un** de faire quelque chose
> interdire **à quelqu'un** (de faire) quelque chose
>
> *Il **l'** empêche d'en dire plus.*
> *Il **lui** interdit d'en dire plus.*

- **Empêcher** ne se construit plus avec **deux** groupes nominaux. La chose empêchée est aujourd'hui exprimée par un infinitif introduit par **de**, ou par le pronom **en**.

> *Cela ~~nous~~ empêche ~~le bonheur.~~*
> *Cela nous empêche **d'être** heureux.*
> ou *Cela nous **en** empêche.*

EXERCICE

Corrigez les constructions de empêcher *dans les phrases suivantes.*

1. Je lui ai empêché de revenir. **2.** Le café m'empêche le sommeil.
3. Il faut lui empêcher de recommencer.

82. EMPREINT DE
ET EMPRUNT

Un texte empreint de mélancolie
Un emprunt de cinq mille francs

1 **EMPREINT DE: «MARQUÉ DE»**   *Empreint d'ironie*

- **Empreint** est un **adjectif** qui signifie «qui porte la marque, l'empreinte de». Il est formé sur le participe passé du verbe *empreindre* (assez rare par ailleurs).

    *Les textes romantiques sont **empreints de** mélancolie.*

• **Empreint** s'écrit avec **-ei-**. Pensez au nom *une empreinte* « marque, trace » qui est de la même famille.

2 **EMPRUNT:**   *Un emprunt à une langue*
« CE QU'ON REÇOIT »

• **Emprunt** est un **nom** qui signifie « action de recevoir quelque chose à titre de prêt; ce que l'on a ainsi reçu ».
*L'État lance aujourd'hui un nouvel **emprunt**.*
*Les **emprunts** d'une langue aux autres langues.*

• **Emprunt** s'écrit avec **-u-**, tout comme le verbe *emprunter* sur lequel il est formé. L'adjectif correspondant est *emprunté*.

EXERCICE

Remplacez les pointillés par empreint *ou* emprunt *selon le cas.*

1. Sa voix … d'émotion laissait entendre un léger vibrato. **2.** Son … est remboursable en quinze ans. **3.** Pourquoi a-t-elle ce comportement … de snobisme ? **4.** La joie dont est … l'œuvre rayonne de la première à la dernière ligne. **5.** Les … faits à l'anglais s'appellent des anglicismes.

83. LES EMPRUNTS: QUEL PLURIEL ?

Des spaghettis dans les sandwichs
Des spaghetti dans les sandwiches

1 **LES PLURIELS EN S**   *Des duplicatas*
COMME EN FRANÇAIS

• La plupart des emprunts (mots empruntés à des langues étrangères) désignent aujourd'hui des **réalités** qui font partie **de notre civilisation, de notre culture**. Ils ont alors un pluriel semblable à celui des mots français : on ajoute un *s* à la forme du singulier. ▸ 142

des sandwichs – des penaltys – des trémolos – des paellas – des fjords – des agendas – des concertos – des kimonos – des interviews – des sponsors – des scénarios – des saunas...
et *maximums – minimums – des ultimatums – des référendums...*

• Les noms terminés par *s, x,* ou *z* au singulier restent inchangés au pluriel.
des blocus – des tumulus – des box...

POUR ALLER PLUS LOIN

• Dans la langue scientifique, *stimulus* garde le plus souvent son pluriel latin : *des stimuli.*

● Les termes empruntés qui désignent des **réalités propres au pays d'origine** ne sont pas toujours complètement francisés : le pluriel en *s* met parfois du temps à s'imposer.

les fedayin – les écoles zen...

2 CAS PARTICULIERS   *Des barmans / des barmen*

● **Les pluriels italiens**
Certains mots, presque toujours employés au pluriel, ont été empruntés à l'italien sous leur forme pluriel *(confetti, graffiti, spaghetti, lasagne...).* Mais ils sont pris en français pour des singuliers auxquels on ajoute un *s* pour former le pluriel.

des confettis – des graffitis – des spaghettis – des lasagnes...

● **Les pluriels anglais -*ys*/-*ies***
Le pluriel anglais -*ies* est maintenu pour *lady, ladies* – qu'on prononce [lediz]. Il est encore souvent maintenu pour les autres mots en -*y,* quoique le pluriel en *s* soit préférable.

un whisky ⇒ *des whiskys* ou *des whiskies*

● **Les pluriels anglais -*mans*/-*men***
Le pluriel anglais -*men* est encore fréquent, quoique le pluriel français en *s* soit tout à fait possible.

des barmen [baʀmɛn] ou *des barmans* [baʀman]

● **Les mots allemands**
Le français a emprunté très peu de termes courants à l'allemand. En général, ces mots gardent leur pluriel allemand.

un lied, des lieder – un leitmotiv, des leitmotive...
Mais le pluriel en *s* n'est pas rare : *des lieds – des leitmotivs.*

● **Les noms de prières** sont invariables : ce sont des titres d'œuvres.

des Credo – des Requiem – des Ave – des Te Deum....

LES EMPRUNTS   *POUR ALLER PLUS LOIN*

• On trouve encore souvent, notamment dans les dictionnaires, les pluriels d'origine.

des scenarii – des graffiti – des boxes – des minima...

EXERCICE

Mettez au pluriel les emprunts en italique. Notez les cas où plusieurs solutions sont possibles.

1. Retournez-nous la facture et ses *duplicata.* **2.** Le plus célèbre des *gloria* de Vivaldi. **3.** Ils nous ont servi des *spaghetti* à la bolognaise. **4.** Il faisait partie de l'équipe des *cameraman.* **5.** Tous les *match* ont été retransmis en direct. **6.** Elle a acheté une livre de *litchi.*

84. EN ET Y : QUEL EMPLOI ?

*J'en viens/J'y vais
Prends-m'en/Penses-y*

1 VALEUR DE EN ET Y *J'en viens, j'y vais*

- Les pronoms *en* et *y* correspondent le plus souvent à des groupes nominaux introduits respectivement par *de* et *à*; ils sont toujours compléments.

Pierre a appris hier sa nomination.
*Il nous **en** a parlé dès ce matin.*
COI de *parler* (= il nous a parlé **de sa nomination**.)
***En** mesure-t-il la portée?*
COMPL. du nom *portée* (= la portée **de sa nomination**.)
*En tout cas, il **en** est très fier.*
COMPL. de l'adj. *fier* (= très fier **de sa nomination**.)
*Il **y** tenait beaucoup.*
COI de *tenir* (= il tenait beaucoup **à sa nomination**.)

- **Attention** aux emplois de *en* et *y* :

Y représente toujours des **choses** (inanimés) ou des **animaux**, jamais des personnes.	**EN** représente des noms de **choses** (inanimés) ou de **personnes** (animés).
*J'ai répondu **à ta lettre**.* ⇒ *J'**y** ai répondu.*	*Paul parle **de son avenir**.* ⇒ *Il **en** parle.*
*Prends garde **au chien**.* ⇒ *Prends-**y** garde.*	*Garde le souvenir **de tes amis**.* ⇒ *Gardes-**en** le souvenir.* (et non *Garde le souvenir d'eux*.)
*J'ai répondu **à mon frère**.* ⇒ *Je **lui** ai répondu.* (et non *J'y ai répondu.*)	*Paul parle **de ses amis**.* → *Il **en** parle.* (ou mieux[1] *Il parle **d'eux**.*)

1. En emploi complément d'objet* indirect (COI), on préfère **en** pour les inanimés et **de lui**, **d'elle**, etc. pour les personnes.

RETENEZ

- ***En*** peut être aussi complément d'objet* direct (COD) s'il désigne une partie d'un tout ou une quantité indéfinie.
Comparez :
*J'ai acheté des pommes; **en** veux-tu?*
= veux-tu quelques-unes de ces pommes? (COD)
*J'ai acheté des pommes; **les** veux-tu?*
= veux-tu toutes les pommes? (COD)
*Tu prends du vin ou tu n'**en** prends pas?*
*J'aime les roses. J'**en** ai cueilli.*

- Le participe passé employé avec *avoir* s'accorde avec le COD *en* qui le précède : il est au masculin singulier car *en* est un pronom neutre. ▶134
Comparez :
*Des pommes, j'**en** ai acheté pour toi.*
*Ces pommes, je **les** ai achetées pour toi.*

• Quand **y** est complément de lieu, il peut aussi correspondre à *là* ou à un complément introduit par une autre préposition que *à*.

J'y suis, j'y reste.
= je suis **là**, je reste **là**.

Elle a pris une ardoise et y a écrit son nom.
= elle a écrit son nom **sur** l'ardoise.

Il peut alors être mis pour un nom de personne.

*Tu vas **chez** le boucher? – Oui, j'y vais.*

• ***En*** et **y** figurent dans des **locutions* verbales** où ils n'ont pas de fonction ni de sens très précis. Ils ne représentent rien.

en avoir assez	il **y** a
en rester là	s'**y** connaître en
s'**en** aller	s'**y** entendre en
s'**en** faire	**y** être pour quelque chose
s'**en** tenir à	ça **y** est
en être quitte pour	**y** aller de
en être réduit à	...

2 REDONDANCES À ÉVITER   *Là où il fait bon vivre*

• À moins de rechercher un effet de mise en relief, on évite d'employer dans une même proposition **en** ou **y** et le complément qu'ils représentent.

Comparez :

*Quelle belle journée! Je m'**en** souviendrai longtemps.*
*Ah! Je m'**en** souviendrai **de cette journée**!*
(effet d'irritation ou d'enthousiasme).

*Il peut venir : je n'**y** vois aucun inconvénient.*
et non *Je n'y̶ vois aucun inconvénient à̶ c̶e̶ q̶u̶'i̶l̶ vienne.*

*C'est un endroit **où** il fait bon vivre.*
et non *C'est un endroit òù̶ il fait bon ỳ̶ vivre.*

• Avec les locutions verbales données ci-dessus (voir **1**), le complément n'apparaît pas comme une redondance car **en** et **y** ont perdu leur valeur représentative.

*Ils s'**en** iront **d'ici** si on le leur demande.*
*Y est-il pour quelque chose **dans cette histoire**?*

• Dans une relative, il ne faut pas employer **en** avec *dont* s'ils renvoient tous deux au même terme. ▶ 70

As-tu vu le film dòn̶t̶ les critiques en̶ font l'éloge?
= les critiques **du film** font l'éloge **du film**.
*As-tu vu le film **dont** les critiques font l'éloge?*

3 PLACE DE EN ET Y DANS LA PHRASE   *Prends-m'en*

• ***En*** et **y** **précèdent** toujours immédiatement le verbe ou l'auxiliaire du verbe dont ils sont compléments.

*Ne t'**en** va pas maintenant.*
*Je ne lui **en** ai pas voulu.*
*Peux-tu m'**y** conduire?*

- **Seule exception : à l'impératif affirmatif** (sans négation), *en* et *y* **suivent** le verbe. Ils sont alors reliés au verbe par un trait d'union. ▶ **188**

   *Si tu aimes ces bonbons, <u>prends</u>-**en** d'autres.*
   Ils t'attendent. <u>Cours-y</u>!

R E T E N E Z

- Quand le verbe à l'impératif a d'autres pronoms personnels pour compléments, *en* et *y* viennent **après les autres pronoms**.

   *Donnez-**m'en** un peu plus.*
   et non   *Donnez-~~en~~-moi un peu plus.*
   *Je ne connais pas cet endroit. Conduisez-**nous-y**.*
   et non   *Conduisez-~~y~~-nous.*

- Les pronoms des 1re et 2e personnes du singulier s'élident devant *en* et *y*.

   *Retourne-**t'en**.*
   *Je voudrais des pommes. Achète-**m'en** deux kilos.*

   Les formes élidées devant *y* sont moins fréquentes, quoique tout à fait correctes.

   *Je ne connais pas cet endroit. Mène-**m'y**.*

- Ne mettez pas de *s* ni de *z* superflus aux pronoms, à l'écrit comme à l'oral.

   *Donnez-**lui-en** un peu plus.*
   et non   *Donnez-lui-~~z~~en.*
   *Aie confiance dans son expérience. Fie-**t'y**.*
   et non   *Fie-toi-~~z~~y.*

- Les verbes qui n'ont pas de *s* à la 2e personne du singulier de l'impératif (▶ **48**) en prennent un **exceptionnellement** s'ils ont pour complément *en* ou *y*.

   Comparez :

Cueille quelques fleurs.	*Va acheter trois pains.*
*Cueilles-**en** quelques-unes.*	*Vas-**y**.*

P O U R   A L L E R   P L U S   L O I N

- Si *en* et *y* ne sont pas compléments de l'impératif, mais d'un autre verbe qui suit, l'impératif ne prend pas de *s* et il n'y a pas de trait d'union.

   Comparez :

   Si tu te trouves bien là-bas, <u>retournes-y</u>.
   = retourne là-bas.

   Si tu te trouves bien là-bas, retourne <u>y habiter</u>.
   = retourne habiter là-bas.

- Le verbe *s'en aller* peut être considéré comme un seul verbe (à comparer avec *s'enfuir, s'envoler*) : dans une langue moins soutenue, on accepte de laisser *en* «collé» au participe passé.

   Comparez :

            *Ils se **sont en** allés.*
   ou mieux   *Ils s'**en sont** allés.*

EXERCICE

Remplacez les mots en italique par le pronom adéquat en *ou* y.

1. Est-il possible d'oublier cette image, d'effacer la trace *de cette image*? **2.** Ne donnez pas votre réponse maintenant. Réfléchissez bien *à votre réponse* avant. **3.** J'aime beaucoup cette plante et je prends soin *de cette plante*. **4.** J'aimais me lever tôt : autrefois j'étais habitué *à me lever tôt*, mais maintenant je n'ai plus l'habitude *de me lever tôt*. **5.** Soucie-toi davantage *de son avenir*. **6.** Accepte simplement les conséquences *de cette entreprise*.

85. ENSEMBLE :
ADVERBE

Tous ensemble

- *Ensemble* est un **adverbe***. Il est donc **toujours invariable**.
  *Ils ont travaillé **ensemble**.*
  = l'un avec l'autre, conjointement.

RETENEZ

- Ne prenez pas *ensemble* pour un adjectif quand il est près d'un nom ou d'un pronom.
  *Deux personnes **ensemble** <u>travaillent</u> bien plus vite qu'une personne seule.*
  *Tous **ensemble**, ils <u>sont venus</u>.*

POUR ALLER PLUS LOIN

- Le **nom** *ensemble* est, quant à lui, variable. ▶ 190
  Les grands ensembles de banlieue – La théorie des ensembles.

86. ENTRAIN
OU EN TRAIN ?

*Avec quel entrain
il est en train de travailler!*

Sachez reconnaître les cas où *entrain* s'écrit en un seul mot. Il a un sens différent de la locution* *en train*.

1   **ENTRAIN, NOM MASCULIN**   *Plein d'entrain*

- **L'entrain**, c'est la bonne humeur partagée par plusieurs personnes réunies. Ce peut être aussi l'enthousiasme que l'on a lorsqu'on fait quelque chose.

– **Entrain** est précédé d'un déterminant*.
«*Il y a de l'entrain et de l'ambiance au dancing le samedi soir.*» M. REDONNET
Son entrain pour ce travail fait plaisir à voir.

– Il est également souvent employé dans des locutions* sans déterminant.

| avec **entrain** | plein d'**entrain** |
| sans **entrain** | manquer d'**entrain** |

*Au début, elles étaient toutes pleines **d'entrain**.*

● Selon les contextes, **entrain** a pour synonymes *bonne humeur, gaieté, enthousiasme, ardeur, vivacité*…

2 **EN TRAIN, LOCUTION**   *En train de jouer*

La locution **en train** entre dans plusieurs constructions de sens différents.

● **En train de** (+ inf.) sert à marquer que l'action est en cours à un moment donné (aspect duratif ▶ **191**).
*Elle est **en train de** travailler.*
*Je l'ai vue hier dans son jardin **en train de** semer des radis.*

● Mettre un travail **en train**, c'est en commencer l'exécution, la réalisation. Pensez aux expressions synonymes : *mettre un travail **en chantier, en route**.*
*La mise **en train** du projet a été un peu longue.*

● **En train** s'emploie avec des noms de personnes et signifie «bien disposé». Il a pour synonyme *en forme* (familier).
*Elle n'est pas très **en train** en ce moment ; un petit séjour à la montagne lui ferait le plus grand bien.*

C'est dans ce sens que le risque de confusion avec **entrain** est le plus grand. Pensez alors à :
– **entrain** en **un** mot comme *ardeur* ;
– **en train** en **deux** mots comme *en forme*.

POUR ALLER PLUS LOIN
● **En train** est une locution où *train* est à prendre dans le sens de «mouvement, action» (sens que l'on retrouve dans *aller bon train* «à une bonne allure»).

EXERCICE

Remplacez les pointillés par en train *ou* entrain *selon le cas.*

1. Jusqu'à la fin du projet, tous témoignèrent du même … . **2.** Il était juste … de terminer lorsque nous sommes arrivés. **3.** Si vous ne vous sentez pas très …, il est plus prudent de ne prendre la route que demain. **4.** On ne doit pas déranger un chien … de manger. **5.** Élève très agréable qui répond avec … à toutes les questions qu'on lui pose.

87. ESPÈCE :
QUEL GENRE ?

Une espèce d'ours menacée
Une espèce d'ours mal léché

- *Espèce* est un **nom féminin** : les déterminants et adjectifs qui se rapportent à *espèce* sont au féminin.

  Cette espèce en voie de disparition est protégée.

RETENEZ

- *Espèce* garde son genre féminin dans la locution* *une espèce de*, synonyme de «une sorte de» : *espèce de* peut alors avoir le même sens qu'un adjectif.

  Elle portait une espèce de foulard.
  = un **curieux** foulard.

  Soudain cette espèce de vertige l'envahit à nouveau.
  = un **certain** vertige.

  Quelle espèce de grossier personnage est passé devant tout le monde sans attendre son tour ?

  Le déterminant *(une, cette, quelle...)* se rapporte à *espèce* et non au substantif qui suit : il est donc **toujours au féminin**.

- L'accord des éventuels adjectifs ou participes se fait différemment selon le sens.

  Comparez :

Une **espèce** NOM	*de rapaces* C. DU NOM	*protégée*.	C'est l'espèce zoologique qui est protégée.
Cette **espèce de** LOC. ADJ.	*rapace* NOM	*a été bien puni*.	**Espèce de** a valeur d'adjectif « affreux ». *Puni* s'accorde avec le nom *rapace*.

POUR ALLER PLUS LOIN

- À l'oral, on utilise souvent, dans la locution adjective, le déterminant correspondant au nom qui suit *espèce*.

  J'ai eu affaire à un espèce d'individu pas très net.
  Cela se rencontre rarement à l'écrit et reste déconseillé.

EXERCICE

A. *Remplacez les pointillés par les terminaisons adéquates.*

1. Un... espèce de bonheur général... règne ici. **2.** Ce... espèce de vaurien me paiera cher ce mauvais tour. **3.** Quel... espèce d'idiot : (*il / elle*) ne s'est jamais soucié... de leur sort.

B. *Expliquez la différence de sens entre ces deux phrases :*

1. L'espèce de pigeons qu'ils ont repérée sera bientôt prise au piège.
2. L'espèce de pigeon qu'ils ont repéré sera bientôt pris au piège.

88. ET, OU :
COMMENT LES EMPLOYER?

Il aime le Maroc et y va souvent

• **Et** et **ou** sont des conjonctions* de coordination : elles servent
à relier deux éléments de **même fonction**.
Et a une valeur d'addition, **ou** une valeur de choix.
Ils peuvent relier :

des mots ou des groupes de mots	*Il viendra <u>aujourd'hui</u> **ou** <u>la semaine prochaine</u>.* <small>CCT</small> <small>CCT</small> *<u>Mon mari</u> **et** <u>moi</u> avons pris cette décision.* <small>SUJ.</small> <small>SUJ.</small>
des prop. subordonnées ▶ **154-2**	*Il aimerait être de ceux <u>qui vivent à la campagne</u>* <small>c. du pron. *ceux*</small> ***et*** <u>dont l'activité professionnelle est en ville</u>.* <small>c. du pron. *ceux*</small>
des prop. indépendantes	*<u>Il m'a offert la place</u> **et** <u>je l'ai acceptée</u>.* <small>PROP. 1</small> <small>PROP. 2</small>

• **Et** et **ou** permettent d'éviter des répétitions.
*Il viendra aujourd'hui **ou** (il viendra) demain.*
*C'est ce dont je t'ai parlé **et** (c'est ce) que tu verras toi-même.*

RETENEZ

• **Et, ou** coordonnent des groupes compatibles :
– **par leur fonction.**
(1) *Il s'est intéressé <u>au problème</u>.*
    <small>COI</small>
(2) *Il a résolu <u>le problème</u>.*
   <small>COD</small>

Problème n'a pas la même fonction en (1) et en (2) : il ne
peut donc pas servir de terme commun dans une coordination.
Il est incorrect de dire :
Il s'est intéressé et a résolu le problème.
car on ne dirait pas : *Il s'est intéressé le problème.*
Il faut alors choisir une autre construction, en se servant éventuellement des pronoms pour éviter les répétitions.
      Il s'est intéressé <u>au problème</u> et l'a résolu.
ou   *Il s'est intéressé <u>au problème</u>. Il <u>l</u>'a résolu.*

– **par le sens**, à moins de vouloir créer un effet comique :
«*Prenant son courage à deux mains **et** sa Winchester dans
l'autre…*» P. DESPROGES
(effet comique dû à la coordination impropre du **sens figuré** et du
sens propre de *prendre*.)

POUR ALLER PLUS LOIN
• Pour l'accord du verbe avec des sujets coordonnés : ▶ **192**

• **Et** coordonne des mots ou des groupes de mots dans une phrase
affirmative. Dans une phrase négative, il faut employer *ni*. ▶ **126**

EXERCICE

Récrivez les phrases suivantes en supprimant les répétitions; pour cela, replacez correctement et ou ou.

1. Recherchons secrétaire parlant allemand ou parlant anglais. **2.** Il s'intéresse à cette question et il cherche à résoudre cette question. **3.** Ceux qui vivent près des villes et ceux qui vivent dans les villes prennent les transports en commun ou prennent leur voiture. **4.** Il faut apprendre à lire et il faut apprendre à compter. **5.** Quand il fait nuit il faut mettre ses feux de croisement ou quand il y a du brouillard il faut mettre ses feux de croisement.

89. ETC.: ABRÉVIATION

● *Etc.* est l'abréviation de l'expression latine *et cetera* qui signifie «et les autres choses». On l'utilise à la suite d'une énumération pour indiquer que la liste n'est pas finie.

*Il y avait Pierre, Paul, Jean, **etc.**, mais pas Jacques.*

RETENEZ

● Écrivez les lettres dans le bon ordre : le *t* **est avant** le *c*. Pensez à la conjonction *et* du français (*et les autres*).

● *Etc.* se lit comme *et cetera* donc   [etseteʀa]
                                    et non   [ekseteʀa]

● Inutile de faire suivre *etc.* des points de suspension puisqu'ils ont le même sens.

POUR ALLER PLUS LOIN

● Le point qui suit *etc.* est celui qui marque l'abréviation. Il se confond avec le point final en fin de phrase.

90. ÉVOQUER OU INVOQUER ?

La photo évoque les souvenirs
Le poète invoque la muse

Il ne faut pas confondre les verbes *évoquer* et *invoquer* : ils sont tous deux formés sur le même radical, mais ils ont chacun des sens différents.

E

1   ÉVOQUER : «SUGGÉRER»

Évoquer des souvenirs

• *Évoquer* peut avoir plusieurs sens : les principaux sont «suggérer, rappeler à la mémoire, rendre présent à l'esprit».

EXEMPLES	SYNONYMES
Cela **évoque** en moi de bons souvenirs.	éveiller, réveiller, susciter
Nous **évoquions** notre jeunesse le soir au coin du feu.	se rappeler, faire revivre
Il n'a fait qu'**évoquer** le problème.	aborder, mentionner, faire allusion à
Qu'**évoque** pour vous cette forme? Cela vous **évoque**-t-il quelque chose?	suggérer, faire penser à
Ils ont **évoqué** son nom.	citer, nommer

Pensez aux dérivés : *une **évocation** succincte, un mot **évocateur**.*

2   INVOQUER : «FAIRE APPEL»

Invoquer une raison

• *Invoquer* signifie «appeler à l'aide, faire appel à (par la prière)».

*La mythologie est l'étude des dieux qu'**invoquaient** les anciens.*

Pensez aux dérivés : *une **invocation** rituelle, une formule **invocatoire**...*

• On emploie *invoquer* dans un sens beaucoup plus affaibli pour dire «avoir recours à, prendre à témoin, prendre pour prétexte...»

*Pour expliquer son absence, il a **invoqué** la maladie.*

Invoquer a alors pour synonymes *alléguer, prétexter, avancer...*

RETENEZ

• C'est surtout dans le sens «avoir recours à» que la confusion de *invoquer* avec *évoquer* est la plus fréquente.

Comparez :

*Les arguments qu'il **invoque** ne m'ont pas convaincu.*
= les arguments qu'il avance, qu'il prétexte.

*Les arguments qu'il a **évoqués** au chapitre précédent, peuvent être repris ici.*
= dont il a parlé au chapitre précédent.

EXERCICE

Remplacez les pointillés par évoquer *ou* invoquer *selon le cas. Donnez à chaque fois une expression synonyme.*

1. Ils ont refusé de payer en ... un vice de fabrication. **2.** C'est une question que nous avons ... en réunion. **3.** Il ... un surcroît de travail pour décliner mon invitation. **4.** Quelle est la raison officiellement ...? **5.** C'est une histoire que je n'aime pas ... devant lui.

91. FAIRE:
ACCORD DU PARTICIPE PASSÉ

Les progrès qu'il a faits
Elle s'est fait une tisane
Il les a fait entrer

Faire est un verbe qui suit les **mêmes règles d'accord** pour son participe passé que les autres verbes (▶ 134) : le participe passé employé avec *avoir* s'accorde avec le complément d'objet* direct (COD) qui le précède. Mais la diversité des constructions possibles est parfois source d'hésitation.

1 **FAIRE**

Il a fait une farce
La farce qu'il a faite

• Le participe passé *fait* reste invariable si le COD est placé après.

> *Ils lui ont **fait** des concessions.*
>   COD

• *Fait* s'accorde en genre et en nombre avec le COD si celui-ci est placé avant.

> *Quelles concessions a-t-il **faites** ?*
>   COD
> *Les progrès qu'elle a **faits** sont spectaculaires.*
>   COD
> *Ces deux lots, il me les a **faits** à 10 F.*
>   COD
> *Ses enfants, il les avait **faits** rois.*
>   COD

• Au passif*, *fait* conjugué avec *être* s'accorde en genre et en nombre avec le sujet. ▶ 191

> *Toutes ces expériences sont **faites** en laboratoire.*
>   SUJET   VERBE au passif

RETENEZ

• *Fait* est invariable avec un complément de mesure (à ne pas confondre avec un COD). ▶ 95-5

> *Il ne pèse plus les cent kilos qu'il a **fait** autrefois.*
> *qu'* = CC Mesure (*combien a-t-il fait ?* et non *qu'a-t-il fait ?*)

- *Fait* reste au masculin singulier, comme tous les autres participes, s'il a pour COD le pronom *en*. ▶ 84
  Des concessions, il n'en a fait aucune.

POUR ALLER PLUS LOIN

- *Faire* peut s'employer avec un attribut*. Ne le confondez pas avec un COD et ne faites pas d'accords inutiles. ▶ 95-4
  Pourvu qu'elle ne fasse pas l'idiote comme elle l'a fait hier.
  l' = ATTRIBUT (et non COD)

- *Fait* reste invariable en tournure impersonnelle. ▶ 191
  Quelle chaleur il a fait aujourd'hui!

2 **SE FAIRE** 　　　　　　　*Elle s'est fait une tisane*
　　　　　　　　　　　　　　　La tisane qu'elle s'est faite

RAPPEL

Pour accorder le participe passé d'un verbe pronominal (▶ 151), il faut toujours se demander quelle est la fonction du pronom réfléchi (*me, te, se…*).
Il est **COD** quand il correspond à : *moi, toi, soi, lui, elle...*
Il est complément d'objet* second (**COS**) quand il correspond à : *à moi, à toi, à soi, à lui, à elle...*
Il n'a **pas de fonction** quand le verbe pronominal a une valeur passive.
Comparez :

Elle se fait belle.
COD

Elle fait «elle» belle.
⇒ *se* = COD

Elle se fait une tisane.
COS　　COD

Elle fait une tisane «à elle».
⇒ *se* = COS

Les rencontres se font à l'étranger.

Les rencontres sont faites à l'étranger.
(*passif*) ⇒ *se* sans fonction

- Quand le pronom réfléchi est COD, *fait* s'accorde avec ce pronom.
  Elle s'était faite belle pour l'occasion.
  COD
  Vous vous êtes faits à cette nouvelle idée.
  COD

- Quand le pronom réfléchi est COS, *fait* ne s'accorde pas avec lui mais **il s'accorde avec le COD qui le précède**.
Comparez :

Elle s'est fait beaucoup d'argent. COS　　　COD *Ils ne se sont pas fait de souci pour nous.* COS　　　　　COD *Ils s'étaient fait des grimaces derrière la vitre.* COS　　　　COD	COD placé **après** le participe : **pas d'accord**
Quelles réflexions t'es-tu faites? COD　　　COS *Il est revenu sur l'opinion qu'il s'en était faite.* COD　COS	COD placé **avant** le participe : **accord**

• Quand *se faire* a une valeur passive, le participe passé s'accorde avec le sujet.

<u>Les rencontres</u> se seraient **faites** à l'étranger.
SUJET

RETENEZ

> • *Fait*, participe passé de *se faire*, reste invariable :
> – s'il a pour COD le pronom *en*. ▶ 84
>   *Des cheveux blancs, ils s'<u>en</u> sont **fait** plus d'un.*
>
> – dans des locutions* figées :
>
> | | |
> |---|---|
> | s'en faire | *Elle ne s'en est jamais **fait** pour moi.* |
> | se faire fort | *Ils se sont **fait** fort de réussir.* |
> | se faire jour | *De nouvelles idées se sont **fait** jour.* |
> | se faire mal | *Ils ne se sont pas **fait** mal.* |
> | se faire face | *Elles s'étaient **fait** face sans bouger.* |

3 **(SE) FAIRE + INFINITIF**   *Je les ai fait venir*

• *Fait* ne s'accorde **jamais** quand il est suivi d'un infinitif.

faire (+ inf.)   { *Les employées qu'il a **fait** <u>venir</u>.*
                  { *Il les a **fait** <u>travailler</u>.*

se faire (+ inf.) { *Elle s'est **fait** <u>faire</u> une robe.*
                  { *La tisane qu'elle s'est **fait** <u>faire</u>.*
                  { *Je me la suis **fait** <u>offrir</u> par mes parents.*

EXERCICE

Accordez le participe passé de faire *en justifiant votre réponse.*

1. Elle s'est fait… couper les cheveux. **2.** Nos deux hommes se sont fait… des politesses à n'en plus finir. **3.** Se serait-elle enfin fait… à l'idée que nous allions partir? **4.** Grâce à la réputation qu'ils se sont fait…, ils auront salle comble. **5.** La porte qu'a fait… le menuisier est très belle, mais pourquoi l'a-t-il fait… peindre? **6.** Elle aurait fait… une bonne grand-mère. **7.** Ils se sont fait… peur.

92. LE FÉMININ
DES NOMS ET DES ADJECTIFS

« Français es, Français, Belges, Belges »
P. DESPROGES

• **Règle générale :** on forme le féminin des noms et des adjectifs en ajoutant un *e* au masculin.

Un ami niçois. | *Un délégué syndical.*
Une amie niçoise. | *Une déléguée syndicale.*

N'oubliez pas à l'écrit les *e* qui ne s'entendent pas à l'oral.

• Certains féminins présentent des particularités.

1 QUAND IL Y A DÉJÀ UN E AU MASCULIN

Un artiste
Une artiste

• Le féminin garde la même forme que le masculin. C'est le cas des noms et adjectifs qui, au masculin, se terminent par un *e* à l'écrit et c'est le cas de **enfant**.

Un artiste moderne. | *Un enfant agréable.*
Une artiste moderne. | *Une enfant agréable.*

• Pour savoir si le masculin s'écrit avec ou sans *e (subtil, utile...)* : ▶ **73**

RETENEZ

• Quelques noms masculins en **-e** ont un féminin en **-esse**.

âne / ân**esse**	ogre / ogr**esse**
comte / comt**esse**	prêtre / prêtr**esse**
hôte / hôt**esse** ▶ **103**	(de l'Antiquité)
maître / maîtr**esse**	prince / princ**esse**
mulâtre / mulâtr**esse**	tigre / tigr**esse**
nègre / négr**esse**	traître / traîtr**esse**

POUR ALLER PLUS LOIN

• *Maître / maîtresse* s'emploie également comme adjectif.
Une pièce maîtresse.

• *Traître*, en tant qu'adjectif, a pour féminin *traître,* dans la langue courante, et *traîtresse* dans un style soutenu.
Son attitude traître (ou traîtresse) ne lui a valu que mépris.

2 L'AJOUT DU E S'ACCOMPAGNE DE CHANGEMENTS

Neuf
Neuve

• Le *e* fait apparaître un accent sur la finale **-er**.
*léger / lég**ère***
*boucher / bouch**ère***

• Le *e* change la consonne finale.

-F / -VE	*bref / brève* *neuf / neuve* *juif / juive* *sauf / sauve*, etc.	
-X / -SE	*heureux, -euse* *jaloux, -ouse* *époux, -ouse*, etc.	mais *faux / fausse* *roux / rousse* *doux / douce* *vieux / vieille*

RETENEZ

• Quelques noms et adjectifs présentent également un changement de consonne.

loup / louve	gars / garce	blanc / blanche	sec / sèche
tiers / tierce	frais / fraîche	franc / franche	

• Le *e* double la consonne de certaines finales. Là réside la principale difficulté de la formation du féminin :

– il faut savoir quelles sont les finales qui doublent, et celles qui ne doublent pas.

Comparez :

> *originel / originelle*
> *original / originale*

– il faut connaître les exceptions.

Comparez :

> *partisan / partisane* : la finale -*an* ne double pas le n.
> *paysan / paysanne* : exception.

	FINALES EN	EXEMPLES	EXCEPTIONS
L	-el / -elle -eil / -eille	*intellectuel, -elle* *pareil, -eille* *vermeil, -eille* etc.	
	Les autres ne doublent pas.	*subtil, -ile* *général, -ale* etc.	**mais** *gentil/gentille* *nul/nulle*
N	-en / -enne -on / -onne	*moyen, -enne* *bon, -onne* *lion, -onne* etc.	**mais** *lapon, -one* *mormon, -one* *letton, -one*
	Les autres ne doublent pas.	*commun, -une* *voisin, -ine* *partisan, -ane* etc.	**mais** *paysan, -anne*
T	-et / -ette	*coquet / coquette* *muet / muette* etc.	**mais** *complet, -ète* *concret, -ète* *désuet, -ète* *discret, -ète* *inquiet, -ète* *préfet, -ète* *replet, -ète* *secret, -ète* et leurs composés ou dérivés
	Les autres ne doublent pas.	*délicat, -ate* *bigot, -ote* etc.	**mais** *chat, -atte* *sot, -otte* *vieillot, -otte* *pâlot, -otte*

RETENEZ

• Les noms et adjectifs terminés par *c* ne doublent pas leur consonne, mais le *c* devant *e* se transforme en *qu* pour garder le son [k]. ▶ **25**

> *Un Turc, une Turque.*
> *Le domaine public, une enquête publique.*

Grec suit la même règle mais, pour garder le son [ɛ], on garde un *c* devant *qu* : *grecque*.

> *Un Grec, une Grecque.*
> *Une salade grecque.*

3 **LE SUFFIXE CHANGE**   *Jumeau / Jumelle*

Certains noms et adjectifs ne forment pas leur féminin en ajoutant un *e*, mais en changeant de suffixe*.

• Les noms et adjectifs en **-eur** ont un féminin différent selon les cas.

>   mot**eur** / mo**trice**   ⇒ -trice
>   ment**eur** / ment**euse**   ⇒ -euse
>   maj**eur** / maj**eure**   ⇒ -eure

RETENEZ

> • Trois noms et adjectifs ont un féminin en **-eresse**.
>
>   enchanteur / enchant**eresse**
>   pécheur / péch**eresse** (= qui commet un péché)
>   vengeur / veng**eresse**
>
> Leur emploi appartient plutôt à la langue littéraire.

POUR ALLER PLUS LOIN

• Sur ce modèle, on trouve parfois le féminin *doctoresse,* forme contestée car **-oresse** ne se retrouve dans aucun autre mot. Il est toujours possible de dire *un docteur* à propos d'une femme. ▶ **99**

• Les noms en **-eau** et les deux adjectifs *beau* et *nouveau* prennent le suffixe **-elle** au féminin.

>   jum**eau** / jum**elle**
>   b**eau** / b**elle**

• Les deux adjectifs *fou* et *mou* ont pour féminin *folle* et *molle.*
*Ce grand artiste fait preuve d'une imagination la plus **folle**.*

• *Vieux* a pour féminin *vieille.*
*Ce sont de **vieilles** habitudes.*

RETENEZ

> • Il ne faut pas confondre les féminins *belle, nouvelle, folle, molle* et *vieille* avec les formes du masculin *bel, nouvel, fol, mol* et *vieil* que l'on emploie devant un nom commençant par une voyelle ou un *h* muet. ▶ **112**
>
> Comparez :
>
> | *Un   vieil   ami.* | *Un   bel   enfant.* |
> | *Une   vieille amie.* | *Une   belle enfant.* |

4 **CAS PARTICULIERS**   *Rigolo / Rigolote*

• Certains adjectifs et noms ont une forme particulière au féminin (suppression de suffixe, consonne ajoutée, changement dans le radical...).

compagnon / compagne	bénin / béni**gne**
dindon / dind**e**	malin / mali**gne**
coi / coi**te**	abbé / abb**esse**
favori / favori**te**	long / lon**gue**
rigolo / rigolo**te**	oblong / oblon**gue**
andalou / andalou**se**	duc / du**chesse**
héros / hér**oïne**	sauveur / **salvatrice**

RETENEZ

- *Coi, favori, rigolo* et *andalou* s'écrivent au masculin sans consonne finale, même si le féminin en comporte une.

- L'adjectif *sauveur* a pour féminin **salvatrice**. Le nom *sauveur* ne s'emploie qu'au masculin.
  *Cette femme a été mon **sauveur**.*

Certains noms ne s'emploient en effet qu'à un seul genre. ▶ **99**
  *Cette femme est amat**eur** de jazz.*
  *Elle a été le tém**oin** principal de la partie civile.*

EXERCICE

Un grand nombre de prénoms ont un féminin formé selon les principes énoncés ci-dessus. Donnez l'équivalent féminin des prénoms suivants.

1. Lucien. **2.** Frédéric. **3.** Béranger. **4.** Claude. **5.** Denis. **6.** Fernand. **7.** Martin. **8.** Yvon.

93. FINANCIER ET PÉCUNIAIRE

Des soucis financiers
Des soucis pécuniaires

- Ces deux adjectifs synonymes (signifiant «qui a rapport à l'argent») se terminent chacun par un suffixe* différent.

  *financ**ier*** comme *fonc**ier**, journal**ier**…*
  *pécuni**aire*** comme *scol**aire**, hebdomad**aire**…*

- Faites bien attention à ne pas confondre leurs suffixes.
  *Des ennuis pécuni **-aires**.*
  ou   *Des ennuis financ **-iers**.*
  et non *Des ennuis pécuniers.*

RETENEZ

- **Pécuniaire** se termine par un *e*. Il a la même forme au féminin qu'au masculin.
  Un apport pécuniaire, une aide pécuniaire.

EXERCICE

Remplacez les pointillés par les lettres manquantes.

1. Des soucis pécun… l'accablent. **2.** Si vous rencontrez quelque difficulté financ… prévenez-nous. **3.** Cela constitue un avantage pécun… très intéressant.

94. FOI, FOIE ou FOIS?

*Il était une fois
une marchande de foies...*

Il faut savoir écrire correctement ces trois homonymes* : ils ont chacun une signification bien distincte.

1 LA FOI: «LA CONFIANCE»   *Sa foi en l'avenir*

• **La foi**, c'est le fait d'avoir confiance en quelqu'un, en quelque chose. Plus particulièrement, c'est, pour un croyant, le fait de croire en Dieu.

*La **foi** de ce peuple en l'avenir a été et sera le moteur de la reconstruction du pays.*
*Un hymne où l'on chante sa **foi** au Seigneur.*

Foi peut avoir pour synonymes selon les contextes *confiance, croyance, parole...*

2 LE FOIE: «ORGANE»   *Du pâté de foie*

• **Le foie** est un organe qui sert à la sécrétion de la bile, à l'élimination de certaines substances.

*Son **foie** supporte tout !*
*Une terrine de **foies** de volaille.*

3 UNE FOIS: «UN CAS»   *Une autre fois*

• ***Fois*** est un nom de sens assez large. Il est à rapprocher de *cas, moment, reprise...*

*Vous reviendrez une autre **fois**.* (= à un autre moment.)
*Il a refait ce geste trois **fois**.* (= à trois reprises.)

FOI, FOIE, FOIS   **RETENEZ**

• *La foi,* bien que nom féminin, s'écrit **sans** *e*.
Le foie, bien que nom masculin, s'écrit **avec** *e*.
Une fois, même au singulier, s'écrit **avec** *s*.

• De nombreuses locutions contiennent *foi*, *foie* ou *fois*.

FOI	FOIE	FOIS
ajouter foi à	une crise de foie	une fois pour toutes
ma foi!	du pâté de foie	pour une fois
faire foi	le foie gras	il était une fois
ni foi ni loi	se ronger les foies	à la fois
bonne, mauvaise foi		une fois que...
une profession de foi		

FOI, FOIE, FOIS   **POUR ALLER PLUS LOIN**

• ***Fois*** a servi à la composition (▶119) de plusieurs adverbes.
parfois, quelquefois, toutefois...

EXERCICE

Remplacez les pointillés par foi, foie *ou* fois *selon le cas.*

1. Postez votre réponse avant le 17 mars, le cachet de la poste faisant … . **2.** Ses radios du … n'ont rien révélé d'anormal. **3.** Je sais Michel de bonne … et je ne pense pas qu'il cherche à nous tromper. **4.** Pas une … il ne s'est trompé. **5.** La prochaine … les candidats devront envoyer leur profession de … une semaine avant les élections. **6.** «Si j'étais Dieu, en les voyant prier *(les bigotes)*/Je crois que je perdrais la …» J. BREL

95. LES FONCTIONS DANS LA PHRASE

COD, Attribut, Sujet

La **fonction** d'un mot ou d'un groupe de mots est le rôle qu'il joue par rapport à un autre mot ou groupe de mots. Quand on analyse un mot, on donne sa nature (la classe grammaticale à laquelle il appartient, ▶ **39**) et sa fonction dans la phrase où il est employé. Reconnaître une fonction permet d'éviter bien des erreurs, notamment d'accord et de construction.

1 **LE SUJET** *Le chat mange*

• Le sujet se rapporte au verbe et répond à la question *qui? qui est-ce qui? qu'est-ce qui?* Il précède généralement le verbe sauf dans l'interrogation directe. ▶ **178**

Le travail que je lui confie *nécessite une grande attention.*
SUJET (Qu'est-ce **qui** nécessite une grande attention?)

RETENEZ

• C'est le sujet qui détermine l'accord du verbe. ▶ **192**
Ce travail nécessite une grande attention.
Ces travaux nécessitent une grande attention.

• La fonction sujet peut être remplie par :

un nom	*Pierre vient. – La table a bougé.*
un pronom	*Il vient. – On a frappé.*
une proposition	*Qu'elle ne soit pas encore là m'étonne.*
un infinitif	*Rire n'a jamais nui à personne.*

POUR ALLER PLUS LOIN

• Les verbes en construction impersonnelle ont un sujet apparent *(il)* et un sujet réel (appelé aussi *sujet logique*). ▶ **191-1**

Il manque encore trois pages.
SUJ. apparent SUJ. réel

2 **LE COMPLÉMENT D'OBJET** *Le chat mange **la souris***

● Le complément d'objet se rapporte au verbe et désigne l'être ou la chose sur lesquels porte l'action exprimée par le verbe. On distingue trois types de compléments d'objet :

– le complément d'objet direct (COD).
Il est directement relié au verbe, **sans préposition***. Il répond à la question *que ? qui ? qu'est-ce que ? qui est-ce que ?* **Il devient le sujet lorsque la phrase peut être mise à la voix* passive.**

*La direction a engagé **de jeunes diplômés**.*

(Qui est-ce **que** la direction a engagé ?) COD
(*passif* : De jeunes diplômés ont été engagés par la direction.)

– le complément d'objet indirect (COI).
Il est **introduit par une préposition**. Il répond à la question *à quoi, de quoi, sur quoi, à qui...* selon la préposition imposée par la construction du verbe auquel il se rattache.

*La direction a renoncé **à l'offre**.*

(**À quoi** la direction a-t-elle renoncé ?) COI

*Cela convient **à tous les stagiaires**.*

(**À qui** cela convient-il ?) COI

– le complément d'objet second (COS).
C'est un complément **introduit par une préposition** et qui accompagne un verbe **également construit avec un COD**.

Nous adapterons les exercices au niveau des élèves.
                              COD   COS

● La fonction complément d'objet peut être remplie par :

un nom	*J'écoute Pierre. – Il lave la table.*
un pronom	*Pierre le lui donne. – J'attends quelqu'un.*
une proposition	*Je m'étonne qu'elle ne soit pas là.*
un infinitif	*Il aime rire.*

RETENEZ

● Sachez reconnaître le COD : il peut avoir des conséquences sur l'accord du participe passé. ▶ **134**

● Ne confondez pas les COI introduits par la préposition *de* et les COD commençant par l'article partitif, *du, de la...* ▶ **39**
Comparez :

Il doute du succès à venir.	*Il achète du pain.*
de la sincérité du public.	*de la viande.*
de tout.	*de tout.*
(**De quoi** doute-t-il ?) COI	(**Qu'**achète-t-il ?) COD

● Les pronoms personnels qui précèdent le verbe ne sont pas introduits par une préposition, qu'ils soient COD, COI ou COS.
Comparez :

Tu me vois.	(= tu vois «moi».)	COD
Cela me convient.	(= cela convient «à moi».)	COI
Il me laisse du temps.	(= il laisse du temps «à moi».)	COS

Le même cas se présente à l'impératif. ▶ **131**

Laisse-moi un peu de temps. (= laisse «à moi».) COS

• Les infinitifs COD peuvent, eux, être introduits par une pré-position (*de* ou *à*). ▸ 193

Comparez :

> GN : *Je lui ai demandé un service.*
> COD
>
> infinitif : *Je lui ai demandé de venir.*
> COD

POUR ALLER PLUS LOIN

• Quand le COS désigne l'être ou la chose en faveur (ou au détriment) de qui ou de quoi est faite l'action, on l'appelle parfois *complément d'attribution*.

> *Ils ont offert un livre à leur neveu.*
> COD   C. D'ATTRIBUTION

3 LE COMPLÉMENT D'AGENT   *La souris est mangée par le chat*

• Dans une phrase passive*, le complément d'agent désigne l'être ou la chose par qui ou par quoi se fait l'action. Il est introduit par les prépositions *de* ou *par*. Dans une phrase active*, il serait le sujet.

Comparez :

> passif : *Le président est élu par le bureau.*
> C. D'AGENT
>
> actif : *Le bureau élit son président.*
> SUJET

4 L'ATTRIBUT   *Le chat est gourmand*

• L'attribut dépend du sujet (*attribut du sujet*) ou du COD (*attribut du COD*). Il exprime une qualité, une manière d'être, une dénomination…

> *La maison est en bon état.*
> SUJET   ATTRIBUT (exprime une qualité de la maison)
>
> *J'ai trouvé cette idée très bonne.*
> COD   ATTRIBUT (exprime une qualité de l'idée)

• L'attribut du sujet suit un verbe d'état (▸ 191-3) tel que *être, demeurer, devenir, paraître, rester, sembler…*

• L'attribut du COD se construit avec des verbes transitifs directs (▸ 193) qui expriment une opinion, un jugement ou un changement.
trouver, juger, considérer, croire…
élire, nommer, appeler…

• L'attribut peut être :

un adjectif	*Il est heureux. – Je la trouve belle.*
un nom	*Pierre est médecin. – On l'a élu président.*
un pronom	*Est-il heureux ? Oui, il l'est. – Qui est-elle ?*
une proposition	*Le problème est qu'il ne la connaît pas.*
un infinitif	*Souffler n'est pas jouer.*
un adverbe	*Les vacances sont loin déjà.*

- Le sujet ou le COD donnent leur marque de genre et de nombre à leurs attributs quand ceux-ci sont des mots variables. ▶ 190

*Je la crois assez **astucieuse** pour penser qu'elle réussira.*
*Elles sont **chanteuses professionnelles**.*
*Elle est **médecin**.* (*médecin* : pas de marque de féminin)
*Je la trouve **mieux** depuis qu'elle est installée chez elle.*
(*mieux* = adverbe = invariable)
***Quelles** ont été leurs réactions ?*
***Qui** sont-elles ?* (*qui* : pas de marque de féminin ni de pluriel)

R E T E N E Z

- Ne confondez pas attribut et COD qui se construisent tous deux sans préposition.
Comparez :

ATTRIBUT	COD
*Jean est **le maire de la ville**.*	*Jean écoute **le maire de la ville**.*
Attribut et COD répondent tous les deux à la question *que? qui?*	
Qui est Jean?	*Qui Jean écoute-t-il?*
L'attribut se construit avec des verbes d'état.	Le COD se construit avec des verbes transitifs directs.
être, devenir, rester…	*écouter, donner…*
La phrase ne peut pas être mise au passif.	On peut mettre la phrase au passif.
	Le maire est écouté de Jean.
Il peut être remplacé par un adjectif.	Il ne peut pas être remplacé par un adjectif.
Jean est célèbre.	
L'attribut et le sujet désignent la même personne.	Le COD n'est pas la même personne que le sujet.
Jean et le maire sont la même personne.	*Jean et le maire sont des personnes différentes.*

POUR ALLER PLUS LOIN

- Parfois, l'attribut est introduit par une préposition (*pour, de…*) ou par *comme*.

*Il passe **pour** le meilleur expert en la matière.*
SUJ.   ATTRIBUT du sujet
*Nous la considérons **comme** notre sœur.*
COD   ATTRIBUT du COD

5   **LE COMPLÉMENT**   *Le chat a **bien** mangé*
     CIRCONSTANCIEL

- Il se rapporte au verbe et donne des informations sur les conditions dans lesquelles se déroule l'action. Le plus souvent, il n'est pas obligatoire : sa suppression ne nuit pas à la structure de la phrase ni à sa compréhension.

(Hier) nous avons dîné (avec lui) (dans ce petit restaurant).

- Selon la nature de l'information apportée, on répartit les compléments circonstanciels en différentes catégories. Certaines sont mises en évidence par la question à laquelle elles répondent.

lieu		*Il est caché* <u>*sous la table.*</u>	(où?)
temps		*Il est arrivé* <u>*la semaine dernière.*</u>	(quand?)
manière		*Il comprend* <u>*vite.*</u>	(comment?)
mesure		*La lettre pèse* <u>*20 grammes.*</u>	(combien?)
but	▶ 23	*Il est venu* <u>*pour me voir.*</u>	(pourquoi?)
cause	▶ 29	*Il est venu* <u>*parce que j'étais là.*</u>	(pourquoi?)
opposition		*Il pleut ici* <u>*alors qu'il fait beau à Nice.*</u>	
concession	▶ 42	*Il a réussi* <u>*malgré les difficultés.*</u>	
conséquence	▶ 50	*Il a toujours réussi* <u>*si bien qu'on l'adore.*</u>	
condition	▶ 44	*Nous partirons* <u>*s'il fait beau.*</u>	

- Le complément circonstanciel peut être :

un adverbe	*Hier nous sommes partis* <u>*précipitamment.*</u>
un GN	*Nous sommes partis* <u>*deux jours.*</u>
un GN prép.	*Nous sommes partis* <u>*après le dîner.*</u>
une proposition	*Nous sommes partis* <u>*quand il est arrivé.*</u>
une proposition participiale*	{ *Une fois ton travail* <u>*terminé,*</u> / *tu pourras partir.*

RETENEZ

- Ne confondez pas les compléments circonstanciels de **mesure** et les COD : ils peuvent se construire de la même façon, mais ne répondent pas à la même question.

Comparez :

Le boucher pesait autrefois **cent kilos**.
(Combien pesait le boucher?)   <u>CC Mesure</u>

Le boucher pèse **cent kilos de viande** *sur la balance.*
(Que pèse le boucher?) COD

Cela a des conséquences sur l'accord du participe passé. ▶ 134

---

6   **L'ÉPITHÈTE**   *La* **petite** *souris*

- L'épithète qualifie un nom. Elle le suit ou le précède directement et sa présence n'est pas obligatoire. Le plus souvent, il s'agit d'un adjectif.

Des accords **secrets** *ont été signés entre les* **différentes** *parties.*

- L'épithète peut être également un adjectif verbal (▶ 16) issu du :

participe passé   : *Des accords* **écrits**.
participe présent : *Un shampooing* **démêlant**.

- L'épithète s'accorde en genre et en nombre avec le nom auquel elle se rapporte.

RETENEZ

- Il n'est pas toujours facile de distinguer l'adjectif épithète de l'adjectif attribut du COD.

Comparez :

épithète	attribut du COD
Il a des gants **verts**.	*Il a les yeux* **verts**.
L'épithète peut être supprimée : on peut dire *Il a des gants*.	L'attribut ne peut être supprimé : on ne dira pas <u>*Il a les yeux*</u>.

• On appelle *épithète détachée* une épithète qui est séparée du nom auquel elle se rapporte soit par sa place, soit par la ponctuation.

Claire et bien timbrée, sa voix retentissait dans la salle.
ÉPIT. DÉT. du nom *voix*

Sa voix, claire et bien timbrée, retentissait dans la salle.

L'épithète détachée est parfois encore appelée *adjectif apposé*.

7 L'APPOSITION   *Le chat, mangeur de souris*

• L'apposition apporte une précision sur la nature ou la qualité du nom auquel elle se rapporte. Elle peut en être détachée par la ponctuation, parfois aussi par la place.

Leur fils, véritable boute-en-train, nous fait tous rire.
APPOSÉ au nom *fils*

Le rapport présente la ville de Marseille.
APPOSÉ au nom *ville*

• L'apposition est le plus souvent :

un nom   *Pierre, spécialiste de la question, sera là.*
un pronom   *Vous viendrez vous-mêmes le chercher.*

On parle aussi d'*adjectif apposé* (voir fin **6**).

RETENEZ

> • Contrairement aux autres types de compléments (voir **8**), l'apposition désigne toujours le même être ou la même chose que le nom auquel elle se rapporte.
>
> Comparez :
>
> *La ville de Marseille.*
> APPOSITION (la ville = Marseille)
>
> *Le frère de Paul.*
> C. DU NOM (Paul ≠ son frère)

• L'apposition appartient plutôt au registre* soutenu : elle confère à la phrase un caractère littéraire.

8 LES AUTRES COMPLÉMENTS   *Le repas du chat*

• Ils apportent une information supplémentaire au nom, au pronom, à l'adjectif ou à l'adverbe qu'ils complètent. Ils sont reliés à ce terme par une préposition, un relatif ou une conjonction.

c. du nom	*La maison de ses parents.*
	La maison où ils habitent.
	L'espoir qu'il réussisse.
c. du pronom	*Ceux qui veulent.*
c. de l'adjectif	*Fou de joie.*
c. de l'adverbe	*Antérieurement à cela.*

• Ces compléments peuvent être :

un nom	*Le chien du voisin.*
une proposition	*Le chien qui aboie.*
un pronom	*L'idée des autres.*
un infinitif	*Heureux de vivre.*

• La grammaire analyse par ailleurs la phrase en distinguant le groupe qui représente ce dont on parle (**groupe nominal sujet** = GNS ou thème) et le groupe qui représente ce qu'on en dit (**groupe verbal** = GV ou prédicat).

Le travail que je lui ai confié nécessite bien souvent des
        GNS ou thème   GV ou prédicat
compétences différentes des miennes.

• Toutes les classes grammaticales (▶ **39**) ne sont pas aptes à remplir les mêmes fonctions. Observez par exemple que l'adjectif peut être épithète ou attribut, mais jamais COD ni sujet.

• Les mots dans une phrase ou dans un groupe ont une fonction **par rapport** à un autre mot : quand on dit «tel mot est complément d'objet, tel mot est sujet...», il faut préciser de quel terme il est complément d'objet, sujet... Ces liens de dépendance peuvent être mis en évidence par des schémas.

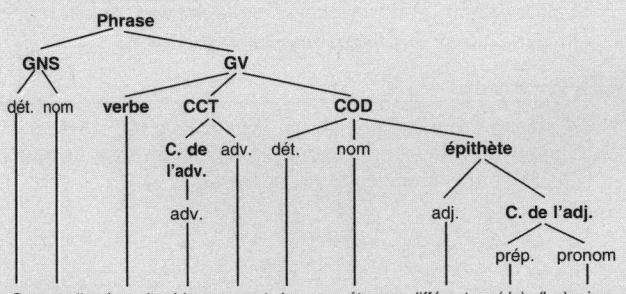

Ce travail nécessite bien souvent des compétences différentes (de) (les) miennes.

• Les prépositions et conjonctions n'ont pas de fonction (dans le sens retenu ici). Ce sont des **mots de liaison** : elles servent à introduire les compléments ou à lier des groupes, des propositions. Elles ne font que **marquer** le lien (dépendance ou coordination) entre deux mots ou groupes de mots.

EXERCICE

Dans la phrase suivante, trouvez le verbe de la proposition principale, repérez son sujet, le complément circonstanciel et le complément d'agent. Puis, donnez la fonction des mots ou groupes de mots soulignés. Indiquez le cas échéant s'il s'agit de termes de liaison.

«Quand Yamna et les autres arrivèrent dans la ville à la recherche du tombeau de saint Moulay Idriss Zarhoun, ils furent accueillis par une nuée de gamins qui les prirent pour des touristes d'un genre nouveau, des étrangers qui se seraient déguisés en Marocains pour passer inaperçus.»

TAHAR BEN JELLOUN, *La prière de l'absent*

96. FOND ou FONDS?

Un puits sans fond
Un apport de fonds

Sachez reconnaître celui des deux homonymes* qui prend un **s**.

1 FOND: «LIMITE INFÉRIEURE»   *Le fond d'un trou*

• **Le fond**, c'est la limite inférieure, la partie la plus basse ou la plus éloignée d'un objet, d'une pièce…

> *« Le soleil brûlait leurs visages et leurs mains, la lumière creusait son vertige, quand les ombres des hommes sont pareilles à des puits sans fond »* J.-M.-G. LE CLÉZIO

Fond a pour synonymes selon les contextes *l'arrière, le bas, l'arrière-plan…*

• **Le fond**, c'est aussi, au sens abstrait, ce qui constitue l'essentiel de quelque chose, indépendamment des apparences.

> *Nous vous corrigerons non pas sur le **fond** de votre exposé, mais sur la forme.*

Fond peut alors avoir pour synonymes *essentiel, base, contenu, matière, substance…*

2 FONDS: «CAPITAL»   *Gérer son fonds*

• **Le fonds**, c'est ce qui constitue un capital, un bien.

> *Il a confié la gestion de son **fonds** à un agent d'affaires.*

Fonds peut avoir pour synonymes *ressources, capital, finances, patrimoine…*

• On l'emploie au sens figuré dans le registre* soutenu pour parler des qualités exploitables d'une personne.

> *Il a un grand **fonds** de patience.*

RETENEZ

• Dans le sens de «capital», ***fonds*** s'écrit avec **s** même au singulier.

FOND ou FONDS ?   **RETENEZ**

• Notez ces quelques expressions :

FOND	FONDS
du **fond** du cœur	un **fonds** de commerce
un **fond** d'œil	un appel de **fonds**
le **fond** de sa pensée	un bailleur de **fonds**
le **fond** du problème	les **fonds** publics
avoir bon **fond**	le **fonds** de garantie
un **fond** de vérité	un **fonds** de roulement
un article de **fond**	un convoyeur de **fonds**
une course de **fond**	à **fonds** perdu
le ski de **fond**	
aller au **fond** des choses	
au **fond**, dans le **fond**, à **fond**	

Évidemment, au pluriel la distinction disparaît.

• Ne confondez pas non plus ces homonymes avec le nom composé* *les **fonts** baptismaux*. Dans ce cas, *fonts* s'écrit bien avec un *t* (pensez à *fontaine*).

• Si ***tréfonds*** se rapproche de ***fond*** par son sens, «ce qui est au plus profond de», il garde la graphie de ***fonds*** dont il est le composé : le tréfonds est à l'origine la partie du sous-sol que l'on possède comme fonds.
Notez que l'expression ***au*** *tréfonds* est toujours au singulier.

*Il était ému jusqu'**au tréfonds** de son âme.*

EXERCICE

Remplacez les pointillés par fond *ou* fonds *après avoir donné un synonyme.*

1. Au … tout cela l'arrange bien. **2.** Ce riche collectionneur a légué tout son … à la bibliothèque. **3.** Détournement de … . **4.** Laisse-moi deviner le … de ta pensée. **5.** La piscine n'a pas beaucoup de … . **6.** Sans ce … de roulement, il serait gêné par le moindre retard de paiement. **7.** Le … monétaire international. **8.** Les commentaires étaient enregistrés sur un … musical. **9.** Un minimum de … est nécessaire pour investir dans l'affaire. **10.** Des peintures vertes sur … jaune.

97. G OU GU ?

Je conjuguais
Conjugaison

1 DEVANT E, I ET Y

Guignol

• Devant les lettres *e*, *i*, *y*, il faut écrire *gu* pour noter la prononciation [g].
Comparez :

une *figue*	[fig]	*guignol*	[giɲol]	*Guy*	[gi]
je *fige*	[fiʒ]	*gigoter*	[ʒigote]	*gypse*	[ʒips]

POUR ALLER PLUS LOIN

• Les emprunts (▶ 83) ne tiennent pas compte de cette règle.
hamburger [ãmbuʁgœʀ], *girl* [gœʀl].

2 DEVANT A, O, U

Conjugaison

• Devant *a*, *o*, *u*, la lettre *g* se prononce [g] sans qu'il soit nécessaire d'intercaler un *u*.

bourgade	[buʁgad]
indigo	[ɛ̃digo]
argument	[aʁgymã]

• Pourtant, dans certains mots il faut écrire *gua, guo* (voir **3** et **4**).

RETENEZ

• *Langage* est un mot français… Écrit avec *gu,* il est anglais ou américain et se prononce [læŋwidʒ].

3 DANS LES VERBES EN -GUER, ON ÉCRIT TOUJOURS -GU-

Conjuguons

• Le radical reste identique dans toute la conjugaison, même quand la terminaison commence par *a* ou *o*.

	conjugu-	er
vous	conjugu-	erez
nous	conjugu-	ions
nous	conjugu-	ons
tu	conjugu-	ais
vous	conjugu-	âtes
en	conjugu-	ant

RETENEZ

- *Fatigant* ou *fatiguant*? Les deux formes existent : il faut savoir les reconnaître pour bien les écrire. ▶ 16
– *Fatiguant* est le **participe présent** de *fatiguer* : c'est une forme verbale, il s'écrit donc avec *gu*.
   Le bruit le fatiguant, il préfère habiter la campagne.
– *Fatigant* est un **adjectif** : il s'écrit avec un simple *g*.
   Une journée fatigante mais intéressante.

- L'homonymie* est notamment possible entre :

participe présent	adjectif
fatiguant	fatigant, fatigante
intriguant	intrigant, intrigante *(aussi nom)*
naviguant	navigant, navigante *(aussi nom)*
extravaguant *(rare)*...	extravagant, extravagante...

Le participe présent étant invariable, retenez que **tout féminin en** [gɑ̃t] est un adjectif ou un nom : il s'écrit donc avec un *g*.
   Les intrigantes de la pièce.

---

4 **QUELQUES CAS PARTICULIERS**   *Un distinguo*

- **Avec *gua***
– Retenez la graphie de *baguage* «action de baguer (les oiseaux)»; *gu* le distingue de *bagage* «valise...»
   Le baguage des goélands.
– Certains dictionnaires écrivent curieusement *distinguable*, *indistinguable* (et aussi *indistingable*). Il serait normal d'écrire *distingable*, comme *navigable*, *infatigable*, etc.

- **Avec *guo***
Le seul mot est *distinguo* «distinction subtile», d'un verbe latin devenu nom masculin en français.

POUR ALLER PLUS LOIN

- D'autres mots s'écrivent *gua*, mais il s'agit de mots d'origine étrangère où *gua* se prononce [gwa].
   guano (et son dérivé *guanine*), *alguazil*, *guadeloupéen*...
Lingual [lɛ̃gwal] est formé sur le terme latin *lingua*. Il est employé surtout en anatomie et signifie «relatif à l'organe *langue*».

G OU GU ?   **POUR ALLER PLUS LOIN**

- Pour le tréma dans les groupes *güë*, *güï* : ▶ 189-3

- Certains mots prennent un *e* après *g* pour garder le son [ʒ] devant *a*, *o*, *u* : ▶ 72-3

EXERCICE

Donnez des mots de la même famille selon le modèle :
   élaguer ⇒ élagueur, élagage, etc.

1. La drague. **2.** La langue. **3.** Un catalogue. **4.** Naviguer. **5.** L'élégance. **6.** La vigueur. **7.** Le Périgord. **8.** Rugueux. **9.** Une bague.

98. LE GENRE DES NOMS : INTRODUCTION

• Les noms communs ont tous un genre : **masculin** ou **féminin**.
cahier : nom masculin
sœur : nom féminin

• Les noms qui désignent une personne, un animal (animé*) ont le plus souvent un genre déterminé par le sexe de l'être qu'ils désignent (*un homme, une femme*) : c'est le **genre naturel**. ▶ 99

• En revanche, les noms de choses (inanimé*) ont un genre arbitraire qui ne dépend pas de ce que représente le nom (*un tabouret, une chaise*) : c'est le **genre grammatical**. ▶ 100

R E T E N E Z

• Connaître le genre des noms est important pour trouver la forme des déterminants, adjectifs, pronoms qui s'y rapportent.
*Cette subvention est accordée à toute **personne** exonérée de l'impôt sur les revenus qu'elle a perçus en 1995.*

POUR ALLER PLUS LOIN

• Pour les noms, le français ne connaît que deux genres : féminin et masculin. Mais sont considérés comme neutres quelques pronoms : *ceci, cela, en, y* (▶ 84), *on* (▶ 129), *personne* (▶ 140), *quelque chose* (▶ 37)... Il n'existe pas de forme particulière pour le **neutre** : il adopte la forme du **masculin singulier**.

Tout ceci est vrai.
Personne n'est venu.
*C'est **quelque chose** que j'ai bien compris.*

99. LE GENRE DES NOMS ANIMÉS *Madame le ministre*

La plupart des noms animés ont un genre naturel (déterminé par le sexe), mais pas toujours.

1 **LE GENRE NATUREL** *Un homme, une femme*

• Le plus souvent, les mots désignant des hommes (ou des mâles) sont du masculin, ceux désignant des femmes (ou des femelles) sont du féminin.

un homme – un ténor – un artiste – un animateur...
une femme – une nourrice – une artiste – une animatrice...

• Pour désigner les deux individus d'un couple homme/femme (mâle/femelle), on utilise :

– deux mots différents.

un homme / une femme
un cheval / une jument

– un même mot qui sert alors à désigner des hommes (ou mâles) et des femmes (ou femelles). La forme du mot varie ou non selon les principes de formation du féminin. ▶ 92

même forme (pour les noms terminés par un *e*)	Un *élève*, une *élève*. Un *malade*, une *malade*.
forme différente	Le *lion*, la *lionne*. Cherche *animateur / animatrice* pour centre de vacances.

RETENEZ

• Pour les noms qui ont une même forme au masculin et au féminin, le genre n'est marqué que par le déterminant ou par les accords.

Avez-vous eu affaire à un ou une psychologue ?
Cette enfant a été reçue avec mention.

2 **LE GENRE GRAMMATICAL** *Un mannequin*
Une sentinelle

• Pour les **noms d'animaux non domestiques**, un seul terme désigne souvent à la fois le mâle et la femelle.

une gazelle – une baleine – une panthère...
un dauphin – un léopard – un élan...

• Pour **quelques noms de métiers**, seul le masculin existe, qu'il s'agisse d'un homme ou d'une femme.

agent	censeur	fossoyeur	médecin
architecte	chef	imprimeur	peintre
armateur	commissaire	ingénieur	pilote
assesseur	détective	juge	professeur
auteur	diplomate	magistrat	recteur
cadre	écrivain	mannequin	sculpteur...

• D'autres noms ne se rencontrent qu'au masculin (beaucoup de noms en **-eur**) ou qu'au féminin, même s'ils désignent indifféremment des hommes ou des femmes.

La victime était un homme âgé de 50 ans.

Cette femme est un grand amateur de peinture.

masculin	féminin
acquéreur	altesse
agresseur	canaille
amateur	idole
conjoint	personne ▶ 140
défenseur	recrue
génie	sentinelle
gourmet	star
imposteur	vedette
possesseur	victime...
successeur	
témoin	
usager	
vainqueur...	

G

- Pour ces mots à genre unique, tous les accords se font selon le genre du nom sans tenir compte du sexe.

  La <u>vedette</u> était attendue à la fin de son concert ; mais le chanteur n'a pas voulu paraître.

- Lorsqu'il est nécessaire de préciser le sexe, on fait suivre ou précéder le nom d'un terme qui apporte la précision.

  *Laboratoire cherche <u>ingénieur</u> **homme** ou **femme**.*
  *Le zoo achète deux <u>gazelles</u> **mâles** et une <u>gazelle</u> **femelle**.*
  *Les <u>vedettes</u> **masculines** ont été plus particulièrement applaudies lors de la soirée de gala.*
  *C'est **une artiste** <u>peintre amateur</u>.*

POUR ALLER PLUS LOIN

- Il serait possible d'employer au féminin les noms de métiers qui se terminent par un *e* : *une architecte*. Mais l'usage accepte encore mal ces emplois.

- Les termes anglais se terminant par *-er* ne sont employés qu'au masculin.

  ***un** leader, **un** reporter, **un** globe-trotter, **un** skipper...*
  sauf : *un speaker, une speaker**ine**.*

EXERCICE

Remplacez les pointillés par le déterminant adéquat. Faites les accords nécessaires. Précisez au besoin par un terme le sexe de la personne désignée.

1. Marie a été ... *seul témoin* du drame. **2.** ... *victime* n'était pas *obligé* de porter plainte. **3.** Sondage : les femmes préfèrent-elles les *gynécologues* ou les *gynécologues* ? **4.** Cette année encore, c'est une femme qui est ... *vainqueur* du championnat. **5.** Il est à souhaiter que le portefeuille du ministère de la Condition féminine soit toujours confié à ... *ministre.*

100. LE GENRE DES NOMS INANIMÉS

Un apogee
Une équivoque

Le genre des noms inanimés* ne dépend pas du sens du mot. Il est arbitraire :

| un tabouret | et | une chaise |
| une montagne | et | un mont |

Les noms inanimés ne varient pas en genre.

1 LE GENRE EST FIXÉ PAR L'ÉTYMOLOGIE, L'USAGE...

Un éloge

• Le genre des noms est fixé par l'étymologie, l'usage, la formation (dérivation ou composition)... : il est rarement prévisible, mais il est généralement connu des locuteurs francophones.

RETENEZ

• Cependant, il faut retenir le genre d'un certain nombre de mots pour lesquels il y a hésitation. Il s'agit le plus souvent de mots commençant par une voyelle (donc précédés de l'article élidé *l'*, ce qui fait que l'on n'a plus le repère *le/la*). Par ailleurs leur terminaison peut plutôt évoquer l'autre genre.

un *apogée* – *l'apogée final*
et non *une apogée* (comme *une dragée, une cuillérée...*)

■ Noms masculins

un agrume	un arpège	un entracte	un média
un amalgame	un artifice	un équinoxe	un obélisque
un anchois	un astérisque	un esclandre	un opuscule
un antidote	un augure	un espace	un ovule
un antipode	un autographe	un exode	un pastiche
un antre	un cèpe	un granule	les pénates
un aparté	un colchique	un hémisphère	un pétale
un aphte	les décombres	un interstice	un planisphère
un apogée	un effluve	un intervalle	un poulpe
les arcanes	un éloge	l' ivoire	un rail
un are	un emblème	le jute	un tentacule
un armistice	un en-tête	un méandre	un termite

■ Noms féminins

une absinthe	des arrhes	des éliminatoires	une interview
une acné	une atmosphère	une éphéméride	une mandibule
une agrafe	une autoroute	une épithète	la nacre
l' algèbre	une azalée	une épître	une octave
une alluvion	une câpre	une équivoque	une omoplate
une amnistie	une dartre	une glaire	une orbite
une anagramme	l' ébène	une icône	une orge
une apostrophe	une échappatoire	une idylle	la silicone
une argile	une écritoire	des immondices	une volte-face

• *Espèce* est un nom féminin. ▶ 87
Elle portait **une** *espèce de foulard.*

POUR ALLER PLUS LOIN

• On peut dans certains cas déduire le genre grâce au suffixe*.

suffixes masculins		suffixes féminins	
-ment	un encouragement	-ade	une peuplade
-age	le mariage	-ude	la certitude
-et	un cabinet	-ation	une opération
-al	un signal	-ance	la confiance
-isme	le romantisme	-ence	une différence
-teur	un aspirateur	-esse	la jeunesse
-ier	un tablier	-ette	une baguette
		-euse	une agrafeuse
		-té	la bonté

2 **CAS PARTICULIERS**

Un ou une oasis
Un voile et une voile

- **Deux genres, même sens**

Certains noms possèdent les deux genres. Que l'on emploie l'un ou l'autre, le sens ne change pas.

RETENEZ

- On dit indifféremment *un* ou *une* avec :

alvéole	office *« pièce »*
après-midi	palabre
enzyme	perce-neige
météorite	réglisse
oasis	

POUR ALLER PLUS LOIN

- Il est vraisemblable que pour ces noms, un des genres finisse par s'imposer : les dictionnaires font de *alvéole* un nom féminin, alors qu'il est encore donné comme nom masculin par l'Académie française.

- **Deux genres, deux sens**

Certains homonymes* se distinguent par le genre. Selon que l'on emploie le masculin ou le féminin, le sens change complètement.

RETENEZ

- Distinguez bien les sens de :

un manche ≠ une manche	le crêpe ≠ une crêpe
un voile ≠ une voile	un mémoire ≠ la mémoire
un livre ≠ une livre *« 500 g »*	un mode ≠ une mode
un moule ≠ une moule	un pendule ≠ une pendule
le platine *« métal »* ≠ une platine *« disque »*	un solde *« bilan »* ≠ une solde
un poêle ≠ une poêle	

- **Un nom, deux genres selon les emplois**

Certains noms changent de genre selon l'emploi dans lequel ils se trouvent.

RETENEZ

- *Amour* et *délice*, noms masculins au singulier, deviennent féminins au pluriel, dans la langue littéraire.
  Leurs premières amours.

- *Chose*, nom féminin, change de genre lorsqu'il est employé dans les locutions* *autre chose* et *quelque chose*. ▶ 37

EXERCICE

Complétez les phrases suivantes en choisissant le bon déterminant et en accordant les termes en italique.

1. *(Tout)* ces immondices me rebutent. **2.** Il faudrait raccommoder *(le/la)* manche *(usé)* de son veston. **3.** Mettez *(un/une)* astérisque aux termes du lexique. **4.** *(Le/la)* plus *(grand)* éloge lui fut *(fait)*. **5.** Nos campagnes souffrent de l'exode *(rural)* qui les frappe depuis plusieurs années. **6.** *(Tout)* ces alluvions ont été *(déposé)* par les cours d'eau. **7.** *(Quel)* autre échappatoire est possible ? Plus *(aucun)*.

101. LA LETTRE H : OÙ METTRE UN H ?

Le hérisson et l'hameçon
Les chœurs et l'orchestre

1 **LE H DIT ASPIRÉ***   *Le hérisson*

• **À l'initiale**, le *h* peut avoir une fonction phonétique : il indique que la liaison et l'élision* sont impossibles. Le *h* est dit **aspiré**. Comparez :

je hais	[ʒəɛ]	pas d'élision	*les hauteurs*	[leotœʀ]	pas de liaison
j'ai	[ʒɛ]	élision	*les auteurs*	[lezotœʀ]	liaison

RETENEZ

• Les mots suivants commencent par un *h* aspiré : ni la liaison ni l'élision ne sont possibles : *la hache, le haras, je hèle...*

hache	haras	héler	honteux
hagard	harceler	hérisser	hormis
halètement	hardiesse	hernie	hors
hameau	haricot	héron	hublot
handicapé	harnacher	héros	huée
hanneton	harpon	heurt	humer
happer	hasard	hibou	hurler
harangue	havre	hideux	...

POUR ALLER PLUS LOIN

• En phonétique, le *h* aspiré est transcrit par une apostrophe.
la hauteur ['otœʀ]

2 **LE H MUET***   *L'hameçon*

Le *h* muet n'a aucune fonction phonétique. Il n'empêche ni la liaison ni l'élision. Il est là pour des raisons étymologiques.

• On le trouve **à l'initiale** de certains mots.
*l'habitude, l'honneur, l'hostilité, j'habite, h*onnête...
Le *h* est maintenu dans les mots composés* ou dérivés*.
déshonneur, inhabité, malhonnête...

RETENEZ

- Le *h* initial de *hameçon* n'est pas un *h* aspiré, mais bien un *h* muet. On dira et écrira donc :

  l'hameçon, cet hameçon...

- De nombreux éléments* de composition issus du grec s'écrivent avec un *h* muet à l'initiale.

ÉLÉMENT	SENS	EXEMPLES
hect(o)-	« cent »	*hectolitre, hectare*
hémi-	« demi »	*hémisphère, hémistiche*
hémo-	« sang »	*hémophile, hémoglobine*
hétéro-	« autre »	*hétérosexuel, hétérogène*
hexa-	« six »	*hexagone, hexamètre*
hippo-	« cheval »	*hippologie, hippodrome*
hom(o)-	« même »	*homologue, homonyme*
hydr(o)-	« eau »	*hydrophile, hydrogène*
hyper-	« sur »	*hypertension, hyperbole*
hypo-	« sous »	*hypotension, hypocalorique*

POUR ALLER PLUS LOIN

- Les mots tels que *inhibition, exhortation...* sont des mots d'origine latine formés d'un préfixe et d'un mot commençant par *h*. Vérifiez leur orthographe dans un dictionnaire.

- On trouve un *h* muet dans des mots qui s'écrivaient **en grec** avec ρ « rhô » à l'initiale, θ « thêta » ou χ « khi ». Ces lettres sont le plus souvent transcrites *rh*, *th* et *ch*.

  rhétorique, rhododendron, chœur, chlore, éthique, mythe, théâtre, théorie, thérapie, rythme, sympathie, enthousiasme...

RETENEZ

- On retrouve les groupes *ch*, *th* et *rh* dans les éléments de composition suivants :

ÉLÉMENT	SENS	EXEMPLES
anthropo-	« homme »	*anthropologie, anthropophage*
chrono-	« temps »	*chronomètre, chronologie*
lith(o)-	« pierre »	*lithographie, monolithe*
ortho-	« droit »	*orthographe, orthodoxe*
rhin(o)-	« nez »	*rhinocéros, rhino-pharyngite*
-thèque	« endroit où on regroupe »	*bibliothèque, cinémathèque*

- Tous les mots d'origine grecque ne s'écrivent pas obligatoirement avec un *h*, même si en apparence cela fait plus « savant ». Écrivez donc bien **sans *h*** :

  étymologie, autarcie, utopie, catéchisme...

- De même, *onéreux* « cher » n'a rien à voir avec *honneur* et s'écrit **sans *h***. Pensez à *exonérer* construit sur le même radical,

3 | **LE H DANS LES GROUPES CH, SCH ET PH**   *Achat*

- Le *h* sert à écrire les sons [ʃ] et [f].

  cheval, achat, match, schéma, schisme...
  photographie, phrase, ophtalmologie...

RETENEZ

- Le groupe *ph* sert de transcription à la lettre grecque φ «phi».
Il apparaît dans les éléments* suivants :

ÉLÉMENT	SENS	EXEMPLES
-phil-	«qui aime»	*philosophie, anglophile*
-phob-	«qui n'aime pas»	*xénophobie*
-graph-	«écriture»	*graphologue, géographie*
-phon-	«son»	*phonétique, stéréophonie*

POUR ALLER PLUS LOIN

- Des mots d'origine anglaise s'écrivent *sh*.
short, flash...

- *Fantasme* est un mot d'origine grecque. On le rencontre encore écrit *phantasme*. *Nénuphar*, lui, n'est pas un mot grec et l'emploi du *ph* ne paraît guère justifié.

4 LE H ENTRE VOYELLES   *Chahut*

- Dans quelques mots, *h* indique que les voyelles se prononcent séparément. (Il a le même rôle que le tréma. ▶ 189)
Comparez :

trahir	[tʀaiʀ]	*chahut*	[ʃay]
traire	[tʀɛʀ]	*chaud*	[ʃo]

EXERCICE

Complétez les mots suivants en remplaçant les pointillés par un h *si besoin est. Justifiez votre réponse.*

1. r...yt...me. **2.** ...abiter. **3.** t...éologie. **4.** ant...ipat...ique.
5. c...orale. **6.** c...olère. **7.** ...ameau. **8.** ...ormis. **9.** ...onéreux.
10. ...in...abituel. **11.** ...urbanisme. **12.** ca...ier.

102. HABITUER À ET L'HABITUDE DE
J'y suis habitué
J'en ai l'habitude

- Le verbe *habituer* est suivi d'un complément introduit par *à*.
habituer quelqu'un **à** *faire quelque chose*
                                  à *quelque chose*
Il s'emploie aussi à la forme pronominale (*s'habituer* **à**).
Ils ne **se sont** *pas encore* **habitués à** *leurs nouveaux horaires.*

- Le nom *habitude* est suivi d'un complément introduit par *de*.
avoir **l'habitude** **de** *faire quelque chose*
                                    de *quelque chose*

RETENEZ

• Pensez à utiliser le pronom qui convient soit à la construction du verbe, soit à celle du nom.

Comparez :

habituer qqn **à** qqch., **à** faire qqch.
 ⇒ *on l'**y** habitue, ce **à quoi** on l'habitue,*
 *la chose **à laquelle** on l'habitue.*

avoir l'habitude **de** qqch., **de** faire qqch.
 ⇒ *on **en** a l'habitude, ce **dont** on a l'habitude,*
 ***ce qu'**on a l'habitude de faire.*

EXERCICE

Remplacez les pointillés dans les phrases suivantes par la préposition ou le pronom qui convient.

1. Il a pris l'habitude … se lever très tôt. **2.** Il est habitué depuis longtemps … se lever très tôt. **3.** Il … a pris l'habitude depuis longtemps. **4.** Il … est habitué depuis longtemps. **5.** C'est ce … il a toujours été habitué. **6.** Se lever tôt, c'est ce … il a l'habitude depuis longtemps.

103. HÔTE : QUEL FÉMININ ?

Une hôte
Une hôtesse

• ***Hôte*** a deux sens, et un féminin différent pour chaque sens.
 celui / celle qui est reçu(e) : *un hôte / une hôte*
 celui / celle qui reçoit : *un hôte / une hôtesse*
 *La fille de nos amis resta notre **hôte** quelques jours.*
 = celle qui est reçue, l'invitée.
 *Nous remercions notre **hôtesse** pour son accueil chaleureux.*
 = celle qui nous reçoit.

RETENEZ

• En cas d'hésitation sur le féminin, pensez à *hôtesse de l'air* qui désigne bien la personne qui reçoit, qui accueille.

EXERCICE

Remplacez les pointillés par hôte *ou* hôtesse *selon le cas.*

1. Ils furent heureux de trouver refuge chez cette charmante … . **2.** Il offrit à la jeune fille un repas et lui proposa de rester son … jusqu'au lendemain. **3.** Pour tout renseignement complémentaire, adressez-vous à l'… au rez-de-chaussée. **4.** Nous avions proposé à notre … de rester plus longtemps si elle le désirait.

104. INFLUENCE, INFLUENCER : QUELLES CONSTRUCTIONS ?

Quand on influence quelqu'un,
c'est qu'on a de l'influence sur lui

- Le verbe **influencer** se construit directement, sans préposition, alors que le nom **influence** est toujours suivi de la préposition **sur**. Comparez :

  *En tant qu'aînée, elle **influence** beaucoup ses frères.*
  *En tant qu'aînée, elle a beaucoup d'**influence sur** ses frères.*

RETENEZ

- Ne confondez pas non plus la construction de **influencer** avec celle de son synonyme **influer** qui se construit avec **sur**. Comparez :

  *C'est peut-être ce qui **influe** le plus **sur** elle.*
  *C'est peut-être ce qui l'**influence** le plus.*

POUR ALLER PLUS LOIN

- *Avoir une **influence sur**, **influencer** et **influer** ne sont pas toujours interchangeables :*
- **influencer** suppose le plus souvent un sujet désignant une personne.
- *avoir une **influence sur** peut aussi bien avoir pour sujet un nom de personne qu'un nom de chose.*
- **influer** est plutôt réservé aux sujets inanimés*.

  *L'heure du coucher a une certaine **influence** (ou **influe**) **sur** l'attention des enfants en classe le lendemain.*

On dira moins facilement – sans pour autant que cela soit une véritable faute :

  *L'heure du coucher **influence** l'attention des enfants en classe le lendemain.*

EXERCICE

Transformez les phrases pour utiliser le terme entre parenthèses.
EXEMPLE : *Comment ce poète a-t-il influencé son siècle ?* (influence)
⇒ *Quelle a été l'influence de ce poète sur son siècle ?*

1. L'État cherche-t-il à avoir une influence sur l'opinion de la population ? *(influencer)* **2.** On ne mesure jamais assez à quel point les premières années de l'enfant influencent son avenir. *(influer)* **3.** Ne croyez pas pouvoir toujours influencer ceux qui aujourd'hui vous suivent. *(influence)* **4.** Ce ne sont pas ces ragots qui vont avoir une influence sur mon choix. *(influencer)*

105. INTÉRESSER ET SES DÉRIVÉS : QUELLES CONSTRUCTIONS ?

> *Il s'intéresse au phénomène*
> *Un travail intéressant à faire*
> *Il a un intérêt pour cette matière*

Le verbe *intéresser* dans le sens «porter l'attention sur» et ses dérivés *intéressant*, *intérêt*, correspondant à ce sens, s'emploient dans des constructions bien précises. Ne les confondez pas.

1 **LE VERBE INTÉRESSER**   *S'intéresser à l'art*

• Il se construit sur le modèle : *intéresser* quelqu'un *à* quelque chose.

> *Un bon professeur doit intéresser ses élèves à la matière qu'il enseigne.*

De même quand il s'agit du verbe pronominal : *s'intéresser à* quelque chose.

> *Nous nous intéresserons aux divers aspects de la question.*
> *Il est un des premiers à s'être intéressé au phénomène.*

RETENEZ

• À la voix passive*, le complément d'agent est introduit par la préposition *par* : *être intéressé par*.
> *L'enfant curieux est intéressé par tout ce qui l'entoure.*

2 **L'ADJECTIF INTÉRESSANT**   *Intéressant à étudier*

• *Intéressant* se construit avec un infinitif introduit par *à*.
> *Il s'agit de thèmes particulièrement intéressants à étudier.*

3 LE NOM INTÉRÊT   *Son intérêt pour l'art moderne*

• *Intérêt* se construit avec un complément introduit le plus souvent par *pour*.

*L'**intérêt pour** cette forme d'art s'est manifesté très tôt.*

• La préposition *à* s'impose dans les tournures verbales : **porter** *un intérêt* **à**, **prendre** *intérêt* **à** et **témoigner** *de l'intérêt* **à** *quelqu'un*.

*L'**intérêt** que nous portons **aux** civilisations antiques.*
*Il avait pris **intérêt à** tous nos travaux.*

INTÉRESSER   **RETENEZ**

• Dans ces emplois d'*intéresser* et de ses dérivés, les autres prépositions* (*sur, envers...*) ne sont pas possibles.

• La préposition *de* n'est possible que pour introduire un infinitif dans une construction impersonnelle* : *ça m'intéresse* **de** *faire quelque chose, il est intéressant* **de**...

*Il est intéressant **d'**étudier ces thèmes.*

• Mettez bien un seul *r* – et donc un accent aigu sur le *e* qui le précède (▶ 71) – à *intéresser* et à ses dérivés.

EXERCICE

Remplacez les pointillés par la préposition qui convient.

1. Cette étude passionnera quiconque s'intéresse ... l'évolution du marché. **2.** Son intérêt ... la musique ne fait que grandir. **3.** C'est un personnage très intéressant ... écouter. **4.** Il est très intéressant ... écouter ce personnage. **5.** Je vous remercie d'avoir porté un intérêt tout particulier ... notre demande.

106. INTERROGATION
DIRECTE ET INDIRECTE

Pourquoi le veut-il ?
Je me demande pourquoi il le veut

1 QUELLE DIFFÉRENCE?   *Quand part-il ?*
                                          Je ne sais pas quand il part

• L'interrogation directe **pose** une question directement (*Pourquoi le veut-il?*); l'interrogation indirecte **rapporte** une question (*Je me demande pourquoi il le veut*). Elles ont chacune leurs propres structures : n'appliquez pas à l'une les structures de l'autre.

L'interrogation directe	L'interrogation indirecte
C'est une question qui appelle une réponse. C'est toujours **une phrase interrogative**.	C'est le plus souvent **une phrase déclarative*** et, en principe, aucune réponse n'est attendue[1].
Quand partez-vous? Demain.	*Il ne sait pas quand vous partez.*
La question constitue à elle seule **une proposition indépendante**.	La question est rapportée dans une **proposition subordonnée** dépendant d'un **verbe principal**.
Pourquoi part-il?	*Je me demande pourquoi il part.* 　　　　　　　v.　　　　sub.
La **phrase** commence par un terme interrogatif, le verbe ou le sujet.	La **subordonnée** est introduite par un terme interrogatif.
***Qui** est-ce?* ***Qu'**a-t-il fait?* ***Comment** l'a-t-il su?* ***Est-ce qu'**elle viendra?* ***Viendra**-t-elle?* ***Isabelle** viendra-t-elle?*	*Dis-moi* ⎰ *qui c'est.* 　　　*ce qu'il a fait.* 　　　*comment il l'a su.* 　　　*si elle viendra.* 　　　*si Isabelle viendra.*
Le plus souvent, le sujet est placé **après** le verbe. ▶ **178**	Le plus souvent, le sujet est placé **avant** le verbe (voir **2**).
*Où allez-**vous**?*	*Je veux savoir où **vous** allez.*
Elle se termine par un **point d'interrogation**.	Elle se termine par un **point**.
*Que veux-tu**?***	*J'ignore ce que tu veux.*

1. En fait, très souvent, la demande de réponse est implicite.
   Il veut savoir si vous viendrez. – Oui, je viendrai.

• Le passage de l'interrogation directe à l'interrogation indirecte entraîne des modifications de temps, de personnes... ▶ **69**
Comparez:

　　Il m'a demandé : « Que veux-tu ? »
　⇒ *Il m'a demandé ce que je voulais.*

---

2 **CONSTRUCTIONS**　　　　　*J'ignore ce qu'il veut*
DE LA SUBORDONNÉE
DANS L'INTERROGATION INDIRECTE

La subordonnée* qui pose la question est soumise à certaines contraintes de construction.

• Elle doit être le COD du verbe principal
En présence d'une subordonnée rapportant une question, il faut toujours se demander si la subordonnée est bien **le COD du verbe principal** (*demander, savoir, ignorer, dire, raconter...*).

　　　　On se pose la question s'il faut intervenir.
　　　　poser ne peut pas avoir **2** COD: *la question et la subordonnée.*

mais　*On se pose **la question de savoir** s'il faut intervenir.*
　　　　　COD de *poser*　　　　sub. COD de *savoir*

　　　　Elle réfléchit comment le retour va se passer.
　　　　réfléchir (à) est transitif indirect: il ne peut avoir de COD.

mais　*Elle **se demande** comment le retour va se passer.*
　　　　　　　　　sub. COD de *demander*

ou　　*Elle réfléchit pour **voir** comment le retour va se passer.*
　　　　　　　　　sub. COD de *voir*

• La subordonnée de l'interrogation indirecte est également possible après *voici, voilà* et aussi *se souvenir* (qui se construit en principe avec un COI).

> *Voilà pourquoi il n'a pas voulu recommencer.*
> *Je ne me souviens plus s'il rentre aujourd'hui ou demain.*

• **Elle est introduite par un terme interrogatif**

Le plus souvent, il s'agit du même terme que celui qui introduit l'interrogation directe.

> *Qui viendra? ⇒ Je veux savoir qui viendra.*
> *Quand part-il? ⇒ Je ne sais pas quand il part.*

RETENEZ

• La formule *est-ce que*, souvent présente dans l'interrogation directe, n'est **jamais** présente dans l'interrogation indirecte.

interrogation directe	interrogation indirecte
EST-CE QUE...?	SI...
Est-ce que tu es invité?	*Il veut savoir si tu es invité.*
QU'EST-CE QUI...? QU'EST-CE QUE...?	CE QUI... CE QUE...
Qu'est-ce qui ne va pas?	*Dis-moi ce qui ne va pas.* et non *Dis-moi qu'est-ce qui ne va pas.*
Qu'est-ce que je dois faire?	*Je me demande ce que je dois faire.*
OÙ EST-CE QUE...? QUAND EST-CE QUE...?	OÙ, QUAND... (*est-ce que* **disparaît**)
Quand est-ce qu'il arrive?	*Elle me demande quand il arrive.*

POUR ALLER PLUS LOIN

• Dans l'interrogation indirecte, *que* peut être remplacé par *quoi* quand il est complément d'un infinitif.

> *Que faire?*
> ⇒ *Je ne sais que faire.* ou *Je ne sais quoi faire.*

• **La place du pronom sujet**

Le sujet n'a pas la même place dans l'interrogation directe (▶ **178**) et dans l'interrogation indirecte.

RETENEZ

• Le pronom sujet **précède toujours le verbe** dans la subordonnée de l'interrogation indirecte (comme dans les autres subordonnées).

> *Je me demande à quoi il pense.*
> et non *Je me demande à quoi pense-t-il.*
> *Raconte-moi qui elle est.*
> et non *Raconte-moi qui est-elle.*

POUR ALLER PLUS LOIN

• Si le sujet est un **nom**, il peut précéder ou suivre le verbe.

> *On se demande à quoi pensent ces technocrates.*
> ou *à quoi ces technocrates pensent.*

Contrairement à la structure de l'interrogation directe, le nom n'est **jamais** repris par un pronom personnel. ▶ **178**
Comparez :

> À *quoi ces technocrates pensent-ils ?* (interr. dir.)
> ⇒ *On se demande à quoi ces technocrates pensent.* (interr. indir.)

• Une interrogation indirecte peut faire partie d'une interrogation directe.

> *Savez-vous **où il est** ?*   – *Non.*
>   ‾‾‾‾‾‾‾‾‾‾
>   interr. indir.

interrogation directe

EXERCICE

Transformez les questions suivantes en interrogatives indirectes en utilisant les verbes demander, savoir, ignorer, dire, raconter...

1. Combien d'années faut-il pour réaliser cet ouvrage ? **2.** Sont-ils tous prévenus ? **3.** Le Parlement acceptera-t-il les propositions du gouvernement ? **4.** Qu'est-ce qui a provoqué ces mouvements de protestation ? **5.** Qu'est-ce que tu fais pendant les grandes vacances ?

107. -ISME OU -ISTE ?

Les surréalistes du surréalisme

Ne confondez pas ces deux suffixes* qui servent à former des mots tout à fait différents.

1 -ISME POUR LES NOMS ABSTRAITS   *Le surréalisme*

• Le suffixe *-isme* sert à former des noms communs masculins qui peuvent désigner :
– **un mouvement de pensée** du domaine politique, économique, artistique, religieux...
> *marxisme – capitalisme – romantisme – impressionnisme – protestantisme – athéisme...*
– **un comportement**, une attitude.
> *racisme – égoïsme – arrivisme...*
– **un fait de langue**.
> *régionalisme – anglicisme – néologisme – barbarisme...*

2 -ISTE POUR LES NOMS DE PERSONNES ET LES ADJECTIFS   *Les surréalistes*

• Le suffixe *-iste* sert à former **des noms de personnes** correspondant aux noms en *-isme*. Tout nom en *-iste* peut donc se définir par «personne qui...».
> *Les impressionnistes ont beaucoup influencé le jeune peintre.*
> *C'est une arriviste dépourvue de tout scrupule.*

- À ces noms en *-iste* correspond un **adjectif** qui signifie «propre à telle doctrine, telle attitude» ou «qui est partisan de».

  Les peintres impressionnistes ont peint les bords de Seine.
  Venant de sa part, ces propos arrivistes n'ont vraiment rien de surprenant.

- Le suffixe *-iste* sert aussi à former les noms des spécialistes (professions, instrumentistes…).

  percussionniste – angliciste – biologiste – journaliste…

-ISME, -ISTE   RETENEZ

- Les noms en *-iste* désignent **toujours** des personnes. Les noms en *-isme* ne désignent **jamais** des personnes.

- Quand il s'agit de doctrines ou d'attitudes, *-isme* et *-iste* vont souvent de pair, mais pas toujours.

le snob**isme**	snob
l'athé**isme**	athée
le voyeur**isme**	voyeur
le manich**éisme**	manichéen *ou* manich**éiste**
le chauvin**isme**	chauvin…

Certains noms en *-isme* ont un dérivé* en *-ique*.

le catholic**isme**	cathol**ique**
le fanat**isme**	fanat**ique**
le romant**isme**	romant**ique**
le sceptic**isme**	sceptique…

- Les suffixes *-isme* et *-iste* font doubler le *n* des mots en *-ion*.

  ségrégation ⇒ ségrégationnisme, ségrégationniste
  sauf : *sionisme, sioniste.*

- Les noms en *-isme* et en *-iste* ne sont pas des noms propres : ils ne prennent pas de majuscule. ▶ 113

EXERCICE

Complétez la grille suivante.

1. Adepte du matérialisme.

2. État d'une personne gâteuse.

3. Adepte de l'intégrisme.

4. Mouvement artistique cherchant à représenter les objets sous des formes géométriques.

5. Personne dont le comportement est empreint de snobisme.

108. -L OU -LE
EN FIN DE MOT ? *C'est aussi subtil qu'utile*

La lettre *l* – comme la lettre *r* (▸ **161**) – offre la particularité de pouvoir être prononcée en finale, qu'elle soit suivie ou non d'un *e*. D'autre part, parmi les noms et adjectifs en [l], il y a à peu près autant de mots avec *e* que sans *e*. Il y a donc souvent hésitation sur la finale : s'écrit-elle avec ou sans *e* ?

Cependant, la question ne se pose qu'au masculin car **tous** les noms **féminins** et les adjectifs employés **au féminin** s'écrivent **avec un -e** (sauf *la béchamel*, du nom de son inventeur).

1 **LA FINALE EST** [il] **OU** [yl]   *Un crocodile crédule*

- Les noms et les adjectifs s'écrivent *-ile, -ule*.
  un crocodile, un ustensile, un fossile, habile, gracile…
  un pécule, un fascicule, un ovule, minuscule, crédule…

Les **adjectifs** ont la même forme au masculin et au féminin.

Un enfant agile.	*Un homme crédule.*
Une main agile.	*Une lettre majuscule.*

RETENEZ

- Les adjectifs et noms suivants s'écrivent **sans *e*** :
  adjectifs : *civil, puéril, subtil, vil, viril, volatil*
        nul a pour féminin *nulle*
  noms :   *avril, cil, civil, exil, fil, grésil, mil, péril, pistil, profil*
        calcul, cumul, consul et *recul*

- Distinguez bien l'adjectif *volatil* signifiant « qui s'évapore » et le nom masculin *un volatile* « volaille ».

2 **LA FINALE EST** [ɔl]   *Le sol viticole*

- Les noms masculins s'écrivent *-ol*.
  le rossignol, le sol, un Espagnol…

RETENEZ

- Quelques noms masculins s'écrivent **-ole**.

capit**ole**	pact**ole**
cr**éole**	pétr**ole**
monop**ole**	protoc**ole**
nucl**éole**	symb**ole**

- Les adjectifs s'écrivent **-ole**.

La plupart de ces adjectifs sont formés avec le suffixe* **-cole** qui signifie «relatif à l'élevage, à la culture» ou «qui habite».

> agri**cole**, viti**cole**...
> arbori**cole**, ligni**cole**...

Les autres adjectifs sont :

> béné**vole**, cr**éole**, fri**vole**...

mais :   espag**nol** (du nom *Espagnol*)

POUR ALLER PLUS LOIN

- *Fol* et *mol* sont les formes du masculin singulier de *fou* et *mou* devant voyelle ou *h* muet*. ▶ 112

- **-ol** est un suffixe* de la terminologie chimique signifiant «qui appartient au groupe alco**ol**». Il sert à former de nombreux noms.

> le benz**ol**, le menth**ol**, le glyc**ol**...

---

3   **LA FINALE EST** [al] **OU** [ɛl]   *Un appel local*

- Les noms et les adjectifs masculins s'écrivent **-al** ou **-el**.

Le climat local.	*Un fait réel.*
Le littoral.	*Un appel.*

RETENEZ

- On écrit avec **e** :

[al] = **ale**	[ɛl] = **èle** ou **êle**	[ɛl] = **elle**
un astrag**ale**	un asphod**èle**	un lib**elle**
un cannib**ale**	un at**èle** «singe»	un polichin**elle**
un déd**ale**	un fid**èle** (et *adj.*)	un reb**elle** (et *adj.*)
ét**ale** *adj.*	frê**le** *adj.*	un vermic**elle**
un pét**ale**	grê**le** *adj.*	un violonc**elle**
s**ale** *adj.*	isoc**èle** *adj.*	
un scand**ale**	un mod**èle**	
un squ**ale**	un parall**èle** (et *adj.*)	
un vand**ale**	le z**èle**	

- Les adjectifs en *-el* s'écrivent *-elle* au féminin. ▶ 92

- *Bel* et *nouvel* sont les formes du masculin singulier de *beau* et *nouveau* devant voyelle ou *h* muet. ▶ 112

POUR ALLER PLUS LOIN

- En fait, la plupart des mots en [al] ou [ɛl] sont des noms et adjectifs formés avec les suffixes* **-al** et **-el**.

*origin**al***	*origin**el***
*nation**al***	*personn**el***

- On écrit *final* ou *finale* (à l'italienne) «dernier mouvement d'une composition musicale». Le pluriel est *finals* et *finales*.

EXERCICE

*Complétez le texte en remplaçant les pointillés par la finale en [l]
adéquate. N'oubliez pas les accords.*

1. Au cours de notre assemblée généra... annue... nous avons cha-
leureusement remercié tous les bénévo... qui se sont rendus uti...
auprès de l'association. **2.** Le monde rura... et agrico... est resté
fidè... à ses coutumes ancestra... . **3.** Ce qui me gène chez elle,
c'est ce ton infanti..., ce comportement puéri... .

109. LAISSER :
ACCORD DU PARTICIPE PASSÉ

Je les ai laissés entrer
Ces arbres qu'on a laissé abattre

Laisser est un verbe qui suit les **mêmes règles d'accord** pour
son participe passé que les autres verbes (▶ **134**). Mais la diversité
des constructions possibles, notamment quand il est suivi d'un
infinitif, est parfois source d'hésitation.

1 **(SE) LAISSER** *Les questions qu'il a laissées*
SANS INFINITIF

• **Laisser** employé sans infinitif accorde son participe passé avec
le complément d'objet* direct (COD) qui le précède.
Comparez :

> *Il a **laissé** des questions sans réponse.*
> COD **après** part.p. (*laissé* invariable)

> *Les questions qu'il a **laissées** sans réponse.*
> COD **avant** part.p. (*laissé* s'accorde)

RETENEZ

• En emploi pronominal sans infinitif (*se laisser*), le pronom
se (*me, te, nous...*) est un complément d'objet* second COS
(voir **3** RAPPEL). **Laissé** est donc invariable s'il n'est pas
précédé d'un COD.
Comparez :

> *Nous nous sommes **laissé** ces questions pour la fin.*
> COS   COD **après** part.p.

> *Les questions qu'ils se sont **laissées** pour la fin.*
> COD **avant** part.p.   COS

• **Laisser** au passif* (conjugué avec *être*) accorde son participe
avec le sujet.

> *Pourquoi cette question **serait-elle laissée** de côté?*

2 LAISSER SUIVI D'UN INFINITIF   *Il les a laissés partir*

• Quand *laisser* est suivi d'un infinitif, il faut se demander si le COD (lorsqu'il y en a un qui précède le participe) est COD de *laisser* ou COD de l'infinitif. ▶ **134-4**

R E T E N E Z

• Si aucun COD ne le précède, *laissé* reste invariable.
*J'ai **laissé** les enfants ramasser les fruits.*
*Jamais il n'aurait **laissé** deviner sa colère.*

• *Laissé* s'accorde avec le COD qui le précède **seulement** si ce COD est aussi sujet de l'infinitif.

exemple	analyse	accord
*Je les ai **laissés** ramasser les fruits.*	= ils ramassent les fruits. (*les* est sujet de l'infinitif *ramasser*)	*Laissé* s'accorde avec *les*.
*La colère qu'il n'aurait jamais **laissé** deviner.*	= on devine sa colère. (*qu'* n'est pas sujet de *deviner*, mais son COD)	*Laissé* ne s'accorde pas.

3 SE LAISSER SUIVI D'UN INFINITIF   *Ils se sont laissé pousser la barbe*

RAPPEL

Le pronom réfléchi (*me, te, se...*) est COD quand il correspond à : *moi, toi, lui...* ; il est COS quand il correspond à : *à moi, à toi, à lui...*

*Il **se** laisse tomber.*
= il laisse tomber «**lui**». (COD)
*Il **se** laisse pousser les cheveux.*
= il laisse pousser les cheveux «**à lui**». (COS)

R E T E N E Z

• Si le pronom réfléchi est COS, il ne peut commander l'accord de *laissé*.

exemple	analyse	accord
*Ils s'étaient **laissé** pousser la barbe.*	= ils laissent pousser la barbe «à eux». *se* = COS	*Laissé* ne s'accorde pas.

• Si le pronom réfléchi est COD, il commande l'accord de *laissé* seulement s'il est **aussi** sujet de l'infinitif (voir **2**).

exemple	analyse	accord
*Elle s'est **laissée** tomber.*	= elle tombe. (*s'* est sujet de *tomber*)	*Laissé* s'accorde avec *se* (même personne que le sujet *elle*).
*Nous nous sommes **laissé** tenter.*	= on nous tente. (*nous* n'est pas sujet de *tenter*, mais son COD)	*Laissé* ne s'accorde pas.

POUR ALLER PLUS LOIN

• Des pronoms autres que réfléchis peuvent être COD et donc commander l'accord du participe.

*La barbe, il ne se l'est jamais **laissée** pousser.*

l' (la barbe) = COD placé avant *laissé* et sujet de l'infinitif *pousser*

EXERCICE

Accordez le participe de laisser *selon le cas en justifiant votre réponse.*

1. As-tu pris les clefs? – Non, je les ai laissé... au gardien. **2.** Elle se serait laissé... attendrir et aurait fini par accepter. **3.** Elle a laissé... toutes ses affaires à sa sœur. **4.** «Je me suis laissé... dire qu'il allait partir», nous a déclaré Marie. **5.** Quand ils sont arrivés, je les ai laissé... entrer. **6.** Je leur ai laissé... la parole. **7.** Je les ai laissé... prendre la parole. **8.** Elle s'était laissé... aller ces derniers temps.

110. LEQUEL : QUEL EMPLOI ?

Le respect auquel il a droit
Lequel parmi vous a su répondre ?

L'emploi du pronom relatif et interrogatif ***lequel*** n'est pas toujours facile : il faut connaître ses différentes formes et savoir quelle préposition* utiliser quand c'est nécessaire.

1 ## LES FORMES DU PRONOM   *À laquelle, auxquelles*

• Composé de l'article *le* et du pronom *quel*, ***lequel* varie en genre et en nombre** selon le mot qu'il représente (son antécédent*). Il s'écrit en un seul mot.
Comparez :

Voici { *le bois dans **lequel** / la forêt dans **laquelle** / les bois dans **lesquels** / les forêts dans **lesquelles*** } *on trouve des girolles.*

RETENEZ

• Tout comme *le* et *les*, ***lequel**, **lesquels*** et ***lesquelles*** se contractent, en un seul mot, avec les prépositions ***à*** et ***de***.

*Les points au sujet **desquels** nous étions en désaccord.*
= de + lesquels

***Auquel** des deux attaches-tu le plus d'importance ?*
= à + lequel

	pronom	à + pronom	de + pronom
masc. sing.	lequel	auquel	duquel
fém. sing.	laquelle	à laquelle	de laquelle
masc. plur.	lesquels	auxquels	desquels
fém. plur.	lesquelles	auxquelles	desquelles

2 **LEQUEL,** *La raison pour laquelle il vient*
PRONOM RELATIF

- *Lequel*, pronom relatif, introduit une proposition subordonnée relative*. Il peut avoir pour antécédent un nom de personne ou de chose.

    *Les gens pour **lesquels** il travaille.*
    *Le travail pour **lequel** il est payé.*

- Il est souvent précédé d'une préposition. Pour utiliser la bonne préposition, il faut bien comprendre la construction de la phrase.

    *Ce sont des gens **pour lesquels** il a une grande admiration.*
    = il a une grande admiration **pour** ces gens.

RETENEZ

- *Lequel* peut être remplacé par *qui* seulement s'il a pour antécédent un nom de personne.
Comparez :

    $La\ personne \begin{cases} avec\ \textbf{laquelle} \\ avec\ \textbf{qui} \end{cases} je\ travaille\ est\ polytechnicien.$

    *La méthode avec **laquelle** je travaille est très récente.*

POUR ALLER PLUS LOIN

- Pour le choix entre *dont* et *lequel* : ▶ **70**

- *Lequel* en fonction de sujet appartient au registre* soutenu.

    *« La 203 […] fut revendue à un maçon, **lequel** fit une bonne affaire. »* J. ROUAUD

3 **LEQUEL, PRONOM INTERROGATIF** *Lequel des deux*

- *Lequel* introduit une interrogation directe ou indirecte (▶ **106**) et reprend un nom ou un pronom cité précédemment.

    *J'ai déjà lu un roman de lui. – **Lequel** ?*
    *J'ai le choix entre plusieurs possibilités, mais je ne sais pas **laquelle** choisir.*

- *Lequel* peut s'employer avec un complément (nom ou pronom).

    ***Laquelle** des possibilités te convient le mieux ?*
    ***Lequel** des deux a raison ?*

RETENEZ

- N'oubliez pas la préposition quand c'est nécessaire.
    *J'ai su répondre à une question. – **À laquelle** (avez-vous su répondre) ?*

EXERCICE

Remplacez les pointillés par la forme appropriée de lequel.

1. Les œuvres ... il fait allusion me sont toutes inconnues.
2. Indiquez-moi la route par ... je dois repartir. **3.** Tous les services auprès ... je me suis renseigné m'ont répondu la même chose.
4. Voici plusieurs ouvrages; ... avez-vous besoin?

111. LEUR ou LEURS?

Il leur dira leurs quatre vérités

Faites bien la différence entre le **possessif*** *leur* et le **pronom personnel** *leur* pour savoir comment les écrire.

1 | **LEUR, LEURS:** | *Leur mère*
| **POSSESSIFS** | *Leurs parents*

• *Leur* est un **déterminant*** possessif (▶ 146) correspondant à la 3ᵉ personne du pluriel. Il signale qu'il y a plusieurs possesseurs*.

Comparez :

*Marie est venue avec **sa** sœur.*
possesseur unique
*Pierre et Marie sont venus avec **leur** sœur.*
plusieurs possesseurs

RETENEZ

• Comme tout déterminant, *leur* s'accorde avec le nom qu'il détermine. Il a la même forme au masculin et au féminin *(leur)* et il prend un *s* au pluriel *(leurs)*.
Comparez :

*Les enfants arriveront avec **leur** mère.*
*Les enfants arriveront avec **leur** père.*
*Les enfants arriveront avec **leurs** parents.*

• Réfléchissez bien au sens de la phrase pour savoir si le nom déterminé par *leur* est au singulier ou au pluriel.
*Voilà ce que je ferais à **leur** place.*
= ce que je ferais à **la** place de ces gens. (singulier)
*Elles portaient des bagues à chacun de **leurs** doigts.*
= à chacun **des** doigts de ces femmes. (pluriel)

• *Leur*, possessif, fait partie du groupe nominal. On le reconnaît par le fait qu'il peut être remplacé par un autre déterminant ou par un complément du nom.
*«Quatre robinets de cuivre reliés à **leur** base par une tumeur d'écrous»* D. PENNAC
= à **cette** base *ou* à la base **des robinets**.

- **Le leur, la leur, les leurs** sont les **pronoms** possessifs qui correspondent aux déterminants *leur, leurs*.

> *Notre appartement est-il plus grand que* **le leur** ?
> *Ce ne sont pas mes affaires, ce sont* **les leurs**.

POUR ALLER PLUS LOIN

- En emploi littéraire, ***leur, leurs*** s'emploient également comme attributs* avec *faire*. Ne les confondez pas avec un pronom personnel (voir **2**).

> *Ils voulaient faire* **leur** *cette découverte*.
> *Ils voulaient faire* ‾**leurs**‾ *ces découvertes*.
>   ATTRIBUT   COD
>
> = ils voulaient s'approprier ces découvertes.

- On retrouve le pronom sous des formes contractées, notamment dans certaines locutions* figées.

> *Ils y mettent* **du leur**. (= ils s'investissent.)
> *Je suis* **des leurs**, *un* **des leurs**. (= je fais partie de leur groupe.)

2 | **LEUR: PRONOM PERSONNEL INVARIABLE**   *Ce qui leur plaît*

- ***Leur*** est le pronom personnel de la 3e personne du pluriel (au singulier, on a *lui*). Il est mis pour *à eux, à elles*.

> *« J'ai montré mon chef-d'œuvre aux grandes personnes et je* **leur** *ai demandé si mon dessin* **leur** *faisait peur. »* SAINT-EXUPÉRY
> = j'ai demandé **« à elles »** si mon dessin faisait peur **« à elles »**.
> *Il ne* **leur** *sera pas difficile de refuser*.
> = il ne sera pas difficile **« à eux »** de refuser.

RETENEZ

- ***Leur*** est la **seule** forme possible de ce pronom (tout comme *lui* s'écrit toujours *lui*). Il ne prend donc **jamais** de *s*.

- ***Leur***, pronom personnel, est facilement repérable parce qu'il **précède immédiatement** le verbe. Cependant :
- il peut le suivre à l'impératif.
> *Propose-***leur** *de venir dîner*.
> *Ils n'ont pas ces disques, prête-les-***leur**.
- il peut en être séparé par le pronom *en*.
> *Je* **leur** *en proposerai*.

EXERCICE

Indiquez à chaque emploi de leur *si l'on a affaire au possessif ou au pronom personnel. Mettez-le alors à la forme exigée.*

1. Laissez-les agir comme ils l'entendent, ils ont sûrement *(leur)* raisons. **2.** Si je ne *(leur)* en ai pas encore parlé, c'est parce que je ne voulais pas *(leur)* faire peur. **3.** J'ai su que vous étiez des *(leur)* dimanche dernier. **4.** Ces idées sont-elles réellement les *(leur)*? **5.** Le pli devrait *(leur)* parvenir d'ici une quinzaine de jours. **6.** Faites-*(leur)* davantage confiance. **7.** Ne refaites pas *(leur)* erreur. **8.** *(Leur)* parents *(leur)* en seront toujours reconnaissants.

112. LIAISON
ET ORTHOGRAPHE

« Quand on n'a que l'amour » J. Brel

● La liaison est un phénomène de l'oral : elle consiste à faire entendre la dernière consonne d'un mot quand il précède un mot commençant par une voyelle ou un *h* muet*. ▸ **101**

bien gentil	[bjɛ̃ʒãti]	(pas de liaison)
bien aimable	[bjɛ̃nemabl]	(liaison en *n*)
bien habillé	[bjɛ̃nabije]	(liaison en *n*)

● Du fait de la liaison, il y a souvent discordance entre ce qui est prononcé et ce qui doit être écrit.

---

1 **QUAND ON N'ÉCRIT PAS**   *Quand il est là*
LA CONSONNE QU'ON PRONONCE...

● Certaines lettres, en liaison, se prononcent de la même façon.

lettres	son	exemples	
s x z	[z]	*les amis* *aux anges* *allez-y*	[lezami] [ozãʒ] [alezi]
t d	[t]	*ils sont amis* *un grand ami*	[ilsɔ̃tami] [gʀãtami]

RETENEZ

● Quand on entend le son [z] ou le son [t] en liaison, il faut toujours se demander quelle lettre écrite il traduit.

        Quand il part... [kãtilpaʀ]

et non   *Quant il part. ...* ▸ **152**

● Le *d* se prononçant *t* en liaison, il est inutile d'ajouter *-t-* (▸ **180**) en cas d'inversion du sujet.

        Prendra-t-il du thé ou du café ?
        Prend-il du thé ou du café ?

● Par plaisanterie, on prononce parfois l'expression *entre quatre yeux* [ãtʀəkatʀəzjø]. Mais *quatre*, déterminant numéral, est invariable et ne prend **jamais** de *s*, donc pas de liaison. De même pour les autres numéraux.

    trente enfants [tʀãtãfã]
    vingt alouettes [vɛ̃talwɛt]

---

2 **QUAND LE MASCULIN**   *En bon état*
RESSEMBLE AU FÉMININ...

● Certains adjectifs masculins se prononcent dans une liaison de la même façon que leur forme féminine.

un bon fils	[bɔ̃fis]	
un bon ami	[bɔnami]	(liaison)
une bonne mère	[bɔnmɛʀ]	

RETENEZ

• La confusion est notamment possible pour les adjectifs qui se terminent par :

finale		en liaison	
-on	[ɔ̃]	[ɔn]	un **bon** anniversaire
-ain } -ein }	[ɛ̃]	[ɛn] {	un **certain** espoir le **plein** emploi
-in	[ɛ̃]	[in]	le **divin** enfant
-er	[e]	[ɛʀ]	un **léger** accent
-eux	[ø]	[øz]	l'heur**eux** élu

• C'est pour éviter un hiatus* et permettre la liaison que l'on utilise les formes masculines *bel, nouvel, vieil, fol, mol* et *cet* devant un nom commençant par une voyelle ou un *h* muet*.

> *Ah! le **bel** âge. C'est pour nous un **nouvel** espoir.*
> *Où avez-vous trouvé **cet** argent?*

Ces formes ne doivent pas être confondues avec celles du féminin *belle, nouvelle, vieille, folle, molle* et *cette*. ▶ 92

---

3   **QUAND LA LIAISON RESSEMBLE À LA NÉGATION...**   *On n'a rien vu*

• À cause de la liaison, l'oral ne fait parfois pas de différence entre une phrase avec négation et une phrase sans négation. ▶ 125
Comparez :

> liaison :   ***On a** tout vu.*   [ɔ̃na]
> négation :   *On **n'a** rien vu.*   [ɔ̃na]

RETENEZ

• Lorsque *on, aucun, rien* précèdent le verbe, il faut toujours se demander si le son [n] correspond à la liaison ou à la négation *ne* élidée en *n'*.
– Vérifiez que vous ne redoublez pas *ne*.

> *Elle ne veut rien **entendre**.*

et non   *Elle ne veut rien n'entendre.*
– Vérifiez que vous n'oubliez pas *ne*.

> *Je les ai interrogés, mais aucun **n'a** voulu répondre.*

et non   *... aucun a voulu répondre.*

• La négation *n'* se place toujours avant le pronom *en* qui fait la liaison avec le verbe.

> *Il **n'en** aura pas avant lundi.*   [ilnɑ̃nɔʀapa]

et non   *Il en n'aura pas...*

EXERCICE

Corrigez si besoin est les phrases suivantes.

1. Les enfants ont bien profité du pleine air. **2.** J'ai beau lui expliquer : rien y fait. **3.** On en n'a jamais vu autant à la fois. **4.** Ne pas tenir compte de cette avis. **5.** On aura une réponse la semaine prochaine. **6.** On aura pas de réponse avant la semaine prochaine. **7.** Quant on fait trop de choses à la fois, on arrive pas à tout faire correctement. **8.** Qu'attend-t-il pour partir? **9.** Joyeuse anniversaire!

113. LA MAJUSCULE

« Le 28 mars vous allez changer de Chambre,
profitez-en pour changer de literie »

La majuscule s'emploie dans certaines conditions : elle apporte
des informations de sens. Ne l'employez pas à tort.

1 EN DÉBUT DE PHRASE
Ne dis rien

- Elle est un repère servant à indiquer le **début** d'une phrase.
  « Un dessin va, et l'autre ne ressemble plus. Je me trompe un
  peu aussi sur la taille. Ici le petit prince est trop grand. Là, il
  est trop petit. » A. DE SAINT-EXUPÉRY

2 LES NOMS PROPRES
Paris, Agnès

- Les noms propres (► 39-2) s'écrivent avec une majuscule.
  le Mexique, Zeus, Médor...

- Dans les **dérivés** de noms propres, seuls les noms d'habitants
  et les descendants d'une dynastie prennent une majuscule.
  les Africains, les Stéphanois, les Mérovingiens...

RETENEZ

- S'écrivent donc, entre autres, **avec une minuscule** :
- tous les adjectifs.
  l'économie française, un Suisse allemand, un roi capétien...
- les noms de langues, de dialectes, de patois...
  Le français n'est pas sa langue maternelle.
  Apprendre l'allemand, le grec.
- les noms des religions, doctrines, systèmes et de leurs adeptes,
  qu'ils dérivent ou pas de noms propres.
  le bouddhisme et les bouddhistes, le marxisme, un jésuite...
  le protestantisme et les protestants, les shiites...

- La particule patronymique *de* s'écrit sans majuscule. (Elle
  n'est pas prise en compte dans un classement alphabétique :
  dictionnaire, bibliographie...)
  Charles de Gaulle, Alfred de Musset.

3 LES MOTS PRIS DANS UN SENS PARTICULIER   *La Réforme*

• On met la majuscule à un mot, à un groupe de mots lorsqu'on veut qu'il soit pris dans un sens particulier.

Il a écrit un article sur la Réforme.

la *Réforme* = mouvement religieux, et non un quelconque changement.

RETENEZ

• N'oubliez pas la majuscule à *État* «pays» qui le distingue de *état* «manière d'être».

Le chef de l'État.

Les États membres de la Communauté européenne.

• Distinguez de même *l'Église* «la communauté des fidèles» et *l'église* «le bâtiment».

4 LES TITRES D'ŒUVRES   *Le Médecin malgré lui*

• Les titres d'œuvres artistiques, de journaux… s'écrivent avec une majuscule.

Nana (roman de Zola), *Libération* (journal), *Pirates* (film)…

RETENEZ

• La majuscule se met **toujours** au premier mot du titre.

Au bonheur des dames, Un cœur simple, Nous ne vieillirons pas ensemble…

Si le titre commence par *le, la, l', les,* on met aussi une majuscule au premier nom et aux adjectifs qui le précèdent.

Les Enfants du paradis, Les Petites Filles modèles…

Lorsque, dans un titre, des termes sont coordonnés par *et, ou…* on considère chacun des termes comme un titre auquel on applique les règles énoncées ci-dessus.

Le Rouge et le Noir, Élise ou la Vraie Vie…

5 MARQUE DE CONSIDÉRATION   *Monsieur le Président*

• On utilise la majuscule comme marque du respect ou de la considération que l'on porte à une personne, notamment quand on s'adresse à elle dans une lettre.

Comparez :

Le président de la République a inauguré le nouvel opéra.

(dans un article de journal)

Monsieur le Président.

(dans une lettre adressée au président de la République)

• De même, dans les formules de politesse, on utilise la majuscule.

Veuillez agréer, Madame, l'expression de…

MAJUSCULE   *RETENEZ*

• Les cédilles (▶24) sont **toujours** maintenues sur les majuscules et on ne peut qu'encourager la tendance actuelle à maintenir également les accents (▶71) sur les majuscules. Cela facilite la lecture ou la compréhension du texte.

À *lui de jouer.*

ELEVE = ÉLEVÉ ou ÉLÈVE ?

EXERCICE

Mettez les majuscules nécessaires dans la lettre suivante.

chers parents,
nous sommes bien arrivés aux états-unis. les paysages américains ne cessent de nous surprendre par leur immensité : canyons, lacs, plaines et montagnes s'étendent à perte de vue ! nous avons longé l'atlantique avant de rejoindre une réserve indienne. le sort de ces indiens est particulièrement triste d'autant plus que ni le président ni le congrès ne semblent s'y intéresser : jamais l'état n'est intervenu en leur faveur. des journaux aussi connus que *le monde* en france ont publié plusieurs articles… mais en vain.

114. MALGRÉ :
QUEL EMPLOI ?
Malgré ses efforts
Malgré tout

• **Malgré** est une préposition* : il introduit un nom ou un pronom.
*Il n'a rien voulu entendre **malgré** nos protestations.*
= en dépit de nos protestations   GN
*J'ai accepté cette proposition **malgré** moi.*
= contre mon gré   PRONOM

RETENEZ

• De nombreuses autres prépositions ont donné des locutions* conjonctives (*pendant que, avant que, sans que…*). Sur leur modèle, on a formé la locution conjonctive **malgré que** qui est **toujours suivie du subjonctif.**

«*J'étais persuadé qu'il coupait à travers la propriété des Dauzat **malgré qu'il** me jurât le contraire* » PH. DJIAN

• Si **malgré que** est accepté par la plupart des grammairiens, employé par des écrivains tels que Gide, Colette, Baudelaire, Gracq, etc., il reste **fortement condamné** par de nombreux correcteurs. On peut alors lui préférer :
– les conjonctions **bien que** ou **quoique,** toutes deux suivies du subjonctif.
…**bien qu'**il (ou **quoiqu'**il) me jurât le contraire.

– l'expression ***malgré le fait que*** (+ ind. ou subj.). Mais cette construction entraîne une certaine lourdeur.

*...**malgré le fait** qu'il me jurait le contraire.*

– on peut souvent remplacer la proposition par un groupe nominal équivalent introduit par ***malgré***.

Comparez :

*Il sort **malgré** qu'il pleuve.*
*Il sort **malgré** la pluie.*

POUR ALLER PLUS LOIN

• ***Malgré*** est un composé* du nom *gré* – que l'on trouve dans *bon gré*, *mal gré*. Il s'écrit avec un accent aigu et sans *s*.

EXERCICE

Transformez les phrases suivantes en passant de la locution conjonctive malgré que *à la préposition* malgré.

EXEMPLE : *Malgré qu'il ait réussi ses examens, on l'a refusé dans cette école. ⇒ Malgré sa réussite aux examens...*

1. Malgré que la science évolue, on note un certain retard dans ce domaine. **2.** Nous sommes sortis malgré qu'il fît froid. **3.** Il a toujours le temps de nous recevoir malgré qu'il soit très occupé. **4.** Il était encore très actif malgré qu'il fût très âgé.

115. MÊME : QUAND L'ACCORDER ?

Ils y sont allés eux-mêmes
Ils y sont tous allés, même eux

Selon le sens qu'il a, ***même*** peut être adjectif, adverbe ou faire partie d'un pronom. Sachez reconnaître ces emplois pour faire les bons accords.

1 **MÊME EST UN ADJECTIF : IL S'ACCORDE** *Les mêmes amis*

• ***Même*** est un adjectif quand il signifie «identique, semblable».
*Ce n'est pas tout à fait la **même** chose.*

• ***Même*** est également un adjectif quand, placé après un nom ou un pronom démonstratif, il a une valeur de renforcement.
*Il vient de partir à la minute **même**.*
*Mon ami, celui-là **même** dont je t'ai souvent parlé.*

RETENEZ

- En tant qu'adjectif, *même* s'accorde avec le nom ou le pronom auquel il se rapporte.

  *Ils ont les **mêmes** professeurs que l'année dernière.*
  *Ce sont les avantages **mêmes** de la profession.*
  *Mes amis, ceux-là **mêmes** dont je t'ai souvent parlé.*

2 MÊME FAIT PARTIE D'UN PRONOM : *Eux-mêmes*
IL S'ACCORDE

- *Même*, associé aux articles *le, la, les*, forme les pronoms *le même, la même, les mêmes*.

  *On prend **les mêmes** et on recommence.*
  *Aucune différence, ce sont toutes **les mêmes**.*

- Quand il renforce les pronoms personnels (*moi, nous...*), il signifie «moi, nous... en personne».

  *Je vous les apporterai **moi-même**.*

RETENEZ

- *Même* prend un *s* pour les formes du pluriel (avec *nous, vous, eux, elles*).

  *Elles iront **elles-mêmes** le chercher.*

- *Vous-même* s'écrit **sans** *s* quand on vouvoie une personne : il s'agit du *vous* de politesse.

  Vous-même l'avez dit, Monsieur le Directeur.

3 MÊME EST ADVERBE : *Même eux*
IL EST INVARIABLE

- *Même* est adverbe, et donc **invariable**, quand il signifie «aussi, également, y compris...»; il apporte une nuance de gradation. Il se place avant ou après le groupe auquel il se rapporte.

  Ils y sont tous allés,   ***même** les plus petits.*
  ou   *les plus petits **même**.* (plus rare)

- *Même* est également adverbe dans les locutions* suivantes (il ne prend donc jamais de *s*) :

  à **même** de   tout de **même**   de **même**
  même plus   quand **même** ▶ 153   **même** si...

  *Eux seraient **à même** de nous renseigner.*
  *Nous viendrons **même si** vous n'avez pas fini.*

MÊME   **RETENEZ**

- *Même* est **toujours** précédé d'un trait d'union lorsqu'il renforce un **pronom personnel** et signifie «en personne» (voir **2**). Dans les autres cas, il n'y en a jamais.

  Comparez :

  *Elle est allée le voir **elle-même**.* (= elle en personne)
  ***Même** elle est allée le voir.* (= elle aussi)

EXERCICE

Dans les phrases suivantes, même *est-il adjectif, adverbe ou fait-il partie d'un pronom ? Donnez selon le cas la terminaison qui convient.*

1. Il est revenu sur les lieux *même…* des évènements. **2.** *Même…* les plus forts ont échoué. **3.** Ils vous répondront eux-*même…* . **4.** Ces chaussures m'allaient très bien. Il faudrait que je retrouve les *même…* . **5.** Il pourra gagner deux cents francs, trois cents francs *même…* .

116. MILLE :
QUELLE ORTHOGRAPHE,
QUEL EMPLOI ?

Plus de trente mille

1 ORTHOGRAPHE

Cinq mille francs

- **Mille** est un déterminant numéral cardinal. ▶ **127**
  *La ville compte aujourd'hui trois cent **mille** habitants.*

RETENEZ

- Tout comme les autres déterminants cardinaux, **mille** est invariable. Il ne s'écrit **jamais** avec un *s.*
  *La salle accueille plus de deux **mille** spectateurs.*

- Écrivez bien *vingt et un mille (trente et un mille…)* même si le nom déterminé est féminin : *un* fait partie du nombre *vingt et un* qui se rapporte à *mille* et non au féminin.
  *Le pays a produit quarante et **un** mille tonnes de blé.*

POUR ALLER PLUS LOIN

- Même employé comme nom, **mille** reste invariable.
  *J'en ai vu des **mille** et des cents.*

- Ne confondez pas **mille**, numéral, avec l'unité de mesure *un mille*. Le nom de mesure prend un *s* au pluriel.
  Comparez :
  *Le bateau a parcouru trois **milles**.* (mesure)
  *Le bateau a parcouru deux **mille** kilomètres.* (numéral)

- On écrivait autrefois *mil* dans les dates.

2 EMPLOI

Mille cent

- On peut transcrire les nombres de 1 100 à 1 999 :
par multiplication :	*quinze cents*	15 × 100
par addition :	**mille** *cinq cents*	1000 + 500

On emploie indifféremment l'une ou l'autre transcription.

- Faites bien la différence entre :
- le numéral *mille un*, *mille une* « 1 001 ».
- l'expression indéfinie *mille et un*, *mille et une* « un grand nombre de, beaucoup, tous les… ».

Comparez :

> *Cela vous coûtera exactement **mille un** francs.* (= 1001)
> ***Les mille et un** tracas de la vie quotidienne.* (= tous les…)

EXERCICE

Écrivez les données suivantes en toutes lettres.

1. Nous certifions avoir reçu de la part de M. Dupont la somme de *2 001 F.* **2.** J'ai encore *1 001* choses à faire avant de partir. **3.** Il y a plus de *1 000* km jusqu'à Madrid. **4.** Ils étaient plus de *6 000*.

117. MODES IMPERSONNELS : QUEL EMPLOI ?

chanter, chanté, chantant, en chantant

- Il existe trois modes impersonnels : l'**infinitif**, le **participe** et le **gérondif**. Pour ces modes, le verbe ne se conjugue pas en personne, contrairement aux modes personnels. ▶ **118**

- Ne confondez pas d'une part *mode* impersonnel et d'autre part *verbe* impersonnel (ou *construction impersonnelle*). ▶ **191**

> *Il pleut.* (verbe impersonnel)
> *Il manque trois pages.* (construction impersonnelle)

1 L'INFINITIF

Chanter

- L'infinitif a un temps simple (infinitif présent : *chanter*) et un temps composé (infinitif passé : *avoir chanté*).

> ***Chanter** ces chansons séditieuses serait risqué.*
> *Il fut emprisonné pour **avoir chanté** des chansons séditieuses.*

- Il a la valeur d'un nom dans la phrase : il peut être sujet, COD, attribut, complément du nom, complément circonstanciel… Comparez :

fonction	infinitif	groupe nominal
sujet	***Chanter** me plaît.*	*Le **chant** me plaît.*
COD	*Il aime **vivre**.*	*Il aime la **vie**.*
attribut	*Souffler n'est pas **jouer**.*	*Souffler n'est pas du **jeu**.*
C. du nom	*L'espoir de **guérir**.*	*L'espoir de **guérison**.*
CC Manière	*Il double sans **voir**.*	*Il double sans **visibilité**.*

RETENEZ

- L'infinitif peut s'employer seul ou avoir des compléments.

Chanter	une chanson	devant un auditoire	donne	le trac.
verbe	COD de *chanter*	CCL de *chanter*		
	sujet de *donner*		verbe	COD de *donner*

2 LE PARTICIPE   *Chantant, chanté*

- Le participe a deux temps simples et un temps composé :
- le présent (participe présent).
  *Cochez les cases **correspondant** à votre choix.*
- le passé (participe passé).
  *La soirée **terminée**, chacun est rentré chez lui.*

- le passé composé : il se forme avec le participe passé du verbe
et l'auxiliaire *être* ou *avoir* au participe présent.
  *Les personnes **ayant exercé** une activité professionnelle
doivent compléter le formulaire.*

RETENEZ

- Le participe présent est invariable. ▶ 16
Le participe passé est variable dans certains cas. ▶ 134

- Le participe est le noyau :
- d'un groupe employé comme épithète*. ▶ 95-6
  *Cochez les cases **correspondant** à votre choix.*
  = qui correspondent à votre choix.
  *Les expressions **employées** dans ce texte...*
  = qui sont employées...
  ***Étant** lui-même spécialiste, Paul répondra aux questions.*
  = comme il est lui-même spécialiste...

- d'une **proposition participiale*** employée comme complément circonstanciel (▶ 95-5). Notez que la proposition participiale a un sujet exprimé, différent du sujet de la principale.
  *La colère **passée**, il rejoignit le groupe.*
  (la participiale a pour sujet *la colère*, la principale a pour sujet *il*.)

RETENEZ

- Dans une phrase contenant un participe épithète détachée,
le sujet du participe n'est jamais exprimé, mais **il doit être le
même que celui de la principale**.
Comparez :
  *Ayant mené une vie difficile, **l'auteur** a voulu...*
  = c'est **l'auteur** qui a mené une vie difficile.
  *Ayant mené une vie difficile, **je** pense que l'auteur a voulu...*
  = c'est «**je**» qui a mené une vie difficile.
Pour éviter toute ambiguïté, il faut utiliser une participiale
avec son sujet exprimé.
  ***L'auteur** ayant mené une vie difficile, **je** pense...*
  SUJET   SUJET

• Le participe présent sert à former le gérondif (voir **3**).

• Le participe passé sert à former les temps composés : passé composé, plus-que-parfait de l'indicatif, etc. ▸ **49**

3 | **LE GÉRONDIF** *En chantant*

• Le gérondif est formé du participe présent, **toujours invariable**, précédé de *en*.

• Le gérondif connaît également une forme composée.
*Tout **en étant arrivé** après les autres, il fut servi le premier.*

• Il est employé comme complément circonstanciel*.
*Il te préviendra **en partant**.* (= il te préviendra quand il partira.)
*Elle est sortie **en courant**.* (= elle est sortie vite.)

RETENEZ

• Dans une phrase contenant un gérondif, le sujet du gérondif n'est jamais exprimé, mais **il doit être le même que celui de la principale**. (Vérifiez en remplaçant le gérondif par une subordonnée circonstancielle.)
Comparez :
*Le **chien** a mordu Marie **en sortant** du cinéma.*
= le **chien** a mordu Marie quand **il** est sorti du cinéma. *(illogique)*
*Marie s'est fait mordre par un chien **en sortant** du cinéma.*
= **Marie** s'est fait mordre quand **elle** est sortie du cinéma.

EXERCICE

Transformez les groupes en italique en utilisant un mode impersonnel : infinitif, participe ou gérondif.

1. Il s'est trompé *quand il a réécrit le texte*. **2.** *Comme j'avais terminé mon travail*, j'ai pu sortir. **3.** Il faut utiliser les expressions *qui figurent en haut de la page*. **4.** Je lui ai demandé *qu'il vienne*. **5.** Je te remercie *parce que tu m'as raccompagné*.

118. MODES PERSONNELS : QUEL EMPLOI ?

Vous savez – Que vous sachiez
Sachez – Vous sauriez

Il existe quatre modes personnels : l'**indicatif**, le **subjonctif**, l'**impératif** et le **conditionnel**. Pour ces modes, le verbe se conjugue en personne, contrairement aux modes impersonnels (▸ **117**). Chaque mode personnel caractérise l'attitude de celui qui parle par rapport à ce qu'il dit.

1 L'INDICATIF
Vous savez

• L'indicatif est le mode qui affirme, certifie ou évoque le réel…
On l'utilise dans les principales* comme dans les subordonnées*.

*Il **a vu** ses différents partenaires.*
passé composé

*Je **sais** qu'il les **rencontrera** à nouveau la semaine prochaine.*
  présent   futur

• L'indicatif a huit temps :

temps simples		temps composés	
présent	il sait	passé composé	il a su
imparfait	il savait	plus-que-parfait	il avait su
passé simple	il sut	passé antérieur	il eut su
futur	il saura	futur antérieur	il aura su

RETENEZ

• Les subordonnées introduites par ***après que*** sont normalement à l'indicatif (on constate cependant une nette tendance à utiliser le subjonctif, par analogie avec *avant que*).

*Il est venu me voir **après que** tu lui **as parlé** de notre projet.*
Dans le registre* soutenu, on utilise le plus souvent le passé antérieur en relation avec le passé simple.

*Il vint me voir **après que** tu lui **eus parlé** de notre projet.*

2 LE SUBJONCTIF
Que vous sachiez

• Le subjonctif est le mode de la volonté, du souhait, du doute, de l'interdiction, de l'éventualité… ▶ 176

*Qu'il **voie** une première fois ses partenaires : cela évitera qu'il **perde** trop de temps.*

RETENEZ

• Le subjonctif s'emploie plus fréquemment dans les subordonnées que dans les principales.

POUR ALLER PLUS LOIN

• Une négation, une interrogation peuvent transformer un doute, une éventualité en certitude ou une certitude en doute : le passage d'une forme à l'autre change alors le mode.
Comparez :

Nous sommes sûrs que cela   *Êtes-vous sûrs que cela*
***répond** à nos besoins.*   ***réponde** à nos besoins ?*
*Je doute qu'il **soit** reçu*   *Je ne doute pas*
à l'examen.   *qu'il **sera** reçu.*

3 L'IMPÉRATIF
Sachez

• L'impératif est le mode de l'ordre (▶ 131). Il n'est utilisé qu'à la 2ᵉ personne du singulier et aux deux premières personnes du pluriel. Le sujet n'est jamais exprimé.

***Examinons** ce qu'a voulu dire l'auteur.*

M

- L'impératif a deux temps :

temps simple		temps composé	
présent	*sache*	passé	*aie su*

4 **LE CONDITIONNEL**   *Vous sauriez*

Le conditionnel est à la fois le mode de l'irréel et un temps (il marque la postériorité par rapport à un autre fait).

- Le conditionnel est un **mode** qui exprime :
- ce qui dépend d'une condition.
  *S'il avait su, il ne **serait** pas **venu**.*
  *Je **ferais** volontiers du théâtre.* (si j'avais le temps)
- le non-réel, l'hypothétique.
  *Le président **aurait rencontré** son homologue allemand.*
  = on suppose, on émet l'hypothèse que le président a rencontré…
  *Je n'**aurais** jamais **cru** cela.*
- le souhait, le désir, le regret.
  *J'**aimerais** tant le revoir.*
  *J'**aurais** tant **aimé** le revoir.*
- la politesse.
  *Je **souhaiterais** effectuer un stage dans votre entreprise.*
  ***Pourriez**-vous l'accompagner ?*

- Le conditionnel est un **temps** qui marque une action future par rapport à un fait situé dans le passé :
- le conditionnel présent est le futur du passé.

Comparez :

Je <u>crois</u> qu'il <u>viendra</u>.	*Je <u>croyais</u> qu'il <u>**viendrait**</u>.*
présent futur	passé cond. prés.

- le conditionnel passé est le futur antérieur du passé.

Comparez :

Je <u>crois</u> qu'il <u>aura fini</u>.	*Je <u>croyais</u> qu'il <u>**aurait fini**</u>.*
présent futur ant.	passé cond. passé

R E T E N E Z

- On n'utilise jamais le conditionnel après *si*. ▶ 172

- Les subordonnées introduites par *au cas où*, *quand (bien) même* sont au conditionnel. ▶ 44
  *Appelle-moi <u>au cas où</u> tu **voudrais** venir.*
  *Quand bien <u>même</u> il **aurait été prévenu** à temps, il ne serait pas venu.*

- Ne confondez pas le futur et le conditionnel, surtout à la 1re personne du singulier où les formes se ressemblent.
  *Dès que je **serai** autonome, je travaille**rai** plus vite.*
      *Dès que tu **seras** … tu travaille**ras**… (futur)*
  *Si j'étais autonome, je travaille**rais** plus vite.*
      *Si tu étais … tu travaille**rais**… (cond.)*

EXERCICE

Mettez le verbe entre parenthèses au mode personnel qui convient.

1. Je *(souhaiter)* qu'il *(être)* là pour notre fête. **2.** *(Se dépêcher)*, il ne *(falloir)* pas que tu *(perdre)* trop de temps. **3.** Si je *(devoir)* recommencer, je n'*(hésiter)* pas une seconde. **4.** Qu'il *(venir)* me voir s'il *(vouloir)*.

119. LES MOTS COMPOSÉS: INTRODUCTION

Compte rendu, biophysique, biologie

La composition est un phénomène ancien qui contribue de façon importante à l'enrichissement de la langue. Les mots composés posent des problèmes d'orthographe notamment pour l'usage du trait d'union (▶ 120) et pour le pluriel (▶ 121).

1 FORMATION DES MOTS COMPOSÉS

- Les mots composés sont formés par l'association de deux ou plusieurs mots. On peut avoir alors toutes sortes de combinaisons.

nom + adj.	*main-forte, mainmise…*
nom + nom	*chou-fleur, compte chèque…*
prép. + nom	*avant-scène, contretemps…*
verbe + nom	*porte-parole, portefeuille…*
(autres)	*c'est-à-dire, clopin-clopant, plutôt…*

- On appelle également *composé* un mot formé avec des éléments*. Un élément est une unité de sens, formée à partir d'un mot emprunté à une autre langue (généralement le latin ou le grec).

anti- «contre»	*hippo-* «cheval»	*-phag-* «qui mange»
ant(e)- «avant»	*hyper-* «très»	*-phil-* «qui aime»
auto- «soi-même»	*hypo-* «sous»	*-phob-* «qui déteste»…

Les éléments ne sont pas employés seuls, mais se combinent avec d'autres mots ou entre eux.

élément / mot	{ *électro-/acoustique* *bio/physique*
élément / élément	{ *bio/logie* *électro/gène*

RETENEZ

- Les composés se différencient des **dérivés** qui, eux, sont formés avec des préfixes* et des suffixes*. ▶ **148**

2 CARACTÉRISTIQUES DU MOT COMPOSÉ

- Le mot composé constitue **un tout** :
- il a sa propre définition.

Comparez :

une belle-fille «femme du fils»
une belle fille «une fille que l'on trouve belle»

- il n'est pas possible d'insérer de mots entre les composants.

un pied de nez : forme une unité indivisible.

(on ne peut avoir : *un pied de grand nez*).

- La plupart des mots composés sont des noms, parfois des adjectifs. On trouve aussi quelques adverbes et quelques verbes.

un tire-bouchon	nom
avant-dernier	adjectif
peut-être	adverbe
contre-attaquer	verbe

120. LES MOTS COMPOSÉS : COMMENT LES ÉCRIRE ?

Quelquefois, quelques-uns, quelque chose

Il existe trois façons d'écrire les mots composés :

- les composants sont séparés par des espaces comme dans une expression normale : c'est l'**autonomie**.
- les composants sont reliés entre eux par un **trait d'union**.
- les composants ne sont séparés par aucun espace ni trait d'union : c'est la **soudure**, appelée aussi *agglutination*.

Comparez :

autonomie	*un jeune homme, quelque chose*
trait d'union	*un sous-homme, quelques-uns*
soudure	*un gentilhomme, quelquefois*

L'écriture des mots composés est souvent source d'hésitations et on constate de nombreuses divergences entre les dictionnaires. Toutefois, le choix de la graphie peut se faire en appliquant quelques principes.

1 TRAIT D'UNION OU AUTONOMIE ?

Un arc en ciel
Un compte rendu

- On met un trait d'union pour une suite de mots qui **prend un sens particulier**.

Comparez :

une belle fille «une jolie fille» | *le sang froid* (des serpents)
une belle-fille «la femme du fils» | *le sang-froid* «maîtrise de soi»

- Cette règle est moins suivie quand le mot composé contient une préposition.

avec trait d'union	autonomie
arc-_en_-ciel	chemin _de_ fer
patte-_d'_oie	pomme _de_ terre
œil-_de_-bœuf	point _de_ vue
bec-_de_-lièvre	terre _à_ terre

- On écrit aussi sans trait d'union, en autonomie :
compte rendu
maître chanteur
château fort   (mais _coffre-fort_)

- On met un trait d'union pour une suite de mots qui **change de statut grammatical**.

Comparez :

{ _Il partira après midi_. («après 12 h»)	c. circonstanciel
Un bel après-midi.	**nom composé**
{ _C'est à dire à qui de droit._	phrase
Je viendrai le 12, c'est-à-dire demain.	**adverbe composé**
{ _Je ne sais pas où il peut être._	groupe verbal
Il est peut-être déjà parti.	**adverbe composé**

- C'est notamment le cas des composés formés sur le modèle «**verbe + nom**» ou «**prép./adv. + nom**» qui s'écrivent **toujours avec un trait d'union**.

| verbe + nom | _un faire-part, un lave-vaisselle..._ |
| prép./adv. + nom | _un en-tête, l'arrière-boutique..._ |

- On met un trait d'union quand le composé est formé de **deux mots juxtaposés** de même nature grammaticale (deux noms, deux adjectifs...).

un chou-fleur – un bateau-mouche – un oiseau-lyre...

Le trait d'union remplace souvent une préposition ou la conjonction _et_.

un timbre-poste	= un timbre **pour** la poste
un auteur-compositeur	= un auteur **et** compositeur
aigre-doux	= aigre **et** doux
vingt-trois	= vingt **et** trois

- Les **mots composés d'origine étrangère** s'écrivent le plus souvent avec un trait d'union.

un hot-dog – un best-seller – faire son mea-culpa...

2 LA SOUDURE   _Antibruit_

- La soudure se fait généralement quand on ne perçoit pas spontanément les composants d'origine.

vinaigre	< vin aigre	_hautbois_	< haut bois
lendemain	< l'en demain	_soucoupe_	< sous coupe
madame	< ma dame		

- Les mots composés qui contiennent un **élément** (▸ 119) sont le plus souvent soudés.

    la **poly**culture – un mur **anti**bruit – une **micro**fiche...

Mais on met un trait d'union si la soudure entraîne :

– des rencontres de voyelles identiques ou qui pourraient se prononcer ensemble (i + i, o + i, a + u, o + o...).

    anti-inflationniste, **auto-**immunisé, **extra-**utérin, **micro-**onde...

– la création d'un mot trop long.

    oto-rhino-laryngologiste

R E T E N E Z

- Les mots composés formés sur le modèle «élément + élément» (bibliothèque) sont **toujours soudés**.

- **Ex-** «ancien», **semi-** et **mi-** ne sont **jamais soudés** au mot qu'ils précèdent, bien qu'ils soient éléments de composition (ils ne peuvent pas être employés seuls). Même cas pour **demi-**. ▸ 62

    l'**ex-**directeur – un **semi-**remorque – une paire de **mi-**bas – une **demi-**heure...

EXERCICE

Reliez les termes pour écrire un mot composé. Justifiez votre réponse.

1.	bio	**A.**	abri
2.	café	**B.**	choc
3.	compte	**C.**	demoiselle
4.	électro	**D.**	entendre
5.	gentil	**E.**	éthique
6.	grand	**F.**	faire
7.	longue	**G.**	homme
8.	ma	**H.**	pèrc
9.	sans	**I.**	rendu
10.	savoir	**J.**	théâtre
11.	sous	**K.**	vue

121. LES MOTS COMPOSÉS : QUEL PLURIEL ?

Les contre-exemples
des comptes rendus

Les mots composés étant formés de plusieurs mots, il y a souvent hésitation pour mettre la marque du pluriel.

1 **LES MOTS COMPOSÉS SOUDÉS**   Des vinaigres

- Les mots composés soudés (▸ 120) forment leur pluriel de la même façon que les mots non composés (▸ 142).

    des lendemains – des vinaigres – des anticléricaux...

- Notez ces six mots, pour lesquels chacun des composants prend la marque du pluriel.

madame / **mes**dames	bonhomme / **bons**hommes [bɔ̃zɔm]
monsieur / **mes**sieurs	gentilhomme / **gentils**hommes [ʒɑ̃tizɔm]
lequel / **les**quels ▶ 110	mademoiselle / **mes**demoiselles

---

2 **LES COMPOSÉS AUTONOMES ET CEUX AVEC TRAIT D'UNION**

Des châteaux forts
Des sans-abri

- Leur pluriel dépend le plus souvent de la fonction et du sens de chacun des composants : il faut analyser le mot pour voir quels sont ceux qui se mettent au pluriel.

TYPE	PLURIEL	EXEMPLE	SENS
verbe + nom	• le verbe **ne varie jamais** • le nom peut se mettre au pluriel	des pare-soleil	= qui parent le soleil
		des tire-bouchon**s**	= qui tirent des bouchons
prép./adv. + nom	**seul** le nom est susceptible de se mettre au pluriel (prép. et adv. sont **invariables** par nature)	des arrière-boutique**s**	= des boutiques qui sont à l'arrière
		des contre-exemple**s**	= des exemples qui contredisent
		des sans-abri	= des personnes qui n'ont pas d'abri
		des après-midi	= des périodes qui se situent après midi
adj. + nom *ou* nom + adj.	**les deux** peuvent se mettre au pluriel	des compte**s** rendu**s**	= des comptes qui sont rendus
		des terre-plein**s**	= des lieux pleins de terre
		des coffre**s**-fort**s** nos grand**s**-père**s** des pur-sang	= des chevaux de sang pur
nom + nom	**les deux** se mettent au pluriel si le sens le permet	des choux-fleur**s**	= des choux ressemblant à des fleurs
		des appareil**s** photo	= des appareils pour la photo
		des timbre**s**-poste	= des timbres pour la poste
		les Nord-Africain**s**	= des Africains du Nord
nom + prép. + nom	seul le **premier** nom peut se mettre au pluriel	des arc**s**-en-ciel	= des arcs dans le ciel
		des planche**s** à dessin des pomme**s** de terre	= des planches pour le dessin
locution* verbale	**invariable**	des on-dit des passe-partout	
onomatopées	**invariable**	des teuf-teuf	
élément + nom/adj.	• l'élément est **invariable** • le nom et l'adj. peuvent se mettre au pluriel	des micro-onde**s** des demi-heure**s**	

• Bien souvent le problème du *s* se pose même au singulier. Ainsi, les composés du type « verbe + nom » peuvent souvent s'écrire de deux façons selon l'analyse.

Comparez :

   un cale-pied   = qui cale **le** pied
   un cale-pieds   = qui cale **les** pieds

Le problème est identique au pluriel.

   des cale-pied   = qui calent **le** pied
   des cale-pieds   = qui calent **les** pieds

Dans ces cas, il est préférable d'écrire sans *s* le nom quand il est au singulier et avec *s* quand il est au pluriel.

   un cale-pied / des cale-pieds

• Dans d'autres cas, l'analyse n'est guère possible (*des chefs-lieux, des loups-garous, des guets-apens, des bains-marie...*) : il est donc illusoire de croire que le sens est une aide infaillible pour la formation du pluriel. Il faut se résoudre à consulter un dictionnaire tout en sachant qu'il y a souvent entre eux de nombreuses divergences...

R E T E N E Z

> • **Mi-, semi-** et ***demi-*** (▶ **62**) sont des éléments de composition : ils sont donc **toujours invariables**.
>
>   *les yeux **mi**-clos – les produits industriels **semi**-finis – des **demi**-mesures...*
>
> • En composition avec ***né, nouveau*** reste toujours invariable (▶ **6**) et ***dernier*** varie.
>
> Comparez :
>
> | | |
> |---|---|
> | un nouv**eau**-né | le dern**ier**-né |
> | une nouv**eau**-née | la dern**ière**-née |
> | des nouv**eau** nés | les dern**iers**-nés |
> | des nouv**eau**-nées | les dern**ières**-nées |
>
> • Quelques noms sont **toujours invariables**.
>
>   *des pot-au-feu – des tête-à-tête – des face-à-face – des coq-à-l'âne – des pied-à-terre...*

P O U R   A L L E R   P L U S   L O I N

• Pour le pluriel des composés avec *œil* : ▶ **128**

EXERCICE

Donnez le pluriel des noms suivants après avoir décomposé le mot.

1. chaise longue. **2.** trait d'union. **3.** tondeuse à gazon. **4.** wagon-restaurant. **5.** pare-choc. **6.** cessez-le-feu. **7.** chauve-souris. **8.** bien-être. **9.** année-lumière.

122. N'AVOIR QU'À : QUELS ÉQUIVALENTS ?

Vous n'avez qu'à signer

- L'expression ***n'avoir qu'à*** (+ inf.) est la tournure *avoir à* «il faut» à laquelle est appliquée la restriction *ne ... que*. ▶ **124**

  *Auparavant vous **aviez à** <u>remplir</u> d'innombrables formulaires ; maintenant vous **n'avez** <u>**qu'à** signer</u> au bas de cette feuille.*
  = il vous suffit de signer...

- On emploie parfois l'expression dans d'autres contextes. Elle se vide alors de sens et appartient plutôt au langage parlé. Selon les cas, on peut lui préférer les tournures équivalentes :

– **l'impératif** quand on exprime un ordre, un conseil...

*Si tu as un problème, **tu n'as qu'à** m'appeler.*	Appelle-moi.
***Il n'y a qu'à** espérer qu'il vienne.*	Espérons qu'il vienne.

– *il fallait* ou **le conditionnel passé de** *devoir*, plus particulièrement quand on exprime un reproche, un regret...

Pourquoi avoir attendu ? ***Il n'y avait qu'à** le prévenir.*	Il fallait le prévenir.
***Tu n'avais qu'à** m'appeler.*	Tu aurais dû m'appeler.
***Il n'y avait qu'à** ne pas l'inviter.*	On n'aurait pas dû l'inviter.

RETENEZ

- N'oubliez pas *ne* de la restriction *ne ... que* devant *avoir*.

  *Vous **n'**avez <u>qu'à</u> appuyer sur ce bouton.*
  *Il **n'**y a plus <u>qu'à</u> peindre ce dernier mur.*
  et non ~~Il y a plus qu'à...~~

- Ne l'oubliez pas non plus devant l'infinitif si ce dernier est à la forme négative (employé avec *pas*).

  *Tu n'avais qu'à **ne pas** partir avant la fin.*
  et non   *Tu n'avais qu'à ~~pas~~ partir...*

EXERCICE

Trouvez des équivalents de l'expression n'avoir qu'à.

1. Cesse de me reprocher ce que je fais, tu n'as qu'à le faire toi-même. **2.** Tout ira bien : il n'y a qu'à me faire confiance. **3.** Les places sont déjà réservées, vous n'avez qu'à retirer les billets. **4.** Tant pis pour toi si tu as manqué ton train, tu n'avais qu'à être à l'heure. **5.** S'il veut répondre, il n'y a qu'à le laisser répondre. **6.** Ils n'avaient qu'à passer par ce chemin, ils ne se seraient pas trompés.

123. NE DIT «EXPLÉTIF» : QUAND L'EMPLOYER ?

> *On craint qu'il (ne) parte*
> *Avant qu'il (ne) parte*
> *Il partira plus tôt qu'on (ne) pensait*

Dire que **ne** est explétif, c'est dire que sa présence n'est pas strictement nécessaire : elle relève d'un usage plus ou moins soutenu de la langue. Mais mieux vaut l'omettre que l'employer mal à propos.

1 **VALEUR DE NE EXPLÉTIF**

> *Crains-tu qu'il ne parte*
> *ou qu'il ne parte pas ?*

● *Ne* explétif n'a **jamais un sens négatif**. Autrement dit, il ne nie pas l'action exprimée par le verbe. Son omission ne change donc pas le sens de la phrase.

> *Je crains qu'il **ne** parte.*
> *Je crains qu'il parte.* } = je crains son départ.

RETENEZ

● Ne confondez pas *ne* explétif avec la négation *ne* employée sans *pas*. ▶ **125**
Comparez :
> *Sors avant qu'on **ne** t'entende.*
> explétif (= sors avant qu'on t'entende.)
> *Sors qu'on **ne** t'entende.*
> négation (= sors pour qu'on ne t'entende pas.)

2 **QUAND EMPLOYER NE EXPLÉTIF ?**

> *C'est plus facile*
> *que ça n'y paraît*

Ne explétif n'apparaît que dans des **subordonnées** au subjonctif ou à l'indicatif. Son emploi est commandé par le verbe de la principale ou la locution* qui introduit la subordonnée.

● Avec des verbes ou locutions de **crainte**.
C'est notamment le cas avec : *craindre, appréhender, redouter, trembler, avoir peur, de crainte que, de peur que,* etc.
> *Il parlait à voix basse de crainte qu'on **ne** l'entende.*

Mais après une forme négative, *ne* disparaît de la subordonnée.
Je ne crains pas qu'il l'apprenne.
Aucune crainte qu'il l'apprenne.

- Avec les locutions *à moins que, avant que*.
  Il est en retard, à moins qu'il ne soit déjà parti.
  Rattrapons-le avant qu'il ne soit trop tard.

- Dans des comparatives introduites par des termes exprimant **l'inégalité, la différence**. C'est notamment le cas avec : *autre, autrement, davantage, meilleur, mieux, moindre, moins, pire, pis, plus, plutôt … que*, etc.
  Il s'est révélé tout autre que je ne le croyais.
  Il y a plus de monde qu'on n'avait prévu.

- Avec la locution *sans que* si la principale est à la forme négative.
  Il ne se passe pas un jour sans qu'il ne lui écrive.

RETENEZ

- Si la principale est à la **forme affirmative**, *ne* explétif **ne s'emploie jamais** :
  - dans une comparative d'**égalité**.
    Il est aussi paresseux qu'il est doué.
  - avec des verbes exprimant le **doute**.
    Je doute qu'il y parvienne un jour.
  - dans une subordonnée introduite par *sans que*.
    La machine fonctionne sans qu'on s'en occupe.
- À la **forme négative**, on a le choix.
  Le vent n'est pas aussi fort que la météo (ne) l'avait annoncé.
  Je n'ai jamais douté qu'il (ne) réussisse un jour.

POUR ALLER PLUS LOIN

- On peut aussi trouver *ne* explétif après :
- *empêcher, éviter*.
  Il faut empêcher qu'il (ne) l'apprenne.

- *nier*, s'il est à la forme interrogative ou négative.
  Nierez-vous que tout cela (ne) soit équivalent ?

EXERCICE

Rajoutez les ne explétifs qui manquent dans ce compte rendu.

Les responsables syndicaux ont alerté les salariés : «Nous appréhendons que la direction procède à de nouveaux licenciements. En cette période de crise, comment ne pas craindre que cela se produise ? Certains d'entre vous seront peut-être mutés sans que leur responsable les prévienne. Nous doutons que le plan social soit fait en faveur des salariés et nous voulons empêcher que le personnel subisse les conséquences d'une mauvaise gestion. Nous proposons une journée de grève à moins qu'il faille envisager des actions plus radicales. Quoi qu'il en soit, il faut agir avant qu'il soit trop tard.»

124. NE … QUE:
QUEL EMPLOI?

Il n'a que quinze ans

- *Ne … que* exprime une restriction. Il signifie «seulement».
  *Je **ne** pense **qu'à** ça.*
  = je pense seulement à ça, je ne pense pas à autre chose.

---

1 LA PLACE DE QUE

Il n'est là que le matin

- *Que* se place devant le mot ou le groupe de mots sur lequel porte la restriction, là où se placerait *seulement*.
Comparez :

> *Nous **n'**obtiendrons de bons résultats cette année **que** <u>si les prix augmentent</u>.*
> = les prix doivent augmenter pour que les résultats soient bons.

> *Nous **n'**obtiendrons **que** <u>de bons résultats</u> cette année si les prix augmentent.*
> = en cas d'augmentation des prix, il n'y aura pas de mauvais résultats.

---

2 QUE NE PEUT S'EMPLOYER SEUL

Rien que toi et moi

- *Que* ne peut s'employer seul : il est le plus souvent précédé de *ne*.

> *Cette démonstration **n'**est logique **qu'**en apparence.*
> et non *Cette démonstration e~~st~~ logique **qu'**en apparence.*

- On construit de même l'expression *ne … que trop* qui signifie «plus qu'il ne faut», même si le sens restrictif est nettement affaibli.

> *Il **n'**a **que trop** parlé de cette histoire.*
> = il a trop parlé de…

RETENEZ

- Parfois l'emploi de *ne* est impossible (si la restriction porte sur le sujet ou si elle est employée dans un groupe sans verbe). *Que* doit être alors précédé de *rien*.

> ***Rien que** toi et moi serons au courant.* (= seuls toi et moi…)
> et non ~~Que~~ *toi et moi serons au courant.*

> *Une démonstration logique **rien qu'**en apparence.*
> et non *Une démonstration logique ~~qu'en~~ apparence.*

- Ne confondez pas l'expression *ne … que* avec ses adverbes équivalents : *juste, seulement, uniquement, simplement, exclusivement*, etc. qui, eux, ne se construisent **jamais** avec *que*.
Comparez :

> *Il a commencé **juste** hier.*
> et *Il **n'**a commencé **qu'**hier.*

> *N'oubliez pas qu'il a **seulement** quinze ans.*
> et *N'oubliez pas qu'il **n'**a **que** quinze ans.*

EXERCICE

Employez ne … que *ou* rien que *devant les mots soulignés. Donnez pour chaque phrase une tournure équivalente.*

1. Il s'intéresse à elle. **2.** Cela vous regarde. **3.** Il fait de la voile pendant les vacances. **4.** Il fait de la voile pendant les vacances. **5.** Deux d'entre eux pourront partir.

125. LA NÉGATION :
TERMES ET CONSTRUCTIONS

Personne ne le souhaite
Il n'en est pas question

Pour nier une action exprimée par le verbe, on se sert le plus souvent de *ne* et d'un autre terme. Il faut savoir utiliser correctement les termes de la négation.

1 **DEUX TERMES POUR LA NÉGATION**   *Ne … pas*

• *Pas*, *point* (soutenu), *plus*, *guère*, *jamais*, *personne*, *rien*, *aucun*, *aucunement*, *nul*, *nullement*… sont des termes de négation. Ils sont **toujours** employés **avec *ne*** quand ils portent sur un verbe. On les appelle *les corrélatifs* de la négation.

> *Cette citation **ne** présente **aucun** intérêt si on **ne** la replace **pas** dans son contexte.*
> ***Jamais** il **n'**acceptera une telle offre.*
> *C'est à **n'**y **rien** comprendre.*
> ***Pas** un seul candidat **n'**a échoué.*

RETENEZ

• Ne négligez pas le *ne*, même à l'oral.
> ~~Je l'ai pas vu.~~
> *Je **ne** l'ai **pas** vu.*

• À l'oral, *ne* peut se confondre avec une liaison (▶ 112). Mais ne l'oubliez pas à l'écrit.
> ***On a** tout entendu, mais on **n'a rien** vu.*
> [ɔna]   [ɔna]

• *Pas* ne peut jamais être employé en même temps que *jamais*, *aucun*, *nul*…
> *Il **ne** veut s'engager sous **aucun** prétexte.*
> et non *Il ~~ne~~ veut ~~pas~~ s'engager sous ~~aucun~~ prétexte.*

- Certains termes propres aux phrases affirmatives changent quand on passe à la forme négative.

affirmative	négative
aussi	non plus ▶ 18
beaucoup	guère (*ou* pas beaucoup)
déjà	pas encore
encore	plus
et	ni ▶ 126
quelqu'un	personne
tout	rien, *etc.*

*J'irai **encore** chez lui.*	*Je n'irai **plus** chez lui.*
***Quelqu'un** est venu.*	***Personne** n'est venu.*

- Il faut bien distinguer *ne*, négation, et *ne* explétif. ▶ 123

Comparez :

explétif : *Avant qu'il **ne** soit trop tard.*
= avant qu'il soit trop tard.

négation : *Il **ne** sera **pas** trop tard.*
≠ il sera trop tard.

POUR ALLER PLUS LOIN

- Les corrélatifs sont employés **sans *ne*** dans les propositions sans verbe.

*Tout était silence. **Pas** un bruit alentour.*
*Qui est intéressé ? – **Personne**.*

- *Pas, jamais, guère* s'emploient également **sans *ne*** quand ils sont devant un adjectif.

*C'est un homme blond, **pas** très grand et assez trapu.*
*Des résultats toujours espérés, **jamais** atteints.*

- *Jamais, personne, rien, aucun* peuvent être renforcés par *plus*.

*Il n'y a **plus** personne.*
*Je ne le verrai **plus** jamais (ou jamais **plus**).*

- *Personne, rien, aucun* peuvent être renforcés par *jamais*.

***Jamais** personne ne vient me voir.*
*Il n'aura **jamais** aucun succès.*

- Les préfixes *in-, dé-, mé-* peuvent remplacer avantageusement une forme négative.

Comparez :

*Il **n'est pas** capable de lui répondre.*
⇒ *Il est **in**capable de lui répondre.*

*Le pneu **n'est plus** gonflé.*
⇒ *Le pneu est **dé**gonflé.*

*Celui qui **ne** connaît **pas** les dernières découvertes*
⇒ *Celui qui **mé**connaît...*

---

2 | **PLACE DE LA NÉGATION**   *Pour que tu n'oublies pas*

- *Ne ... pas, ne ... plus, ne ... guère, ne ... point* encadrent le verbe à un temps simple, l'auxiliaire à un temps composé.

***N'**ayant **rien** vu, je **ne** dirai **rien**.*

- *Ne* se place avant les pronoms qui précèdent le verbe.
  Je ne le lui donne pas.
  Il n'en a pas eu.

- *Ne pas*, *ne jamais*... se placent devant l'infinitif.
  Il fait cela pour ne pas oublier ses rendez-vous.

3 **NE EN EMPLOI ABSOLU**   *Je ne saurais vous dire*

- En emploi soutenu, *ne* négatif peut s'employer seul (sans cor-rélatif) avec les verbes *savoir, pouvoir, cesser, oser* ou après *si* introduisant une condition. La langue courante conserve *pas*.

soutenu	courant
Il n'ose s'approcher.	*Il n'ose pas s'approcher.*
Je ne sais qui sera là.	*Je ne sais pas qui sera là.*
Fais-le si ce n'est déjà fait.	*Fais-le si ce n'est pas déjà fait.*

L'emploi absolu est plus fréquent dans les tournures *je ne saurais* (+ inf.), *ne cesser de* (+ inf.), *si je ne m'abuse*.
  Je ne saurais vous dire ce qu'il attend de vous.
  Il ne cesse de répéter les mêmes arguments.

- Dans une phrase interrogative ou exclamative introduite par *que* (registre* soutenu), l'emploi de *pas* est exclu.
  Que ne l'a-t-il dit plus tôt!

- Certaines locutions* figées sont construites avec *ne* seulement : *n'empêche*, *n'importe...*, *si ce n'est...*, *ne vous déplaise*, etc.
  N'importe quelle autre solution aurait convenu.
  Cela n'a rien de difficile, si ce n'est la mémorisation.

4 **LA DOUBLE NÉGATION**   *Ce n'est pas sans intérêt*

- Deux négations peuvent s'annuler. Il faut réfléchir à ce que l'on veut dire avant d'employer une principale et une subor-donnée toutes deux à la forme négative.
Comparez :
  Je ne pense pas qu'il n'en soit pas capable.
  = je pense qu'il en est capable. *(les négations s'annulent)*
  Je ne dis pas que ce n'est pas important, je dis seulement que ce n'est pas de mon ressort.
  ≠ je dis que c'est important. *(les négations ne s'annulent pas)*
Utiliser la double négation permet d'atténuer ses propos.

- La double négation est souvent utilisée avec *sans*. ▶ 169
  Vous n'êtes pas sans savoir... (= vous savez...)

EXERCICE

Mettez les phrases suivantes à la forme négative en donnant toutes les solutions possibles. Notez les éventuelles différences de sens.

1. Il a eu beaucoup de chance jusqu'à présent. **2.** J'ai vu quelqu'un entrer. **3.** As-tu tout compris ? **4.** J'en ai encore. **5.** Qui a déjà répondu ? **6.** Il souhaite partir.

126. NI : QUEL EMPLOI ?

Ni l'un ni l'autre

• Dans une phrase négative, les mots ou groupes de mots qui ont la même fonction ne sont pas coordonnés par *et* (▶ **88**), ils le sont par *ni*.
Comparez :

> phrase affirmative : *Il   a   oublié ses clefs **et** son chéquier.*
> phrase négative : *Il **n'a pas** oublié ses clefs **ni** son chéquier.*

• Si *ni* est répété devant chaque membre coordonné, la négation se construit **sans *pas***, mais *jamais*, *plus* sont possibles.
Comparez :

> *Il n'a **pas**   pu joindre   son père **ni** ses sœurs.*
> *Il n'a   pu joindre **ni** son père **ni** ses sœurs.*
> *Il n'a **jamais**   pu joindre **ni** son père **ni** ses sœurs.*

RETENEZ

> • N'employez pas *et* avec des membres de phrase déjà coordonnés par *ni*.
>
>> *Il n'a pu joindre **ni** son père **ni** ses sœurs.*
>
> et non *Il n'a pu joindre ni son père ~~et~~ ni ses sœurs.*
>
> • Si *ni* coordonne **des mots ou groupes de mots qui précèdent le verbe**, il faut le répéter.
>
>> ***Ni** hier **ni** aujourd'hui il n'a fait beau.*
>
> et non *Hier ~~et~~ aujourd'hui il n'a pas fait beau.*
>
> • Si *ni* coordonne deux verbes, il faut répéter la négation *ne* devant le second verbe.
>
>> *Il ne boit **ni ne** fume.*
>
> • On n'utilise pas *ni* devant le premier complément d'objet* direct s'il est introduit par *de*, déterminant.
>
>> *Il n'écoute **pas de** jazz **ni de** blues.*
>
> et non *Il n'écoute ~~ni de~~ jazz ni de blues.*
> ou   *Il n'écoute **ni** jazz **ni** blues.*

POUR ALLER PLUS LOIN

• Il est possible d'employer *ni* dans une phrase affirmative comme équivalent de *et sans*.

> *Il est sans travail **et sans** domicile.*
> *Il est sans travail **ni** domicile.*

• Pour l'accord du verbe avec des sujets coordonnés par *ni* : ▶ **192**
  Pour la ponctuation avec *ni* : ▶ **145-3**

EXERCICE

Mettez les phrases suivantes à la forme négative en employant ni.

1. Il ressemble à son père et à sa mère. **2.** Elle prend le train et le bus pour aller travailler. **3.** Je comprends et parle l'anglais. **4.** Il fait chaud, sec et beau.

127. LES NUMÉRAUX : COMMENT LES ÉCRIRE ?

Vingt, cent, mille et les autres

1 LES NUMÉRAUX CARDINAUX   *Deux, trois*

- Les cardinaux permettent de compter, de dénombrer.
    *Il a **trente-deux** ans.*
    *Compte jusqu'à **cinq**.*

RETENEZ

- Les numéraux cardinaux sont **invariables** : ils ne prennent jamais de *s*.
    *Un petit bourg de **deux mille** habitants.*
    *Ils sont venus avec leurs **quatre** enfants.*

sauf :
- *cent* (▶ 33) et *vingt* (▶ 200) qui prennent parfois un *s*.
- *un*, numéral (il sert à compter), qui ne prend jamais la marque du pluriel. Il prend la marque du féminin quand il détermine un nom féminin.
    *Les trente et **un** jours du mois de juillet.*
    *Quarante et **une** tonnes de blé.*
Pour l'accord de *un* employé avec *mille* : ▶ 116

- Ne faites pas de liaison impropre. ▶ 112
    Les trente élèves de la classe. [trãtelev]
                    et non [trãtzelεv]

POUR ALLER PLUS LOIN

- *Million*, *millier* et *milliard* sont des **noms** : ils peuvent donc se mettre au pluriel.
Comparez :

dét.	nom		dét.	nom	compl. du nom
Mille	habitants.		Un	million	d'habitants.
Deux mille	habitants.		Deux	millions	d'habitants.

- Employés comme noms pour désigner les nombres mêmes, les cardinaux sont également invariables.
    *Il fait ses **sept** comme des **un**.*

sauf : *zéro* qui prend un *s* au pluriel.
    *« C'est le tango du temps des **zéros**. »* J. BREL

- Le **trait d'union** (▶ 187) ne se place qu'entre les noms de dizaines et les noms d'unités s'ils ne sont pas reliés par *et*.
    trois mille vingt-cinq | *trente et un*
    quarante-trois mille deux cents | *cent cinq*
et dans *quatre-vingt(s)*, déterminant composé.
    quatre-vingt-trois, quatre-vingt-onze...

- Pour l'emploi de *mille* et de *cent* (*mille cinq cents* ou *quinze cents*) : ▶ 116

2 LES NUMÉRAUX ORDINAUX
Deuxième, troisième

- Les ordinaux permettent d'attribuer un numéro d'ordre, un numéro de rang dans une série.

    *Il est en **deuxième** année de droit.*

- On les forme en ajoutant le suffixe *-ième* au cardinal correspondant, en supprimant au besoin le *e* final :

cardinal	trois	cinq	dix	trente et un	mille
ordinal	troi**sième**	cinqu**ième**	dix**ième**	trente et uni**ème**	mill**ième**

sauf :
- le cardinal *un, une* qui a pour ordinal *premier, première*.
- *neuf*, dont le *f* devient *v* : *neuvième*.

- Pour les numéros de jour, d'année, de lignée dans une dynastie, de page, de chapitre…, on utilise les cardinaux qui ont alors une **valeur ordinale**.

    *Le **10** mai.* (= le dixième jour du mois de mai)
    *Page **vingt-cinq**.*
    *Napoléon **III**.*

Mais on a *premier, première* avec les noms de rois et de jours.

    Le 1er janvier – Napoléon Ier

RETENEZ

- Les ordinaux sont des adjectifs : ils **s'accordent** avec le nom auquel ils se rapportent.

    *Les **premiers** jours du printemps.*
    *Ils sont arrivés **premiers** au championnat.*

- Lorsque *un, cent* et *vingt* ont une valeur ordinale, ils sont **invariables**.

    *Acte deux, scène **un**.* (et non *scène une*)
    *Page **trente et un** – Page **trois cent**.*
    *L'année **1931*** (= …trente et **un**) – *Les années **quatre-vingt**.*

- L'abréviation des ordinaux en *-ième* est *e*.

    Le xxe siècle. et non *Le xxième (ou xxe) siècle.*

POUR ALLER PLUS LOIN

- On emploie indifféremment *second* ou *deuxième*, sauf dans quelques expressions :

    *un état **second** – la classe de **seconde** – le **Second** Empire – de **seconde** main – voyager en **seconde**…*

3 LES FRACTIONS
Deux tiers

- Dans une fraction, le numérateur est exprimé par un cardinal, le dénominateur par un ordinal.

numérateur	$\dfrac{2}{5}$	= *deux **cinquièmes***
dénominateur		CARD. ORD.

numérateur	$\dfrac{1}{200}$	= *un **deux centième***
dénominateur		CARD. ORD.

Mais les nombres 2, 3, 4 ne sont pas transcrits par un ordinal quand ils sont en position de dénominateur.

ordinal	dénominateur
deuxième	demi
troisième	tiers
quatrième	quart

*Les deux **tiers** de la population ont répondu oui.*

RETENEZ

• Le dénominateur fonctionne comme nom : il se met au pluriel. Le numérateur, lui, fonctionne comme déterminant : c'est un cardinal invariable (voir **1**).

Les quatre cinquièmes y sont favorables.
Quelques centièmes de secondes.

Pour l'accord de *demi* : ▶ **62**

• Le *e* abréviatif est réservé aux ordinaux, non aux fractions. Comparez :

3/20 de la production. (fraction) et non *3/20ᵉ*
Le XXᵉ siècle. (ordinal)

• On ne met pas de trait d'union entre l'expression du numérateur et celle du dénominateur.

trois quarts – neuf dixièmes – deux centièmes...

Si le dénominateur est un composé (multiple) de *centième* ou *millième,* il peut s'écrire ou non avec un trait d'union.

un deux-centième (ou *un deux centième*)
= 1/200 (soit $\dfrac{1}{2 \times 100}$)

POUR ALLER PLUS LOIN

• Faites bien la différence entre :

un deux(-)centième
= 1/200 (*un*, dét. sing. : *centième* n'est pas au pluriel)

deux centièmes
= 2/100 (*deux*, dét. plur. : *centième* est au pluriel)

• Pour l'accord du verbe avec un sujet contenant une fraction :
▶ **192**

EXERCICE

Attribuez à chacune des expressions suivantes le bon chiffre et écrivez-le en toutes lettres.

1. Voir ... chandelles. 1ᵉʳˢ
2. La semaine des ... jeudis. 3/4
3. Les ... nuits. 4
4. Être au ... ciel. 7ᵉ
5. Les derniers seront les 36
6. Les ... du temps. 1001

128. ŒIL : QUEL PLURIEL ?

Les yeux d'un bœuf
Des œils-de-bœuf

● Le nom *œil* a pour pluriel *yeux*, sauf lorsqu'il est le premier terme d'un mot composé* avec trait d'union (▶ 120) ; il prend alors un *-s*.

Comparez :

*Les **yeux** d'un bœuf.*
*Des **œils**-de-bœuf.*

RETENEZ

● Dans certaines locutions figées, *œil* reste **toujours** au singulier.

un coup d'**œil**	ne plus voir, regarder qqn, qqch. du même **œil**
à vue d'**œil**	voir qqch. d'un bon, d'un mauvais **œil**
au doigt et à l'**œil**	se mettre le doigt dans l'**œil** *(familier)*
avoir qqn à l'**œil**	se rincer l'**œil** *(familier)*
bon pied bon **œil**	ne pas fermer l'**œil** de la nuit
tourner de l'**œil**	

*Ils n'avaient pas fermé l'**œil** de la nuit.*

et non *Ils n'avaient pas fermé ~~les yeux~~ de la nuit.*

*«Leurs oreilles grandissent à vue d'**œil**.»* D. PENNAC

● *Clin d'**œil*** a deux formes au pluriel :

*des clins d'**œil*** (plus courant)   ou   *des clins d'**yeux***

Au singulier, il ne se trouve que sous une seule forme :

*un clin d'**œil***   (et non *un clin d'~~yeux~~*).

● *Trompe-l'**œil*** est un nom composé masculin **invariable**.
*Les trompe-l'**œil** décorant les façades de la place.*

EXERCICE

Donnez la forme correcte des termes entre parenthèses.

1. Devinette : quelles pierres Toto préfère-t-il, les *(œil-de-chat)* ou les *(œil-de-perdrix)* ? **2.** Dans la famille, ils ont tous les *(œil)* bleus. **3.** Il a fait peindre sur les murs de son salon plusieurs *(trompe-l'œil)*. **4.** Depuis que nous savons qu'ils sont psychologues, nous ne les regardons plus *(du même œil)*.

129. ON : QUEL EMPLOI ?

Quand on veut, on peut
On est tous d'accord

Le pronom *on* a plusieurs valeurs qu'il faut savoir repérer : selon ces valeurs, les accords, le choix des pronoms correspondants, etc., se font différemment.

1 ON A UNE VALEUR INDÉFINIE   *On sonne*

- *On* peut désigner :
- l'homme en général, un ensemble de personnes indéterminées.
  On a tort de croire que tout se vaut.
  = les gens ont tort de croire…
  On se souvient bien de quelque chose quand on l'a compris.
C'est la valeur qu'il a dans les sentences et proverbes.
  «*On ne voit bien qu'avec le cœur. L'essentiel est invisible pour les yeux.*» A. DE SAINT-EXUPÉRY
  = l'homme en général ne voit bien…
- une personne indéterminée. Il équivaut alors à *quelqu'un*.
  Je crois qu'on a sonné.
  = quelqu'un, une personne a sonné.
  On m'a laissé entendre que le projet serait accepté.

RETENEZ

- Quand *on* a une valeur indéfinie, les adjectifs et participes qui s'y rattachent sont au masculin singulier.
  *On n'est jamais assez **prudent**.*
  *Quand enfin **on** croit être **arrivé**…*

- Les possessifs* qui se rapportent à *on* sont alors de la 3ᵉ personne du singulier.
  *On doit honorer la mémoire de **ses** aïeux.*

- *On* ne s'emploie qu'en fonction de **sujet**. En position de complément, il faut utiliser *vous* (qui prend alors une valeur générale) et *soi* s'il s'agit d'un complément réfléchi. ▶ 150
  *Dès qu'**on** entre dans un sauna, la chaleur **vous** engourdit.*
  SUJ.   COMPL.

  *On a toujours besoin d'un plus petit que **soi**.*
  SUJ.   COMPL. RÉFLÉCHI

2 ON EST MIS   *On reviendra*
POUR UN PRONOM PERSONNEL

- *On = nous*
On s'emploie à la place de *nous,* sans intention particulière. Cet emploi, quoique très courant dans la langue parlée, est moins fréquent à l'écrit et relève d'un style moins soutenu.
Comparez :
  *Quand est-ce qu'**on** part ?*
  *Quand partons-**nous** ?*

○

RETENEZ

● Quand *on* est mis pour *nous*, l'adjectif et le participe passé s'accordent avec ce que désigne *on*. Ils ne sont donc pas obligatoirement au masculin singulier.

*La dernière fois qu'on s'est **vus** tous les deux, c'était en avril chez des amis communs.*
On était toutes très contentes de ces résultats.

● Quand *on* n'est pas possible (complément, mise en relief* du sujet), on utilise le pronom *nous*.

Nous, on a compris ce qui nous était demandé.
mise en relief SUJ.   COMPL.

● Les possessifs qui se rapportent à *on* sont alors de la 1re personne du pluriel.

*«Quand **on** n'a que l'amour/Pour vivre **nos** promesses»*
J. BREL

POUR ALLER PLUS LOIN

● À moins de vouloir donner un ton familier à son texte, ou de rapporter une conversation, il vaut mieux ne pas employer *on* pour *nous*. D'autre part, il faut éviter les alternances entre *on* et *nous* au sein d'un même texte.

On est allés se promener et on a fait un pique-nique.
ou mieux *Nous sommes allés nous promener et nous avons...*
et non ~~Nous~~ *sommes allés ~~nous~~ promener et ~~on~~ a fait...*

● *On = je, tu, vous...*
On s'accompagne de différentes valeurs stylistiques ou affectives quand il est mis :

— à la place de *je* (souci de discrétion, de modestie, dans un ouvrage par exemple).

On s'est attaché à rendre compte de l'ensemble du phénomène.
= je (l'auteur) me suis attaché à...

— à la place de *tu* ou *vous*, souvent avec une nuance de familiarité, de complicité...

Alors, on ne dit plus bonjour !
= tu ne dis plus bonjour !
On aura compris, j'espère, ce à quoi je faisais allusion.
= vous aurez compris...

— à la place d'un **impératif**, dans les textes donnant des instructions (▶ 131). Il permet un ton moins directif, moins autoritaire.

On écrira les dates sous forme abrégée.
= écrivez les dates...

RETENEZ

● Quand *on* est mis pour une autre personne, l'accord de l'adjectif ou du participe se fait également avec le nom que désigne *on*.

On s'est attachée à rendre compte... (si l'auteur est une femme)
On est contentes, mes petites chéries ?
= vous êtes contentes ?

- Remarquez que si les adjectifs, participes… s'accordent selon la valeur de *on,* le verbe qui a pour sujet *on* est **toujours** à la 3ᵉ personne du singulier.

- Pour l'emploi de *l'* avec *on* : ▶ 130

EXERCICE

Donnez la valeur de on *dans chaque phrase. Complétez par le pronom ou le possessif adéquat et faites les accords nécessaires.*

1. On n'est jamais si bien servi… que par …-même. **2.** Qu'est-ce qu'on dit à sa maman ? **3.** Si on allait au cinéma ? **4.** Peut-on estimer quelqu'un qui … veut du mal ? **5.** Si on me demande, répondez que je reviens dans une heure. **6.** On ne doit jamais négliger … avenir. **7.** Ma sœur et moi, on est parti… voir … parents.

130. ON OU L'ON ?

Si l'on veut
Si on veut

- Le pronom *on* est un ancien nom (il signifiait «homme»). Dans certains cas, il peut encore être précédé de son ancien article *l'.* Employer *l'on* au lieu de *on* permet d'éviter :

– **un hiatus** * notamment après *et, ou, où, qui, quoi, si.*
Comparez :

 Si on veut.   [siɔ̃vø]
 Si l'on veut.   [silɔ̃vø]

– **le son** [kɔ̃] après *que* et ses composés *(lorsque, puisque, quoique),* surtout si le verbe qui suit *on* commence aussi par le son [kɔ̃].
Comparez :

 Lorsqu'on convient….   [lɔʁskɔ̃kɔ̃vjɛ̃]
 Lorsque l'on convient…   [lɔʁskəlɔ̃kɔ̃vjɛ̃]

RETENEZ

- Mieux vaut laisser «*lonla, lonlère*» aux chansons… et éviter *l'on* devant un mot qui commence par *l.*
 Elle a une jolie voix. Lorsqu'on l'entend, on est émerveillé.
 et non *Lorsque l'on l'entend…*

POUR ALLER PLUS LOIN

- On trouve aussi *l'on* en début de phrase, mais plus rarement.
 L'on pouvait espérer de meilleurs résultats.

- L'usage du *l'* appartient au registre* soutenu, mais il n'a rien d'obligatoire : son emploi varie d'un auteur à l'autre.

131. L'ORDRE : COMMENT L'EXPRIMER ?

Viens
Peux-tu venir ?

Il existe différentes façons d'exprimer l'ordre et l'ordre peut avoir différents degrés (de la prière à la sommation). Par ailleurs, la construction de la phrase impérative* quand le verbe est à l'impératif pose des difficultés bien spécifiques.

1 LES DIFFÉRENTES FAÇONS D'EXPRIMER L'ORDRE

● L'ordre, l'interdiction, la prière, la marche à suivre sont le plus souvent exprimés par l'**impératif.**

> *Ne sors pas tout de suite.*
> *Restez vigilants.*

● On a recours au **subjonctif** introduit par *que* quand l'ordre s'adresse à une ou plusieurs personnes extérieures à la conversation (3e personne) car l'impératif n'existe pas à cette personne. Comparez :

subjonctif	3e sing. 3e plur.	*Qu'il se tienne prêt.* *Qu'ils se tiennent prêts.*
impératif	2e sing. 1re plur. 2e plur.	*Tiens-toi prêt.* *Tenons-nous prêts.* *Tenez-vous prêts.*

La construction avec le subjonctif appartient au registre* soutenu.

● Dans la langue courante, on utilise souvent une construction indirecte avec un verbe d'ordre : ***dire, ordonner, demander à qqn de* (+ inf.).**

> *Je te demander de te tenir prêt à partir.*

● On utilise **la phrase infinitive** lorsque l'ordre s'adresse à tout le monde en général, et non à quelqu'un en particulier. L'infinitif est utilisé pour les modes d'emploi, les indications routières, les recettes de cuisine, parfois les consignes d'exercice...

> *Affranchir au tarif lettre.*
> *Servir frais.*
> *Sortie d'école, ralentir.*
> *Battre les blancs en neige.*
> *Résoudre l'équation suivante...*

● Le **futur**, la fausse **interrogation** permettent d'exprimer un ordre de façon atténuée.

> *On résoudra l'équation suivante...*
> *Vous tournerez à droite au carrefour.*
> (plus que d'un ordre, il s'agit d'une indication.)
> *Peux-tu ouvrir la fenêtre ?*
> (on n'attend pas une réponse orale, mais un acte.)

● La **phrase sans verbe** exprime un ordre qui n'admet aucune contestation possible.

> *Défense d'entrer.*
> *Silence !*

2 **STRUCTURE DE LA PHRASE** *Donne-la-moi*
CONTENANT UN IMPÉRATIF

• La phrase dont le verbe est à l'impératif se caractérise par l'**absence de sujet**.
Comparez :
  impératif : *Partez demain.*
  indicatif : *Vous partirez demain.*
Pour la conjugaison du verbe au mode impératif : ▶ 48

• **La place des pronoms personnels**
– Quand la phrase est **sans négation**, les pronoms **suivent** le verbe auquel ils sont reliés par un trait d'union. ▶ 188
  *Embrasse-**moi**.*
  *Parle-**lui**.*

R E T E N E Z

> • Quand il y a plusieurs pronoms, le complément d'objet* direct (COD) *le*, *la*, *l'*, *les* est **toujours** le premier après le verbe.
>   *Passe-**la**-lui.*
>   COD
>   *Donne-**le**-moi.*   et non   *Donne-moi-le.*
>   COD

– Quand la phrase contient une **négation**, les pronoms se placent dans le **même ordre** que s'il s'agissait d'une phrase déclarative*.
Comparez :
  *Ne **me le** donne pas.*
  *Il ne **me le** donne pas.*
– Pour la place de *en* et *y* : ▶ 84

EXERCICE

Transformez les phrases suivantes pour exprimer un ordre.

1. Vous devez leur obéir. **2.** Il faut peser 100 g de farine. **3.** Ils doivent être là à l'heure. **4.** La route est interdite aux véhicules à moteur. **5.** Tu dois la lui rendre.

132. PAIR ou PAIRE?

Les deux paires vont-elles de pair?

Ne confondez pas ces deux mots qui, non seulement sont homonymes*, mais sont aussi très proches par leur sens.

1 UN PAIR: «UN SEMBLABLE» *Aller de pair*

● **Le pair** de quelque chose, de quelqu'un, c'est ce qui lui est équivalent, semblable.

> *Il a été jugé par ses **pairs**.*
> = par ceux qui ont la même fonction que lui, par ses égaux.

RETENEZ

● Dans ce sens, *pair* se rencontre surtout dans les expressions suivantes où il est toujours au singulier:

– *aller*, *marcher de pair* s'emploie à propos de choses (plus rarement aujourd'hui à propos de personnes) qui ont de nombreux points communs et qui, par conséquent, se trouvent souvent ensemble.

> *Sécurité et sobriété vont de **pair**.*

– *hors pair* ou (plus rare) *hors de pair* s'emploie à propos de personnes, de choses que l'on juge parfaites et qui restent donc sans égales.

> *Son dernier roman avait été un succès hors **pair**.*

– *au pair*: «en échangeant un travail contre nourriture et logement».

> *Elle a travaillé au **pair** un an en Allemagne.*
> *Ils ont une jeune fille au **pair** qui s'occupe des enfants.*

2 UNE PAIRE: *Une paire de gants*
«DEUX ÉLÉMENTS IDENTIQUES»

● **Une paire**, c'est un ensemble constitué par deux éléments de même nature.

> *Une **paire** de boucles d'oreilles et de nombreuses **paires** de chaussures.*

• C'est dans la locution* **aller de pair** que la confusion avec **paire** est la plus fréquente parce qu'on pourrait croire que l'expression signifie «former une paire, un couple».

EXERCICE

Remplacez les pointillés par pair *ou* paire *selon le cas.*

1. Combien de ... de chaussettes y a-t-il dans ce lot? **2.** Le meilleur moyen d'apprendre une langue étrangère, c'est d'aller travailler plusieurs mois au ... dans le pays. **3.** Dans tout travail, rigueur et précision vont de ... . **4.** J'admire cette cantatrice dont le talent est hors ... . **5.** Il fallait d'abord trier tous les boutons par ... . **6.** L'humour ne devrait-il pas toujours marcher de ... avec la finesse?

133. PARTI OU PARTIE?

Il fait partie d'un parti

Parti et **partie** se rencontrent souvent dans des expressions sans déterminant* : pour bien les écrire, il faut savoir alors si l'on a affaire au nom masculin **parti** ou au nom féminin **partie**.

1 UN PARTI, NOM MASCULIN   *Prendre parti*

• **Un parti**, c'est une solution que l'on choisit, une position que l'on adopte devant un problème.
   *Il a longtemps hésité entre plusieurs **partis**.*
   *Je prendrai le **parti** de me taire.*

RETENEZ

• Dans ce sens, **parti** se rencontre surtout dans l'expression **prendre parti** «faire un choix plutôt qu'un autre».
   *Ne prenez pas **parti** sans avoir connaissance des faits.*
Pensez à l'expression **un parti pris** «une idée préconçue» qui met le masculin en évidence.

• **Un parti**, c'est aussi ce qu'une personne a reçu en partage, ce qu'elle a gagné. Ce sens subsiste dans l'expression **tirer parti de** *quelque chose* «en retirer un avantage pour soi».
   *Elle a su tirer **parti** de la situation.*

• **Un parti**, c'est un regroupement de personnes partageant, défendant les mêmes opinions.
   *Un **parti** politique.*
   *Une alliance de **partis**.*

2 **UNE PARTIE, NOM FÉMININ**   *Faire partie d'un groupe*

● **Une partie**, c'est un morceau d'un tout.
– *En partie* : «partiellement, pour une partie seulement».
  *Je ne suis qu'en **partie** d'accord avec lui.*
– *Faire partie de* : «appartenir à, être une partie, être adhérent de».
  *Il fait **partie** de la troupe depuis plusieurs années déjà.*
– *Tout ou partie de* : «le tout ou une partie de».
  *Le propriétaire peut louer tout ou **partie** de son habitation.*

● **Les parties** sont chacun des camps opposés dans une action juridique, un procès, et par extension dans un conflit.
– *Être juge et partie* : «être à la fois juge, arbitre, et l'une des deux parties, l'un des deux adversaires qui s'affrontent».
  *Il ne peut donner son avis, il est à la fois juge et **partie**.*
– *Prendre quelqu'un à partie* : «l'attaquer, le rendre responsable du mal qui est arrivé»; c'est le désigner comme étant la partie adverse dans un procès.
  *Elle l'avait pris à **partie** lui reprochant son mutisme.*

PARTI ou PARTIE ?   *RETENEZ*

  ● Pour trouver le genre du nom, on peut parfois ajouter un adjectif dont le masculin diffère du féminin.
  *Faire **partie** integrante.*
  *En grande **partie**.*
  *Tirer grand **parti** de quelque chose.*

EXERCICE

Remplacez les pointillés par parti *ou* partie *selon le cas.*

1. Il n'a pas voulu se prononcer et n'a donc pas pris … . **2.** Ce travail a été fait en … par lui. **3.** Les représentants des différents … politiques ont fait une déclaration. **4.** Elle a autrefois fait … d'une troupe de théâtre. **5.** Comment tirer … de cette nouvelle situation? **6.** Il nous a pris à … alors que nous n'y étions vraiment pour rien. **7.** Cela fait-il … de vos attributions?

134. LE PARTICIPE PASSÉ : COMMENT L'ACCORDER ?

La lettre que je lui ai écrite
Ils se sont écrit

RAPPELS

● Le participe passé est la forme du verbe que l'on associe à un auxiliaire (▶ 19) pour former les temps composés (▶ 49) ou le passif (▶ 191).

temps composé	auxiliaire		part. passé
passé composé	*je*	*suis*	*arrivé*
futur antérieur	*vous*	*aurez*	*fini*
infinitif passé		*avoir*	*bu*
passif présent...*	*elle*	*est*	*consolée*

• Le participe passé peut s'accorder en genre et en nombre.

• Par convention, le participe passé est donné au masculin singulier. Il forme son pluriel et son féminin de la même façon que
l'adjectif : on ajoute un *e* au féminin, un *s* au pluriel.

   joint – joints – jointe – jointes

sauf :   *dissoudre*   ⇒   *dissous* (masc.), *dissoute* (fém.)

   absoudre   ⇒   *absous* (masc.), *absoute* (fém.). ▶ **198**

---

1 **LE PARTICIPE PASSÉ**   *Ils sont arrivés*
EMPLOYÉ AVEC ÊTRE

• Le participe passé employé avec *être* s'accorde en genre et
en nombre avec le **sujet**. C'est le cas de :
– quelques verbes intransitifs conjugués avec *être*. ▶ **19**
   Ils sont arrivés avant qu'elle ne soit partie.
   Ces points ne nous étaient pas apparus si difficiles.
– des verbes au passif*.
   Maintenant qu'elle est consolée, elle a un beau sourire.

RETENEZ

• Les verbes pronominaux, bien que **toujours** conjugués avec
être, n'accordent pas systématiquement leur participe passé
avec le sujet (voir **3**).

---

2 **LE PARTICIPE PASSÉ**   *Ils ont couru*
EMPLOYÉ AVEC AVOIR

• Le participe passé employé avec *avoir* ne s'accorde **jamais**
avec le sujet.
   Pourquoi avez-vous souri en le voyant ?
   Ils ont très bien interprété la pièce.

• Le participe passé s'accorde avec le complément d'objet* direct
(COD), si ce complément précède le participe. C'est le cas :

– quand le COD est un **pronom personnel** (parce que les pronoms personnels sont placés devant le verbe)	*J'ai poussé la grille et je l'ai ouverte sans difficulté.*
– quand le COD est un **pronom relatif** (parce que le relatif est le 1er mot de la proposition, il est donc avant le participe)	*La proposition que vous lui avez faite est intéressante.*
– dans une **interrogation** ou une **exclamation** qui porte sur le COD	*Quels exemplaires a-t-il choisis ?* *Je sais quels exemplaires il a choisis.* *Que d'efforts n'a-t-elle faits pour lui !*

- Dans les autres cas, le COD suit le participe et il n'y a donc pas accord.

Vous lui aviez fait une proposition intéressante.
<u>COD</u>

RETENEZ

- Il est toujours important de bien localiser le COD et, quand il s'agit d'un pronom, de déterminer le genre et le nombre de son antécédent*.

Lesquelles as-tu choisies ?
COD (fém. plur.)

- N'oubliez pas que les pronoms des 1ʳᵉ et 2ᵉ personnes ont aussi un genre !

Pourquoi m'as-tu conduite là ?
COD (la personne qui parle est une femme)

Leurs réponses t'ont surprise agréablement.
COD (la personne à qui l'on parle est une femme)

- Pour les verbes tels que *peser, mesurer, coûter...*, faites bien la différence entre les compléments circonstanciels* de mesure, de durée, de valeur... (ils répondent à la question *combien ?* ▶ **95-5**) et le COD : le participe passé ne s'accorde pas avec les compléments circonstanciels.

Comparez :

compl. circ. : pas d'accord	COD : accord
Les 100 kilos qu'il aurait pesé s'il n'avait pas suivi un régime.	*Les fruits que le commerçant a pesés.*
Combien d'années a-t-il passé à cet ouvrage ?	*Quels accords ont-ils passés avec vous ?*
Je n'oublierai pas les 500 F que ce voyage m'a coûté.	*Je n'oublierai pas les efforts que ce travail m'a coûtés.*

- Faites bien la différence entre :
– *l'* représentant un **groupe nominal** (*l'* porte donc le même nombre et le même genre que ce groupe) ;
– *l'* représentant une **proposition** (*l'* est alors un pronom neutre (▶ **98**) et le participe passé qui s'accorde avec lui est au masculin singulier).

Comparez :

Marie est arrivée hier. Je l'ai vue aujourd'hui.
l' (COD) = Marie (nom) ⇒ *vue* est au fém. sing.

Marie est arrivée hier. Je l'ai su aujourd'hui.
l' (COD) = Marie est arrivée hier (prop.) ⇒ *su* est au masc. sing.

POUR ALLER PLUS LOIN

- *En* est un pronom neutre. Le participe passé qui a pour COD le pronom *en* est toujours au **masculin singulier**. ▶ **84**

Il y avait cinq exemplaires. Combien en a-t-il vendu ?

- Le participe passé des verbes impersonnels et des constructions impersonnelles (▶ **191-1**) est toujours **invariable**.

Que d'efforts il nous a fallu pour le convaincre !

3 **LE PARTICIPE PASSÉ**
DES VERBES PRONOMINAUX

Ils se sont vus
Ils se sont plu

Il n'est pas toujours facile de savoir comment accorder le participe passé des verbes pronominaux. Il faut d'une part bien identifier la valeur du verbe (▶ **151**) et d'autre part identifier la fonction du pronom *(me, te, se…)* (▶ **193**).

■ Les verbes essentiellement pronominaux et les verbes pronominaux passifs

Le participe passé des verbes essentiellement pronominaux (▶ **151-4**) et des verbes pronominaux passifs (▶ **151-3**) s'accorde **toujours avec le sujet** : dans ce type de construction, le pronom réfléchi n'a pas véritablement de fonction.

– Verbes essentiellement pronominaux.

*Elles se seront absent**ées** quelques instants.*
*Nous nous sommes efforc**és** de répondre à leur attente.*

– Verbes pronominaux passifs.

*Cette collection s'est très bien vend**ue**.*

RETENEZ

• *S'arroger, se rendre compte,* bien que verbes essentiellement pronominaux, n'accordent pas leur participe avec leur sujet (voir ci-après RETENEZ, p. 231).

■ Les verbes pronominaux réfléchis et les verbes pronominaux réciproques

Dans le cas des pronominaux réfléchis (▶ **151-1**) ou réciproques (▶ **151-2**), le pronom a une **fonction** qu'il faut analyser.

RAPPEL

• Le pronom est COD quand il est mis pour *moi, toi, soi…* Il est complément d'objet indirect ou d'objet second (COI ou COS, ▶ **193**) quand il est mis pour *à moi, à toi, à soi…*
Comparez :

Elle __se__ lave. } = elle lave «__soi__» (elle-même).
COD   COD

Ils __se__ plaisent. } = ils plaisent «__à eux-mêmes__».
COI   COI

Ils __s'écrivent une lettre__. } = ils écrivent __une lettre__ «__à eux-mêmes__».
COS   COD   COD   COS

• Quand le pronom réfléchi est **COD**, le participe **s'accorde** avec ce pronom puisqu'il le précède.

*Ils ne __s'__étaient pas v**us** depuis plusieurs années.*
CO͞D (= ils n'ont pas vu «eux».)

*Elles __se__ sont ass**ises** à leur place.*
COD (= elles ont assis «elles».)

Le participe s'accordant avec le pronom, on dit parfois qu'il s'accorde avec le sujet, puisque le pronom représente la même personne que le sujet.

● Quand le pronom réfléchi est **COI**, le participe **ne s'accorde pas**.

Ils ne se sont pas téléphoné mais se sont écrit le mois dernier.
COI (= ils ont téléphoné «à eux».)   COI (= ils ont écrit «à eux».)

RETENEZ

● Le pronom réfléchi d'un verbe pronominal est un COI (et non un COD) lorsque l'infinitif du verbe **en emploi non pronominal** se construit avec une préposition. Le participe d'un tel verbe **ne s'accorde jamais** (voir liste, p. 233).

se plaire (plaire **à**)	*Ils se sont plu.* = ils ont plu «**à** eux-mêmes».
se succéder (succéder **à**)	*Les années se sont succédé.* = les années ont succédé «**à** elles-mêmes».
se ressembler (ressembler **à**)	*Ils ne s'étaient jamais autant ressemblé.* = ils n'avaient jamais autant ressemblé l'un **à** l'autre.

● Quand le pronom réfléchi est **COS**, le participe **ne s'accorde pas** avec lui (donc pas avec le sujet), mais il **s'accorde** avec le COD qui le précède.
Comparez :

Les Durand se sont acheté une voiture. COS COD = ils ont acheté une voiture «à eux-mêmes».	COD placé **après** le participe : **pas d'accord**
Laquelle se sont-ils achetée? COD COS	COD placé **avant** le participe : **accord**

RETENEZ

● *Se rendre compte*, bien que verbe essentiellement pronominal, relève de cette construction : *compte*, ancien COD, est placé après le participe qui est donc **toujours invariable**.
Nous ne nous étions pas rendu compte de notre erreur.

● *S'arroger (un droit...)* est aussi un verbe essentiellement pronominal : cependant, le participe ne s'accorde jamais avec le sujet mais avec le COD *(un droit...)* s'il le précède.
Comparez :
Elle s'est arrogé ces nouveaux droits et se croit tout permis.
Avec les nouveaux droits qu'elle s'est arrogés, elle se croit tout permis.

4 **PARTICIPE PASSÉ ET INFINITIF**   *Les sommes qu'il a dû verser*

● Certains verbes admettent comme complément un infinitif.
La même règle s'applique : il y a **accord** avec le COD s'il précède le participe. Mais il faut s'assurer qu'il s'agit bien du **COD du participe**, non celui de l'infinitif.
Si l'on a affaire au COD de l'infinitif, il ne peut commander l'accord du participe qui reste alors **invariable**.

Remarque : le COD ne se rattache au participe que s'il est aussi sujet de l'infinitif.

Comparez :

COD de l'infinitif : pas d'accord	COD du participe (= sujet de l'infinitif) : accord
Voici les exercices qu'il nous a demandé de faire. = il nous a demandé de faire les exercices. COD	*Je les ai vus partir.* = j'ai vu les enfants (qui partaient). COD SUJ.
La robe qu'elle s'est fait faire. = elle s'est fait faire une robe. COD	*Je me suis sentie tomber.* = j'ai senti "moi" (qui tombais). COD SUJ.
Cette symphonie, je l'ai déjà entendu jouer. = j'ai entendu quelqu'un jouer cette symphonie. COD	*La pianiste que j'ai entendue jouer.* = j'ai entendu la pianiste (qui jouait). COD SUJ.

RETENEZ

- Les participes des verbes suivants restent **invariables** quand ils sont suivis d'un infinitif car le complément n'est pas leur COD.

préférer, souhaiter, aimer…	*C'est elle que j'aurais préféré / aimé inviter.*
croire, penser…	*La réponse que j'avais cru / pensé deviner.*
vouloir, devoir, pouvoir…	*Tous les efforts qu'il a voulu / dû / pu (faire).*
demander, dire…	*Les exercices qu'on m'a demandé / dit de faire.*
permettre, interdire, refuser…	*Toutes les choses qu'on m'a permis / interdit de faire.*

Dans d'autres constructions, notamment s'ils ne sont pas suivis d'un infinitif, les participes de ces verbes peuvent s'accorder.

La chanson que j'ai préférée.

- L'accord des participes passés de *faire* (▶ 91) et *laisser* (▶ 109) répond à ces règles.

5 LE PARTICIPE PASSÉ EMPLOYÉ SANS AUXILIAIRE   *Mission accomplie*

- Le participe passé sans auxiliaire a la même valeur qu'un adjectif (épithète, attribut…) : il s'accorde **toujours** en genre et en nombre avec le nom ou pronom auquel il se rapporte.

« Les flamboyants dressés déploient leurs armoiries de feu. »
P. GRAINVILLE

Elle me semble beaucoup moins fatiguée aujourd'hui.
Ne les trouves-tu pas rajeunis tous les deux ?

• Quelques participes passés employés **devant** un groupe nominal ont valeur de préposition. Ils ne s'accordent pas.

Comparez :

> La situation **vue** sous cet angle n'est pas catastrophique.
> = la situation est vue sous cet angle. *(valeur d'adjectif)*
> **Vu** la situation, je préfère intervenir maintenant.
> = eu égard à la situation… *(valeur de préposition)*
> Il est arrivé à dix heures **passées**.
> **Passé** dix heures, il sera trop tard.

C'est le cas de :

étant donné	mis à part	ci-joint
excepté	vu	ci-inclus…

> **Étant donné** la situation, nous pouvons envisager une reprise de la croissance.
> Tous viendront **excepté** mes parents.

PARTICIPE PASSÉ, ACCORD *RETENEZ*

• Tous les verbes intransitifs et transitifs indirects (▶ **193**) qui se conjuguent avec **avoir** ont un participe passé **invariable**. En effet :

– ils n'ont par définition jamais de COD qui les précède ;
– ils ne sont jamais au passif, donc jamais avec *être*.

Même à la forme pronominale, ils restent invariables (voir ci-dessus **3**).

C'est le cas de :

acquiescer	collaborer	(se) plaire
(s')agir	dépérir	(se) ressembler
boiter	luire	(se) rire
briller	(se) mentir	(se) sourire
cheminer	(se) nuire	(se) succéder
chuter	(se) parler	(se) suffire…

> Des explications ont suffi à le rassurer.
> Jamais ils ne s'étaient nui.

EXERCICE

Remplacez les pointillés par la terminaison adéquate et donnez les raisons de votre choix.

Histoire de lettres qu'on n'a cessé… d'écrire

1. Nous avons *écrit…* une lettre. **2.** As-tu lu la lettre qu'ils se sont *écrit…* ? **3.** Combien de lettres as-tu *écrit…* ? **4.** Il a lu les trois lettres que nous lui avions *écrit…* . **5.** Ils se sont *écrit…* tous les jours. **6.** J'aurais du mal à écrire une lettre. Je n'en ai pas *écrit…* depuis longtemps. **7.** Ils se sont *écrit…* une lettre tous les jours. **8.** J'ai posté trois lettres. Nous les avions *écrit…* ensemble. **9.** J'ai retrouvé trois lettres *écrit…* par mon frère. **10.** Je me demande combien de lettres il a *écrit…* . **11.** Que de lettres n'a-t-il pas *écrit…* ! **12.** Toutes ces lettres ont été *écrit…* par la même personne. **13.** Voici la lettre qu'on m'a *demandé…* d'écrire.

135. PARTICIPES PASSÉS EN [i] : ORTHOGRAPHE

Il aurait déjà fini
Elle a écrit
Nous avions pris

• Les participes passés qui se terminent par le son [i] s'écrivent-ils *-i* comme *fini*, *-it* comme *écrit*, ou *-is* comme *pris* ? La forme du féminin, si elle existe, donne une indication sur la terminaison du participe passé.

finie   [fini]   ⇒   *il aurait fini*
écrite [ekʀit] ⇒   *elle a écrit*
prise   [pʀiz]   ⇒   *nous avions pris*

Mais pensez aussi à l'infinitif pour orthographier le participe.

---

1 **INFINITIF EN -IR : PARTICIPE EN -I**

Dormir
Dormi

• Le participe passé en [i] des verbes en *ir*, [iʀ], s'écrit *-i*.

dormir   *Il a dormi plus d'une heure.*
partir   *Il est parti depuis peu.*
pourrir *Les fruits ont pourri sur l'arbre.*

RETENEZ

• *Suivre* (ainsi que *s'ensuivre* et *poursuivre*) ont également un participe passé en *-i*.
Elle avait poursuivi de longues études.

• **Attention :** les verbes formés sur *quérir (acquérir, conquérir, reconquérir, s'enquérir* et *requérir*) malgré leur infinitif en *-ir*, ont un participe passé en *-is*. ▶ 5
Napoléon a conquis de nombreux pays.
Quérir lui-même est inusité au participe passé.

---

2 **INFINITIF EN -IRE : PARTICIPE EN -IT**

Déduire
Déduit

• Le participe passé en [i] des verbes en *-ire*, [iʀ], s'écrit *-it*.

cuire   *La viande n'a pas assez cuit.*
dire   *C'est, paraît-il, ce qu'il aurait dit.*

RETENEZ

• *Maudire* a bien un participe passé en *-it* : *maudit*. Aux autres temps, il a les mêmes terminaisons que *finir*. ▶ 68

• **Attention :** *luire* (et *reluire*), *nuire*, *bruire* (littéraire), *suffire*, *rire* (et *sourire*) ont un participe en *-i*.
Le soleil a lui toute la journée.
Ils nous ont souri.
Cela n'a pas suffi.

• *Occire* « tuer » et *circoncire* ont un participe passé en *-is* : *occis, circoncis*. *Occire* relève de la langue littéraire.

3 **INFINITIF SANS SON [i]:**
PARTICIPE EN -IS

Prendre
Pris

• Le participe passé en [i] s'écrit *-is* si l'infinitif ne contient pas le son [i]. C'est le cas de *seoir*, *prendre* et *mettre*, ainsi que de leurs dérivés et composés.

as**seoir**	*Il s'est assis.*
com**prendre**	*Vous n'avez pas tout compris.*
retrans**mettre**	*Le match sera retransmis.*

PARTICIPES PASSÉS EN [i]   *RETENEZ*

• Ne confondez pas certains participes passés avec des adjectifs ou des noms (de sens proche ou non): ils se terminent eux aussi par le son [i], mais s'écrivent différemment. Comparez:

participe passé	adjectif ou nom
béni (de *bénir*)	*bénit* (sens de bénédiction religieuse)
subi (de *subir*)	*subit* «soudain»
décrépi (de *décrépir*)	*décrépit* «affaibli»
verni (de *vernir*)	un *vernis*
acquis (de *acquérir*)	un *acquit* ▶ **5**

part. passé: *Le prêtre a béni leur union.*
adj.:   *L'eau bénite – C'est du pain bénit.*
L'adjectif peut aussi s'écrire *béni* quand il n'est pas pris dans le sens religieux.

«*C'était une époque bénie, où les gens se rendaient service.*» M. PAGNOL

PARTICIPES PASSÉS EN [i] *POUR ALLER PLUS LOIN*

• Quand le participe passé s'accorde (▶ **134**), il prend bien sûr les marques du féminin (*-e*) ou du pluriel (*-s*).

Les vieilles <u>planches</u> pourries du grenier.
(le participe passé *pourri* est au féminin pluriel.)

Ils sont tous partis.
(le participe passé *parti* est au masculin pluriel.)

EXERCICE

Complétez les phrases en donnant les participes passés des verbes entre parenthèses.

1. J'ai *(finir)* ce que j'avais *(entreprendre)*. **2.** Il est *(sortir)* parce qu'on le lui avait *(permettre)*, mais les autres ne sont pas *(sortir)*.
3. J'en ai *(déduire)* qu'elle avait bien *(transmettre)* le message.
4. Cela n'a pas du tout *(nuire)* à ses projets. **5.** S'il avait *(sourire)* à la jeune fille, il aurait *(conquérir)* son cœur. **6.** Il nous a *(redire)* que c'était *(interdire)*. **7.** Il a *(tressaillir)* parce que nous l'avons *(surprendre)*. **8.** Maintenant que l'espoir avait *(luire)*, il reprenait courage. **9.** Les denrées n'ont pas *(pourrir)* parce qu'elles ont *(subir)* des traitements. **10.** Il a *(agir)* par prudence.

136. PARTICIPES PASSÉS EN [y] :
ORTHOGRAPHE

*Il a inclus
ce que j'avais exclu*

- Contrairement aux participes passés se terminant par le son [i] (▶ 135), il n'y a pas d'hésitation à avoir sur la terminaison écrite de ceux en [y] : **ils se terminent par -u.**

  Il a tout lu.
  C'est ainsi qu'ils ont conclu leur affaire.
  Vous auriez dû nous prévenir.

- **Seuls** les participes passés des verbes *inclure* et *occlure* (rare) s'écrivent **-us** (le féminin est *incluse, occluse*).

  Nous avons inclus la taxe dans nos tarifs.

RETENEZ

- Les participes passés de ***devoir, mouvoir*** et ***croître*** (et ***recroître***) ont un accent circonflexe qui disparaît lorsqu'il y a accord au féminin ou au pluriel. ▶ 4

  *Il a **dû** passer hier.*
  *Les sommes **dues**.*

- **-s** et **-t** sont des désinences du présent (ou du passé simple) de l'indicatif (▶ 48) : elles ne sont **jamais** la dernière lettre d'un participe passé (masculin singulier) se terminant par le son [y], exception faite d'*inclus, occlus*.

  Comparez :

  Il exclut cette possibilité. ⎫
  Tu exclus cette possibilité. ⎬ présent (ou passé simple)
  Il a exclu cette possibilité. ⎭ passé composé
  et non *Il a exclut... – Il a exclus...*

POUR ALLER PLUS LOIN

- Quand le participe passé s'accorde (▶ 134), il prend bien sûr les marques du féminin (*-e*) ou du pluriel (*-s*).

  L'affaire a été rapidement conclue.
  (le participe passé *conclu* est au féminin singulier.)

  Les livres que nous avons lus.
  (le participe passé *lu* est au masculin pluriel.)

EXERCICE

Complétez les phrases en donnant les participes passés des verbes entre parenthèses.

1. Tout fut rapidement *(résoudre)*. **2.** Ce film a beaucoup *(décevoir)* le public. **3.** Il avait *(falloir)* faire un choix. **4.** Je ne sais pas encore si je viendrai, mais cela n'est pas *(exclure)*. **5.** Dans ce total, nous avons *(inclure)* la TVA. **6.** Ce projet a été *(concevoir)* il y a plusieurs mois. **7.** Dans la nuit, le fleuve avait *(croître)*. **8.** Qui aurait *(croire)* cela ? **9.** Vous avez *(devoir)* faire un faux numéro.

137. PASSÉ SIMPLE : COMMENT CONJUGUER AU PASSÉ SIMPLE ?

*Il s'ennuya
et il s'enfuit*

Comme toutes les autres formes de la conjugaison (▸ **46**), celles du passé simple se composent d'un radical et d'une terminaison. Le passé simple est un temps sans doute plus difficile à conjuguer que les autres car ses terminaisons sont plus nombreuses.

Comparez :

passé simple	imparfait
il chant-**a**	il chant-**ait**
il fin-**it**	il finiss-**ait**
il parv-**int**	il parven-**ait**
il cour-**ut**	il cour-**ait**

1 UN SEUL RADICAL

J'appris, nous apprîmes

● Le verbe garde le même radical pour tout le passé simple, ce qui n'est pas le cas pour d'autres temps.

Comparez :

passé simple	présent
j' **appr**-is	j' **apprend**-s
nous **appr**-îmes	nous **appren**-ons
ils **appr**-irent	ils **apprenn**-ent

RETENEZ

● Il suffit donc de connaître une personne pour pouvoir conjuguer un verbe à toutes les autres personnes du passé simple.

2 PLUSIEURS TERMINAISONS

J'appris, je sus

● Tout comme le présent de l'indicatif et le présent de l'impératif (▸ **48**), le passé simple a des terminaisons différentes selon les verbes.

	verbes en *-er* (y compris *aller*)	*venir*, *tenir* (et dérivés ou composés)	tous les autres verbes	
je	−AI	−INS	−IS	ou −US
tu	−AS	−INS	−IS	−US
il	−A	−INT	−IT	−UT
nous	−ÂMES	−ÎNMES	−ÎMES	−ÛMES
vous	−ÂTES	−ÎNTES	−ÎTES	−ÛTES
ils	−ÈRENT	−INRENT	−IRENT	−URENT

*Il lui envoy**a** un télégramme dès qu'il s**ut** la nouvelle et lui transm**it** ses félicitations.*
*Ils parl**èrent** longtemps et concl**urent** un accord.*
*Il cr**ut** sa dernière heure venue quand elle pr**it** le volant : il la pri**a** de ralentir mais elle f**it** semblant de n'avoir rien entendu.*

RETENEZ

- Les verbes en **-er** n'ont jamais de *s* à la 1re personne du singulier : **-ai**.

  Je voulus entrer, mais je n'osai pas.
  (je n'osais pas serait l'imparfait.)

- Les verbes formés sur *venir* et *tenir* ont eux aussi une terminaison en **-in**.

  Ils obtinrent tous de bons résultats.

- Pour les **autres verbes**, il n'existe pas de règle permettant de dire si la conjugaison est en **-is** *(je fis,* de *faire)* ou en **-us** *(je fus,* de *être).* Notez cependant que :
  – tous les verbes dont l'infinitif s'écrit **-ir** [iʀ] ont leur passé simple en **-is**.

  je sentis – je finis – j'ouvris – je m'enfuis – je servis...
  sauf : *venir* et *tenir* (voir tableau, p. 237)
    mourir, courir et leurs composés : *il mourut, il courut.*
  – tous les verbes dont l'infinitif s'écrit **-oir** ou **-ure** ont leur passé simple en **-us**.

  je voulus – il plut – je sus – j'émus...
  j'exclus – je conclus...
  sauf : *voir* (et *revoir, entrevoir), prévoir, asseoir* et *surseoir.*
    je vis, je prévis, il s'assit...

- Pensez bien à l'accent circonflexe des deux premières personnes du pluriel, pour **tous** les verbes. ▶ 4

  nous chantâmes – vous vîntes...

PASSÉ SIMPLE   *POUR ALLER PLUS LOIN*

- Le passé simple appartient au registre* soutenu. Il est peu fréquent dans la conversation où on lui préfère souvent le passé composé. À l'écrit, son emploi est plutôt réservé au récit. Il faut veiller à ne pas mélanger passé simple et passé composé dans un même texte.

  Je le vis et je courus vers lui.
  ou *Je l'ai vu et j'ai couru vers lui.*

- L'**imparfait du subjonctif** est formé sur le radical et la voyelle du passé simple. Les terminaisons sont :

	singulier	pluriel
1re	-SSE	-SSIONS
2^e	-SSES	-SSIEZ
3^e	-^T	-SSENT

Comparez :

passé simple	imparfait du subjonctif
il aima	*qu'il aimât – qu'ils aimassent*
il fut	*que tu fusses – qu'il fût – que nous fussions*

Il est très peu employé, si ce n'est dans le registre soutenu.

EXERCICE

Mettez au passé simple les verbes qui sont au passé composé.

1. Lorsqu'il est revenu, nous nous sommes mis à table. **2.** Ils ont pris le train de 17 h. **3.** Les enquêteurs ont conclu au suicide. **4.** Ses peines se sont enfuies dès qu'elle a aperçu ton sourire. **5.** Quand je suis entré, tout le monde s'est tu.

138. PASSER :
QUEL AUXILIAIRE
AUX TEMPS COMPOSÉS?

Il a passé trois jours à Paris
Il est passé par Paris

Selon ses emplois, ***passer*** se conjugue avec l'auxiliaire *avoir* ou *être* aux temps composés. ▶ 19

1 **AVOIR PASSÉ**   *Ils ont passé un accord*

- Comme tous les verbes transitifs, ***passer*** se conjugue avec *avoir* quand il est employé avec un COD. ▶ 193

    Ils **ont passé** un accord avec leur concurrent direct.
    Avez-vous **passé** de bonnes vacances?

- De même, l'expression ***passer pour*** («être considéré comme, avoir la réputation de») se conjugue avec ***avoir***.

    Il **a** toujours **passé pour** plus jeune qu'il n'est réellement.

2 **ÊTRE PASSÉ**   *Il est passé chef de service*

- ***Passer*** se conjugue avec ***être*** quand il signifie «devenir».

    Grâce à une formation adéquate, il **est passé** chef de service.

- Comme tous les verbes pronominaux, *se passer* se conjugue avec ***être***.

    Comment cela **s'est**-il **passé**?
    Elle s'en **serait** bien **passée**.

3 **ÊTRE PASSÉ OU AVOIR PASSÉ**   *Un an est passé*
                                          Un an a passé

- Quand ***passer*** est intransitif, ***être*** est aujourd'hui plus courant, mais *avoir* est encore possible. ▶ 193

    Cet incident **est passé** sous silence.
    Toutes ses économies y **seraient passées**.
    Le chien a aboyé quand le facteur **est passé** devant la porte.
    «Nous discutions des heures pour décider si la balle **avait passé** trop haut ou était rentrée.» J. JOFFO

- Quand *passer* signifie «s'écouler dans le temps», l'auxiliaire *avoir* est encore courant.

    *Dix ans **ont passé** depuis notre première rencontre.*
    ou   *...**sont passés**...*

RETENEZ

- Que l'on emploie l'un ou l'autre auxiliaire, il ne faut pas oublier les règles d'accord du participe passé. ▸ 134

Comparez :

    La balle <u>avait</u> passé trop haut...
    *La balle <u>était</u> pass**ée** trop haut...*

EXERCICE

Mettez les phrases suivantes à un temps composé en employant l'auxiliaire qui convient à l'emploi de passer.

1. Il passe son existence à s'occuper des plus démunis. **2.** Quand je passe devant la pâtisserie, je m'arrête. **3.** Ces évènements se passent sous la Révolution. **4.** Vous passerez votre commande auprès de notre service. **5.** Quand le Père Noël passe-t-il? **6.** Il passe un examen de philosophie.

139. PERSONNALISER OU PERSONNIFIER?

Personnaliser l'enseignement
Personnifier l'amour

Ne confondez pas ces deux verbes construits sur le même radical, mais de sens très différents.

1   **PERSONNALISER:**   *Personnaliser un produit*
     «INDIVIDUALISER»

- **Personnaliser**, c'est rendre personnel, attribuer à quelque chose un caractère particulièrement adapté à son destinataire.

    *Il faudrait **personnaliser** davantage l'enseignement en tenant compte des aptitudes de chaque élève.*

C'est un terme utilisé fréquemment dans la langue du commerce ou de la publicité, notamment au participe passé.

    *Un crédit **personnalisé** vous permettra de rembourser votre emprunt selon vos possibilités.*
    = adapté à votre personne.

Personnaliser peut avoir pour synonymes selon les contextes *individualiser, particulariser...*

- **Personnaliser** est formé avec le suffixe* *-iser* qui signifie
«rendre...» (de même : *actualiser* «rendre actuel», *généraliser* «rendre général»).

2 **PERSONNIFIER:**
«INCARNER»   *Personnifier l'amour*

- **Personnifier**, c'est représenter une chose, un objet, une notion
abstraite sous les traits d'une personne, lui attribuer des caractères
humains.

  *On **personnifie** la mort en la représentant sous les traits d'une
  femme tenant une faux à la main.*
  *Une femme tenant une faux à la main **personnifie** la mort.*

  Personnifier, dans ce sens, est un terme de la critique artistique
ou littéraire.

- **Personnifier** signifie également, dans le vocabulaire courant,
«présenter en soi, dans sa personne tous les caractères d'une
qualité, d'un défaut...»

  *Cet homme **personnifie** la bonté même.*

  Dans ce sens, ***personnifier*** a pour synonyme *incarner*.
  On l'emploie plus couramment comme adjectif.

  *Il est la bonté **personnifiée**.*

PERSONNALISER...   **POUR ALLER PLUS LOIN**

- Distinguez bien aussi les dérivés* ***personnalisation*** et
personnification.

  *La **personnalisation** de l'enseignement permettrait à
  l'élève de travailler à son rythme.*
  *La femme à la faux est la **personnification** de la mort.*

- Pensez à bien écrire tous ces dérivés avec **nn** comme
personne.

EXERCICE

Remplacez les pointillés par le terme adéquat : personnaliser, *personnifier ou un de leurs dérivés.*

1. L'allégorie est la figure de style qui permet de ... des notions
telles que la justice, l'amour, la gloire, etc. **2.** Vous pouvez ... les
commandes de votre ordinateur grâce au clavier. **3.** La ... des envois
publicitaires est un moyen de séduire les clients. **4.** Comment Victor
Hugo ...-t-il la déroute de l'armée française ? **5.** Ma mère était très
amateur de mode : un foulard, un bijou suffisaient à ... ses tenues.
À mes yeux, elle ... la grâce. **6.** Dans les fables, les animaux, doués
de parole, sont ... .

140. PERSONNE:

QUEL GENRE? *Une personne est déjà arrivée*
Personne n'est encore arrivé

Personne n'a pas le même genre selon qu'il est nom ou pronom.

---

1 **PERSONNE:** *Pas de personne compétente*
NOM FÉMININ

• *Personne* est un nom quand il signifie «individu, être humain».
Il est précédé d'un déterminant*, il peut être qualifié par un
adjectif… Les termes qui s'y rattachent (adjectifs, déterminants,
pronoms…) sont **au féminin**.

*Les **personnes** concernées déposeront elles-mêmes un dossier.*
*Une **personne** a appelé ce matin. Elle rappellera demain.*

---

2 **PERSONNE:** *Personne n'est concerné*
PRONOM NEUTRE

• *Personne* est un pronom indéfini quand il signifie «aucun être
humain, pas un». Il s'emploie sans déterminant et avec la négation
ne. ▶ **125**

*Tous ont essayé, mais **personne** ne m'a convaincu.*

Il a une valeur de neutre (▶ **98**), marqué par le masculin singulier. Les termes qui s'y rattachent (adjectifs, participes,
pronoms…) sont donc **au masculin singulier**.

*Je n'ai vu **personne** qui se soit déjà mis au travail.*
***Personne** ne me fera faire ce qu'il ne voudrait faire lui-même.*

PERSONNE	*POUR ALLER PLUS LOIN*

• La distinction de sens entre le nom féminin et le pronom
indéfini neutre peut être minime. Mais les accords et les
constructions diffèrent.
Comparez:

*Je n'ai pas trouvé de **personne** plus compétente qu'elle.*
⇒ *j'ai trouvé **une personne** plus compétente qu'elle.* (nom fém.)
*Je n'ai trouvé **personne** de plus compétent qu'elle.*
⇒ *j'ai trouvé **quelqu'un** de plus compétent qu'elle.* (pron. indéf.)

EXERCICE

Selon l'emploi de personne, *mettez le mot entre parenthèses à la
forme qui convient; complétez les pointillés avec le pronom adéquat.*

1. Je ne connais personne d'aussi *(attentionné)*. **2.** C'est une personne que nous avons déjà *(rencontré)*. Nous … reverrons très prochainement. **3.** Les personnes ayant gagné un lot sont *(prié)* de venir
le chercher. Après le 15 mai, … devront le réclamer auprès du siège
de l'association. **4.** Personne n'était *(satisfait)* de ces nouvelles
mesures, mais personne ne s'en est *(plaint)*. **5.** De nombreuses personnes se sont *(plaint)* auprès de la direction. … menacent de faire
grève. **6.** Personne parmi vous n'a-t-… jamais goûté à ce plaisir?

141. PIRE OU PIS?

Pour le meilleur et pour le pire

1 **PIRE** *C'est pire*

• **Pire** est le comparatif de supériorité de l'adjectif *mauvais* (▶ **40**). C'est donc un **adjectif** et il doit être employé comme tel : avec un nom ou un pronom.

La situation n'est pas pire qu'hier.
Il n'est pire eau que l'eau qui dort.

2 **PIS** *Tant pis*

• **Pis** est le comparatif de supériorité de l'adverbe *mal* (▶ **40**). C'est donc un **adverbe**, notamment dans les expressions :

*tant **pis***	*au **pis** aller* «dans l'hypothèse la plus défavorable»
*de mal en **pis***	*dire **pis** que pendre de quelqu'un* «en dire beaucoup de mal»

PIRE OU PIS ? RETENEZ

• Lorsque vous hésitez entre **pire** et **pis**, voyez lequel de leur opposé conviendrait.

*tant **mieux*** ⟹ *tant **pis** et non tant ~~pire~~*
*une idée bien **meilleure*** ⟹ *une idée bien **pire***

PIRE OU PIS ? POUR ALLER PLUS LOIN

• Avec *c'est..., quelque chose de..., rien de...,* etc., on peut trouver **pire** (registre* courant) ou **pis** (plus littéraire).

EXERCICE

Complétez les phrases suivantes par pis *ou* pire *selon le cas. Indiquez les cas où les deux solutions sont possibles.*

1. Il n'est ... sourd que celui qui ne veut pas entendre. **2.** Tant ... pour lui s'il n'a pas eu son train, il n'avait qu'à être à l'heure. **3.** La poussière et les poils d'animaux, il n'y a rien de ... quand on est asthmatique. **4.** Ma proposition n'est pas ... qu'une autre.

142. LE PLURIEL DES NOMS ET DES ADJECTIFS

Des tapis bleus

Il existe différentes marques pour le pluriel des noms et des adjectifs à l'écrit. Il faut savoir quelle marque choisir en fonction de la terminaison du mot au singulier et connaître les exceptions.

1 SINGULIER EN -S, -X OU -Z   *Un tapis, des tapis*

• Le pluriel des noms et adjectifs en *-s, -x, -z* a la **même forme** que le singulier.

   un tapis gris   ⇒   *des tapis gris*
   un nez creux   ⇒   *des nez creux*

2 SINGULIER EN -AU, -EAU, -EU   *Beau, beaux*

• Le pluriel des noms et adjectifs en *-au, -eau* ou *-eu* se marque par un *x* ajouté à la forme du singulier.

   De nouveaux adieux émouvants.

Attention : quelques noms et adjectifs prennent un *s*. ► 168

RETENEZ

> • Une forme en *-eaux* ne peut être le pluriel que d'un mot dont le singulier est en *-eau*.
>
>   *des marteaux* (un mart**eau**)
>   *des cheveaux* mais *des chevaux* (un chev**al**)

3 SINGULIER EN -AL   *Local, locaux*

• La plupart des pluriels des noms et adjectifs en *-al* se marquent par le **changement de *-al* en *-aux*.**

   Le gros titre des journaux nationaux.

Attention : il y a cependant plusieurs exceptions. ► 12

4 LES AUTRES MOTS   *Des détails flous*

• Pour tous les autres mots, le pluriel se marque par un *s* ajouté à la forme du singulier.

   Il y a de tout chez lui : sodas, bobs, canifs, gongs, almanachs, biftecks, chandails, albums, polos, cachous et même chows-chows.

Attention :
– sept noms en *-ou* ont un *-x* au pluriel. ► 168
– quelques noms en *-ail* changent *-ail* en *-aux*. ► 10

5 QUELQUES CAS PARTICULIERS   *Des bonshommes*

• Dans les composés soudés (► 120) *monsieur, madame, mademoiselle, bonhomme* et *gentilhomme*, chacun des composants prend la marque du pluriel. De même pour *lequel* (► 110).

   messieurs, mesdames, mesdemoiselles
   bonshommes [bõzɔm], *gentilshommes* [ʒãtizɔm]

• *Bœuf, œuf* et *os* changent de prononciation au pluriel.

   un bœuf   [bœf]   ⇒   *des bœufs*   [bø]
   un œuf   [œf]   ⇒   *des œufs*   [ø]
   un os   [ɔs]   ⇒   *des os*   [o]

• Pour le pluriel de *œil* : ► 128; pour celui des **emprunts** : ► 83; pour celui des **mots composés** : ► 121.

143. PLUTÔT
OU PLUS TÔT ? *Je viendrai plutôt à midi*
À demain ou peut-être plus tôt

Plutôt n'a pas le même sens que **plus tôt**. Sachez les distinguer.

1 **PLUTÔT : UN SEUL MOT** *Prends plutôt le train*

- Dans un premier sens, **plutôt** signifie « de préférence ».
*Ne viens pas en car. Prends **plutôt** le train, tu iras plus vite.*
On utilise aussi **plutôt** en relation avec **que** pour exprimer la
préférence dans un choix.
*Prends le train **plutôt que** le car.*
***Plutôt** ne rien faire **que** faire un travail bâclé.*
Plutôt que (+ inf.) peut avoir pour synonyme *au lieu de*.
*Viens avec nous **plutôt que** de rester tout seul.*
= viens avec nous au lieu de rester tout seul.

- **Plutôt** annonce une rectification quand il a le sens de « plus
exactement ».
*C'est une question d'argent ? – Non, c'est **plutôt** une question
de temps.*
Dans ce cas, la construction avec *que* est également possible.
*C'est **plutôt** une question de temps **que** d'argent.*

- Quand il est employé devant un adjectif, **plutôt** signifie « assez,
passablement ».
*C'est un garçon **plutôt** sympathique.*

2 **PLUS TÔT : DEUX MOTS** *Viens plus tôt*

- **Plus tôt** signifie « avant le moment prévu, de meilleure heure ».
Il s'agit de l'adverbe *tôt* (contraire de *tard*) précédé de *plus*
(adverbe servant à marquer la supériorité : ▶ **40**).
*Si vous avez fini **plus tôt**, prévenez-moi.*
= si vous avez fini avant…
Il peut également être employé avec *que*.
*Il est arrivé **plus tôt** qu'il n'avait prévu.*
Il a pour synonymes *avant, auparavant*.

R E T E N E Z

- On écrit **plus tôt** en deux mots quand on peut le remplacer
par l'expression contraire *plus tard*.

POUR ALLER PLUS LOIN

- L'expression *ne pas … **plus tôt** … que …* est synonyme de
ne pas … sitôt … que … Elle appartient au registre* soutenu.
*Elle n'était pas **plus tôt** sortie qu'elle revint.*
= elle n'était pas sitôt sortie qu'elle revint.
= elle était à peine sortie qu'elle revint.

EXERCICE

Remplacez les pointillés par plutôt *ou* plus tôt *et trouvez une expression synonyme pour chaque cas.*

1. J'aurais préféré vous recevoir … . **2.** Accepte simplement cette proposition … que de compliquer l'affaire. **3.** Il faut partir … si tu ne veux pas arriver en retard. **4.** Viens à cinq heures ou … non à six heures. **5.** Viens à cinq heures ou … si tu veux. **6.** Il est parti … que prévu. **7.** Il n'avait pas … annoncé la nouvelle que tout le monde était au courant.

144. POINT DE VUE : QUELS ÉQUIVALENTS ? QUELLE CONSTRUCTION ?

Au point de vue des salaires

- Outre sa signification «endroit où l'on se place pour bien voir», **point de vue** s'emploie pour désigner «l'opinion propre à quelqu'un, sa manière de penser».

   *Bien qu'il soit très intéressant, je ne partage pas du tout **le point de vue de** l'auteur sur la question.*
   *Quel est votre **point de vue sur** ce sujet?*
   *Ils ont fait d'énormes progrès **à tous points de vue.***
   ou   *…**à tout point de vue.***

- **Point de vue**, dans les expressions **du point de vue, au point de vue**, s'est vidé de son sens. Il est plus précis et parfois plus élégant de remplacer l'expression par une tournure équivalente : *selon, quant à, en ce qui concerne, dans le domaine,* etc.

   ***Au point de vue** des salaires, nous avons obtenu satisfaction.*
   = en ce qui concerne les salaires *ou* quant aux salaires…
   *Une époque riche **au point de vue** littéraire.*
   = une époque riche sur le plan littéraire.
   ***Du point de vue** de l'Administration, vous n'êtes pas mariés.*
   = selon l'Administration *ou* d'après l'Administration…

RETENEZ

- Ne confondez pas les constructions des expressions *au point de vue, du point de vue*, selon qu'elles sont suivies d'un **nom** ou d'un **adjectif**. Avec un nom pour complément, la préposition *de* est indispensable. L'adjectif, lui, est épithète : il se construit **sans de**.

   Au point de vue des <u>horaires</u>, nous avons obtenu satisfaction.
   NOM

   et non *Au point de vue ~~horaires~~…*
   Cette œuvre nous intéresse du point de vue <u>sociologique</u>.
   ADJECTIF

● On observe aussi une certaine tendance à omettre *de* (notamment dans la langue publicitaire ou journalistique) avec les termes tels que *côté, question, facteur, au niveau, sur le plan…* Mais il vaut mieux ne pas suivre cette tendance.

*Une époque riche sur le plan **de** la littérature.*

et non   *…sur le plan ~~littérature~~.*

EXERCICE

Complétez les phrases si besoin est, et donnez un équivalent pour les phrases 1 et 3.

1. Du point de vue … théorie, cette étude est très intéressante. **2.** Du point de vue … théorique, cette étude est très intéressante. **3.** Il lui reste beaucoup de progrès à faire au point de vue … ponctualité. **4.** Il faudrait revoir toute la question … organisation concernant la manifestation.

145. LA PONCTUATION

; . ? …

● La ponctuation est très importante car elle sert notamment à :
– marquer dans un texte écrit les intonations de l'oral.
   interrogation : *Tu pars déjà?*
   exclamation : *Tu pars déjà!*
– donner un sens à une phrase écrite.
Comparez :
   Pierre dit : «Marie nous rejoindra plus tard.»
   «Pierre, dit Marie, nous rejoindra plus tard.»
– structurer le texte en marquant les limites des propositions, des groupes.
   Vous pourriez, si vous le désirez, passer quelques jours, voire une semaine, à la maison.

● La ponctuation varie d'une personne à l'autre. Elle répond toutefois à certaines règles d'emploi.

1 LE POINT

● Le point marque la fin d'une phrase, le début étant marqué par la majuscule (▸ 113). Il transcrit une pause à l'oral.
   «Et puis, il n'y a plus eu d'école parce qu'il n'y a plus eu d'enfants. Mais la mairie est restée ouverte jusqu'à la mort du maire. Maire, c'était plutôt un titre honorifique.»
   M. REDONNET

- Les phrases dont le verbe est à l'impératif se terminent par un point, et non par un point d'exclamation.

Écoute-moi.
Faites-les entrer.

- On ne met pas de point après un point utilisé pour une abréviation.

Socrate vécut au Ve s. av. J.-C.
Ils ont visité l'Europe : Madrid, Lisbonne, Rome, etc.

2 LE POINT-VIRGULE

- Tout comme le point, le point-virgule marque la fin d'une phrase et tout comme la virgule, il implique une suite. Cette suite – le plus souvent une autre phrase – a un lien étroit avec la phrase précédente.

«Dans l'église qu'aveuglent ses vitraux moussus, la nuit régnait; le père enfin battit le briquet.» P. MICHON

- Le point-virgule ne peut pas terminer un texte (comme peut le faire le point) ni séparer des éléments autres que des phrases (comme peut le faire la virgule).

3 LA VIRGULE

- La virgule sépare des éléments de même nature quand ils ne sont pas reliés par une conjonction* de coordination.

*Les frères, les sœurs, les parents **ou** les amis pourront assister à la représentation.*

- Elle marque les **limites** d'une apposition*, d'une épithète* détachée, d'une proposition incise ou participiale*.

La tragédie, genre théâtral très en vogue au XVIIe siècle, connaît-elle un nouvel essor?
Il pourrait, étant lui-même spécialiste de la question, vous expliquer le phénomène.
Il faudrait, me semble-t-il, étudier plus en détail certains aspects de la question.

Les conclusions du rapport étant particulièrement favorables, le projet fut immédiatement accepté.

- Les propositions relatives* qui apportent une information, une explication supplémentaires sont encadrées par des virgules. Celles qui apportent une restriction ne sont pas séparées de leur antécédent*.

Comparez :

Les élèves, qui ont bien travaillé, ont été admis au concours.
= les élèves ont été admis. (*information supplémentaire* : les élèves ont bien travaillé.)
Les élèves qui ont bien travaillé ont été admis au concours.
= seuls les élèves qui ont bien travaillé ont été admis. (*restriction*)

RETENEZ

- En général, on ne sépare pas par une virgule le verbe de son sujet ou de son COD même s'il s'agit de groupes longs.
  L'expérience acquise au cours de différents stages leur a permis d'améliorer leur compétence en la matière.

- Pas de virgule avec *et, ni, ou* sauf si la conjonction est répétée devant chaque membre.
  Le plus important pour lui est de pouvoir rire et chanter.
  «Or mon petit bonhomme ne me semblait ni égaré, ni mort de fatigue, ni mort de faim, ni mort de soif, ni mort de peur.» A. DE SAINT-EXUPÉRY

On trouve la virgule avec les autres conjonctions de coordination *mais, or, car.*
  Je voudrais venir, mais je ne suis pas sûr d'être à l'heure.

- Les propositions et compléments circonstanciels ne sont pas délimités par des virgules, sauf s'ils sont mis en relief* (pour attirer l'attention sur ce groupe).
Comparez :
  Elle reviendra si on le lui demande.
  Si on le lui demande, elle reviendra.

4 LE POINT D'INTERROGATION ?

- Le point d'interrogation marque la fin d'une interrogation directe.
  Quelles sont vos propositions? Qu'en pensez-vous?

RETENEZ

- On ne met pas de point d'interrogation à la fin d'une interrogation indirecte. ▶ 106
  Il m'a demandé quelles étaient mes propositions.

POUR ALLER PLUS LOIN

- Le point d'interrogation ne correspond pas toujours strictement à la fin de la phrase : il marque alors une étape logique. Dans ce cas, le mot suivant ne prend pas la majuscule.
  Quelles sont vos propositions? vos suggestions?

5 LE POINT D'EXCLAMATION !

- Le point d'exclamation marque la prise de position, le sentiment, l'attitude... de l'auteur par rapport à son énoncé.
Comparez :
  Il va neiger. (simple constatation)
  Il va neiger! (l'auteur prend position : il craint, il regrette, il se réjouit...)

- Il suit directement les interjections (elles expriment aussi le sentiment de l'auteur) puis se répète souvent en fin de phrase.
  Eh bien! qu'attend-il pour donner sa réponse?
  Ah! si j'avais su!

RETENEZ

> • Le mot qui suit l'interjection même ne prend pas la majuscule. Mais on écrit avec une majuscule le premier mot de la phrase suivante.
>
> *Ah! j'aurais tant aimé qu'il vienne! Ce sera pour une autre fois.*

6 LES DEUX-POINTS

• Les deux-points servent à annoncer :
– une énumération.

> *Les quatre points cardinaux sont : le nord, le sud, l'est et l'ouest.*

– une citation, qui est alors entre guillemets.

> *Le journaliste affirme : «Le gouvernement n'a pas pris ses responsabilités. »*

• Ils servent de lien logique entre deux propositions : explication, cause (▶ **29**), conséquence (▶ **50**).

> Ensemble *est un adverbe : il ne prend jamais de* s.
> = **donc** il ne prend…
> *Je n'assisterai pas à la réunion : je pars dès ce soir.*
> = **car, parce que** je pars…

7 LES POINTS DE SUSPENSION

• Les points de suspension servent à indiquer :
– une interruption volontaire ou non de la phrase.

> *Je voudrais ajouter… Non, je préfère ne rien dire.*

– un sous-entendu.

> *Je vous laisse imaginer la suite…*

– une énumération incomplète : ils ont alors la même valeur que *etc.* ▶ **89**

> *Ils ont visité l'Europe : Madrid, Lisbonne, Rome, Paris…*

RETENEZ

> • Les points de suspension ne sont jamais précédés d'une virgule.
>
> *J'ai acheté carottes, navets, choux…*

POUR ALLER PLUS LOIN

• On utilise les points de suspension après l'initiale d'un nom qu'on ne veut pas donner complet.

> *La rencontre avec R… au début du siècle a marqué un tournant décisif dans sa vie.*

• Ils servent à transcrire un silence dans un dialogue.

> *Qui t'a dit cela ? – … – Réponds-moi, qui ?*

8 LES GUILLEMETS « »

• Les guillemets vont par paire : le guillemet ouvrant («) et le guillemet fermant (»). Ils marquent les limites gauche et droite d'une citation, qu'il s'agisse de paroles rapportées directement, d'un extrait d'ouvrage ou autres.

Je lui ai dit : «Passe-moi le sel.»
Que pensez-vous de l'affirmation de D. Pennac : «Le verbe lire *ne supporte pas l'impératif»?*

• On utilise parfois les guillemets pour indiquer que l'on émet quelques réserves sur l'emploi d'un mot ou d'une expression, soit parce qu'on lui attribue un sens particulier, soit parce qu'il appartient à un registre* particulier.

Depuis qu'il a été reçu au concours, il «s'y croit» un peu.
Il faut user avec modération des guillemets dans ce cas.

9 LES PARENTHÈSES

• Les parenthèses vont aussi par paire. Elles encadrent une réflexion accessoire ajoutée au texte.

«Auparavant, il avait dû comme nous tous (mais qui s'en souvient?) renoncer à comprendre le langage des étoiles.»
G. MACÉ

RETENEZ

• Un emploi excessif des parenthèses rend difficile la lecture du texte. Ainsi, dans un devoir, un rapport... il vaut mieux rédiger ses exemples que les mettre tous entre parenthèses.

POUR ALLER PLUS LOIN

• La virgule peut suivre une parenthèse fermante, mais non précéder une parenthèse ouvrante.

Elle n'aime que les fruits (les pommes, de préférence), les légumes et les laitages.

10 LE TIRET —

• Le tiret peut avoir le même rôle que la parenthèse.
Elle n'aime que les fruits – les pommes, de préférence –, les légumes et les laitages.

RETENEZ

• En fin de phrase, on ne note pas le deuxième tiret.
Ce n'est que pure invention ou pure folie.

• On l'utilise dans un dialogue pour indiquer le changement de locuteur.
Quand pars-tu ? – Demain. – Déjà !

POUR ALLER PLUS LOIN

• Il ne faut pas confondre le tiret (–) et le trait d'union (-) qui, lui, sert à relier des mots. ▶ 187

EXERCICE

Mettez à la place de chaque numéro le signe de ponctuation qui convient. Justifiez votre réponse.

Je commence une enquête auprès des gens de Chinguetti **(1)** Personne ne peut fournir la moindre indication **(2)** on doute même que le notable qui a servi de guide ait été capable d'un pareil trajet dans les dunes **(3)** la pierre n'a pas de nom indigène **(4)** les forgerons du pays n'en extraient point de métal **(5)** etc **(6)** Le vieux Mohammed el Bechir **(7)** chef des Laghal **(8)** ne me cache d'ailleurs pas son sentiment **(9)** **(10)** Quand tu chercherais jusqu'au jugement dernier **(11)** tu ne trouverais personne qui connaisse cette pierre **(12)** **(13)** C'est encourageant **(14)**

T. Monod, Méharées

146. LE POSSESSIF : QUELLE PERSONNE EMPLOYER ? *L'équipe dirigeante et ses projets*

- Le possessif* (déterminant ou pronom) fait partie des termes qui non seulement varient en genre et en nombre, mais varient aussi en personne. ▶ 190

Ton responsable était à **notre** réunion, mais pas **sa** secrétaire.
2ᵉ sing.   1ʳᵉ plur.   3ᵉ sing.

Il m'a demandé **ton** *avis. Je lui ai aussi donné* **le mien** *et* **le leur**.
2ᵉ sing.   1ʳᵉ sing.   3ᵉ plur.

1   LES DIFFÉRENTES FORMES DU POSSESSIF

- Alors que la forme des autres déterminants dépend seulement du nom auquel ils se rapportent, la forme du déterminant possessif dépend à la fois :

– du nom qu'il détermine pour l'accord en genre et en nombre (*ma, mon, mes...*) ;

– du terme qui désigne le possesseur* (celui qui répond à la question *de qui ?*), pour l'accord en personne (*mon, ton, son...*).

Comparez :   LA FONTAINE

«*Un riche laboureur sentant* **sa** *mort venir fit venir* **ses** *enfants* »
                              POSS. NOM

DÉT.   POSSESSEUR   POSS. NOM

- De même, le pronom varie en genre, en nombre (*le mien, la mienne, les miens, les miennes...*) et en personne (*le mien, le tien, le sien...*).

RETENEZ

- Les déterminants et pronoms possessifs sont :

	déterminant	pronom
1re sing.	mon, ma, mes	le mien, la mienne, les miens, les miennes
2e sing.	ton, ta, tes	le tien, la tienne, les tiens, les tiennes
3e sing.	son, sa, ses	le sien, la sienne, les siens, les siennes
1re plur.	notre, nos	le nôtre, la nôtre, les nôtres
2e plur.	votre, vos	le vôtre, la vôtre, les vôtres
3e plur.	leur, leurs	le leur, la leur, les leurs

2 QUELLE PERSONNE CHOISIR?

- Il est toujours important de bien déterminer la personne du **terme désignant le possesseur**, et ce indépendamment du sens (un nom singulier peut désigner un ensemble de personnes…).

  <u>Une catégorie sociale</u> qui privilégie **ses** propres intérêts.
      3e pers. **sing**.

  et non   … qui privilégie *leurs* intérêts.
  (même si la catégorie sociale comprend de nombreuses personnes.)

RETENEZ

- Quand le possesseur **n'est pas déterminé** (dans une phrase exprimant une généralité) ou lorsqu'il **n'est pas exprimé**, on utilise le possessif de la 3e personne *(son, sa, ses, le sien…)*.

  *Qui veut voyager loin ménage **sa** monture.*
  *Avant d'exiger des autres qu'ils tiennent leurs promesses, il faut savoir tenir **les siennes**.*

POUR ALLER PLUS LOIN

- *Les siens*, *les nôtres*… peut signifier «les proches, la famille».
  Il s'occupe beaucoup des siens.

- Pour l'emploi du possessif avec *chacun* : ▶ 36 ; avec *on* : ▶ 129

- Ne confondez pas le possessif *leur(s)* avec le pronom personnel *leur*. ▶ 111

EXERCICE

Remplacez les pointillés par le possessif qui convient après avoir souligné le terme qui désigne le possesseur. Notez les cas où plusieurs réponses sont possibles.

1. Il faudrait améliorer le style de votre texte et corriger … fautes.
2. Tu apprécieras l'exactitude des renseignements et … précision.
3. C'est une famille qui sait profiter de … moments de loisirs. **4.** On a toujours besoin du témoignage d'affection des … . **5.** L'auteur de ces nombreux récits restera à tout jamais le témoin de … époque.

P

147. POSSIBLE :
QUAND L'ACCORDER ?

Toutes les bêtises possibles
Le plus de bêtises possible
Les moins bêtes possible(s)

Selon la façon dont on l'emploie, **possible** s'accorde ou non.

**1 POSSIBLE :
«RÉALISABLE»**   *Toutes les solutions possibles*

• Quand il signifie «réalisable, qui peut exister», **possible** s'accorde en tant qu'épithète ou attribut avec le nom auquel il se rapporte.

*Il a toujours fait toutes les <u>bêtises</u> **possibles** et imaginables.*
*Toutes les <u>solutions</u> sont **possibles**.*

**2 POSSIBLE AVEC
LE PLUS..., LE MOINS...**   *Le plus de réponses possible*

• Quand **possible** est employé avec les superlatifs (▶ 179) *le plus..., le moins...,* il reste au singulier, même si les superlatifs précèdent un **nom** au pluriel.

*Je veux obtenir le **plus** de renseignements **possible**.*
*C'est un paresseux qui fait le **moins** d'efforts **possible**.*
*Nous tâcherons de satisfaire le **plus possible** vos attentes.*

RETENEZ

• Dans ce cas, on peut changer les termes de place et faire apparaître que **possible** se rapporte à *le plus, le moins*.
*Je veux obtenir le **plus possible** de renseignements.*

POUR ALLER PLUS LOIN
• Quand Voltaire écrit «*le meilleur des mondes **possibles***», il veut dire : «le meilleur parmi les mondes pouvant exister». **Possible** est alors épithète de *monde* (voir **1**).

**3 POSSIBLE AVEC
LES PLUS..., LES MOINS...**   *Les plus précises possible(s)*

• Quand **possible** est employé avec les superlatifs pluriels *les plus..., les moins...* suivis d'un adjectif, l'usage hésite et les grammairiens ou dictionnaires divergent sur l'accord de **possible** :
– certains préconisent l'accord.
*Tâchez d'apporter des réponses les **plus** <u>précises</u> **possibles**.*
– d'autres l'interdisent.
*Tâchez d'apporter des réponses les **plus** <u>précises</u> **possible**.*
– d'autres enfin laissent le choix.
*...les **plus** <u>précises</u> **possible** (ou **possibles**).*

EXERCICE

Accordez possible *selon le sens.*

1. J'ai eu tous les ennuis *possible…* avec cette voiture. **2.** Il voulait avoir le moins d'ennuis *possible…* . **3.** Il lisait en un mois le plus de livres *possible…* . **4.** Je récompenserai celui qui m'aura fourni le plus d'applications *possible…* .

148. PRÉFIXES ET SUFFIXES: LES MOTS DÉRIVÉS

in-, re-
-able, -ible

La dérivation est un phénomène ancien qui contribue de façon importante à l'enrichissement de la langue.

1 QU'EST-CE QU'UN SUFFIXE, UN PRÉFIXE?

• Les préfixes et suffixes interviennent dans la formation de nombreux mots. Ajoutés à un mot (ou à un radical), ils lui donnent un sens particulier et déterminent sa classe grammaticale (voir **2**).

*lav/**er** – lav/**age** – lav/**erie** – lav/**eur**…*

• Préfixes et suffixes peuvent être utilisés ensemble.

***pré**/lav/**age** – **dé**/lav/**er**…*

RETENEZ

• Le mot créé à partir de suffixes et/ou de préfixes s'appelle **dérivé**. Le mot (ou radical) à partir duquel se fait la création s'appelle **base**.

• Le préfixe se place **devant** la base, le suffixe **suit** la base.

POUR ALLER PLUS LOIN

• On distingue les suffixes et préfixes, des éléments* qui ont eux un sens plus précis (ils sont formés à partir de **mots** latins ou grecs) et qui peuvent se combiner entre eux pour former des composés. ▶ **119**

2 POURQUOI RECONNAÎTRE ET UTILISER PRÉFIXES, SUFFIXES?

• **Pour comprendre le sens des mots**

Suffixes et préfixes sont pourvus d'un sens qui se combine à celui de la base: les reconnaître aide à **comprendre** les mots.

a-	: préfixe privatif	***a**/social, **a**/thée…*
ex-	: signifie «en dehors»	***ex**/porter, **ex**/patrier…*
-ible, -able	: marque la possibilité	*access/**ible**, révoc/**able**…*

On peut ainsi éviter bien des confusions.

Comparez :

> parti/**al** «qui prend parti»
> **im**/parti/**al** «qui ne prend pas parti» (le préfixe *in-* marque le contraire)
> *Un jugement impartial* est donc un jugement neutre, objectif.

Pour la distinction entre *émigré* et *immigré* : ▶ **79**

● Pour ajouter une valeur à un mot

-*asse* : valeur péjorative   *blond/**asse**, caill/**asse**, rêv/**asser**...*
-*et*, -*ette* : valeur diminutive   *coffr/**et**, barqu/**ette**, voitur/**ette**...*

● Pour retrouver l'orthographe d'un mot

– En analysant le mot, on peut s'aider de l'orthographe de la base pour écrire correctement le mot.

> *danger*euse*ment* > *dangereuse* > *danger*
> et non ~~*dangeureusement*~~
> *aguerrir* > *guerre*

– Chaque suffixe et préfixe a son orthographe propre ; tous les mots formés avec le **même** préfixe ou suffixe commencent ou se finissent alors de la même façon.

dis- : marque la séparation   ***dis**/cerner, **dis**/semblable...*
dys- : «mauvais»   ***dys**/lexie, **dys**/fonctionnement...*
-oir   *lav/**oir**, arros/**oir**...*
-atoire   *observ/**atoire**, labor/**atoire**...*

L'analyse des mots en préfixes, suffixes et base est nécessaire pour pouvoir repérer les consonnes doubles (▶ **51**), les finales muettes (▶ **53, 73**).

● Pour procéder à des transformations grammaticales

Les suffixes permettent aux mots de changer de classe. ▶ **39**

> *rouge*, adj. ⇒ *roug/**ir***, verbe

Employer un nom à la place d'un verbe, un adverbe à la place d'un adjectif... peut parfois être bien utile, notamment pour l'élégance du style.

Comparez :

> *Le fait qu'on ne connaisse pas*
> *La **mé**/connaiss/**ance** de* } *ce procédé nuit au service.*

POUR ALLER PLUS LOIN

• Pour la distinction entre *-isme* et *-iste* : ▶ **107**
  Pour le sens et la forme du préfixe *re-* : ▶ **165**

EXERCICE

A. *Donnez le plus de dérivés possible du nom* colle.

B. *Transformez les groupes soulignés en utilisant des dérivés.*

1. Après avoir découvert ce nouveau vaccin, les chercheurs pensent enrayer la maladie. **2.** C'est un produit très efficace pour nettoyer les tapis. **3.** Il a toujours travaillé d'une façon très rapide. **4.** Puisque nos ventes ne sont plus continues, nous devons interrompre la production. **5.** La panne est due à un mauvais fonctionnement de la machine.

149. PRÊT À ET PRÈS DE

Je suis prête à tout croire
Je suis près de croire que...

Ne confondez pas l'adjectif *prêt* et la préposition *près*, notamment dans les constructions *prêt à* et *près de*, parfois proches de sens.

1 **PRÊT À : «DISPOSÉ À»**   *Prêt à tout*

● **Être prêt** à quelque chose, à faire quelque chose, c'est être préparé, disposé à cela, c'est être dans l'état de le faire.

Ils sont enfin prêts à partir.
Es-tu prête à me croire?
= es-tu bien disposée à me croire?
Il est prêt à accepter ce contrat sans autre condition.
= il est décidé à accepter...

RETENEZ

● *Prêt* est un adjectif : n'oubliez pas l'accord avec le nom (ou le pronom) auquel il se rapporte.
Je les ai vues, prêtes à sauter.

2 **PRÈS DE :**   *Il n'est pas près d'oublier*
«SUR LE POINT DE»

● *Près de* (+ inf.) signifie «sur le point de». Cette locution* a la valeur d'une préposition et indique la proximité dans le temps, l'imminence d'une action.

Pourquoi as-tu abandonné alors que tu étais près d'avoir fini?
= ...alors que tu étais sur le point d'avoir fini?

On emploie couramment l'expression à la forme négative par euphémisme pour dire qu'une chose ne se fera pas.

Vous n'êtes pas près de me revoir.
= vous ne me reverrez pas de sitôt.

RETENEZ

● *Près de* est une locution prépositive, donc **invariable**.
Elle n'est pas près d'oublier ce qui vient de lui arriver.
et non *Elle n'est pas prête d'oublier...*

PRÊT À ET PRÈS DE   *POUR ALLER PLUS LOIN*

● *Prêt à* et *près de* ont parfois des sens très proches. Comparez :
Je l'ai convaincu in extremis :
{ *il était prêt à refuser.* («disposé à»)
{ *il était près de refuser.* («sur le point de»)

L'important est alors de ne pas faire de télescopage entre les deux constructions.

prêt à   et non *prêt de*
près de   et non *près à*

EXERCICE

Remplacez les pointillés par prêt à *ou* près de *selon le cas.*

1. Il est très ouvert et toujours … parler avec ses employés. **2.** On entend le coq chanter lorsque le soleil est … paraître. **3.** Serait-elle … me suivre n'importe où ? **4.** Ils ne sont pas … renouveler une expérience aussi malheureuse. **5.** Le train arrive en gare. Êtes-vous … descendre ? **6.** À cette allure, nous ne sommes pas … arriver.

150. LE PRONOM PERSONNEL : QUELLE PERSONNE CHOISIR ?

Ce qui nous permet de nous comprendre

Le choix du pronom personnel se fait généralement sans problème. Cependant, dans certains cas, il peut y avoir hésitation.

1 **LES DIFFÉRENTES FORMES DU PRONOM PERSONNEL**

- Les pronoms personnels des 1re et 2e personnes désignent les personnes qui participent à la communication.

  ***Nous* devrions *te* donner quelques explications.**

  nous = groupe de personnes dont fait partie celui qui parle.
  te = personne à qui s'adresse celui qui parle.

- Les pronoms personnels de la 3e personne remplacent un terme mentionné ailleurs dans le texte (son antécédent*).

  Pierre a acheté des pommes. ***Il* va *les* manger.**

- Le pronom personnel peut varier en genre *(il/elle…)*, en nombre *(il/ils…)*, en personne *(je/tu…)* et selon la fonction qu'il occupe dans la phrase (sujet, COD, COI… : *je/me/moi…*).

1re sing.	*je, me, moi*
2e sing.	*tu, te, toi*
3e sing. masc.	*il, le, lui, se, soi* (réfléchis)
3e sing. fém.	*elle, la, lui, se, soi* (réfléchis)
1re plur.	*nous*
2e plur.	*vous*
3e plur. masc.	*ils, les, leur, eux, se* (réfléchi)
3e plur. fém.	*elles, les, leur, se* (réfléchi)

• Quand le sujet et le complément désignent la **même personne**, le pronom complément est appelé *pronom réfléchi*. Aux 3es personnes, on utilise une forme spécifique : *se, soi*. Comparez :

	complément à la 1re pers.	complément à la 3e pers.
suj. ≠ compl.	*Il **me** demande si Jean dort.*	*Je **lui** demande si Jean dort.*
suj. = compl. (réfléchi)	*Je **me** demande s'il va venir.*	*Il **se** demande s'il va venir.*

• Souvent sont joints aux pronoms personnels les pronoms *en* et *y* (▶ 84) et le pronom *on* (▶ 129).

• Pour l'emploi de *soi* ou *lui* : ▶ 174

• Ne confondez pas *leur*, pronom personnel, et *leur*, *leurs*, possessif. ▶ 111

2 **QUELLE PERSONNE CHOISIR ?**

• La forme du pronom dépend du genre, du nombre et de la personne de son **antécédent**.
Comparez :

> *La lettre a été postée hier. **Elle** est arrivée aujourd'hui.*
> *Les colis ont été postés hier. **Ils** sont arrivés aujourd'hui.*

• Pour le choix du pronom **à la 3e personne**, il faut s'assurer qu'il correspond bien en genre et en nombre à son antécédent, notamment quand il s'agit d'un nom collectif*. Ne vous laissez pas influencer par ce que cet antécédent représente réellement.

> *La direction a convoqué le comité d'entreprise.*
> ***Elle** veut **lui** soumettre un plan de restructuration.*
> et non ... *Ils veulent leur soumettre un plan...*
> *la direction*, 3e sing. fém. ⇒ *elle*
> *le comité d'entreprise*, 3e sing. masc. ⇒ *il*
> (même si *la direction* et *le comité* regroupent plusieurs individus)

• Le pronom des **verbes pronominaux** doit toujours être de la même personne que le sujet du verbe. Avec un infinitif, un participe ou un gérondif, il faut parfois chercher quel serait le sujet s'il était exprimé.

> *Cela nous permettra de **nous** rappeler les faits.*
> = cela nous permettra qqch ; que nous nous rappelions les faits.
> et non *Cela nous permettra de se rappeler les faits.*
>
> *Vous finirez l'étude en **vous** inspirant de ces idées.*
> et non *Vous finirez l'étude en s'inspirant de ces idées.*

• Pour l'ordre des pronoms (*donne-le-moi*, *donne-m'en*) : ▶ 131
• Pour le trait d'union entre le verbe et les pronoms : ▶ 188

EXERCICE

Remplacez les pointillés par le pronom personnel qui convient.

1. La personne qui a appelé n'a pas laissé son nom. ... rappellera demain. **2.** Ce n'est qu'en ... apercevant de nos erreurs, que nous pouvons ... améliorer. **3.** Ce n'est qu'en ... apercevant de ses erreurs, que quelqu'un peut ... améliorer. **4.** On ferait mieux de rester chez ... bien au chaud. **5.** Le personnel réuni en assemblée générale devait répondre aux propositions que ... a faites la direction.

151. LES VERBES PRONOMINAUX

Il y a s'aimer et s'aimer !

- Le verbe pronominal se conjugue avec un pronom personnel réfléchi (qui désigne la même personne ou la même chose que le sujet) : *me*, *te*, *se*, **nous**, **vous**, **se**.

*Nous **nous** limiterons à quelques cas simples.*
*C'est bien ce que je **me** dis.*
*Ils **se** sont entendus dès le premier jour.*

- Les verbes pronominaux se présentent sous la même forme, mais ils ont :
– des valeurs et des sens très différents. On distingue quatre catégories (voir ci-dessous).
– un comportement très variable pour l'accord de leur participe passé. ▶ 134

1 **LES VERBES PRONOMINAUX RÉFLÉCHIS**   *Elle se coiffe*

- Les verbes pronominaux **réfléchis** sont des verbes qui expriment une action exercée par le sujet sur lui-même.

*Elle passe des heures à **se coiffer** devant la glace.*
= elle coiffe «elle».

*Je **me demande** si j'ai bien fait.*
= je demande «à moi» si...

2 **LES VERBES PRONOMINAUX RÉCIPROQUES**   *Ils se téléphonent*

- Les verbes pronominaux **réciproques** sont des verbes qui expriment une action exercée sur chacun des membres du sujet.

*Pierre et Paul **se connaissent** depuis de longues années.*
= Pierre connaît Paul **et** Paul connaît Pierre.

261

P

RETENEZ

> • On reconnaît les pronominaux **réciproques** au fait qu'est sous-entendu *l'un l'autre* ou *les uns les autres, entre eux, mutuellement…*
>
> > *Les deux adversaires s'observent (l'un l'autre) avant de s'affronter (l'un à l'autre).*
>
> • Il y a *s'aimer* et *s'aimer* ! De nombreux verbes qui acceptent un sens **réfléchi**, acceptent aussi un sens **réciproque** ; en dehors de tout contexte, une phrase peut alors être ambiguë.
>
> > *Nous **nous aimons**.*
> > = je t'aime et tu m'aimes.   *(réciproque)*
> > *ou* = chacun aime «soi-même». *(réfléchi)*

---

3 **LES VERBES PRONOMINAUX PASSIFS**   *Cela se voit*

• Le verbe et le pronom équivalent à un **passif*** : le sujet n'accomplit pas l'action, mais la subit. C'est souvent un inanimé*.

> *Le clocher **se voit** de loin.*
> = le clocher est vu de loin.
>
> *Cela peut **se traduire** par un débordement de joie.*
> = cela peut être traduit par…

RETENEZ

> • On emploie souvent un pronominal **passif** quand celui qui fait l'action a une valeur indéfinie (notamment *on*).
>
> Comparez :
>
> | | | |
> |---|---|---|
> | *On* | *voit* | *le clocher de loin.* |
> | et *Le clocher* | *se voit* | *de loin.* |
> | *On* | *utilise* | *ce mot dans de nombreux sens.* |
> | et *Ce mot* | *s'utilise* | *dans de nombreux sens.* |
>
> Cette tournure permet de mettre en avant ce dont on parle (*le clocher, ce mot…*) en lui accordant le statut de sujet.

POUR ALLER PLUS LOIN

• La même construction est possible avec des verbes impersonnels* ou des constructions impersonnelles. ▶ **191-1**
Comparez :

> *On a vendu   de nombreux exemplaires.*
> *Il s'est vendu   de nombreux exemplaires.*

---

4 **LES VERBES**   *Je m'en souviens*
ESSENTIELLEMENT PRONOMINAUX

• Les verbes **essentiellement pronominaux** sont des verbes qui ne s'emploient qu'avec le pronom réfléchi, celui-ci faisant partie intégrante du verbe.

> se fier à   *Vous pouvez **vous fier** à lui.*
> s'enfuir   *Qui **s'est enfui** ?*
> s'absenter   *Je **m'absenterai** quelques instants.*
> (ces verbes n'existent pas ou plus à la forme non pronominale : on ne peut avoir *fier, enfuir, absenter*.)

P

• On considère également comme **essentiellement pronominaux** les verbes qui existent à la forme non pronominale, mais qui ont alors un tout autre sens.

Comparez :

> agir *Il a agi très rapidement.* « il a réagi... »
> et s'agir *Il s'agit d'une autre histoire.* « il est question... »
> dérouler *Ils déroulèrent le tapis rouge.* « ils étalèrent... »
> et se dérouler *L'action se déroule au XXe s.* « ...se passe... »

POUR ALLER PLUS LOIN

• Dans les dictionnaires, l'infinitif des verbes essentiellement pronominaux est suivi de *se* entre parenthèses, montrant ainsi que le verbe s'emploie toujours avec le pronom.

souvenir (se) – emparer (s') – méfier (se)...

VERBES PRONOMINAUX   RETENEZ

• Le pronom réfléchi des verbes **passifs** ou **essentiellement pronominaux** n'est pas analysable : il n'a pas de véritable fonction grammaticale.

En revanche, celui des verbes **réfléchis** et **réciproques** a une fonction : il peut être complément d'objet* direct (COD), second (COS) ou indirect (COI). ▶ 193

	réfléchis	réciproques	
COD	*Elle s'habillait de façon très classique.*	*Ils s'aiment.*	habiller **qqn** aimer **qqn**
COS	*Mais elle vient de s'acheter une nouvelle robe.*	*Ils s'écrivent de longues lettres.*	acheter qqch. **à qqn** écrire qqch. **à qqn**
COI	*Elle se plaît ainsi.*	*Mais ils se téléphonent peu.*	plaire **à qqn** téléphoner **à qqn**

Il est important de bien repérer la fonction du pronom pour l'accord du participe passé. ▶ 134

EXERCICE

Donnez pour chacun des verbes pronominaux sa valeur : réfléchi, réciproque, passif ou essentiellement pronominal. Dites quelle est la fonction grammaticale du pronom réfléchi quand il est analysable.

1. Il ne s'accorde aucun répit. **2.** Le verbe s'accorde avec son sujet. **3.** Les violonistes s'accordent avant le concert. **4.** Ils ont toujours été ennemis et je ne sais pas s'ils s'accorderont un jour. **5.** Ce type de congé s'accorde en cas de formation. **6.** Tout cela s'est passé si vite. **7.** Les tissus clairs se salissent trop vite. **8.** Il s'est abstenu de tout commentaire.

152. QUAND ET QUANT À

Quand j'étais petit
Quant à elle, elle reste

1 QUAND: «LORSQUE»

Quand on s'aime

● *Quand* introduit une subordonnée* de **temps** ou une question qui porte sur le **temps**.

*«L'immensité n'est pas moins grande **quand** on la peuple de monstres ou de divinités.»* G. MACÉ
*De **quand** date votre dernier envoi?*

● *Quand* peut être employé pour exprimer la concession (▶ 42) et signifie «alors que». Cet emploi relève du registre* soutenu.

*Pourquoi faire compliqué **quand** tout est si simple?*
= alors que tout est si simple.

RETENEZ

● *Quand* n'introduit jamais un nom ou un groupe nominal.

2 QUANT À: «EN CE QUI CONCERNE»

Quant à moi

● *Quant à* signifie «en ce qui concerne, pour ce qui est de, à propos de…». Il introduit un nom, un pronom ou un infinitif.

Quant à cette question, nous l'étudierons plus tard.
*Nous pensons **quant à** nous qu'il faut poursuivre l'expérience.*
Quant à espérer un changement, il ne faut pas y songer pour le moment.

RETENEZ

● *Quant* ne s'emploie jamais seul: il est toujours suivi de la préposition **à**, que l'on trouve aussi sous la forme contractée **au**, **aux**.

Quant aux promesses électorales, plus personne n'y croit!

POUR ALLER PLUS LOIN

● Ne confondez pas:

quant à	[kãta]	«en ce qui concerne»
tant qu'à	[tãka]	«puisqu'il faut» ▶ 181

QUAND ET QUANT À — RETENEZ

- Même si *quand* peut se prononcer [kăt] – en liaison avec une voyelle (▶ 112) – on l'écrit toujours avec un *d* et on ne le confondra pas avec *quant à*.

Comparez :

> *Quand à la fin du film les deux héros se marient, tout le public pleure!*
> *Quant à la fin du film, elle a fait pleurer tout le public!*

EXERCICE

Remplacez les pointillés par quant *ou* quand *selon le cas.*

1. Pierre a été reçu, … à Jacques, il n'a pas encore ses résultats.
2. Pierre a été reçu … Jacques a échoué. **3.** … à obtenir davantage, c'est une autre histoire! **4.** … il est question de notre avenir, il s'intéresse à nous. **5.** J'ai constaté … à moi tous les progrès qu'il a faits. **6.** On peut faire beaucoup … on a le temps.

153. QUAND MÊME : QUEL EMPLOI?

> *Quand même il arriverait, ce serait trop tard*
> *Quand même, il est arrivé!*

1 **QUAND MÊME INTRODUIT UNE PROPOSITION**

> *Quand même il serait venu, il n'aurait rien vu*

- À l'origine, la locution* conjonctive *quand même* (ou *quand bien même*) sert à marquer la concession (▶ 42), une contradiction entre une hypothèse et un fait (▶ 44) : son emploi appartient au registre* soutenu.

Quand même il aurait raison, personne ne le croirait.

Le verbe de la subordonnée introduite par *quand même* est au conditionnel.

- La locution conjonctive a pour synonyme *même si*.

RETENEZ

- L'emploi de *quand même*, *quand bien même* n'entraîne pas l'inversion du sujet.

Quand même je l'aurais voulu, je n'aurais pas pu.

2 QUAND MÊME A LA VALEUR D'UN ADVERBE

Il a quand même tout vu

• *Quand même*, avec la même valeur de concession, d'opposition, s'emploie couramment comme adverbe. Il a alors pour synonymes *cependant, malgré tout, néanmoins, toutefois, pourtant...*

> *Je lui avais interdit de sortir; il l'a **quand même** fait.*
> = malgré tout, cependant...
> *Les bénéfices ont été meilleurs cette année. Cela n'a **quand même** pas suffi à combler le déficit.*
> = toutefois, pourtant...

• Lorsque *quand même* sert seulement à renforcer le propos de celui qui parle, il perd sa valeur d'opposition. Son emploi est alors plutôt réservé au registre* familier.

> *Il aurait pu nous avertir **quand même**.*
> *Il faut **quand même** dire que c'était difficile.*

À l'écrit, on évitera cet emploi de *quand même* :

– soit en le supprimant, ce qui est alors toujours possible.

> *Il aurait pu nous avertir.*
> *Il faut dire que c'était difficile.*

– soit en le remplaçant par une expression plus précise.

> *Il aurait **au moins** pu nous avertir.*
> *Il faut **avouer / reconnaître** que c'était difficile.*

QUAND MÊME   *RETENEZ*

• Dans cette locution, *même*, adverbe, ne prend pas de *s*.

▶ 115

> *C'était difficile; ils ont quand même répondu à toutes les questions.*

• Le son [ɑ̃] étant, dans certaines régions, proche du son [ɔ], il y a parfois confusion entre *quand* et *comme*. Mais l'expression *comme même* n'existe pas.

QUAND MÊME   *POUR ALLER PLUS LOIN*

• Les avis des grammairiens et dictionnaires sont davantage partagés en ce qui concerne la locution adverbiale synonyme *tout de même* : son emploi relève du registre familier pour les uns, du registre courant pour les autres.

EXERCICE

Remplacez quand même *par un des termes suivants.*

    A. *au moins.*   **B.** *enfin.*   **C.** *là.*   **D.** *malgré tout.*
    E. *même si.*   **F.** *oser.*   **G.** *pourtant.*

1. Pourquoi hésites-tu? Ce n'est *quand même* pas difficile à comprendre. **2.** Il faudrait *quand même* te décider : tu viens oui ou non? **3.** Vous pourriez faire un effort *quand même*. **4.** L'offre était intéressante, il a *quand même* refusé. **5.** Tu ne vas pas faire ça *quand même*. **6.** *Quand même* il exagérerait, je ne lui en voudrais pas. **7.** *Quand même* il exagère !

154. QUE: QUEL EMPLOI?

Je vois que vous avez de grandes dents
Les grandes dents que vous avez
Que vous avez de grandes dents!

Que est un mot très utilisé en français. Il appartient en fait à plusieurs classes grammaticales (pronom, conjonction, adverbe). Il faut savoir reconnaître ses différents emplois car ils posent des problèmes d'accord et de construction.

1 QUE, PRONOM
Que dis-tu?

• *Que* est un pronom relatif* ou interrogatif* : il introduit une proposition subordonnée* relative, une interrogative indirecte (▶ 106) ou une phrase interrogative. Il représente un nom de chose ou de personne. Il a **toujours** une fonction dans la proposition : il est le plus souvent complément d'objet* direct (**COD**).

pron. relatif	*L'œuvre **que** nous étudions date du XVIᵉ siècle.* = nous étudions une œuvre. (⇒ *que* = COD de *étudier*)
pron. interr.	***Que** dis-tu?* = tu dis quelque chose. (⇒ *que* = COD de *dire*)

• *Que*, pronom, peut avoir d'autres fonctions que COD.

attribut	*Il est resté l'homme **qu**'il était à 20 ans.* = il était cet homme. ***Qu'**est-il devenu?* = il est devenu plombier.
CC Mesure	*Il ne pèse plus les cent kilos **qu**'il a pesé autrefois.* = il a pesé cent kilos. ***Que** coûte le transport de ces marchandises?* = cela coûte 500 F.
sujet* réel (en tournure impersonnelle*)	*Avez-vous trouvé les personnes **qu**'il vous faut?* = il vous faut ces personnes.

RETENEZ

• Il est important de reconnaître *que*, relatif COD, car il commande l'accord du participe passé. ▶ 134

> *Il faudrait revoir les hypothèses **que** nous avions **émises**.*
> COD de *émettre*
> *Je vais chez des amis **que** j'ai **rencontrés** à Lyon.*
> COD de *rencontrer*

• *Que* n'est **jamais** complément d'objet* indirect (COI). D'autres pronoms assurent cette fonction (*dont* ▶ 70, *auquel*...). Comparez :

COD	*Il a écrit l'histoire **que** je t'ai racontée.* = je t'ai raconté l'histoire.
COI	*Il a écrit l'histoire **dont** je t'ai parlé.* = je t'ai parlé de l'histoire.

- Avec les présentatifs* *c'est ce que...*, *voici* (+ nom) *que*, *que* est un relatif COD.

  *C'est bien ce **que** je pensais.*
  = je pensais cela.

  *Voici l'histoire **que** j'ai entendue.*
  = j'ai entendu cette histoire.

  Il ne faut pas l'utiliser s'il n'est pas COD.

  *C'est bien ce **dont** je t'ai parlé.*
  et non *C'est bien ce q̶u̶e̶ je t'ai parlé.*

- Un seul terme interrogatif sert à poser une question : il est incorrect de reprendre *pourquoi, comment, quoi...* par *que*.

  Je ne sais pas pourquoi il nous convoque.
  et non *Je ne sais pas pourquoi q̶u̶'il nous convoque.*

POUR ALLER PLUS LOIN

- *Quoi* peut remplacer *que* dans l'interrogation indirecte. ▶ 106
  *Je ne sais **que** faire.*   ou   *Je ne sais **quoi** faire.*

---

2   **QUE, CONJONCTION**   *Je veux que tu sois là*
      DE SUBORDINATION

- *Que*, conjonction* de subordination, sert à **introduire** une proposition subordonnée conjonctive. Cette subordonnée est :
– une proposition sujet ou complément.

  *Je voudrais **que** tu viennes rapidement.*
  *Je me réjouis à l'idée **qu**'on se reverra.*
  ***Qu**'il ait réussi ne m'étonne pas.*

– une proposition circonstancielle*.

  temps : *Je n'étais pas plus tôt entré **que** je ressortis.*
  but : *Parle plus fort **qu**'on t'entende.*
  comparaison : *Il est plus grand **qu**'il ne paraît.*

- Quand deux circonstancielles sont coordonnées, on utilise *que* au lieu de répéter la conjonction ou la locution* conjonctive.

  ***Si** tu arrives à l'heure et **qu**'il nous reste un peu de temps...*
  ***Quand** tu viendras et **que** tu verras tout ce qu'il a fait...*
  ***À condition qu**'il appelle ou **qu**'il vienne...*

RETENEZ

- *Que*, relatif, et *que*, conjonction, introduisent tous deux une subordonnée. **Mais** la conjonction *que* :
– ne représente rien (elle n'a pas d'antécédent) ;
– n'a pas de fonction dans la subordonnée (elle ne commande donc jamais l'accord du participe passé).

Comparez :

  *Je pense **que** tu as eu raison.*
  = tu as eu raison. (*que* ne représente rien ⟹ conjonction)

  *Je comprends les raisons **que** tu m'as données.*
  = tu m'as donné les raisons. (*que* représente *les raisons* ; *que* = COD de *donner* ⟹ relatif)

POUR ALLER PLUS LOIN

• *Que* sert à former de nombreuses locutions* conjonctives introduisant les propositions circonstancielles.

> *à condition* **que** – *afin* **que** – *avant* **que** – *bien* **que** – *dès* **que** – *pourvu* **que** – *selon* **que**...

Certaines sont suivies du subjonctif, d'autres de l'indicatif. ▶ **176**

• Les circonstancielles de comparaison introduites par *que* sont fréquemment sans verbe.

> *Il est plus grand* **que** *moi.*
> = plus grand que je ne le suis.
> *Mieux vaut tard* **que** *jamais.*

• *Que* peut introduire aussi une proposition au subjonctif pour exprimer un ordre. ▶ **131**

> *Qu'il vienne me voir et je lui expliquerai ce dont il s'agit.*
> *Qu'elle nous tienne au courant.*

La proposition est alors une proposition indépendante : il n'y a pas de subordination.

3 **QUE, ADVERBE** *Que vous êtes joli !*

• *Que*, adverbe, est employé dans des phrases exclamatives. Il a pour synonymes *comme, combien* (plus rare) ou la tournure *quel* (+ nom).

> *Que j'aurais aimé la revoir !*
> *Que de concessions il a fallu faire !*

RETENEZ

> • Dans une exclamation, *que* est **toujours** employé seul. Il ne doit jamais être précédé de *ce* ou de *qu'est-ce.*
>
> > *Qu'elle est belle !*
> > et non *Qu'est-ce qu'elle est belle !*
> > ni *Ce qu'elle est belle !*

• *Que*, adverbe, s'emploie avec *ne* ou *rien* pour exprimer la restriction. ▶ **124**

> *Nous n'avons obtenu* **que** *trois réponses positives.*

POUR ALLER PLUS LOIN

• *Que* dans le registre* soutenu est employé dans le sens de *pourquoi*, plus spécialement si l'interrogation est négative.

> *Que n'ai-je répondu plus tôt ?*
> = comme je regrette de ne pas avoir répondu plus tôt !
> (la phrase a plus valeur d'exclamation que d'interrogation)

QUE... **POUR ALLER PLUS LOIN**

> • Quelle que soit sa nature, *que* s'élide en *qu'* devant une voyelle ou un *h* muet (▶ **77**).
> Ne confondez pas :
> – *quel* et *qu'elle* : ▶ **155**
> – *qui* et *qu'il* : ▶ **158**

EXERCICE

A. *Analysez les* que *dans les phrases suivantes.*

1. J'ai enfin la preuve que je n'étais pas responsable de tout cela.
2. J'espère très sincèrement que vous réussirez. **3.** C'est la question
que nous avons soulevée précédemment. **4.** Que n'ont-ils accepté
notre proposition ? **5.** Je vais vous expliquer ce que j'attends de vous.
6. Je ne comprends pas ce qu'il m'arrive. **7.** Comme il part demain
et que je veux le voir avant son départ, je passerai chez lui.

B. *Pour chaque couple de phrases, reliez les subordonnées par* et.

1. Si j'ai fini mon travail, je pourrai venir. Si tu as besoin de moi,
je pourrai venir. **2.** Bien qu'il pleuve, il sort. Bien qu'il soit malade,
il sort. **3.** Lorsque j'aurai le temps, je voyagerai. Lorsque j'aurai de
l'argent, je voyagerai.

155. QUEL ou QU'ELLE?

Quelle est celle qu'elle préfère ?

Sachez reconnaître les cas où on a affaire au déterminant **quel**,
ou au pronom personnel **elle** (ou **elles**) précédé de **qu'**.

1 QUEL, DÉTERMINANT

Quel âge ?

• **Quel** est un déterminant interrogatif ou exclamatif : il
détermine le nom sur lequel porte la question ou l'exclamation.
> *Quel âge a-t-il ?*
> *Quelle curieuse façon d'envisager la question !*

• Il s'accorde donc en genre et en nombre et s'écrit **quel, quels,
quelle, quelles** selon le nom qu'il détermine.
> *De quelles vacances s'agit-il ?*
> *Dites-nous quels projets vous comptez conduire l'an prochain.*

RETENEZ

• **Quel** peut s'employer en fonction d'attribut*. Il faut alors
bien penser à l'accorder avec le nom auquel il se rapporte.
> *Quelles sont ses fonctions au sein de l'entreprise ?*
> *Je ne sais pas quelles sont ses nouvelles fonctions.*
> *Quelle ne fut pas ma surprise en entendant mon nom cité !*

• **Quel** est aussi attribut dans la locution* exprimant la
concession **quel que** (+ subj.)
> *Quelles que soient vos raisons, je veux en être informé.*
Il ne faut alors pas le confondre avec *quelque*. ▶ 157

POUR ALLER PLUS LOIN

• Notez également l'emploi de **quel** dans la locution **n'importe
quel, n'importe quelle**.
> *Vous ne pouvez accepter n'importe quelle proposition.*

2 **QU'ELLE = QUE ÉLIDÉ + PRONOM**   *Ce qu'elle veut*

• *Qu'* est la forme élidée de *que* (▶ 154). *Elle* est le pronom personnel sujet ou complément.

> *Qu'elle soit bonne ou mauvaise, la météo ne changera rien.*
> *Les raisons qu'elle donne manquent d'objectivité.*
> *Marie et Jeanne? Je ne connais qu'elles!*
> *Qu'elles sont belles!*

RETENEZ

• On écrit *qu'elle*, *qu'elles* quand on peut les remplacer au masculin par *qu'il*, *que lui*, *qu'eux*.

Comparez :

> *J'ignore ce qu'elle veut.*
> ⇒ J'ignore ce qu'il veut.
> *J'ignore quelle sera la raison invoquée.*
> on ne dira pas : J'ignore qu'il sera la raison invoquée.

QUEL ou QU'ELLE ?   *POUR ALLER PLUS LOIN*

• De même, distinguez bien *tel quel* et *tel qu'elle* : ▶ 182

EXERCICE

Remplacez les pointillés par quel *ou* qu'elle *et faites les accords.*

1. Je ne savais pas … était sa position sur ce sujet. **2.** Je ne savais pas … était professeur. **3.** … surprise : je ne m'y attendais pas! **4.** Il m'a prévenu … étaient là quand vous êtes arrivés. **5.** … sont les conséquences de la crise? **6.** Vous n'avez pas moins d'expérience … . **7.** Elle était dans un tel état … ne parvenait pas à s'endormir.

156. QUELQUE : QUEL SENS? QUAND L'ACCORDER?

Dans quelque temps
Dans quelques jours

Quelque a plusieurs sens qu'il faut repérer pour l'accorder.

1 **QUELQUE : «PLUSIEURS»**   *Quelques amis*

• Quand *quelque* signifie «plusieurs», il détermine des **noms** qui sont **au pluriel** : il s'écrit **avec s**. Il peut être précédé d'un autre déterminant au pluriel.

> *Nous avons quelques amis communs.*
> *Ces quelques détails avaient éveillé leur attention.*

C'est son emploi le plus fréquent.

- L'expression *et quelques* (toujours au pluriel) qui suit une indication de nombre, se place avant le nom et non après.

  *Il a cent **et quelques** francs.*

  et non ...*cent francs et quelques.*

2 QUELQUE :   *Quelque temps*
« UN CERTAIN, UN QUELCONQUE »

- Quand *quelque* signifie «un certain, un quelconque», il détermine des **noms** qui sont **au singulier** : il s'écrit **sans s**.

  *«Il me demandait de venir le chercher dans **quelque** hall d'hôtel où il fixait ses rendez-vous.»* P. MODIANO
  = dans un quelconque hall... (on ne sait pas lequel)

- *Quelque* avec un nom au singulier ne peut jamais être précédé d'un autre déterminant.

- L'emploi de *quelque* dans ce sens appartient au registre* soutenu, sauf dans quelques locutions* invariables courantes.

quelque chose ▶ **37**	en **quelque** sorte
quelque part	**quelque** temps
quelque peu («un peu»)	

  *«Nous avons été **quelque peu** désappointés que d'autres (...) tirent une gloire qui lui revenait à elle.»* J. ROUAUD

3 QUELQUE : «ENVIRON»   *Quelque cent francs*

- Quand *quelque* se rapporte à un **nombre**, il signifie le plus souvent «environ». Il est alors **adverbe** et reste **invariable**, même dans un groupe nominal au pluriel.

  *Il lui reste **quelque** cinquante mètres à parcourir.*
  *Parmi les **quelque** vingt candidats présents, dix ont été reçus.*

- Le *e* final de *quelque* ne s'élide **jamais**, sauf dans le pronom *quelqu'un, quelqu'une*. ▶ **77**

- L'adverbe composé *quelquefois* (en un **seul** mot) signifiait «une certaine fois» (sens 2 de *quelque*). Aujourd'hui, il a plutôt un sens pluriel «de temps en temps, parfois» (sens **1**). Il est en concurrence avec le groupe nominal *quelques fois* (en **deux** mots et au pluriel) «plusieurs fois».
Comparez :

  *Si **quelquefois** tu le rencontrais, dis-le-lui.*
  = si une fois (un jour, par hasard) tu le rencontrais...

  *Je le rencontre **quelquefois** à la bibliothèque.*
  = je le rencontre de temps à autre, parfois.

  *Je l'ai déjà rencontré là-bas **quelques fois**.*
  = je l'ai déjà rencontré plusieurs fois.

- On trouve aussi *quelque*, déterminant ou adverbe, dans les tournures exprimant la concession. ▶ **157**

EXERCICE

Donnez le sens de quelque *dans chacune des phrases suivantes et mettez au pluriel si besoin est l'expression en italique.*

1. J'ai eu *(quelque peine)* à le convaincre. **2.** Je vous demande *(quelque instant)* d'attention s'il vous plaît. **3.** Les taux ont baissé depuis *(quelque temps)*, mais il est possible qu'ils remontent dans *(quelque jour)*. **4.** Voici *(quelque échantillon)* de notre catalogue. **5.** Cela fait bien *(quelque trente années)* que je ne l'ai pas vu.

157. QUELQUE OU QUEL QUE?

Quelles que soient les difficultés
Quelques difficultés qu'il ait

- **Quelque** et **quel que** employés avec le subjonctif servent tous deux à marquer la concession (▸ **42**). Mais selon la construction, on a un ou deux mots.

Comparez :

Quelques *difficultés qu'il ait, il réussira.*
= il a des difficultés **mais** il réussira.

Quelles que *soient les difficultés, nous réussirons.*
= les difficultés sont de toutes sortes **mais** nous réussirons.

- Il ne faut pas confondre cet emploi concessif de **quelque** dans une subordonnée* au subjonctif avec celui où il est simplement déterminant indéfini et signifie «plusieurs» ou «un certain». ▸ **156**

Il y a de cela **quelques** *jours.*
= plusieurs jours.

Il est en **quelque** *sorte son supérieur hiérarchique.*
= d'une certaine façon.

1 **QUELQUE (+ NOM)...** **QUE, QUI** *En quelque lieu que ce soit*

- **Quelque** précède un nom repris par **que** ou **qui**. Cette tournure relève du registre* soutenu.

En **quelque** *lieu* **que** *ce soit, il la gardait avec lui.*

Quelque *espoir* **qu'il** *subsiste, ils continuent leurs recherches.*

RETENEZ

- Dans cet emploi, **quelque** est déterminant. Il s'accorde avec le nom auquel il se rapporte.

Quelques *embûches* **qu'**on lui ait tendues, il est parvenu à ses fins.

POUR ALLER PLUS LOIN

● On trouve parfois *quelque... que* employé avec un adjectif. *Quelque* est alors adverbe invariable.

> **Quelque** *étourdies* **qu**'*elles soient, elles ont pensé à ma fête.*
> = **aussi** étourdies soient-elles, elles ont pensé...

2 **QUEL QUE+ ÊTRE** *Quel que soit le lieu*

● Même si rien ne s'intercale jamais entre *quel* et *que,* il faut écrire la locution* en deux mots et accorder *quel*, qui est attribut, avec le sujet de *être*.

> **Quels** *que* soient les obstacles, *nous vaincrons.*
> ATTRIBUT   SUJET
>
> **Quelle** *que* soit la valeur *de x.*
> ATTRIBUT   SUJET

EXERCICE

Remplacez les pointillés par quelque *ou* quel que *selon le cas. Faites les accords qui conviennent.*

1. ... soient ses intentions, je souhaite les connaître avant qu'il ne s'aventure dans cette entreprise. **2.** Il faut qu'il persévère ... puissent être les moqueries dont il est victime. **3.** ... étourderies qu'il ait pu commettre, il faut reconnaître la qualité de son travail. **4.** ... géniales que fussent ses idées, personne ne leur accorda crédit.

158. QUI ou QU'IL?

Ceux qui l'avaient connu
Ceux qu'il avait connus

● Il faut savoir si l'on a affaire au pronom *qui*, suivi d'un mot commençant par *l*, ou au pronom sujet *il* (ou *ils*) précédé de *qu'*, forme élidée (▶ 77) de *que* (▶ 154).

Comparez :

qui +	mot commençant par *l*	*Ceux* **qui** *l'avaient connu.* *Celui* **qui** *lance l'idée.*
qu(e) +	*il* (pronom sujet)	*Ceux* **qu'il** *avait connus.* *L'idée* **qu'il** *lance.*

1 **CAS GÉNÉRAL** *Ceux qui le savent*
Ce qu'ils savent

● Il faut savoir distinguer :

– *qui* : pronom relatif ou interrogatif. ▶ 39

> *Le public* **qui** *lit ces ouvrages est un public de spécialistes.*
> *L'élève ne sait pas* **qui** *il doit prévenir en cas d'absence.*
> **Qui** *l'eût cru ?*

– *que* : pronom, conjonction ou adverbe. ▶ **154**

*L'œuvre **qu'il** laisse est particulièrement abondante.*
*Nous attendrons **qu'il** lance l'opération.*
***Qu'il** fait froid ce soir!*

RETENEZ

• L'analyse de la phrase permet d'apporter la solution.
Comparez :

Jean et	ceux ANTÉC.	qui SUJET «ceux»	l' COD «Jean»	avaient connu. VERBE
	= et les personnes qui avaient connu Jean.			
Jean et	ceux ANTÉC.	qu' COD «ceux»	il SUJET «Jean»	avait connus. VERBE
	= et les personnes que Jean avait connues.			

De même, on a :

Je sais	qui SUJET		leur a répondu. GV	= je connais celui qui a répondu.
Je sais	qu' CONJ.	il SUJET	leur a répondu. GV	= je sais que lui- même leur a répondu.

POUR ALLER PLUS LOIN

• Souvent *qu'il* (ou *qu'ils*) s'écrit en deux mots quand on peut le remplacer par *que lui-même* (ou *qu'eux-mêmes*).

*Le chant **qu'il** a interprété.*
= le chant **que lui-même** a interprété.

2 **DANS LES TOURNURES IMPERSONNELLES**   *Ce qui est arrivé*

• On a toujours *qu'il* avec les verbes impersonnels* (verbes qui n'existent qu'à la forme impersonnelle) : *il faut, il s'agit...*

*Nous avons apporté tout ce **qu'il** faut.*
*Je crois **qu'il** neige dans les Alpes.*

• Avec un verbe qui s'emploie aussi bien en tournure impersonnelle qu'en tournure personnelle, on peut avoir le choix. Comparez :

en tournure impersonnelle	Voyez la curieuse aventure **qu'il** m'est arrivé.
en tournure personnelle	C'est une curieuse aventure **qui** m'est arrivée.

Souvent, on préfère la tournure personnelle, avec *qui* pour sujet.

*Voici ce **qui** s'est produit.*
*Le temps **qui** s'est écoulé.*
*Ce **qui** en résulte.*

RETENEZ

• Quand le sujet réel (▶ **191**) est exprimé dans la relative, on a forcément affaire à la tournure impersonnelle : il faut donc écrire *qu'il*.

*C'est ce **qu'il** convient de faire.*
   SUJ. apparent   SUJ. réel

EXERCICE

Remplacez les pointillés par qu'il, qui l' *ou* qui *selon le cas. Indiquez plusieurs solutions lorsque c'est possible et donnez alors le sens de chacune des phrases obtenues.*

1. J'espère … aura pensé à me rapporter mes affaires. **2.** C'était un bon résultat … avait encouragé. **3.** Ce sont des livres … avait déjà lus. **4.** C'est un bon roman. Mais … a déjà lu? **5.** Il ne sait pas ce … attend. **6.** Mettez les verbes suivants à la forme … convient. **7.** Mettez les verbes suivants à la forme … convient d'utiliser. **8.** As-tu fini ce … restait dans ton assiette? **9.** Je ne vois pas … lui aurait raconté de telles histoires.

159. QUOI : QUEL EMPLOI ?

Il ne sait pas quoi faire
Quoi de plus normal ?

Quoi peut être pronom relatif* ou interrogatif*. Il faut savoir quand l'employer et veiller à bien choisir la préposition qui le précède.

1 **QUOI, PRONOM RELATIF** *Ce à quoi je pense*

• **Quoi** est le pronom relatif représentant une chose, un inanimé*. Il a pour **antécédent*** :

un **pronom** ou une locution* pronominale neutre (▶ 98) *ce, rien, quelque chose, autre chose…*	*C'est quelque chose à **quoi** je n'avais pas pensé d'emblée.* *Il n'y a rien à **quoi** elle s'intéresse.* *C'est ce sur **quoi** ils ne parviendront jamais à se mettre d'accord.*
une **proposition**	*«Il viendra demain.» À **quoi** je répondis : «Peut-être.»* *Il l'a appelé, après **quoi** il est reparti.*

• Dans l'usage courant, **quoi** ne peut avoir pour antécédent ni un pronom représentant un animé* ni un nom. On emploie alors **qui** ou **lequel**.
Comparez :

*C'est quelque chose de fixe sur **quoi** vous pouvez compter.*
*C'est quelqu'un de fiable sur **qui** vous pouvez compter.*
*C'est une date fixe sur **laquelle** vous pouvez compter.*

• **Quoi** a pour antécédent une proposition dans de nombreuses locutions* exprimant un lien logique :

faute de **quoi**	moyennant **quoi**
sans **quoi**	après **quoi**…

*Il nous faut davantage de participants, **faute de quoi**, nous devrons annuler le stage.*

RETENEZ

• Avec les présentatifs* *c'est ce..., voici ce..., **quoi** doit être précédé de la préposition qui convient à la construction du verbe.

*C'est ce **à quoi** je <u>pense</u>.*	(penser **à** qqch.)
*C'est ce **sur quoi** je me <u>fonde</u>.*	(se fonder **sur** qqch.)
*Voici ce **pour quoi** nous nous <u>battons</u>.*	(se battre **pour** qqch.)
*Voilà ce **en quoi** je <u>crois</u>.*	(croire **en** qqch.)

Mais avec la préposition *de*, on a **dont** et non ~~de quoi~~. ▶ 70

*Voilà ce **dont** il <u>s'agit</u>.*	(il s'agit **de** qqch.)
*C'est ce **dont** je t'ai <u>parlé</u>.*	(parler **de** qqch.)

POUR ALLER PLUS LOIN

• *Quoi* s'emploie sans antécédent dans la tournure *de quoi* (+ inf.).

*Nous avons **de quoi** les <u>nourrir</u> plusieurs jours.*
*Il n'y a pas **de quoi** <u>rire</u>.*

2 QUOI, PRONOM INTERROGATIF

Je ne sais pas quoi faire

• Dans l'interrogation directe ou indirecte (▶ 106), on utilise *quoi* si deux conditions sont remplies :
– *quoi* renvoie à un inanimé* (pour un animé, on a *qui*).
Comparez :

avec inanimé	avec animé
À quoi sert ce livre?	**À qui** sert-il?
– À l'<u>approfondissement</u> des connaissances.	– Aux <u>élèves</u>.

– *quoi* est complément introduit par une préposition (pour les compléments sans préposition, on a *que*).
Comparez :

avec préposition	sans préposition
De quoi parles-tu?	**Que** dis-tu?

RETENEZ

• L'emploi de *quoi*, complément d'objet* direct (COD), dans l'interrogation directe **sans** inversion du sujet, relève du registre* familier.
Comparez :

Que dis-tu?
*Tu dis **quoi**?* (familier)

• Pour faire répéter une question qu'on n'a pas comprise, on se contente parfois du pronom employé seul : *Quoi?*
Le langage soutenu préfère : *Comment?*

POUR ALLER PLUS LOIN

• Dans l'interrogation indirecte, *quoi* peut remplacer *que* : il ne relève pas alors du registre familier.

*Que dire? Que penser? Nous ne savons plus **quoi** faire.*

EXERCICE

À partir des phrases suivantes, formez de nouvelles phrases selon le modèle donné, pour obtenir une interrogative directe (ID), une interrogative indirecte (II) et une relative (R).

EXEMPLE : *Il pense à cela.*
⇒ *(ID) : À quoi pense-t-il ?*
⇒ *(II) : Je me demande à quoi il pense.*
⇒ *(R) : C'est ce à quoi il pense.*

1. Il compte sur cela. **2.** Il compte sur toi. **3.** Il s'intéresse à autre chose. **4.** Il en a besoin.

160. QUOI QUE OU QUOIQUE ?

Quoi qu'il dise, on le croit
Quoiqu'il dise vrai, on ne le croit pas

Quoi que et **quoique** servent tous deux à introduire une subordonnée de concession (▶ 42) : proches par leur sens, ils n'en ont pas moins des constructions et des orthographes différentes.

1 QUOI QUE, LOCUTION PRONOMINALE

Quoi qu'il dise

● **Quoi que**, en deux mots, est une locution* pronominale quand il peut être remplacé par *quelle que soit la chose que (qui).*

«*Ils repartent persuadés,* **quoi qu'***ils aient vécu, vivent ou vivront, d'avoir ce jour-là côtoyé le pire.*» D. PENNAC
= quelle que soit la chose qu'ils aient vécue, vivent...

Quoi que *je fasse, tu n'es jamais content.*
Nous continuerons dans cette voie, **quoi que** *vous en pensiez.*

RETENEZ

● **Quoi que** est une locution pronominale : il a une fonction dans la subordonnée.

Quoi qu' il dise, on le croit.
 COD   SUJ. VERBE

Si on transforme la subordonnée en indépendante, **quoi que** doit être remplacé par *quelque chose, n'importe quoi...*

Il dit **n'importe quoi** *et on le croit.*
On ne peut avoir *Il dit et on le croit.*

● On retrouve **quoi que** dans la locution* figée **quoi qu'il en soit** qui signifie «de toute façon, en tout état de cause».

Quoi qu'il en soit, *il faut agir sans tarder.*
= de toute façon.

2 QUOIQUE, CONJONCTION

Quoiqu'il dise vrai

• *Quoique*, en un mot, est une conjonction* de subordination quand il peut être remplacé par *bien que* ou *encore que*.

«*Quoique le danger fût passé, j'allai me réfugier dans l'abri.*»
M. PAGNOL

= **bien que** le danger fût passé…

«*Est-ce que je me prends pour un chien, moi? Quoique…*
Quoique…» R. DEVOS

= **encore que**…

RETENEZ

• *Quoique* est une conjonction: il n'a pas d'autre fonction que celle d'introduire la subordonnée.

Quoiqu'   il dise vrai,   on ne le croit pas.
CONJONCTION

Dans une indépendante, *quoique* disparaît.

Il dit vrai mais on ne le croit pas.

• Dans une subordonnée **sans verbe conjugué**, on a toujours affaire à la conjonction *quoique*.

Quoiqu'admise, cette règle n'est jamais appliquée.

QUOI QUE ou QUOIQUE ?   RETENEZ

• En observant les mêmes règles, faites bien la différence entre les deux expressions suivantes :

quoi que ce soit «n'importe quoi»	**quoique ce soit** (+ attribut) «bien que ce soit…»
*S'il t'arrive **quoi que ce soit**, préviens-moi tout de suite.*	***Quoique** ce soit mon tour, c'est lui qu'on sert en premier.*

EXERCICE

Remplacez les pointillés par quoique *ou* quoi que *selon le cas.*

1. Réfléchis bien avant d'entreprendre … ce soit. **2.** … il fasse de nets progrès en ce moment, il n'a pas encore rattrapé le niveau. **3.** Elle refusait de le voir … il fasse. **4.** Il travaille assez vite … plus lentement qu'autrefois. **5.** Je ne le crois pas … il prétende dire la vérité. **6.** Appelez-moi si vous avez besoin de … ce soit. **7.** … Pierre vive, il en est heureux. **8.** … Pierre vive tout près, je suis sans nouvelles depuis des mois.

161. -R OU -RE EN FIN DE MOT?

Le lavoir et le laboratoire

Il n'est pas toujours facile de savoir quand il faut mettre un *e* final (▶ 73). En effet la lettre *r* – tout comme la lettre *l* (▶ 108) – présente la particularité de pouvoir être prononcée en finale, qu'elle soit suivie ou non d'un *e*. D'autre part, parmi les mots en [R][1], il y a à peu près autant de mots avec *e* que sans *e*.

1 LES DÉRIVÉS

Laboratoire

• On peut trouver la finale des mots dérivés (▶ 148) si l'on connaît celle des suffixes*.

– **Suffixes avec *e* muet**

suffixe	exemples
-ai**re** *et* -atai**re**	*prestataire, luminaire, similaire…*
-ivo**re**	*carnivore…*
-oi**re**	*écumoire, nageoire…*
-atoi**re**, -itoi**re**, -toi**re**	*obligatoire, territoire, directoire…*
-pa**re**	*multipare, ovipare…*
-u**re** *et* -atu**re**	*pliure, doublure, filature…*
-u**re**	*mercure, sulfure…*

– **Suffixes sans *e* muet**

suffixe	exemples
-uoi	*quatuor…*
-oir	*lavoir, arrosoir…*
-eur *et* -ateur	*chanteur, voyageur, navigateur…*
-eur	*douceur, noirceur, senteur…*

---

1. De nombreux mots en [R] s'écrivent avec une consonne muette en finale.
▶ 53

- *Laboratoire, auditoire...* sont formés avec le suffixe *-atoire*, *-itoire* et non avec le suffixe *oir*. Le plus souvent, un nom en *-tion* correspond aux noms ou adjectifs en *-toire*.
  directoire / direction – obligatoire / obligation...

- Les noms formés avec le suffixe *-oir* sont masculins, ceux formés avec le suffixe *-oire* sont féminins.
  un arrosoir – une écumoire

2 **LES MOTS SIMPLES**   *La chair, la chaire*

- Il n'existe pas de règle générale pour les mots simples. Il faut se résoudre à consulter si besoin un dictionnaire.

- Les noms qui se terminent par le son [œʀ] s'écrivent *-eur*.
  le labeur, la peur...

sauf :   beurre   demeure   prieure
              leurre   heure

- Certains homonymes* se distinguent par le *e* muet final.

la chair « viande »	*la chaire* « tribune »
un pair « un semblable »	*la paire* « le couple » ▶ **132**
voir (verbe)	*voire* (conj.) ▶ **201**

EXERCICE

Remplacez les pointillés par la finale adéquate.

1. Les herbivo... se nourrissent de végétaux. **2.** Malgré la froideu... des relations, un accord a été signé. **3.** Il a fallu changer tous les réservoi... du laboratoi... et de l'observatoi... . **4.** Le chlorur... est un sel. **5.** On nous propose un échafaudage tubulair... .

162. RAISONNER OU RÉSONNER?

Il raisonne comme un pied
Ses pas résonnent dans la cour

1 **RAISONNER : «PENSER»**   *Mémoriser et raisonner*

- **Raisonner,** c'est se servir de ses facultés intellectuelles pour penser, juger, etc. Selon les contextes, il peut avoir pour synonymes *réfléchir, penser, déduire, conclure, concevoir, élaborer...*
  Raisonner *juste, mal.*
  L'exercice de logique vous apprendra à **raisonner.**

On emploie *raisonner* à propos de personnes, parfois de choses quand on leur attribue des facultés humaines.

« *Le glaive ne **raisonne** pas, il frappe.* » M. LACHÂTRE

RETENEZ

● *Raisonner* est de la même famille que *raison* : il garde donc *-ai-*, tout comme *raisonnement, raisonneur, raisonnable, raisonnablement* et *déraisonner*.

2 RÉSONNER : «RETENTIR»   *La cloche résonne*

● **Résonner**, c'est produire un son avec un phénomène d'amplification ou d'écho. Il a pour synonymes *retentir, tinter, vibrer*. On emploie *résonner* à propos d'objets, de bruits ou de lieux.

   *Le percussionniste fait **résonner** ses timbales.*
   *Une pièce **résonne** toujours davantage quand elle est vide.*

RETENEZ

● *Résonner* est formé avec le préfixe *re-*. ▶ 165

● *Résonner* s'écrit avec *nn*, tout comme le verbe *sonner*, **mais** ses dérivés ne prennent qu'un *n* : *résonance* (tout comme *consonance, assonance*) et *résonateur*.

RAISONNER OU RÉSONNER ?   **RETENEZ**

● *Raisonner* peut s'employer avec un complément d'objet* direct : raisonner quelqu'un, c'est chercher à obtenir de lui qu'il ait une attitude raisonnable. Dans ce cas, il ne peut être confondu avec *résonner* qui, lui, n'a jamais de COD.

EXERCICE

Remplacez les pointillés par résonner *ou* raisonner *selon le cas.*

1. On entend souvent Pierre ... tout haut. **2.** Écoute les voix qui ... dans la montagne. **3.** Pour bien ..., le tambour doit avoir une peau bien tendue. **4.** Il faut, pour bien ..., partir d'hypothèses sensées.

163. SE RAPPELER
ET SE SOUVENIR   *Je me le rappelle*
                                    Je m'en souviens

Ces deux verbes synonymes ont une construction différente. Comparez :

se rappeler **quelque chose**	se souvenir **de quelque chose**
se **le** rappeler	s'**en** souvenir
ce **que** l'on se rappelle	ce **dont** on se souvient

1 SE RAPPELER QQCH. *Se le rappeler*

• *Se rappeler* est un verbe transitif direct (▶ 193-1). Son complément d'objet* se construit **sans** préposition.

Elle s'est rappelé cette anecdote.
            COD de *se rappeler*

*Elle **se rappelle** l'avoir déjà racontée plusieurs fois.*
           COD de *se rappeler*

RETENEZ

• Pensez à utiliser :
– le pronom personnel objet direct : *le, la, les.*
*Cette anecdote, je me **la** rappelle bien.*
et non …*je m'en rappelle bien.*
– le pronom relatif objet direct : *que.*
*C'est l'anecdote **que** je me rappelle le mieux.*
et non … *dont je me rappelle.*

2 SE SOUVENIR DE QQCH. *S'en souvenir*

• *Se souvenir* est un verbe transitif indirect (▶ 193-1) : son complément d'objet est introduit par la préposition *de*.

*Elle **se souvient** de cette anecdote.*
           COI de *se souvenir*

RETENEZ

• Pensez à utiliser :
– le pronom personnel objet indirect : *en* (▶ 84) ou *de lui.*
*Il nous a déjà raconté cette histoire, on s'**en** souvient.*
*Je le connais, je me souviens très bien **de lui**.*
– le pronom relatif **dont** (= *de* + antécédent*). ▶ 70
*C'est cette anecdote **dont** je me souviens le mieux.*
et non …*ce que je me souviens le mieux.*

POUR ALLER PLUS LOIN

• Le complément infinitif peut se construire avec ou sans *de*.
*Elle **s'est souvenue** l'avoir déjà rencontré.*
*« On **se souvient** de lui avoir entendu dire qu'on en verrait d'autres bientôt. »* A. GIDE

EXERCICE

Réécrivez les phrases suivantes en remplaçant se souvenir *par* se rappeler, *et inversement. N'oubliez pas les modifications nécessaires.*

1. Je lui ai demandé s'il se souvenait de cet épisode. Mais il ne se le rappelait plus. **2.** Il m'a donné quelques conseils et m'a prié de me les rappeler. **3.** Te rappelles-tu ce film sur la vie de Mozart ? – Non, le seul dont je me souvienne était sur Chopin. – Moi, je m'en souviens encore très bien. **4.** Elle a plus de quatre-vingts ans : se rappelle-t-elle son enfance ? **5.** Je t'ai aidé quand tu en avais besoin : souviens-t'en à présent.

164. RARE
Rares sont ceux qui y pensent

• **Rare**, contrairement aux autres adjectifs, se met souvent en tête de phrase quand il est attribut*. N'oubliez alors pas de l'accorder en genre et en nombre avec le sujet, même si cet accord ne s'entend pas toujours à l'oral.

Rares sont *les lecteurs qui ont répondu à notre sondage.*
ATTRIBUT   SUJET

RETENEZ

> • Pensez à *nombreux* qui peut se construire de la même manière et pour lequel l'accord se fait entendre.
> **Nombreuses** *sont les lectrices qui...*

EXERCICE

> *Donnez pour chaque phrase la forme de* rare *qui convient.*
> **1.** *Rare...* sont ceux qui accepteraient ces conditions de travail.
> **2.** Il ne faut pas oublier qu'à l'époque *rare...* étaient les livres qui échappaient à la censure. **3.** Peu de personnes pensent à faire l'accord, bien plus *rare...* encore sont celles qui savent le justifier.

165. RE-, RÉ- ET R- : QUEL SENS, QUELLE FORME ?
Repartir, réorganiser, rasseoir

Re-, **ré-** et **r-** sont les différentes formes du préfixe* **re-** qui a plusieurs sens et qui est très fréquent en français.

1 LES SENS DU PRÉFIXE RE

• **Re-** marque un **retour à un état antérieur**.
Réadapter, c'est adapter ce qui n'est plus adapté.
Replier, c'est plier ce qui n'est plus plié.

• **Re-** indique un mouvement en arrière, un **changement de direction** (sens spatial ou figuré).
Retourner qqch., c'est le tourner dans l'autre sens.

• **Re-** sert de **renforcement**. Dans ce cas, le terme en **re-** a souvent le même sens que la forme simple.
Comparez :
allonger et *rallonger* – *emplir* et *remplir* – *doubler* et *redoubler* – *chercher* et *rechercher...*
Dans d'autres cas, la forme en **re-** a supplanté la forme simple.
Accourcir a disparu au profit de *raccourcir*.

- *Re-* signifie «à nouveau». On l'appelle le *re-* **itératif**.
  Une relecture du texte vous permettra d'en corriger les fautes.

RETENEZ

> - Les formes avec *re-* itératif ne sont pas toujours élégantes. On peut souvent leur préférer une tournure équivalente, notamment avec *à* (ou *de) nouveau, encore...*
> Comparez :
>   *Le moteur refonctionne.* ⇒ *Le moteur fonctionne à nouveau.*
>   *Il s'est réabonné.* ⇒ *Il a pris un nouvel abonnement.*
>   *Il voudrait en ravoir.* ⇒ *Il voudrait en avoir encore.*
> Il est alors inutile d'employer *re-* et une tournure équivalente.
>   *Il voudrait en ravoir ~~encore~~.*

POUR ALLER PLUS LOIN
- *Re-* s'adjoint le plus souvent à un verbe, parfois à un nom ou un adjectif s'ils sont dérivés d'un verbe.
  recyclable – reconversion – réorganisation...
Employer *re-* avec d'autres mots relève du registre* familier.
  revoici, revoilà – rebonjour – belote et rebelote...

2 LES FORMES DU PRÉFIXE

- D'une façon générale :
- on emploie *re-* devant une consonne.
  revenir – remanier – redire – rehausser...
- on emploie *ré-* devant une voyelle ou un *h* muet*.
  réaménager – réorganiser – réinventer – réhabilitation...

- Devant *a*, *ré-* est souvent devenu *r-* (parfois aussi devant les autres voyelles).
  racheter – rallonger – renvoyer – rétablir – rouvrir...

RETENEZ

> - Cependant, quand il s'agit du *re-* itératif, on garde devant *a* la forme en *ré-,* forme qui tend d'ailleurs à se généraliser.
>   *se réabonner à un journal – réarmer un fusil...*
>
> - Parfois, deux formes existent.
>   *rajuster* et *réajuster – ranimer* et *réanimer – rapprendre* et *réapprendre – récrire* et *réécrire...*

- Pour les verbes qui commencent par «*s* + voyelle», il y a redoublement du *s*.
  ressembler – ressentir – resserrer – ressortir...
Les mots de création récente s'écrivent avec un seul *s*.
  Il sonne. Pas de réponse. Il resonne.

RETENEZ

> - Les dérivés du type «*res-* (ou *re-*) + mot commençant par *s* se prononcent [Rə] et jamais [Re].
>   *ressortir* [RəsɔRtiR]   ▶ **167**
>   *restructurer* [RəstRyktyRe]

EXERCICE

Complétez la grille suivante.

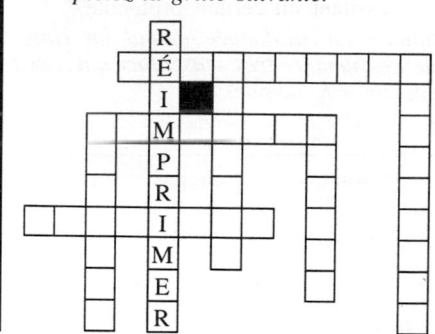

Manier pour changer la composition.

Éditer à nouveau.

Changer l'orientation.

Céder à nouveau.

Nouer ce qui est dénoué.

Rendre double.

Avoir à nouveau.

166. LES REGISTRES DE LANGUE

V'là-t'y pas comme y cause!
Ciel, quel langage!

• La langue offre plusieurs registres qui permettent d'exprimer différemment un même message. Les trois principaux sont :
– le registre familier : *T'as qu'à pas le disputer.*
– le registre courant : *Ne le gronde pas.*
– le registre soutenu : *Il ne t'appartient pas de le réprimander.*

• On parle aussi de **niveaux de langue.**

1 LES DIFFÉRENTES SITUATIONS DE COMMUNICATION

Selon la situation de communication dans laquelle on se trouve (conversation, discours, mémoire, rapport, lettre, roman...), on utilise tel ou tel registre.

• Le **registre courant** est neutre : il peut convenir à toutes les situations, notamment dans les rapports, les mémoires, les articles de journaux, les débats, les oraux d'examen....

• Le **registre familier** est le registre de la conversation, de la discussion informelle... Il suppose que l'on connaisse bien les interlocuteurs (d'où le terme *familier*). Les écrivains l'utilisent dans leurs romans pour donner plus de réalité à leurs personnages.

« Elle est quand même fortiche la jeunesse d'aujourd'hui. »
R. QUENEAU

• Le **registre soutenu** – aussi appelé *registre littéraire* – convient plus spécialement aux textes littéraires, aux discours solennels, aux échanges nécessitant un certain protocole…

> *« L'embarcation continuait sur sa lancée quand un rideau d'arbres me sépara de ces amants très masculins qui s'évanouirent dans la campagne. »* A. JARDIN

RETENEZ

> • Les registres familier et soutenu ne sont pas neutres : ils apportent des informations sur l'origine sociale du locuteur, sur le type de relations que le locuteur entretient avec ses interlocuteurs…

POUR ALLER PLUS LOIN

• On rassemble sous le terme de *registre vulgaire* un ensemble de termes grossiers relevant de la scatologie, de la sexualité.

> *chier, cul, putain…*

• Quant au **registre populaire**, il concerne plutôt des emplois de mots ou de tournures propres à ceux pour qui les mécanismes de langue ne sont pas bien acquis.

> *T'as vu comment que tu parles ?*

• L'**argot** n'est pas un registre, mais une langue, à l'origine celle des malfaiteurs. Aujourd'hui, une grande partie de son lexique est entrée dans le registre familier.

> *Une tire.* (= une voiture)

2 LES CARACTÉRISTIQUES DES REGISTRES

Les différents registres de langue se reconnaissent aux mots (lexique) et aux constructions (syntaxe) employés.

• Le lexique
Un certain nombre de mots, d'expressions appartiennent à un registre particulier.
Comparez :

courant	familier	soutenu
cheval	canasson	coursier
être fatigué de	en avoir assez de	être las de
ennuyer	embêter	importuner
beaucoup de	des tas de	maint
très	vachement	fort
comment ?	hein ? quoi ?	plaît-il ?
oui	ouais	certes

RETENEZ

> • Les dictionnaires notent généralement ces registres en donnant une indication sous forme abrégée. Il est utile de savoir les repérer.
> *fam.* = registre familier
> *littér.* = registre soutenu

POUR ALLER PLUS LOIN

• Le registre familier crée son propre lexique en empruntant au lexique courant des mots qu'il transforme.

suppression des syllabes finales : *fac, prof, magnéto…*
utilisation de suffixes* particuliers : *valoche, proprio…*

• **La syntaxe**

– Le **registre familier** omet la négation *ne*, utilise *on* pour *nous*, ne fait pas l'inversion du sujet dans l'interrogation, évite la subordination, ne prononce pas toutes les syllabes…
Comparez :

familier	courant
Je sais pas.	*Je **ne** sais pas.*
On a qu'à lui demander.	***Demandons**-le-lui.*
*Il a dit **quoi**?*	***Qu'est-ce** qu'il a dit?*
C'est rapport à son travail.	*C'est **en** rapport **avec** son travail.*
***T'as** tout compris.* [ta]	***Tu as** tout compris.* [tya]

– Le **registre soutenu** refuse la tournure *est-ce que*, met des éléments en relief grâce au déplacement, utilise le passé simple et l'imparfait du subjonctif…
Comparez :

soutenu	courant
Viendra-t-il?	***Est-ce qu'**il viendra?*
***Dès les premiers rayons du soleil**, ils partirent travailler.*	*Ils **sont partis** travailler **dès les premiers rayons du soleil**.*
*Il aimait qu'on le sollicit**ât**.*	*Il aimait qu'on le sollicite.*

• **Le style**

Le registre familier se caractérise par des phrases courtes, vives, simples. Le registre soutenu, au contraire, utilise des phrases complexes; il est riche en images, métaphores…

Le confident des grâces. (= le miroir)

EXERCICE

Dites, en justifiant votre réponse, à quel registre appartiennent les phrases suivantes. Donnez-leur un équivalent dans le registre courant.

1. L'auteur semble être pas au courant. **2.** Il ne faut point craindre le pire. **3.** Il en a marre de cette vie. **4.** Il veut quoi? **5.** La fortune leur a souri.

167. RESSORTIR : QUEL SENS, QUELLE CONJUGAISON?

Elle ressort en courant
Cela ressortit à la justice

1 RESSORTIR: «SORTIR À NOUVEAU»

Faire ressortir une couleur

- **Ressortir** est dérivé du verbe *sortir* avec le préfixe *re-* (▶165). Il signifie «sortir à nouveau, sortir après être entré» ou au sens figuré «être en relief».

> *Elle jette un coup d'œil dans la pièce et **ressort** aussitôt.*
> *Il faut faire **ressortir** l'inscription sur un fond clair.*
> *Que **ressort**-il de tout cela?* (tournure impersonnelle*)

RETENEZ

- **Ressortir** dans ce sens est un verbe du **3e groupe**: il se conjugue comme *sortir*. ▶48
> *Vos idées ne **ressortent** pas clairement dans votre exposé.*
> *Les inscriptions **ressortaient** mieux.*

2 RESSORTIR À : «SE RATTACHER À»

Ressortir à une autorité

- **Ressortir** vient du nom *ressort* «compétence, domaine» et signifie «être du domaine de, se rattacher à».
> *Ces difficultés **ressortissent** à la pratique de la langue.*

Ressortir appartient au registre* soutenu. Il a de nombreux synonymes plus courants: *dépendre de, relever de, concerner, appartenir à, être du domaine (de la compétence) de…*

RETENEZ

- **Ressortir** se construit **toujours** avec la préposition **à**, alors que *être du ressort* se construit avec *de*. Ne les confondez pas.
Comparez:

ressortir **à**	Cela **ressortit à** la justice.
être du ressort **de**	Cela **est du ressort de** la justice.

- **Ressortir** dans ce sens est un verbe du **2e groupe**: il se conjugue comme *finir* et non comme *sortir*. ▶48
> *Aujourd'hui la décision d'agir **ressortit** à chacun.*

EXERCICE

Complétez par le verbe et la préposition qui conviennent.

1. Il refusait cette tâche prétextant qu'elle ne … sa fonction. **2.** Il … sondage que les lecteurs souhaitent un changement dans la présentation du journal. **3.** Ce terme … la langue littéraire. **4.** On … ce vieux terme abandonné depuis plusieurs siècles.

168. -S OU -X AU PLURIEL?

Les émeus naissent-ils dans les choux?

Les noms et adjectifs se terminant par la lettre *u* (finales en *-au*, *-eau*, *-eu* ou *-ou*) marquent leur pluriel par *-s* ou *-x* (▶ 142). Sachez mettre le bon pluriel et retenez les exceptions.

Certains mots en *-ail* ou en *-al* ont un pluriel en *-aux*. ▶ 10, 12

1 **SINGULIER EN -AU, -EAU ET -EU**   *Les nouveaux tuyaux*

● Les noms et adjectifs se terminant par *-au*, *-eau* et *-eu* ont leur pluriel en *-x*.

Les nouveaux tuyaux en aluminium.
En tous lieux.
Des adieux émouvants.
De nombreux feux.

RETENEZ

● Quelques noms et deux adjectifs ont un *-s* au pluriel.

landau	sarrau «blouse»	
pneu	émeu «oiseau»	lieu «poisson»
bleu (nom et adjectif)		feu «défunt»

Des lieus noirs fraîchement pêchés.
Des landaus aux rubans bleus.
Les feus princes.

POUR ALLER PLUS LOIN

● *Feu*, nom de couleur, reste invariable lorsqu'il est employé comme adjectif. ▶ 55

*Des dahlias rouge **feu** – des dahlias **feu**.*

● *Feu* «défunt» reste invariable quand il **précède** le déterminant

Feu mes beaux projets!

2 **SINGULIER EN -OU**   *Les cachous*

● Les noms et adjectifs se terminant par *-ou* prennent un *-s* au pluriel.

Les cachous ne sont pas mous.

- **Sept noms en *-ou* ont un pluriel en *-x*.**
  bijou   caillou   chou   genou   hibou   joujou   pou
  Les bijoux de la couronne.

POUR ALLER PLUS LOIN
- On écrit :   *tripoux*   ou   *tripous*
                     ripoux   ou   *ripous.*

EXERCICE

Chassez l'intrus de chaque liste en mettant les mots au pluriel.

1.	**2.**	**3.**
mou	bleu	nouveau
caillou	pneu	sarrau
cou	lieu noir	tuyau
flou	jeu	carreau
nounou	émeu	poteau

169. SANS : + SINGULIER
OU PLURIEL ?   *Sans peur et sans reproche*

- La préposition *sans* introduit des noms qui peuvent être au pluriel ou au singulier selon le contexte, le sens, la logique… et non selon une règle précise.

  *Le vieil abri **sans** porte et **sans** fenêtres.*

- Si cela n'est pas contraire à la logique, on peut avoir le choix entre le singulier et le pluriel.

  *Un devoir **sans** faute.*
  ou   ***sans** fautes.*

- Pour trancher entre le singulier et le pluriel, on peut utiliser la formule opposée contenant *avec* : elle fait apparaître le déterminant et renseigne donc sur le nombre.
Comparez :

*Un café **sans** sucre.*	*Un ciel **sans** étoiles.*
*Un café **avec du** sucre.*	*Un ciel **avec des** étoiles.*

- Certaines expressions figées sont cependant **toujours au singulier.**

sans crainte	sans pareil
sans délai	sans raison
sans encombre	sans rancune
sans espoir	sans suite
sans exception	sans trêve

- Quand *sans faute*, *sans doute*, *sans façon* sont employés comme adverbes (ils signifient «absolument», «sûrement», «simplement»), ils restent **toujours au singulier**.

  *Retournez-nous le bon de commande lundi **sans faute**.*

- On écrit toujours au pluriel :

  *Un couple **sans** enfants.*

POUR ALLER PLUS LOIN

- *Sans* a une valeur **négative**. Une double négation (*ne... pas... sans...*) équivaut souvent à une affirmation atténuée. ▶ 125 Comparez :

*Vous **n**'êtes **pas sans** savoir.*	*Vous **n**'êtes **pas sans** ignorer.*
= vous **n**'êtes **pas** quelqu'un qui **ne** sait **pas**.	= vous **n**'êtes **pas** quelqu'un qui **n**'ignore **pas**.
= vous **savez**.	= vous **ignorez**.

  *Cela **ne** s'est **pas** fait **sans** peine.*
  *Cela s'est fait **avec** peine.*

- En emploi coordonné, *et sans* peut être remplacé par *ni*. ▶ 126

  *Il est parti **sans** ses clefs **et sans** son portefeuille.*
  *Il est parti **sans** ses clefs **ni** son portefeuille.*

EXERCICE

Mettez au pluriel s'il le faut le terme en italique.

1. Ce remboursement se fera sans *intérêt*. **2.** Soyez sans *crainte*. Nous veillons sur tout. **3.** Nous acceptons tout le monde sans *distinction* d'âge ni de sexe. **4.** Il faut le prévenir sans *faute* avant lundi. **5.** Il n'est sans *doute* pas encore au courant. **6.** En été, il porte des pulls sans *manche*.

170. FAIRE SEMBLANT : QUELLE CONSTRUCTION ?

Faire semblant de dormir

- *Faire semblant* se construit avec un infinitif introduit par *de*.

  *Ne **font**-ils pas **semblant d**'être très occupés?*
  *Elle sait très bien **faire semblant de** ne pas avoir entendu quand cela l'arrange.*

RETENEZ

- Autrefois, on utilisait aussi l'expression *faire semblant* avec *que* suivi de l'indicatif.

  Faites semblant que cela vous plaît.

  Aujourd'hui, on préfère :

  *Faites **comme si** cela vous plaisait.*

POUR ALLER PLUS LOIN

● *Faire semblant* peut aussi s'employer sans complément (emploi absolu*).

Il pleure ? – Non, il fait semblant.

EXERCICE

Transformez les phrases suivantes à l'aide de faire semblant.

1. Quel enfant n'a jamais feint d'être malade pour ne pas aller en classe ? **2.** Pourquoi faire croire qu'on connaît tout ? **3.** Ne faites pas comme si vous aviez oublié notre rendez-vous. **4.** Elle fait toujours comme si elle n'avait rien vu.

171. SEUL,
EN TÊTE DE PHRASE

Seule sa présence le réconforterait

● Quand il signifie «seulement, rien que», *seul* se place souvent en tête de phrase.

Seul votre avis sera pris en compte.
= c'est seulement votre avis qui sera pris en compte.

RETENEZ

● *Seul* reste cependant adjectif et doit s'accorder en genre et en nombre avec le nom ou le pronom auquel il se rapporte.

Seules les réponses reçues avant jeudi seront acceptées.
Seuls toi et moi sommes au courant de l'affaire.

● Le verbe peut séparer *seul* du nom auquel il se rapporte.

Seuls sont autorisés à stationner les véhicules de service.

POUR ALLER PLUS LOIN

● Si on choisit de ne pas le mettre en tête de phrase, *seul* se place après le nom ou juste après le verbe conjugué.

Les réponses seules reçues avant jeudi seront acceptées.
Les réponses reçues avant jeudi seront seules acceptées.

C'est le cas de l'expression figée : *Dieu seul le sait.*

EXERCICE

Soulignez le terme auquel se rapporte seul *et faites l'accord.*

1. Peu importent les conditions, *seul...* les résultats comptent.
2. *Seul...* moi suis autorisée à lui rendre visite. **3.** Moi *seul...* suis autorisée à lui rendre visite. **4.** *Seul...* son frère et sa sœur l'ont accompagné. **5.** *Seul...* un expert pourrait résoudre ces questions.
6. *Seul...* ont été admis trois candidats.

172. SI, CONJONCTION : QUEL MODE, QUEL TEMPS ?

Si j'avais su!
J'ignore s'il aurait su répondre

L'emploi des modes et des temps après la conjonction ✱ de subordination *si* dépend de sa valeur.

1 SI DANS L'HYPOTHÈSE OU LA CONDITION

Si tu veux

- La conjonction *si* introduit des subordonnées* qui expriment une hypothèse, une condition (▶ **44**). Les subordonnées sont **à l'indicatif.**

<u>Serait-on plus heureux</u> **si** <u>on travaillait moins?</u>
 PRINC. SUB. (hypothèse)

- La principale peut être sous-entendue.
  Si j'avais su! (regret)
  Et si on allait au cinéma? (suggestion)

RETENEZ

- **«Les *si* n'aiment pas les *r*!»**
Les subordonnées exprimant une hypothèse, une condition ne sont **jamais** au conditionnel ni au futur, mais à l'indicatif présent ou passé.
(1) *Si de meilleures conditions de travail **étaient** mises en place, la qualité des produits augmenterait.*
    et non *Si de meilleures conditions ~~seraient~~ mises...*
(2) *Si tu viens je serai ravi.*
    et non *Si tu ~~viendras~~...*
Seule la principale peut être au conditionnel ((1) irréel : le plus souvent avec une subordonnée à l'imparfait ou au plus-que-parfait) ou au futur ((2) réel : le plus souvent avec une subordonnée au présent ou au passé composé).

- De même, on ne met **jamais** de conditionnel ni de futur après **comme si, même si, sauf si.**
  *Elle faisait toujours **comme si** elle n'avait rien entendu.*
  ***Même si** tu <u>voyais</u> cela de tes yeux, tu ne le croirais pas.*
  *Ne dites rien, **sauf si** on vous le <u>demande</u>.*

POUR ALLER PLUS LOIN

- En emploi littéraire, *si* introduit parfois une subordonnée qui n'exprime pas une hypothèse, une condition, mais une précision, une explication.
  Si je me réjouissais pour moi, je me réjouissais davantage encore pour lui.
  = je me réjouissais pour moi, et davantage encore pour lui.
  Si nous lisons, c'est aussi pour nous détendre.
  = nous lisons pour nous détendre.

2 SI DANS L'INTERROGATION INDIRECTE

Sais-tu s'il viendra ?

- *Si* est la conjonction utilisée quand la subordonnée introduite est une interrogation totale (la réponse attendue peut être *oui*, *si* ou *non*).

Comparez :

> interrogation directe : *Est-il parti ? – Oui.*
> interrogation indirecte : *Je me demande s'il est parti.*

RETENEZ

- Dans une interrogation indirecte (▶ 106), *si* introduit une subordonnée à l'indicatif ou au conditionnel ; le futur est alors possible (contrairement aux subordonnées exprimant une hypothèse, voir **1**).

Comparez :

> *S'il réussit, j'en serai heureux.*
> = en cas de réussite.
> (**hypothèse** : futur ou conditionnel impossibles.)
> *Je ne sais pas s'il réussira ?*
> = réussira-t-il ?
> (**interrogation** : futur ou conditionnel possibles.)

EXERCICE

Mettez les verbes entre parenthèses à la forme voulue.

1. Quelle aurait été la réaction de l'artiste s'il *(vivre)* encore aujourd'hui ? **2.** J'ignore si elle *(accepter)* de telles conditions. **3.** Si vous *(craindre)* d'être en retard, prenez plutôt un taxi. **4.** Si vous *(craindre)* d'être en retard, il fallait prendre un taxi. **5.** Même s'il *(ne pas avoir encore pris)* sa décision, il *(avoir pu)* nous prévenir.

173. SI OU S' ?

S'il arrive
Si elle arrive

Si est le seul mot du français pour lequel l'élision (▶ 77) de la lettre *i* est possible. Encore faut-il savoir quand faire cette élision.

1 S'IL, S'ILS

S'il pleut

- Le *i* de la conjonction* *si* s'élide **toujours** devant *il* et *ils*. On écrit donc *s'il* ou *s'ils*.

> *Je me demande s'ils le désirent.*
> *S'il en est ainsi, j'accepte.*
> *Même s'il ne fait pas beau, nous sortirons.*
> *Ils ont réagi comme s'ils avaient gagné le gros lot.*

2 SI

Si elle veut

- Devant les autres mots, *si* ne s'élide **jamais.**
  Si Isabelle téléphone ou si elle arrive, préviens-moi.
  Sais-tu si on doit apporter quelque chose ?

RETENEZ

- Écrivez bien *si l'on*   et non ~~s'il on~~. ▶ 130

SI OU S'?   **POUR ALLER PLUS LOIN**

> - Ne confondez pas *si*, conjonction (servant à annoncer une hypothèse ou une interrogation, ▶ 172) et *si*, adverbe, pour lequel l'élision n'est **jamais** possible.
>
>   *Tu n'as pas eu de ses nouvelles ? – Si, il est venu hier.*
>   si = *oui* (**adverbe** d'affirmation)
>   *Cette lettre est si illisible, qu'il a fallu la réécrire.*
>   si = *tellement* (**adverbe** d'intensité)

EXERCICE

Remplacez les pointillés par si ou s' selon le cas.

1. … ils daignaient au moins répondre à mon courrier ! **2.** Comme … il suffisait de demander quelque chose pour l'obtenir ! **3.** … elle n'a pas répondu, c'est qu'elle n'a rien reçu. **4.** Il m'arrive d'avoir raison même … il m'arrive souvent d'avoir tort ! **5.** Ce n'est pas ce qu'ils souhaitaient faire. – … ils l'ont fait exprès.

174. SOI OU LUI, ELLE?

Chacun chez soi
Chacun chez lui

Le pronom personnel réfléchi singulier *soi* (▶ 150) est parfois remplacé par *lui* ou *elle*. Sachez quand employer l'un ou l'autre.

1 ON EMPLOIE SOI

Confiance en soi

- On emploie *soi* quand le pronom renvoie à un **nom de personne indéterminé** (dans une phrase exprimant une généralité).
  Un égoïste ne pense qu'à soi
  = les égoïstes en général, et non une personne particulière.
C'est le cas quand *soi* renvoie à un **pronom** de valeur **indéfinie**.
  Personne n'est assez sûr de soi pour tenter l'expérience.
  On a toujours besoin d'un plus petit que soi.

- On emploie également *soi* lorsque le sujet n'est pas exprimé.
  L'important est d'avoir confiance en soi.
  (le sujet de *avoir confiance* n'est pas exprimé.)

2   ON EMPLOIE LUI, ELLE   *Confiance en lui*

- On emploie *lui, elle* quand le pronom renvoie à un **nom de personne déterminé**.

  *Cet égoïste ne pense qu'à **lui**.*
  (une personne bien particulière est désignée.)
  *Marie, toujours sereine, a confiance en **elle**.*

- On emploie également *lui, elle* quand le pronom renvoie à un **nom de chose**, qu'il soit déterminé ou non.

  *La montagne attire à **elle** les amateurs d'escalade.*
  *Tout succès porte en **lui** de nouveaux espoirs.*

SOI OU LUI, ELLE ?   RETENEZ

- Les mêmes règles d'emploi s'appliquent quand le pronom renvoie au sujet *chacun* et *aucun* (pronoms indéfinis) :
- **s'ils ne sont pas déterminés**, on emploie *soi*.

  *Chacun pour **soi**, Dieu pour tous.*

- **s'ils sont déterminés** par un complément introduit par *de*, ou s'ils représentent des personnes dont on a déjà parlé, on emploie *lui, elle*.

  *Aucune des vendeuses n'avait de monnaie sur **elle**.*
  *J'avais de nombreux invités. Après la fête, chacun est rentré chez **lui**.*

SOI OU LUI, ELLE ?   POUR ALLER PLUS LOIN

- On peut utiliser dans les mêmes conditions les formes renforcées *soi-même* et *lui-même, elle-même*.

  *On n'est jamais mieux servi que par **soi-même**.*
  (Au téléphone) *Monsieur Dupont ? – **Lui-même**.*

- Il est préférable d'utiliser *soi*, même si le sujet nom de personne est bien déterminé, lorsqu'il y a un risque d'ambiguïté. Comparez :

  *L'ami de Pierre ne pense qu'à **soi**.*
  *L'ami de Pierre ne pense qu'à **lui**.*
  (= à lui-même ou à Pierre?)

- Notez qu'au pluriel, le seul pronom réfléchi possible est *eux, elles*.

  *Les égoïstes ne pensent qu'à **eux**.*

EXERCICE

Remplacez les pointillés par le pronom adéquat; pour cela repérez, en le soulignant, le groupe sujet auquel renvoie le pronom.

1. L'avenir veut que l'on regarde toujours devant … . **2.** Les jours d'examen, il est moins sûr de … . **3.** Chacun des enfants avait avec … son bonnet et ses gants. **4.** Le feu s'est éteint de …-même.

175. SOI-DISANT:
ORTHOGRAPHE, EMPLOI

Les soi-disant spécialistes

• **Soi-disant** est une locution* adjective qui signifie tout d'abord «qui se dit, qui se prétend...» ou dans un sens plus large «que l'on dit, prétendu, présumé, censé». Il implique toujours un doute, une réserve quant à la vérité de l'affirmation.

> *Un **soi-disant** spécialiste de la question.*
>> = une personne qui **se** dit spécialiste de la question.
>> *ou* = une personne que l'**on** dit spécialiste de la question.

RETENEZ

• **Soi** est le pronom personnel réfléchi (▶ 150) qui correspond à *se* «lui-même» (comme *moi, toi*). Il ne prend donc **jamais** de *-t* final. Ne le confondez pas avec *soit* qui est le subjonctif présent du verbe *être*.

• **Soi-disant** s'emploie le plus souvent comme adjectif. Mais *soi-disant* reste **toujours invariable** car il correspond à un participe présent *(disant)* précédé de son complément *(soi)*.
▶ 16

> *Une soi-dis**ant** héritière réclamait une part de l'héritage.*
> *Les soi-disant spécialistes n'ont pas résolu le problème.*

• **Soi-disant** peut aussi s'employer comme adverbe «prétendument, à ce qu'il paraît». Il n'est **jamais** suivi de *que*.

> *Ce tissu est **soi-disant** infroissable.*
> et non *Soi-disant que ce tissu est infroissable.*
> *Il n'est pas venu : il n'avait **soi-disant** pas le temps.*
> et non *Il n'est pas venu, soi-disant qu'il n'avait pas...*

POUR ALLER PLUS LOIN

• Quand **soi-disant** signifie «prétendu tel» ou même «faux», il s'emploie couramment aussi bien à propos de personnes que de choses. Cependant, cet emploi est encore condamné par certains puristes et correcteurs car il n'est pas conforme au sens premier «se dire soi-même».

> *Les **soi-disant** coupables ont enfin été reconnus innocents.*
> = les gens que l'on dit coupables (et non les gens qui se disent coupables).
> *Le **soi-disant** choix ne nous offre rien de plus.*
> (le choix, nom de chose, n'est pas doué de parole.)

On peut alors employer un synonyme : *présumé, prétendu...*

EXERCICE

Remplacez les pointillés par soi-disant. *Donnez à chaque fois un mot ou une expression synonyme.*

1. C'est une ... panne qui l'a retardé. **2.** Il était ... venu pour travailler. **3.** Je ne crois pas un mot de vos ... prétextes. **4.** Ses ... amies n'ont jamais su l'aider.

176. LE SUBJONCTIF : QUEL EMPLOI ?

1 GÉNÉRALITÉS

• Le subjonctif est un mode personnel (▶ 118). Son emploi est délicat car souvent subjonctif et indicatif s'emploient dans des tournures qui se ressemblent.

Comparez :

> *Je veux qu'il travaille et qu'il vienne ensuite.* (subjonctif)
> *Je sais qu'il travaille et qu'il vient ensuite.* (indicatif)

• Les nuances exprimées par le subjonctif ne sont pas aussi nettes que celles de l'impératif (ordre) ou du conditionnel (souhait, hypothèse…). D'une façon générale, on peut cependant dire que le subjonctif est le mode du probable, du doute, du désir…

• Le subjonctif compte quatre temps :

temps simples ▶ 48		temps composés ▶ 49	
présent	*qu'il voie*	passé	*qu'il ait vu*
imparfait	*qu'il vît*	plus-que-parfait	*qu'il eût vu*

Seuls le présent et le passé sont utilisés fréquemment. L'imparfait et le plus-que-parfait ne s'emploient que rarement dans le registre* courant, un peu plus souvent dans le registre soutenu.

RETENEZ

• Ne confondez pas :
– *est* : 3ᵉ pers. du sing., indicatif présent de *être* : *il est*.
– *ai* : 1ʳᵉ pers. du sing., indicatif présent de *avoir* : *j'ai*.
– *aie* : 1ʳᵉ pers. du sing., **subjonctif** présent de *avoir* : *que j'aie*.
– *ait* : 3ᵉ pers. du sing., **subjonctif** présent de *avoir* : *qu'il ait*.
  Ils voudraient qu'elle ait fini avant l'heure.

2 LE SUBJONCTIF DANS LES CONJONCTIVES   *Je veux qu'il vienne*

• Le plus souvent, on utilise le subjonctif dans les subordonnées **conjonctives*** qui dépendent d'une principale exprimant :

la volonté	*Je veux que vous le rencontriez.*
la nécessité, l'importance	*Il faut qu'il sache ce que nous attendons de lui.*
le désir, le regret	*Je regrette qu'il n'ait pas été prévenu plus tôt.*
le but	*Nous avons pour objectif qu'il soit bien informé…*
la crainte, l'incertitude	*… de crainte qu'il ne prenne une mauvaise décision.*
l'éventualité…	*Il est possible qu'il ait déjà pris sa décision.*

• Certains verbes ou locutions* verbales, ainsi que certaines conjonctions de subordination, appellent **de façon systématique** le subjonctif dans les subordonnées. Retenez-les.

– **Verbes et locutions (+ subj.)**

aimer	être d'accord pour	refuser
approuver	exiger	regretter
attendre	faire attention	souhaiter
avoir envie	falloir	tenir à
craindre	importer	vouloir
demander	interdire	*et aussi*
déplorer	ordonner	il se peut que
désirer	permettre	ce n'est pas que
douter	préférer	*etc.*
s'étonner	prendre garde	

Je m'étonne qu'il soit encore là.
Je m'attendais à ce que vous ayez terminé.
J'ai envie qu'il vienne.

– **Conjonctions (+ subj.)**

à condition que	de peur que	pourvu que
à moins que	en admettant que	quoique ▶ 160
à supposer que	encore que	sans que
afin que	jusqu'à ce que	si tant est que
avant que	malgré que ▶ 114	soit que… soit que…
bien que	non (pas) que	*etc.*
de crainte que	pour peu que	
de façon que	pour que	

Ils ont compris bien qu'il s'agisse d'une question délicate.
Ne bougez pas jusqu'à ce que je revienne.

RETENEZ

• **Avant que** est suivi du subjonctif, **après que** est suivi de l'indicatif. ▶ 118
Comparez :

Il a été prévenu { *avant que l'on n'ait pris la décision.*
après que l'on a pris la décision.

• On emploie l'indicatif, et non le subjonctif, après **du fait que, du moment que, il est certain que**…
Il est certain que les ventes peuvent encore augmenter.

• Quand cela est possible, on utilise un infinitif plutôt qu'un subjonctif, si les deux propositions ont le même sujet.
Il a travaillé tout l'été pour qu'il s'offre un voyage en Inde.
Il a travaillé tout l'été pour s'offrir un voyage en Inde.

POUR ALLER PLUS LOIN

• Certains verbes de jugement peuvent être suivis de l'indicatif ou du subjonctif selon qu'ils sont employés dans une phrase affirmative ou négative, déclarative ou interrogative. ▶ 118
Comparez :

Je doute qu'il réussisse.
Je ne doute pas qu'il réussira.
Vous pensez que c'est juste.
Pensez-vous que ce soit juste ?

3 **LE SUBJONCTIF**   *Le seul qui sache cela*
DANS LES RELATIVES

Dans les propositions relatives*, l'emploi du subjonctif dépend du sens de la phrase.

• Si la relative exprime quelque chose d'hypothétique, d'imaginaire, ou quelque chose que l'on souhaite, il ne s'agit pas d'une certitude : le verbe se met donc au subjonctif.
Comparez :

> *Imaginons un coin de la Terre qui ne **soit** pas pollué.*
> et *C'est heureusement une région qui n'**est** pas encore polluée.*
> *Je cherche quelque chose qui lui **fasse** plaisir.*
> et *Un sourire est quelque chose qui **fait** toujours plaisir.*

• Lorsque la principale est à la forme négative ou interrogative, la relative est souvent au subjonctif.
Comparez :

> *Je ne connais personne qui **puisse** réparer cette machine.*
> *Connais-tu quelqu'un qui **puisse** réparer cette machine ?*
> *Je connais quelqu'un qui **peut** réparer cette machine.*

• Bien que l'indicatif ne soit pas exclu, on trouve souvent le subjonctif après les expressions suivantes :

le seul / l'unique	le plus… / le moins…
un des…	le meilleur… / le mieux…
le dernier / le premier	

> *Il est le seul qui **sache** (ou qui **sait**) où elle se trouve.*
> *Je parlerai de X, le premier qui **ait osé** (ou qui **a osé**) aborder le sujet.*

POUR ALLER PLUS LOIN
• Dans les relatives, on peut trouver le conditionnel à la place du subjonctif.

> *Je cherche quelque chose qui lui **ferait** plaisir.*

4 **LE SUBJONCTIF DANS**   *Qu'il soit là m'amuse*
LES PROPOSITIONS SUJETS

• Une proposition sujet introduite par *que* se met **toujours** au subjonctif.

> *Qu'il **soit** déjà là me rassure.*
>   SUJET   (= cela me rassure)
> *Qu'il **pleuve** en novembre n'a rien d'étonnant.*
>   SUJET

POUR ALLER PLUS LOIN
• Dans certaines tournures impersonnelles*, la subordonnée est le sujet réel (▸ 191) : elle est au subjonctif.
Comparez :

> *Cela me rassure*
> *Il est rassurant*   } *qu'il **soit** déjà là.*
> *C'est rassurant*   SUJ. réel
> SUJ. apparent

Qu'il vienne
Puisse-t-il venir

5 **LE SUBJONCTIF
DANS LES PRINCIPALES
OU LES INDÉPENDANTES**

- Le subjonctif exprime un vœu, une prière, un ordre. ▶ 131

  *Qu'il **vienne** dès qu'il peut.*
  *Que le Ciel t'**entende**.*

POUR ALLER PLUS LOIN

- On emploie le subjonctif dans une proposition coordonnée et introduite par *que* pour exprimer une condition. ▶ 44

  *Qu'il **fasse** mine seulement de recommencer et je me fâche.*
  = s'il fait mine de recommencer...

- Le subjonctif s'emploie **sans *que*** dans quelques locutions* figées ou dans le registre* soutenu.

  ***Advienne** que pourra.*
  ***Fasse** que le Ciel t'entende.*
  ***Puisses**-tu avoir raison.*
  ***Soit** le triangle ABC.*

- On emploie aussi le subjonctif dans des exclamations.

  *Moi, que j'**aille** là-bas! Jamais.*

EXERCICE

Mettez le verbe entre parenthèses au mode qui convient. Justifiez votre réponse.

1. Il faudrait que j' *(avoir terminé)* avant la fin de l'heure. **2.** C'est le seul qui ne *(pouvoir)* pas venir à la réunion. **3.** Il n'est pas nécessaire que tu *(lire)* le rapport de l'expert. **4.** Fais ce que tu veux du moment que tu le *(faire)* correctement. **5.** Je n'en vois aucun qui *(être)* capable d'assurer ces fonctions. **6.** *(être)* l'hypothèse suivante. **7.** Qu'elle *(faire)* de la musique me plaît beaucoup. **8.** Appelle-moi avant que tu ne *(partir)* mais après qu'il t' *(avoir donné)* tous les renseignements. **9.** Je crains qu'il *(avoir oublié)* notre rendez-vous.

177. SUBVENIR À ET SURVENIR

1 SUBVENIR À : «POURVOIR À » *Il subvient à nos besoins*

- ***Subvenir (à)*** signifie «procurer, fournir ce qui est nécessaire» (pensez à *subvention*). Il est surtout employé dans l'expression ***subvenir aux*** besoins de quelqu'un, **à** ses propres besoins.

  *Au siècle dernier, la population agricole **subvenait** encore à ses propres besoins.*

  Il peut avoir pour synonymes *pourvoir à, satisfaire à* et *se suffire (à soi-même)* quand il s'agit de ses propres besoins.

RETENEZ

- **Subvenir** se conjugue avec *avoir* aux temps composés.
  *Il **a** longtemps **subvenu** aux besoins de ses parents.*

2 **SURVENIR:**   *Puis survint la tempête*
«ARRIVER À L'IMPROVISTE»

- **Survenir** s'emploie à propos de ce qui arrive soudainement, sans qu'on s'y attende (évènements, ou plus rarement personnes).
  *Il serait déjà guéri si des complications n'étaient **survenues**.*
  *Heureusement **survint** un policier qui mit fin à la bagarre.*
Selon les contextes, il a pour synonymes *arriver, avoir lieu...*

EXERCICE

Remplacez les pointillés par subvenir *ou* survenir *selon le sens.*

1. Un revenu minimum permet aux plus démunis de ... aux besoins de leur famille. **2.** La mort est ... durant son transport à l'hôpital. **3.** L'État ... en partie aux dépenses des entreprises publiques.

178. LE SUJET DANS L'INTERROGATION DIRECTE

Que dit Lucien?
Comment Lucien l'a-t-il dit?

- La construction du sujet pose souvent plus de difficultés dans la phrase interrogative (▶ **106**) que dans la phrase déclarative*; selon le type de question, le sujet est placé différemment, est repris ou non par un pronom personnel.

Comparez :

déclarative :   *Lucien pense cela.*
        SUJ.   VERBE

interrogative   *Que pense Lucien ?*
        VERBE   SUJ.
      Pourquoi Lucien pense-t-il cela ?
        SUJ.   VERBE   SUJET REPRIS

- On distingue trois constructions dans l'interrogation directe :
- sujet après le verbe (voir **1**) : *Où ira-t-**il** ?*
- sujet avant le verbe (voir **2**) : ***Qui** ira là-bas ?*
- sujet repris par un pronom personnel (voir **3**) : *Où **Paul** ira-t-**il** ?*

- Le registre* courant pose souvent les questions avec la tournure **est-ce que** (voir **4**). Le registre familier, lui, ne fait pas l'inversion du sujet. ▶ **166**
  Tu viens ? Tu t'appelles comment ?

1   SUJET APRÈS LE VERBE :   *Où ira-t-il ?*
SUJET INVERSÉ

Le sujet est placé **après** le verbe *(sujet inversé)* :

- SI le sujet est un **pronom personnel, on** ou *ce*.
  Êtes-vous partis en vacances ?
  Y a-t-il quelqu'un pour l'aider ?
  Où va-t-on ?
  Est-ce un hasard ?
  Le verbe et le pronom sont toujours reliés par un trait d'union.
  ▶ **188**

- SI la question porte sur le complément d'objet* direct (**COD**)
  et qu'elle est introduite par *que* (c'est-à-dire quand la réponse à
  la question est le COD du verbe).
  Que pense l'auteur ?
  <u>*Qu'espère chacun d'entre vous ?*</u>
  COD

- SI la question porte sur l'**attribut**.
  Que deviennent toutes ces connaissances acquises ?
  Quels sont ceux qui gagneront ?
  <u>*Quel personnage est cet individu ?*</u>
       ATTRIBUT

RETENEZ

- L'inversion du sujet peut nécessiter l'ajout d'un *-t-*. ▶ **180**
  Que manque-t-il ?

2   SUJET AVANT LE VERBE   *Qui ira là-bas ?*

- Le sujet est placé **avant** le verbe SI la question porte sur le **sujet**
  (c'est-à-dire quand la réponse à la question est le sujet du verbe).
  Qui a dit cela ?
  Quelle personne a dit cela ?
  <u>*Lequel d'entre vous a dit cela ?*</u>
    SUJET

RETENEZ

- Dans ce cas, le sujet ne doit pas être repris par un pronom
  personnel placé après le verbe.
  Quel esprit égaré oserait se lancer dans une telle aventure ?
  et non   *Quel esprit égaré oserait-il... ?*
  Parmi les participants, combien ont correctement répondu ?
  et non   *...combien ont-ils correctement répondu ?*

POUR ALLER PLUS LOIN

- On admet cependant la reprise du sujet avec *quel* et *combien*
  lorsqu'il y a une **négation**.
  Quel adolescent <u>n</u>'a-t-il <u>jamais</u> tenté cette expérience ?

3 **SUJET REPRIS PAR** *Où Paul ira-t-il ?*
UN PRONOM PERSONNEL

Le sujet (**groupe nominal** ou **pronom** autre que personnel, *on*
ou *ce*, sinon voir **1**) se place **obligatoirement avant** le verbe et
il est **toujours** repris par un pronom personnel :

• S'il n'y a pas de mot interrogatif *(qui, quel, où...).*
Les opposants sont-***ils*** restés ?

• SI le verbe de l'interrogation a un complément d'objet ou un
attribut (mais l'interrogation porte sur autre chose, sinon voir **1**).
Ces mesures seront-***elles*** <u>efficaces</u> ? (attribut)
et non   *Ces mesures* ~~seront efficaces~~ ?
*Comment **le gouvernement*** envisage-t-***il*** *l'avenir* ? (COD)
et non   *Comment le gouvernement* ~~envisage-t-l'avenir~~ ?

• SI la question commence par ***pourquoi***.
<u>Pourquoi</u> ***les opposants*** sont-***ils*** restés ?
et non   *Pourquoi les opposants* ~~sont restés~~ ?

POUR ALLER PLUS LOIN
• Dans les **autres cas**, on peut avoir les deux constructions.
Comparez :

	sujet repris	**sujet inversé** (voir 1)
(1)	*Quand **ces mesures** ont-**elles** été prises ?* *Comment **le gouvernement** va-t-**il** réagir ?*	*Quand ont été prises **ces mesures** ?* *Comment va réagir **le gouvernement** ?*
(2)	*Quelles mesures **le gouvernement** va-t-**il** prendre ?* *Qui **ces mesures** concernent-**elles** ?*	*Quelles mesures va prendre **le gouvernement** ?* *Qui concernent **ces mesures** ?*

(1) Pas de complément d'objet ni d'attribut.
(2) Question sur le COD mais non introduite par *que*.

• Quand ***qui*** est COD, la reprise du sujet par un pronom permet
d'éviter des ambiguïtés.
Comparez :
Qui *a vu mon frère ?*
    = mon frère a vu **quelqu'un**, mais qui ? (COD)
ou = **quelqu'un** a vu mon frère, mais qui ? (sujet)
<u>Qui</u> ***mon frère*** a-t-***il*** vu ? (COD)

4 **INTERROGATION AVEC** *Est-ce que tu viendras ?*
EST-CE QUE ?

• Dans la tournure ***est-ce que***, la structure interrogative est
marquée par ***est***, verbe en première position, suivi du sujet ***ce***.
La proposition introduite par ***que*** n'est pas, quant à elle, à la
forme interrogative.
Comparez :

interrogative $\left\{\begin{array}{l}\text{Croit-**il**}\\\text{Est-**ce**}\end{array}\right\}$ *que **vous** partez demain ?*
déclarative :   ***Il dit***   *que **vous** partez demain.*

RETENEZ

• Dans une question avec **est-ce que**, le sujet n'est donc **jamais** repris par un pronom personnel.
Comparez :

À qui   **les mesures** vont-**elles**   profiter ?
À qui est-ce que **les mesures** vont   profiter ?
et non À qui est-ce que les mesures vont-elles profiter ?

POUR ALLER PLUS LOIN

• Quand le sujet n'est pas un pronom personnel, *on* ou *ce*, il peut suivre le verbe.
Comparez :

À quoi est-ce que **les technocrates** pensent ?
À quoi est-ce que pensent **les technocrates** ?

• **Est-ce que** alourdit le style. Il est préférable d'utiliser à l'écrit, quand c'est possible, la tournure avec sujet inversé (voir **1**).
Comparez :

Est-ce qu'il existe }
Existe-t-**il**   } *une forme de bonheur durable ?*

EXERCICE

Transformez les phrases en posant une question sur l'élément sou-ligné à l'aide des interrogatifs qui, que, quoi, quel, où, comment, pourquoi, combien... *Donnez toutes les solutions possibles.*

EXEMPLE : *L'auteur nous a expliqué cette théorie.*
⇒ *Quelle théorie nous a expliquée l'auteur ?*

1. Cent exemplaires ont été vendus. **2.** Les billets gagnants sont les billets verts. **3.** Le formulaire doit être complété par le responsable. **4.** Le personnel travaille dans de bonnes conditions. **5.** Cet homme a eu le courage de refuser. **6.** Tu as tout obtenu. **7.** Ces découvertes nous ont apporté beaucoup.

179. LE SUPERLATIF : QUEL EMPLOI ?

*Le plus petit
mais non le moins futé*

1 **LA FORMATION DU SUPERLATIF**   *La plus jolie*

Selon que l'on se situe par rapport à un repère ou non, on parle de superlatif absolu ou de superlatif relatif.

• Le **superlatif absolu** indique un degré extrême : il se marque avec un adverbe tel que *très, fort, extrêmement, tout à fait*...
  *Magali est **extrêmement** gaie et accepte tout **très** facilement.*

• Le **superlatif relatif** indique, lui, un degré extrême par rapport à un repère (cité ou non dans un complément, voir **3**). Il se marque par *le plus* (superlatif de supériorité) ou par *le moins* (superlatif d'infériorité).

> *Il est le plus fort de tous. C'est pourtant lui qui était le moins préparé à la compétition.*
> tous sert de repère au superlatif.

RETENEZ

• Certains termes ne peuvent pas se mettre au superlatif à cause de leur sens. ▸ **39**

Parmi plusieurs figures géométriques, on ne peut pas dire que *l'une est la plus triangulaire de toutes.*

2 LES FORMES PARTICULIÈRES: LE MEILLEUR, LE MOINDRE...
Le meilleur

• On n'emploie pas *le plus* devant *bon* et *bien* qui ont chacun une forme particulière de superlatif de supériorité : *le meilleur* (▸ **21**) et *le mieux* (▸ **20**).

> *Il a bien travaillé cette année. Il est le meilleur de la classe.*
> et non ... il est le ~~plus bon~~.

• *Le plus petit*, *le plus mauvais* sont possibles, mais sont en concurrence avec *le moindre* et *le pire*.

> *Il ne reste pas* { *le plus petit doute.* / *le moindre doute.*
> *C'est le remède* { *le plus mauvais de tous.* / *le pire de tous.*

Le moindre et *le pire* appartiennent au registre* soutenu.

• *Le pis*, superlatif de *mal*, ne s'emploie que dans quelques expressions *au pis aller...*(▸ **141**). Dans les autres cas, on emploie *le plus mal*.

> *Ce n'est tout de même pas lui qui travaille le plus mal.*

3 LE COMPLÉMENT DU SUPERLATIF
Le plus petit de tous

• Le complément du superlatif est un **nom** (ou un équivalent du nom) : il est le plus souvent introduit par *de*, parfois par *parmi* ou *entre*.

> *Il a toujours été le meilleur de la classe.*
> *De toutes les victoires qu'il a remportées, c'est sans conteste la plus brillante.*
> *C'est certainement lui le plus doué parmi tous.*

• Le complément est une **proposition relative**. Elle est le plus souvent **au subjonctif**. ▸ **176**

> *C'est le meilleur pianiste qui soit aujourd'hui.*
> *Quel est le plus long opéra que Wagner ait (ou a) écrit?*

R E T E N E Z

- Dans ce type de compléments, on fait souvent des ellipses*.
Comparez :

*Il veut obtenir avant son départ **le plus de** renseignements
qu'il est possible d'obtenir.*
*Il veut obtenir **le plus de** renseignements possible.*

N'oubliez pas les accords, notamment pour *possible*. ▶ **147**

LE SUPERLATIF   *POUR ALLER PLUS LOIN*

- ***Le plus, le moins...*** peuvent varier en genre et en nombre
quand ils portent sur un **adjectif** ou un **participe passé**
employé comme adjectif. Il n'existe pas de règle précise
pour ces accords et on observe de nombreuses divergences
entre les grammairiens qui énoncent des règles contredites
par l'usage. On peut toutefois dire que l'accord tend à se
généraliser sans véritable différence de sens.

*Quels sont les livres **les plus** lus ?*
*Quels sont les livres **le plus** lus ?*

- ***Le plus, le moins*** ne varient pas quand ils portent sur
un **verbe** ou un **adverbe**.

*Voici les choses qui me plaisent **le plus**.*
*Tâchez d'être là **le plus** tôt possible.*

E X E R C I C E

*Mettez les termes en italique au superlatif de supériorité ou bien
d'infériorité. Donnez un complément.*

1. Cette ville est *accueillante*. **2.** Ce professeur est *exigeant*. **3.** Ceux
qui comprennent *vite*, réagissent *vite*. **4.** Nos résultats sont *bons*.
5. Tâchez de retranscrire *fidèlement* la pensée de l'auteur.

180. -T- ENTRE LE VERBE ET LE SUJET

*« Aussi, ajouta-t-il,
faut-il se dépêcher »*

- On intercale un **-t-** entre le verbe et le pronom sujet inversé qui commence par une voyelle, pour avoir une **liaison en** [t]. C'est notamment le cas quand le verbe se termine par un *a* ou un *e*.

> *Manque-t-il autre chose ?*
> *Sans doute a-t-elle oublié de nous prévenir.*
> *Convainc-t-on une assemblée aussi nombreuse ?*

Le **-t-** s'écrit toujours entre deux traits d'union ; ne le confondez pas avec le pronom *toi* qui s'écrit *t'* quand il est élidé. ▶ **188**

RETENEZ

- On ne met pas de **-t-** si le verbe se termine par *t* ou *d* car il se lit déjà [t] en liaison. ▶ **112**

> *Prend-il le train ou l'avion ?*   [pʀãtil]
> *Qu'attend-on pour réagir ?*   [katãtɔ̃]
> *« Nous recommencerons », conclut-elle.*   [kɔ̃klytɛl]

POUR ALLER PLUS LOIN

- Au XVIᵉ siècle, on prononçait *aime-il* avec un [t] comme *aiment-ils* : c'est au XVIIᵉ siècle que l'on a décidé de noter cette prononciation par **-t-**, appelé **-t- analogique** ou *euphonique*.

EXERCICE

Transformez les phrases suivantes en interrogatives ou en ajoutant peut-être, sans doute, encore... *en tête de phrase, pour faire apparaître un sujet inversé.*
EXEMPLE : *Il faut se relire.*
⇒ *Encore faut-il se relire.* ou *Que faut-il faire ?*

1. Il emploie deux salariés. **2.** Elle prend du sucre dans son café. **3.** Elle prendra du sucre dans son café. **4.** On peut l'aider de mille manières. **5.** Il arriva un peu en retard. **6.** Elle espère le revoir. **7.** Elle espérait le revoir.

181. TANT
DANS DES LOCUTIONS

Il est intervenu en tant que ministre

- ***Tant*** figure dans plusieurs locutions*; ne le confondez pas avec son homonyme ***temps***.

- — ***en tant que*** «comme».
  *Peu à peu on s'intéresse au cinéma en **tant** qu'art.*

- — ***si tant est que***... (+ subj.) «en supposant que...».
  *Ses espoirs, si **tant** est que l'on puisse encore espérer en pareille occasion, diminuaient chaque jour.*

- — ***(un) tant soit peu*** «même, quelque peu».
  *S'il était **tant** soit peu attentif, il aurait vu ces fautes.*

- — ***tant et plus*** «beaucoup».
  *Des lettres, il en a reçu **tant** et plus.*

- — ***tant s'en faut*** «loin de là».
  *Ils ne sont plus, **tant** s'en faut, adaptés à nos besoins.*

- — ***tant et si bien que*** «de telle sorte que».
  *Il révisait avec concentration, **tant** et si bien qu'il n'entendit pas sonner.*

RETENEZ

- Faites bien la différence entre ***tant*** *qu'à* «puisqu'il faut» et *quant à* «en ce qui concerne». ▶ 152
  Comparez :
  Tant qu'à *faire ce travail, faites-le bien.*
  = puisqu'il faut faire...
  Quant à *faire tout sans aide, il n'en est pas question.*
  = pour ce qui est de faire tout sans aide...

EXERCICE

Remplacez les pointillés par la locution qui convient.

1. Je le recevrai ... qu'il veuille encore me voir. **2.** Il a pris position non plus ... qu'artiste, mais ... qu'homme politique. **3.** ... travailler, autant le faire dans des conditions agréables. **4.** Il faudrait ... songer à travailler.

182. TEL, ADJECTIF : COMMENT L'ACCORDER ?

Des êtres tels que lui

Tel, adjectif, varie en genre et en nombre : ***tel, telle, tels, telles***. Il faut alors chercher si ***tel*** se rapporte à un ou plusieurs noms pour savoir comment il s'accorde.

1 QUAND TEL SE RAPPORTE À UN SEUL NOM

Tel jour

• Les emplois de *tel* avec un seul nom ne posent aucun problème : *tel* s'accorde en genre et en nombre avec ce nom.

Venez tel jour à telle heure.
De telle sorte que...
Il est incollable sur tel ou tel sujet.

RETENEZ

• Pensez bien à accorder *tel* lorsqu'il est attribut*.
Tels sont ses désirs.
Sa joie fut telle qu'il lui sauta au cou.
Elle est toujours restée telle que je l'avais connue.
Telle que je la connais, je suis sûr qu'elle va accepter.

• *Tel* reste **invariable** dans l'expression *rien de tel*, où il est épithète de *rien*.
Rien de tel qu'une bonne tisane pour vous réchauffer.

• La locution* *tel quel* qui signifie «pareil, sans modification» a la valeur d'un adjectif et s'accorde en genre et en nombre avec le nom auquel elle se rapporte.

J'ai laissé mes affaires telles quelles.
Jamais il ne signera ce contrat tel quel.

RETENEZ

• N'utilisez pas *tel que* dans ce sens, mais bien *tel quel*.
Laissons les choses telles que.
Laissons les choses telles quelles.

2 QUAND TEL MET EN RELATION DEUX NOMS

Des auteurs tels que Colette

• *Tel que* introduit une comparaison ou des exemples. Dans ce cas, *tel* s'accorde avec le nom auquel on ajoute la comparaison ou l'exemple. Il s'agit généralement du nom qui le **précède**.

Des êtres tels que lui sont assez exceptionnels.
Il avait lu des auteurs tels que Mme de Sévigné ou Colette.
En emploi littéraire, l'ordre peut être inversé.

Telles qu'un brouillard matinal au soleil, ses inquiétudes se dissipaient.

• Dans le registre* soutenu, on emploie *tel* seul, **sans que**, avec le sens de «comme, pareil à». L'usage accorde le plus souvent *tel* avec le nom qui le **suit**.

L'eau tel un miroir lui renvoyait son image.
Tels des miroirs, les flaques lui renvoyaient son image.
Il est cependant admis d'accorder *tel* avec le nom que l'on compare (ici *eau*).

L'eau telle des miroirs.

• Distinguez bien ***tel quel***, locution adjective, et ***tel que +
elle*** (subordonnée commençant par le pronom sujet). Mettre
l'expression au masculin peut aider à l'écrire correctement.
Comparez :

tel quel «dans le même état», locution adjective	*Je vous rapporte **telles quelles** les paroles qu'il a prononcées.* (…tels **quels** les mots…)
tel que «comme», introduit une subordonnée de comparaison, un groupe nominal ou un pronom	*J'ai retrouvé les affaires **telles qu'elles** étaient restées.* (…les objets tels qu'**ils** étaient…)
tel… que «de telle sorte que», introduit une subordonnée de conséquence (▶ 50)	*Elle a eu des ennuis **tels qu'elle** n'a pas pu venir.* (…des ennuis tels qu'**il** n'a pas pu…)

EXERCICE

Accordez tel *dans les phrases suivantes et remplacez les pointillés
par la forme qui convient.*

1. Nous n'avions jamais connu une *(tel)* chaleur. **2.** *(Tel)* était la
situation du pays au début du siècle. **3.** Des œuvres *(tel)* que *L'Avare*
ou *Candide* sont souvent au programme. **4.** Comment peut-on tenir
de *(tel)* propos? **5.** *(Tel)* ou *(tel)* personne vous soutiendra le contraire.
6. Des mots *(tel)* que les prépositions et les adverbes sont invariables. **7.** *(Tel)* que vous la voyez, elle va beaucoup mieux que le
mois dernier. **8.** Acceptez ces propositions *(tel)* qu… se présentent.
9. Il avait dû accepter ces contrats *(tels)* qu… . **10.** Il a fait une
chaleur *(tel)* qu… est restée chez elle toute la journée. **11.** Ses yeux
brillaient *(tel)* des étoiles dans la nuit.

183. TENDRE À ET TENTER DE

Ce qui tendrait à prouver…
Qui tenterait de prouver le contraire?

Ne confondez pas ces deux verbes proches par leur forme, mais
différents par leur sens et leur construction.

1 TENDRE À :   *Cela tend à se reproduire*
«AVOIR TENDANCE À»

• ***Tendre à*** (+ inf.) signifie «avoir tendance à, évoluer de façon
à…». Il a le plus souvent pour sujet un nom d'inanimé*.
*C'est un nouveau mode de pensée qui **tend à** s'imposer.*
*La crise **tend à** s'accentuer dans les milieux défavorisés.*

- *Tendre à* s'emploie au conditionnel dans une argumentation.
*Cela **tendrait à** prouver, à montrer que...*
= cela pourrait conduire à prouver, à montrer que...

RETENEZ

> - *Tendre* dans ce sens s'emploie **toujours** avec la préposition *à*, jamais avec *de*.

2 **TENTER : «ESSAYER»**   *Nous tenterons de le reproduire*

- *Tenter* a pour sujet un nom d'animé* et il est suivi d'un complément d'objet* direct ou d'un infinitif introduit par *de*.
*Ils ont **tenté** l'impossible.*
*Nous **tenterons de** reproduire l'exploit.*

Il a pour synonymes selon les contextes *chercher à, essayer de, s'efforcer de, s'ingénier à, tâcher de.*

TENDRE À, TENTER DE   **RETENEZ**

> - *Tendre à* peut signifier «conduire à», et par extension «avoir pour but». Son sens se rapproche de celui de *tenter de*, sans que l'on puisse pour autant utiliser l'un pour l'autre.
> Comparez :
> *La nouvelle mesure **tendra à** rétablir l'équilibre financier.*
>   INANIMÉ
> *Le gouvernement **tente de** rétablir l'équilibre financier.*
>   ANIMÉ

EXERCICE

Remplacez les pointillés par tenter *ou* tendre *selon le cas.*

1. Nous ... réduire les inégalités. **2.** L'écart ... se creuser entre les deux parties. **3.** L'expression ... se répandre dans le langage courant. **4.** En ... résoudre la difficulté, j'ai découvert d'autres problèmes.

184. TOUT : QUAND L'ACCORDER ?

Elle était tout émue et toute rouge

1 **TOUT, PRONOM**   *Elles sont toutes là*

- *Tout*, pronom* singulier, a valeur de neutre et signifie «toutes les choses». Il s'oppose à *rien*.
*Il a **tout** vu mais rien entendu.*
*C'est **tout** ce qu'il m'a dit.*
***Tout** est bien qui finit bien.*

- **Tous, toutes** sont **toujours au pluriel**. Dans ce cas, ils s'opposent à *aucun, aucune* ou *personne*.

  *Il avait invité de nombreux a̲m̲i̲s̲. **Tous** sont venus.*
  *J'ai trois s̲œ̲u̲r̲s̲ qui sont **toutes** plus âgées que moi.*
  ***Tous** pour un et un pour **tous**.*

R E T E N E Z

- Quand **tous** est pronom, il se prononce [tus], ce qui le distingue de **tous**, adjectif ou déterminant (voir **2**), prononcé [tu].

  ***Tous** les enfants sont arrivés. Ils sont **tous** là.*
  [tu] DÉTERMINANT   [tus] PRONOM

- **Tout**, pronom, se trouve dans quelques locutions* figées.

une fois pour **toutes**	après **tout**
envers et contre **tous**	malgré **tout**
tout ou rien	en **tout** («au total»)
comme **tout** («extrêmement»)	être **tout** pour

  *Ces quelques souvenirs sont **tout** pour moi.*
  *Ici, les hôtesses sont aimables comme **tout**.*

---

2 TOUT, DÉTERMINANT OU ADJECTIF

Tous nos concerts

- **Tout** est un déterminant* ou un adjectif* quand il précède un autre déterminant ou un pronom. Il s'accorde en genre et en nombre avec le nom auquel il se rapporte.
C'est le cas quand **tout** est devant :

un article	*C'est **toute** u̲n̲e̲ histoire :* *Alice vient **toutes** l̲e̲s̲ semaines.*
un possessif	*Elle assiste à **tous** n̲o̲s̲ concerts.*
un démonstratif	***Toute** c̲e̲t̲t̲e̲ musique la ravit.*
un pronom	***Tous** c̲e̲u̲x̲ qui connaissent Alice l'apprécient.*

- **Tout** peut aussi être employé devant un nom **sans autre déterminant**. Il s'accorde toujours en genre et en nombre, mais la difficulté est de savoir si le nom est au singulier ou au pluriel (le déterminant n'étant plus là pour indiquer le nombre).
Le sens de **tout** détermine alors le nombre :

– si **tout** signifie «n'importe quel» ou «unique, seul», le nom ou le groupe nominal reste **au singulier**.

  *Il avait pour **toute** maison une petite cabane.*
  = pour seule maison.

  *«Il est la cause mystérieuse mais patente de **tout** événement inexplicable.»* D. PENNAC
  = n'importe quel événement.

– si **tout** signifie «la totalité sans exception», le nom ou le groupe nominal est **au pluriel**. (On peut remettre l'article *les*.)

  *Des lettres d'encouragement arrivaient de **tous** côtés.*
  = de tous les côtés.

C'est le cas de **tous, toutes** employés avec un nombre.

  *Elles avaient raison **toutes** deux (ou **toutes** les deux).*

RETENEZ

- *Tout* se trouve dans de nombreuses locutions* figées.

singulier	pluriel
à **tout** âge	à **tous** égards
à **tout** prix	à **toutes** fins utiles
à **toute** heure	à **toutes** jambes
à **tout** propos	de **toutes** pièces
avant **toute** chose	en **toutes** lettres
de **tout** cœur	**tous** feux éteints
de **tout** repos	**toutes** voiles dehors
pour **tout** renseignement	**toutes** choses égales
selon **toute** apparence	assurance **tous** risques...
somme **toute**	
tout compte fait	
avoir **tout** intérêt...	

- Souvent, on a le choix, même si le singulier semble l'emporter aujourd'hui.

en **tout (tous)** cas	en **tout (tous)** point(s)
en **tout (tous)** lieu(x)	**toute(s)** sorte(s) de
de **tout (tous)** temps	de **toute(s)** façon(s)
à **tout (tous)** point(s) de vue	**toute(s)** proportion(s) gardée(s)...

POUR ALLER PLUS LOIN

- Dans la locution* *être tout à* «être occupé à», *tout* singulier s'accorde avec le sujet.

  *Je les ai trouvés chez eux. Elle était **toute** à son travail et lui était **tout** à ses études.*

Au pluriel, on doit laisser *tout* invariable pour éviter la confusion avec *tous, toutes* pronom (voir **1**).
Comparez :

  *Ils sont **tout** à leur travail.*
  = le travail absorbe toute leur personne.

  *Ils sont **tous** à leur travail.*
  = les uns et les autres sont à leur travail.

3   **TOUT, ADVERBE**   *Tout entière*

- *Tout* est adverbe* quand il signifie «entièrement, tout à fait».
Il est alors invariable.
C'est le cas quand *tout* est devant :

un adjectif	*Elle est arrivée **tout** ennuyée.*
un adverbe	*Elle pensait **tout** simplement avoir oublié ses clefs chez elle.*
une loc. prép.	*Mais elles étaient **tout** au fond de son sac.*

- Mais, contrairement aux autres adverbes, *tout* s'accorde dans un cas : s'il précède un **adjectif féminin** commençant par une **consonne** ou un *h* aspiré*, *tout* prend les marques du féminin singulier ou pluriel.

  *Nous allons expérimenter ces **toutes** nouvelles méthodes.*
  *Elle s'adressa **toute** humble à ses bienfaiteurs.*

RETENEZ

- ***Tout***, adverbe, se trouve à différentes formes :

ADVERBE	devant masc.	devant fém.
TOUT invariable	*Il est **tout** nu.* *Ils sont **tout** nus.*	*Elle est **tout** entière.* *Elles sont **tout** entières.*
mais TOUTE(s) devant consonne ou *h* aspiré	╳	*Elle est **toute** nue / heureuse.* *Elles sont **toutes** nues / heureuses.*

- ***Tout*** est invariable dans plusieurs locutions* adverbiales.

tout à coup	**tout** à l'heure	**tout** de suite
tout d'un coup	**tout** d'abord	**tout** juste
tout à fait	**tout** de même	**tout** près…

*Ils sont **tout juste** assez nombreux pour encadrer l'équipe.*

POUR ALLER PLUS LOIN

- On retrouve ***tout*** adverbe (avec les mêmes règles d'accord) dans le tour exprimant la concession ***tout… que*** (+ ind.). ▶ 42

    Tout *émue et **toute** rouge qu'elle était, elle parvint à dire quelques mots.*

- Remarquez l'ambiguïté de sens au féminin pluriel.

    *Elles sont **toutes** nues.*
    = elles sont entièrement nues. (*toutes* est adverbe)
    = toutes sont nues. (*toutes* est pronom)

- ***Tout***, employé avec un nom, est un adverbe invariable dans quelques locutions* figées.

    être **tout** yeux **tout** oreilles
    être **tout** ouïe
    être **tout** feu **tout** flamme

TOUT   **POUR ALLER PLUS LOIN**

- ***Tout*** s'emploie également comme nom : *un tout*. Au pluriel, il prend un *s* comme les autres noms. ▶ 142

    *Ces structures forment des **touts** peu cohérents.*

- Pour ***tout*** *autre* ou ***toute*** *autre* : ▶ 185

EXERCICE

A. *Remplacez les pointillés par la forme correcte de* tout *après avoir classé les phrases selon qu'il est adjectif/déterminant, pronom ou adverbe.*

1. Pour … renseignement complémentaire, téléphonez avant midi. **2.** Vous devez mettre … les chances de votre côté. **3.** La jeune mère est … pensive et … attendrie devant son bébé. **4.** Il a passé … une année à l'étranger. **5.** … fausse déclaration sera passible d'une amende. **6.** Voilà … ce qu'il reste de mes économies. **7.** Ils partiront … à l'heure. **8.** … est une question de temps. **9.** Je n'ai pas assisté à la répétition … entière. **10.** Ils sont … près de découvrir la vérité. **11.** Elle est … aussi habile que lui.

B. *Expliquez la différence de sens entre les deux phrases.*
1. Ils sont tous contents. **2.** Ils sont tout contents.

185. TOUT AUTRE
OU TOUTE AUTRE?

Il acceptera toute autre proposition
Il m'a fait une tout autre proposition

Selon le sens de l'expression *tout autre*, *tout* est déterminant ou adverbe (▶ 184). Il est important de savoir différencier ces emplois pour accorder *tout*.

1 **TOUT(E) AUTRE:**   *Toute autre solution*
   «N'IMPORTE QUEL(LE) AUTRE»

- Quand *tout autre* signifie «n'importe quel autre», *tout* est déterminant : il **s'accorde** avec le nom auquel il se rapporte. L'expression est le plus souvent au singulier.

   Il ne faut pas écarter a priori ***toute*** *autre* solution.
   = n'importe quelle autre solution.
   Toute *autre* idée *sur le problème sera la bienvenue.*

- Dans ce sens, *tout autre* n'est **jamais** précédé de déterminant.

2 **TOUT AUTRE:**   *Une tout autre solution*
   «ENTIÈREMENT DIFFÉRENT»

- Quand *tout autre* signifie «entièrement différent», *tout* est adverbe : il reste **invariable**.

   Il faut trouver de ***tout*** *autres arguments pour le convaincre.*
   = des arguments totalement différents.
   Je me faisais une ***tout*** *autre idée de ce métier.*
   Il s'agit bien de cela, mais c'est ***tout*** *autre chose.*

- Dans ce sens, *tout autre* est le plus souvent précédé d'un article *(un, une* ou *de)*.

TOUT AUTRE...   ***POUR ALLER PLUS LOIN***

- *Autre* dans les deux expressions s'accorde **toujours** avec le nom auquel il se rapporte.

EXERCICE

Accordez tout *s'il y a lieu selon qu'il est déterminant ou adverbe.*

1. Cela n'a rien à voir, c'est une *(tout)* autre question. **2.** *(Tout)* autre réclamation devra nous parvenir sous huitaine. **3.** Leur conception du projet était *(tout)* autre. **4.** Cela conviendrait en *(tout)* autre circonstance, mais pas ici. **5.** Ils avaient à cette époque de *(tout)* autres rapports. **6.** Une formation mal choisie vous fermerait les portes de *(tout)* autre profession.

186. AVOIR TRAIT À

Cela a trait à l'affaire X

- **Avoir trait à** signifie «être relatif à, concerner». C'est une locution* verbale composée du verbe *avoir* et du nom *trait*.

  *Nous étudierons tout ce qui **a trait** au classicisme.*
  *Cela paraît **avoir trait** à la même affaire.*

RETENEZ

> - Ne confondez pas la locution verbale avec le nom *attrait*. La locution s'écrit **toujours en deux mots**.
> *...tout ce qui attrait au classicisme.*

POUR ALLER PLUS LOIN

- **Avoir trait** vient d'un verbe aujourd'hui disparu *traire à* «ressembler», qu'on retrouve dans *portraire* (qui a donné *portrait).*

187. LE TRAIT D'UNION

Le rouge-gorge
La gorge rouge

Le trait d'union marque une unité entre plusieurs éléments du discours. Son emploi est délicat, mais il transmet des informations importantes tant d'un point de vue lexical que syntaxique.

1 | **VALEUR LEXICALE** | *Le rouge-gorge*

- Le trait d'union permet de transformer une suite de plusieurs mots en un mot nouveau qui a ses propres caractéristiques (catégorie grammaticale, prononciation, définition…). On parle alors de **mot composé** : on peut le trouver dans les dictionnaires. Les mots reliés par le trait d'union s'appellent *les composants.*

  ROUGE-GORGE [ʀuʒɡɔʀʒ] n. m. –1464; de *rouge* et *gorge.* Oiseau passereau… (in *Nouveau Petit Robert*, 1993).

RETENEZ

> - Tous les mots composés ne s'écrivent pas avec un trait d'union. Il existe d'autres procédés de composition : la **soudure** (les composants ne sont séparés par aucun espace) ou l'**autonomie** (les composants s'écrivent avec des espaces entre eux). Comparez :
>
> | la soudure | un gentilhomme | – | l'autogestion |
> |---|---|---|---|
> | le trait d'union | un sous-homme | – | l'auto-immunisation |
> | l'autonomie | un jeune homme | – | une pomme de terre |
>
> Pour le trait d'union dans les composés : ▶ **120**

• Grâce au trait d'union, on peut unir n'importe quels termes qui seraient normalement séparés par des espaces. On crée ainsi artificiellement une unité de sens.

« *Beaubourg-l'errance-la-drogue-la-violence* » D. PENNAC

2 VALEUR SYNTAXIQUE *Donne-le-moi*

• Le trait d'union relie **le verbe au pronom** qui le suit et qui s'y rattache. ▶ 188

Est-elle déjà là ?
Donne-le-moi.
Encore faut-il que quelqu'un y pense.

• Le trait d'union peut servir à marquer la **coordination** : il relie deux mots qui auraient pu être reliés par *et*.

Les relations parents-enfants.
= les relations entre parents **et** enfants.

Un café-restaurant.
= un établissement qui est café **et** restaurant.

RETENEZ

• Ainsi les numéraux inférieurs à cent, qui sont formés par addition (...+...), s'écrivent avec un trait d'union quand *et* est sous-entendu. ▶ 127

Comparez :

vingt-deux (= vingt + deux)
vingt et un (= vingt + un)

• *Et* est également remplacé par le trait d'union dans les adjectifs de couleur composés. ▶ 55

Une écharpe bleu-vert.
= dont la couleur tient du bleu **et** du vert.

3 CAS PARTICULIERS *La non-violence*

• *Non* et *quasi*, avec un nom, sont suivis d'un trait d'union.
*La **non**-violence, la **quasi**-totalité.*

Avec un adverbe, il n'y a pas de trait d'union.
*Il n'est **quasi** jamais là.*

Avec un adjectif, il n'y en a pas non plus, sauf si le mot ainsi constitué (***non*** + adjectif) peut aussi s'employer comme nom. Comparez :

*Des revenus **non** imposables.* (adjectif seulement)
{ *Des manifestations **non**-violentes.* (adjectif)
{ *Les **non**-violents ont manifesté.* (nom)

• Pour l'emploi du trait d'union avec :
– *ci* et *là* : ▶ 38
– *demi* : ▶ 62
– *même* : ▶ 115

• Contrairement à une idée largement répandue, l'emploi principal du trait d'union n'est pas celui des mots composés. Dans un texte, les traits d'union présents ont essentiellement une valeur **syntaxique**. Efforcez-vous de bien maîtriser l'usage du trait d'union dans ce cas, d'autant qu'il répond alors à des règles cohérentes.

EXERCICE

Justifiez dans chaque cas l'emploi du trait d'union (mot composé, verbe et pronom, coordination).

(1) Laissez-vous séduire par cette merveilleuse collection de **(2)** timbres-poste dont nous vous garantissons le rapport **(3)** qualité-prix. Passez votre commande à l'aide du bulletin **(4)** ci-joint et **(5)** postez-la sous **(6)** quarante-huit heures.

188. TRAIT D'UNION
ENTRE VERBE ET PRONOMS

Est-ce normal ?
Dessine-moi un mouton.
Ainsi, dit-il, aurons-nous gagné.

• Le pronom qui suit immédiatement le verbe **dont il dépend** s'y rattache **toujours** par un trait d'union. C'est le cas :
– du pronom sujet inversé.

*Quand irons-**nous** au cinéma ?*
*Encore faut-**il** le prévenir.*
*«Nous recommencerons», conclut-**elle**.*

– des pronoms compléments d'un verbe à l'impératif sans négation. ▶ 131

*«S'il vous plaît... dessine-**moi** un mouton.»* A. DE SAINT-EXUPÉRY
*Prends-**en** plus si tu veux.*
*Allez-**y**.*

À la forme négative, les pronoms **précèdent** le verbe ; il n'y a donc pas de trait d'union.

N'en prends pas.
N'y allez pas.

RETENEZ

• Quand un *t* analogique (▶ 180) s'intercale entre le verbe et le pronom sujet, il est encadré par **deux** traits d'union.

*Quand va-**t**-il arriver ?*
*Peut-être espère-**t**-elle le revoir.*
*Qu'y a-**t**-il ?*

- Repérez bien la place du trait d'union (conforme aux principes énoncés ci-dessus) dans les expressions suivantes :

> *Y a-t-il... ?*   et non   ~~Y-a-t-il ?~~
>
> y ne suit pas le verbe, donc pas de trait d'union entre *y* et *a*.
>
> *Est-ce que... ?*   et non   ~~Est-ce-que... ?~~
>
> *que* n'est pas un pronom, donc pas de trait d'union entre *ce* et *que*.

- Lorsque plusieurs pronoms suivent le verbe, ils sont également reliés entre eux par un trait d'union.

> *Laisse-le-lui, il s'en occupera.*
>
> *Allons-nous-en.*

Mais quand le premier pronom est un pronom personnel élidé (suivi donc d'une apostrophe ▸ 84-3) *m'* et *t'*, le second trait d'union disparaît.

> *S'il y a des poires, prends-m'en un kilo.*
>
> = prends-moi un kilo de poires.

Ne confondez pas le *t'*, pronom, et le *-t-* analogique.
Comparez :

> *Va-t-elle revenir ?* (*-t-* analogique pour la liaison.)
>
> et non ~~Va-t'elle revenir ?~~
>
> *Va-t'en.* (*t'* est le pronom du verbe *s'en aller*.)
>
> et non ~~Va-t-en.~~

- Dans la formule de politesse *s'il vous plaît, s'il te plaît*, les pronoms ne suivent pas le verbe : il n'y a donc pas de trait d'union.

POUR ALLER PLUS LOIN

- Un pronom peut suivre directement un verbe sans en être le complément : il est le complément d'un autre verbe. Dans ce cas, il n'y a pas de trait d'union.
Comparez :

> *Allons-nous en finir ?*
>
> *Allons-nous-en.*

Il faut donc analyser la construction.
Comparez :

Laisse-le me rejoindre. = il faut le laisser me rejoindre.	*le* est complément de *laisser* ⇒ **trait d'union**
Va le rejoindre après les cours. = tu vas le rejoindre.	*le* est complément de *rejoindre*, et non de *aller* ⇒ **pas de trait d'union**

EXERCICE

Mettez les apostrophes ou les traits d'union manquants dans les phrases suivantes.

1. Croyez...vous réellement que cela ait pu se produire ? **2.** Y...a...t...il un pilote dans l'avion ? **3.** Mets...toi au travail avant qu'il ne soit trop tard. **4.** Faut...il donner des pièces justificatives ? **5.** A...t...elle accepté l'invitation ? **6.** Si tes chaussures sont percées, achète...t...en d'autres. **7.** Aussi...souhaitons...nous obtenir quelques informations supplémentaires. **8.** Va...les...chercher, peut-être se...sont...ils égarés. **9.** Est...ce...que vous vous joindrez à nous ?

189. LE TRÉMA :
OÙ LE METTRE ? *Les caïds de la balalaïka*

Le tréma (¨) est un signe qui le plus souvent renseigne sur la prononciation.

1 SUR LA DEUXIÈME LETTRE DES GROUPES *Maïs* AÏ, AÏN, OÏ, OÏN, AÜ

• Le tréma indique qu'on prononce les deux voyelles séparément.
Comparez :

haïr	[aiʀ]	et	*haine*	[ɛn]
maïs	[mais]	et	*mais*	[mɛ]
Caïn	[kaɛ̃]	et	*pain*	[pɛ̃]
troïka	[tʀoika]	et	*roi*	[ʀwa]
coïncidence	[kɔɛ̃sidɑ̃s]	et	*coin*	[kwɛ̃]
Saül	[sayl]	et	*saule*	[sol]
capharnaüm	[kafaʀnaɔm]	et	*baume*	[bom]

C'est le cas :
– de tous les adjectifs ou noms en *-oïde*.
  ovoïde – humanoïde – astéroïde…
– des adjectifs où le suffixe *-iste* ou *-ique* suit un *a* ou un *o*.
  égoïste – héroïque – hébraïque…
– des noms où le suffixe *-isme* suit un *a* ou un *o*.
  héroïsme – judaïsme…

2 SUR UN I PLACÉ ENTRE VOYELLES *Aïe*

• Le *ï* traduit le son [j].
  païen – de la faïence – aïe! – mes aïeux!
Il joue alors le même rôle que y. ▶ 203
Comparez :
  Un maïa. «araignée de mer» [maja]
  La civilisation maya. [maja]

3 SUR LE E ET LE I *Ambiguë* DANS LES GROUPES GUË, GUÏ

• On place le tréma sur :
– le *e* de *ciguë*.
– le *e* du féminin des adjectifs en *-gu* et sur le *i* des noms en *-ité* correspondants.

aigu	⇒	aiguë
ambigu	⇒	ambiguë, ambiguïté
contigu	⇒	contiguë, contiguïté
exigu	⇒	exiguë, exiguïté

Une question ambiguë.
L'ambiguïté de ces questions.

RETENEZ

- Dans *-guë*, *-guï* le tréma montre qu'il ne s'agit pas du *u* placé après *g* pour noter le son [g] devant *e* ou *i*. ▶ **97**

Comparez :

> *contiguë* [kɔ̃tigy]
> *fatigue* [fatig]

- Ne placez pas le tréma sur le *u*, mais bien sur le *e* ou le *i*.

---

4 **SUR LE E DES NOMS PROPRES**   *Noël*
ET DANS CANOË

- Les noms propres prennent un tréma sur le *e* quand ils se terminent par *-oël* et *-aël*.

  Israël – Noël – Gaël...

- Le tréma ici n'a pas de valeur particulière. Dans **canoë**, il pourrait être remplacé par un accent aigu.

---

5 **SUR LE I DU VERBE OUÏR**   *L'ouïe*

- Le tréma est maintenu dans les formes en **ouï-** de la conjugaison du verbe **ouïr**, ainsi que dans les mots de la même famille.

  j'ai ouï – l'ouïe – un ouï-dire...

Là non plus, le tréma n'a aucun rôle phonétique particulier.

---

6 **SUR LE U, LE O, LE A DE MOTS**   *Angström*
D'ORIGINE ÉTRANGÈRE

- Dans certains emprunts (▶ **83**), le tréma traduit des signes propres aux langues d'origine : le ø scandinave, le (¨) allemand.

  un angström – du müesli – les Länder (pluriel de *Land*)...

LE TRÉMA   **RETENEZ**

- Le tréma peut apparaître ou disparaître dans les mots d'une même famille pour répondre aux règles énoncées ci-dessus.

Comparez :

incidence	et	*coïncidence*
Israël	et	*Israélien*
canoë	et	*canoéiste*
Il a haï	et	*Il hait*

EXERCICE

Remplacez les pointillés par la lettre correspondante.

1. La balala...ka. **2.** Les ...nculpés et les co...nculpés. **3.** Des notes suraigu...s. **4.** La continu...té dans la contigu...té. **5.** Des gla...euls. **6.** L'exigu...té d'une pièce. **7.** Ne ha...s pas ceux qui t'ont ha... . **8.** Les ba...onnettes de Ba...onne. **9.** Bizarro...de et inou... . **10.** Les dialectes ga...liques.

190. VARIABLE ou INVARIABLE?

1 GÉNÉRALITÉS

● **Les formes :** certains mots peuvent se présenter sous diverses formes, d'autres non.

Joli, jolie, jolis et *jolies* ne sont pas quatre mots différents, mais quatre formes du mot *joli*.

Sans se rencontre toujours sous la même forme.

● **Les classes :** parmi les classes grammaticales (▶ **39**), on distingue les classes dites **variables** (nom, déterminant, adjectif, pronom, verbe) et les classes dites **invariables** (adverbe, préposition, conjonction, interjection).

RETENEZ

● Dans les classes **variables**, il existe des mots dont la forme ne change pas, ne varie pas.

Souris appartient à la classe variable des noms : il se rencontre pourtant toujours sous la même forme *souris*.

Quatre appartient à la classe variable des déterminants : il se rencontre pourtant toujours sous la même forme *quatre*.

● Quand un mot peut s'écrire sous différentes formes, il faut choisir la bonne ! La forme du mot dépend :

– soit du **sens** : le nombre du nom, le temps du verbe…
– soit des **relations** qu'entretient un mot avec un autre. On dit alors : «tel mot s'accorde (en genre, nombre…) avec tel autre».
– soit de la **fonction** qu'il a dans la phrase (pour certains pronoms).

2   LE NOM   *Un jour, des jours*

● Le nom est **variable** en nombre : il a un singulier et un pluriel. C'est le sens qui détermine s'il est au singulier ou au pluriel.

*Il vient un **jour** sur deux.*
*Il vient tous les **jours**.*

● En général, le nom n'est pas variable en genre, il en possède un seul.

Chaise est un nom féminin.
Tabouret est un nom masculin.

Mais certains noms varient aussi en genre. C'est notamment le cas des noms de personnes. ▶ **99**

*Centre de loisirs cherche **animateur/animatrice** pour les vacances scolaires.*

3   LE DÉTERMINANT   *Le, la, les*

● Le déterminant est **variable**   en genre (*le/la*)
                                  et en nombre (*le/les*).

● Les possessifs sont en plus variables en personne (*mon/ton*). ▶ **146**

● Certains indéfinis et les numéraux (▶ **127**) sont, eux, **invariables** (*plusieurs, chaque, quatre…*).

RETENEZ

● Le déterminant est toujours en relation avec un nom. Le déterminant variable porte les marques de genre et de nombre de ce nom.

__Mon__ <u>fils</u> n'a __aucune__ <u>difficulté</u> à se servir de __ces__ <u>machines</u>.
masc. sing.   fém. sing.   fém. plur.

● Très souvent à l'oral, seul le déterminant donne les indications de genre et de nombre.

*C'est **une** amie très chère.*

● Certaines formes de déterminants se ressemblent à l'oral, mais doivent être distinguées à l'écrit.

Comparez :

un homme ⟨ *cet homme* / *quel homme*   et   *cette femme* / *quelle femme* ⟩ *une femme*

4   L'ADJECTIF   *Seul, seule, seuls, seules*

● L'adjectif est **variable**   en genre (*seul/seule*)
                           et en nombre (*seul/seuls*).

● C'est le nom auquel il se rapporte qui détermine le genre et le nombre de l'adjectif. Il faut **toujours bien repérer** le nom dont dépend l'adjectif.

__Seuls__ quelques <u>insectes</u> sont __ailés__.

POUR ALLER PLUS LOIN

● Pour l'accord des adjectifs de couleur : ▶ **55**

5 LES PRONOMS

Chacun, chacune
Personne

● Les pronoms sont **variables** :

en genre	*Ils* ont pris **chacun** leur livre. *Elles* ont pris **chacune** leur livre.	masc. fém.
en nombre	*Celui*-là ne m'intéresse pas. *Ceux*-là m'intéressent.	sing. plur.
en personne	*Je ne veux pas* **le sien**. *Je veux* **le tien**.	3e pers. 2e pers.
d'après leur fonction	*Je* **le** *vois.* *Je* **lui** *parle.*	COD COI

Ils ne varient pas tous de la même façon :
Le pronom personnel varie en genre, en nombre, en personne et d'après sa fonction. ▸ **150**
Lequel ne varie qu'en nombre et en personne. ▸ **110**

● Certains pronoms n'existent qu'à **une seule forme** :
– les pronoms relatifs *qui, que, quoi, dont, où.*
– les pronoms interrogatifs *qui, que, quoi.*
– quelques pronoms indéfinis *on, rien, personne, quelque chose, plusieurs, quiconque.*
– les pronoms *en* et *y.*

RETENEZ

● Il est toujours important de bien repérer l'antécédent* d'un pronom car :
– il détermine la forme du pronom variable qui sera ainsi féminin ou masculin, singulier ou pluriel…
La direction a convoqué le comité d'entreprise.
   fém. sing.   masc. sing.
Elle a décidé de lui soumettre ses propositions.
fém. sing.   masc. sing.
– il permet d'identifier le genre, le nombre ou la personne, qui parfois n'apparaissent pas dans la forme du pronom, mais qui commandent pourtant les accords.
Comparez : *Tes poires, je les ai **toutes** mangées.*
        *Tes fruits, je les ai **tous** mangés.*

6 LE VERBE

Manger, mangeons…

● Le verbe est **variable** :

en temps	mang**ez** / mang**iez**	prés. / imparf.
en mode	mang**era** / mang**erait** / mang**er**	ind. / cond. / inf.
en personne	mang**eons** / mang**ez**	1re pers. / 2e pers.
en nombre	mang**e** / mang**ent**	sing. / plur.
en genre	mang**é** / mang**ée**	masc. / fém.

● Les marques du verbe sont portées par la terminaison (▸ **48**) :
– les marques de temps et de mode dépendent du sens, parfois de la construction.
– celles de personne et de nombre dépendent du sujet.
– celles du genre (portées uniquement par le participe passé) dépendent du sujet ou du complément d'objet* direct. ▸ **134**

RETENEZ

- Il est donc toujours important de bien localiser le sujet dans une phrase, puis de déterminer sa personne et son nombre. ▸ **192**

    L'équipe **souhaite** *un bon voyage à vous qui* **partez** *demain.*
    3ᵉ pers. sing.   2ᵉ pers. plur.

- À l'infinitif et au participe, le verbe ne varie pas en personne, d'où leur nom *modes impersonnels.* ▸ **117**

7 L'ADVERBE, LA PRÉPOSITION, LA CONJONCTION, L'INTERJECTION

Peu, parmi or, ouf

- Les mots de ces classes se présentent toujours sous la même forme, quels que soient le sens de la phrase, leur relation avec les autres mots… : ils sont **invariables**.

    adv. : *Ils travaillent* **vite** *et* **bien** *quand ils sont* **ensemble**.
    prép. : *Nous sommes* **pour**, *eux sont* **contre**.

VARIABLE…   *POUR ALLER PLUS LOIN*

- Le fait qu'un mot puisse passer d'une classe grammaticale à l'autre peut avoir des conséquences sur son caractère variable ou invariable. C'est le cas :
  - de l'adjectif employé comme adverbe. ▸ **6**
    Ces jeunes enfants chantent très **juste**.
  - du participe employé comme préposition. ▸ **134**
    Vu *les circonstances, nous devons changer notre mode de fonctionnement.*
  - de *demi* (▸ **62**), *même* (▸ **115**), *tout* (▸ **184**).

- C'est par convention et par tradition que la forme retenue par les dictionnaires français pour classer les mots est l'infinitif pour les verbes, le singulier pour les noms et le masculin singulier pour les adjectifs.
Les dictionnaires latins donnent, par exemple, les verbes à la 1ʳᵉ personne du singulier du présent de l'indicatif.

EXERCICE

Dites pour chacun des mots soulignés s'il appartient à une classe variable ou non. Justifiez la forme (sens, accord avec un autre mot, fonction…).

« Ce qui distingue les supermarchés – les **(1)** différentes chaînes commerciales – **(2)** les uns des autres, c'est **(3)** avant tout l'arrangement et la répartition de **(4)** leurs rayons. Cette répartition confère à **(5)** chacun sa personnalité. Un magasin où les dessous **(6)** féminins voisinent avec les **(7)** produits sanitaires ne **(8)** propose pas la même image que **(9)** celui où lesdits dessous voisinent avec la parfumerie. »

J. LACARRIÈRE, *Ce bel aujourd'hui*

191. LE VERBE: GÉNÉRALITÉS

Quand on veut analyser un verbe, il faut savoir reconnaître ses caractéristiques.

1 LES CONSTRUCTIONS

● Selon qu'il se construit avec un complément d'objet* ou non, le verbe est dit **transitif** ou **intransitif**. ▶ 193

● La tournure **impersonnelle** est une construction du verbe qui a pour sujet *il* (appelé *sujet apparent* parce qu'il ne désigne ni ne représente rien).

> *Il **pleut**.*
> *Il **est important** que vous soyez présent à la réunion.*

– Le sujet réel (appelé aussi *sujet logique*) peut être exprimé, mais il ne commande pas l'accord du verbe. ▶ 192

> *Il **manquait** encore trois élèves.*
> SUJ. apparent — SUJ. réel

– Certains verbes ne s'emploient qu'en tournure impersonnelle. On les appelle *les verbes impersonnels* : les verbes de météorologie (*il neige, il pleut*), *falloir (il faut)*...

– Certains verbes sont employés de façon occasionnelle en tournure impersonnelle.

Comparez :

> *Quelques gouttes **restaient** au fond du bol.*
> *Il **restait** quelques gouttes au fond du bol.*

2 LES VOIX

● Les voix définissent les relations qui existent entre le verbe et son sujet. Le verbe peut être :

à la voix **active**, quand le sujet est celui qui fait l'action.

> *Le soliste **interprète** l'œuvre.*
> SUJET

– à la voix **passive**, quand le sujet n'est pas l'auteur de l'action exprimée par le verbe.

> *L'œuvre **est interprétée** par un soliste célèbre.*
> SUJET (= l'auteur de l'action *interpréter* est le soliste.)

– à la voix **pronominale**, quand le sujet est repris par un pronom personnel, appelé *pronom réfléchi*.

> *L'œuvre **s'interprète** différemment chaque soir.*
> SUJET

POUR ALLER PLUS LOIN

● Les verbes qui sont à la voix pronominale, appelés aussi *verbes pronominaux*, peuvent avoir différents sens. ▶ 151

3 **LE SENS**

- On distingue deux types de verbes :

- le **verbe d'état** n'exprime jamais une action, mais une manière d'être. Il relie l'attribut* au sujet et ne se construit jamais avec un COD.

<u>Cette maison</u> me **paraît** <u>en bon état.</u>
   SUJET   ATTRIBUT

Les principaux verbes d'état sont :

être	devenir	rester
sembler	paraître	demeurer…

- les autres verbes sont appelés *les verbes d'action*.

POUR ALLER PLUS LOIN

- La dénomination *verbe d'action* est une convention. Tous les verbes de ce type n'expriment pas à proprement parler une action : *dormir, habiter, recevoir…*

4 **LES TEMPS**

- Les temps servent à marquer la chronologie : ils permettent de situer une action, un évènement par rapport à un point de référence qui peut être le moment où l'on parle (présent) ou un autre moment (passé ou futur). Les temps servent aussi à marquer l'aspect (voir POUR ALLER PLUS LOIN p. 329).

- Le verbe est conjugué sans auxiliaire aux temps simples, avec l'auxiliaire *être* ou *avoir* aux temps composés. ▶ 19

temps simples ▶ 48		temps composés ▶ 49	
prés. ind.	*je chante*	passé composé	*j'ai chanté*
passé simple	*je chantai*	passé antérieur	*j'eus chanté*
prés. cond.	*je chanterais*	passé cond.	*j'aurais chanté*
prés. inf.	*chanter*	passé inf.	*avoir chanté*
…	…	…	…

POUR ALLER PLUS LOIN

- Le système des temps en français impose des contraintes lors du passage du discours direct au discours indirect (▶ 69) ; de même, dans les subordonnées exprimant la condition (▶ 172).

5 **LES MODES**

- On distingue :

- les **modes personnels** (▶ 118) qui expriment chacun une attitude de celui qui parle par rapport à ce qu'il dit.

          indicatif : mode de l'affirmation
        subjonctif : mode du doute ▶ 176
   conditionnel : mode de l'irréel
     impératif : mode de l'ordre ▶ 131

- les **modes impersonnels** (▶ 117) pour lesquels il n'y a pas de conjugaison en personne : infinitif, participe, gérondif.

• L'**aspect** est la façon dont est envisagée l'action exprimée par le verbe. Il peut être marqué de différentes façons :
– par les temps.

Il lisait tranquillement.
imparfait : l'action dure. *(aspect duratif)*

Soudain quelqu'un sonna à la porte.
passé simple : l'action ne dure pas. *(aspect ponctuel)*

– par les temps composés pour l'aspect accompli, les temps simples pour l'aspect non-accompli…

*Il **a peint** plusieurs toiles.*
= il a fini de les peindre, l'action est terminée. *(aspect accompli)*

*Il **peint** une aquarelle.*
= l'action n'est pas terminée. *(aspect non-accompli)*

– par des verbes ou locutions* verbales : *aller* (+ inf. ou part. prés.), *venir de, être près de, être en train de…*
– par des préfixes, des adverbes : *re-* (aspect itératif) (▶ **165**), *de… en…* (aspect progressif) (▶ **60**)…

192. L'ACCORD DU VERBE
Il vous restait trois minutes pour finir

• Le verbe s'accorde en **nombre** et en **personne** avec son **sujet**.
▶ **95**

*Tous nos résultats **montrent** une nette amélioration.*
Aux temps composés, c'est l'auxiliaire qui s'accorde en nombre et en personne avec le sujet ; le participe passé, qui peut en outre s'accorder en genre, suit des règles d'accord particulières. ▶ **134**

*Vous **avez constaté** une nette amélioration.*

• Souvent, le sujet est le nom ou le pronom qui est juste avant le verbe. Mais pas toujours… Il faut donc bien le repérer.

1 LE SUJET N'EST PAS JUSTE AVANT LE VERBE

Les résultats que montre l'enquête

• Le sujet est **après** le verbe avec :

une **relative**	*Les résultats que nous **montre** l'enquête sont très encourageants.*
une **interrogative** directe ou indirecte	*Quelles conséquences **entraîne** cette baisse des effectifs ? Nous savons quelles conséquences **entraîne** cette baisse des effectifs.*
des **compléments en tête de phrase**	*Ces derniers jours **courait** dans les services une étrange rumeur.*
certaines **conjonctions**	*Comme nous le **prouvent** les résultats de l'enquête, il y a une nette amélioration.*

• Le sujet est **séparé** du verbe par :

d'autres **pronoms**	*Je ne vous l'**avais** pas encore dit.*
d'autres **compléments**	*Les résultats de l'enquête **prouvent** une nette amélioration.*
un groupe en **incise** (entre virgules)	*Ces études, confiées respectivement à l'un et à l'autre cabinet, **font** l'objet d'une synthèse.*
une **subordonnée**	*Le fait que les ventes aient augmenté ces derniers mois **prouve** que l'entreprise se porte bien.*

RETENEZ

• Dans tous les cas (voir ci-dessus), on peut revenir à une phrase plus simple dans laquelle le sujet précède immédiatement le verbe.

L'enquête montre des résultats.
La baisse entraîne des conséquences.
Une étrange rumeur courait.
Les résultats prouvent une amélioration.
J'avais dit cela.
Ces études font l'objet...
Le fait prouve...

2 **LE SUJET EST LE PRONOM RELATIF QUI** *C'est moi qui ai répondu*

• *Qui* ne varie ni en nombre ni en personne, mais le verbe dont il est sujet prend les marques de nombre et de personne de son antécédent* (mot qu'il représente).

*Les personnes qui le **désirent** demanderont un rendez-vous.*
ANTÉCÉDENT   3e pers. plur.

*Moi qui **ai** tout vu, je peux vous dire ce qui s'est passé.*
ANTÉC.   1re pers. sing.

RETENEZ

• Il faut notamment bien veiller à repérer la personne de *qui* dans le présentatif *c'est... qui*.
Comparez :

*C'est moi qui **ai** écrit cela.*

et non *C'est moi qui ~~a~~ écrit cela.*
*Est-ce toi qui l'**as** dit ?*

POUR ALLER PLUS LOIN

• Avec les expressions *être le seul, le dernier, le premier...*, on a le choix de la personne, selon que l'on prend pour antécédent de *qui* le sujet de *être* ou *le seul* (3e pers. sing.).
Comparez :

*Vous êtes le seul qui **êtes** au courant.*
ANTÉC. 2e pers.   2e pers.

*Vous êtes le seul qui **est** au courant.*
       ANTÉC. 3e pers. 3e pers.

3 **IL Y A PLUSIEURS SUJETS**   *Lui ou moi devra choisir*

● **Sujets juxtaposés** ou **coordonnés par** *et*
Le verbe est **au pluriel**.

> *L'émotion, la crainte, l'ennui **dominent** chez cet auteur.*
> *Le rail, la route **et** les voies aériennes **sont** neutralisés.*

POUR ALLER PLUS LOIN

● Parfois le deuxième terme n'est qu'une autre façon de désigner le premier : le verbe s'accorde avec le premier terme.

> *Mon collègue **et** ami **se chargera** du dossier.*

● **Sujets coordonnés par** *ou* ou *ni*
– Si, logiquement, un seul des sujets peut faire l'action, le verbe est **au singulier**.

> *La direction **ou** le syndicat **devra** céder devant l'autre.*
> ***Ni** la direction **ni** le syndicat **n'a** cédé devant l'autre.*
> (un seul peut céder.)

– Si, logiquement, les deux sujets peuvent faire l'action en même temps, le verbe est **au pluriel**.

> *Une explication **ou** un exemple **aident** à la compréhension.*
> (les deux peuvent aider.)
> ***Ni** son généraliste **ni** le spécialiste ne **savent** ce qu'il a.*
> (tous les deux l'ignorent.)

RETENEZ

● Si l'un des sujets est au pluriel, le verbe est au pluriel.
> *Ni la direction **ni** les syndicats n'**ont** voulu céder.*
> *Un exemple **ou** deux **suffisent**.*

● Des sujets coordonnés par *et* peuvent être **de personnes différentes**. Le verbe est alors **toujours au pluriel** :
– à la 1re personne (*nous*), si l'un au moins des sujets est de la 1re personne.

> *Toi et moi **saurons** l'aider.*
>   2ᵉ   1ʳᵉ ⇒ **1ʳᵉ**
> *Une amie et moi **avons** conduit ce projet.*
>   3ᵉ   1ʳᵉ ⇒ **1ʳᵉ**

– à la 2ᵉ personne (*vous*) s'il n'y a pas de sujet de la 1ʳᵉ personne.

> *Mes collègues et toi **avez** fait un travail remarquable.*
>   3ᵉ   2ᵉ ⇒ **2ᵉ**

4 **LE SUJET SINGULIER A UN SENS PLURIEL**   *La plupart d'entre eux sont là*

● **Les tournures et les verbes impersonnels***
Même s'il a un sujet réel au pluriel (▶ **191-1**), le verbe s'accorde toujours avec **il** et reste donc **au singulier**.

> *Il leur **manque** quelques notions élémentaires.*
> *Parmi les réponses, il y en **avait** trois qui convenaient.*
> *Il **suffirait** que tous acceptent pour que le projet aboutisse.*

Pour l'accord de *c'est* ou *ce sont* : ▶ **30**

• Les noms de fractions

Le verbe s'accorde le plus souvent avec le nom de la **fraction** (*la moitié, les trois quarts, un tiers...*) et non avec le complément.

*La moitié des participants **a** répondu oui.*
*Les deux tiers de l'ouvrage **sont** rédigés.*

Mais l'accord peut se faire avec le complément si on choisit de le mettre en valeur.

*La moitié des participants **ont** répondu oui.*

• Les noms collectifs

Le sujet est parfois un nom collectif* (nom employé au singulier et qui désigne un ensemble d'éléments): *foule, multitude, ensemble, majorité, partie, poignée, reste...*

– si le nom collectif est employé **sans** complément, le verbe s'accorde avec ce nom: il est **au singulier**.

*Les objets ont beau être disparates, l'ensemble **reste** cohérent.*

– si le nom collectif est employé **avec** son complément, c'est le **sens** qui détermine le nombre: il faut chercher si le verbe porte plutôt sur le nom collectif (l'ensemble) ou sur ses constituants (les éléments).

Comparez:

*Un tas d'ordures **n'est** jamais beau à voir.*
(c'est le tas qui n'est pas beau.)
*Un tas d'ordures **étaient** éparpillées sur la plage.*
(ce sont les ordures qui sont éparpillées, et non le tas.)

Souvent on a le choix:

*Une foule d'admirateurs l'**attendait** (ou l'**attendaient**).*
(c'est la foule qui attend *ou* ce sont les admirateurs qui attendent.)

• Les locutions de quantité

Quand le sujet est introduit par *la plupart de, nombre de, quantité de...*, le verbe se met **au pluriel**.

*La plupart des chants interprétés lors du récital **proviennent** d'un même recueil.*
*Grand nombre de ces chants **ont** été composés au Moyen Âge.*

Pour l'accord du verbe avec ***chacun***: ▶ 35

RETENEZ

• Avec les locutions* de quantité, le verbe est **au pluriel**, tout comme il le serait avec des adverbes de quantité tels que *beaucoup, peu, trop...*

*Beaucoup de ces chants **s'interprètent** avec un double chœur.*

• Même si le complément n'est pas exprimé, le verbe reste **au pluriel**.

*La plupart **proviennent** d'un recueil.*
*Beaucoup **s'interprètent**...*

• Avec *plus d'un*, le verbe est **au singulier**; avec *moins de deux*, il est **au pluriel**.

*Plus d'un s'y **sera** laissé prendre.*
*Moins de deux années s'**étaient** écoulées.*

• Le verbe d'une phrase interrogative dont le sujet est *qui* est toujours à la 3ᵉ personne du singulier.

*Qui **a** gagné? Les rouges ou les verts?*

• Les locutions *vive, qu'importe, soit...* sont des verbes qui ont perdu leur valeur verbale : elles restent le plus souvent **invariables** devant un nom pluriel.

Vive les vacances.
Soit (ou *soient*) *les hypothèses suivantes.*

EXERCICE

Donnez à chaque verbe en italique la forme qui lui convient après avoir identifié le sujet.

1. La conclusion que l'on *(pouvoir)* tirer de toutes ces études *(figurer)* dans un rapport que ma collègue et moi *(avoir)* remis au directeur. **2.** Beaucoup de nos observations *(faire)* l'objet d'une vive critique alors que la plupart *(se justifier)* pleinement. **3.** Il leur *(rester)* trois jours pour terminer ce travail et cela les *(obliger)* à arrêter tous les autres travaux. **4.** Tous mes amis présents à la fête l'*(avoir)* reconnue mais, elle, elle ne les *(avoir)* pas reconnus.

193. VERBES
TRANSITIFS ET INTRANSITIFS

Dire quelque chose
Parler de quelque chose

Reconnaître la construction du verbe aide pour le choix des pronoms personnels ou relatifs, pour celui de l'auxiliaire aux temps composés (▶ **19**) ou l'accord du participe passé (▶ **134**). Selon la façon dont le verbe se construit, on distingue traditionnellement les verbes transitifs et les verbes intransitifs.

1 **LES VERBES TRANSITIFS**   *Espérer qqch.*
ONT UN COMPLÉMENT D'OBJET   *Songer à qqch.*

• **Les verbes transitifs directs**

Leur complément d'objet* se construit **sans** préposition : c'est le complément d'objet direct (COD). ▶ **95-2**

Le texte **comporte** <u>deux parties essentielles</u>. COD	comporter qqch.
Il nous **renseigne** sur la civilisation turque. <u>COD</u>	renseigner qqn
Nous **croyons** <u>que cela est essentiel</u>. COD	croire qqch.

• Les verbes transitifs indirects

Leur complément d'objet se construit **avec** une préposition **qui est appelée par le verbe** et non par le complément : c'est le complément d'objet indirect (COI). ▶ **95-2**

La déclaration n'a pas **plu** <u>aux adversaires</u>. COI	plaire **à** qqn
<u>En</u> avez-vous déjà **parlé**? COI	parler **de** qqch., **de** qqn

La préposition est fixe ; dans un dictionnaire elle est donnée avec l'infinitif du verbe. Souvent, il s'agit de *à* ou *de*.

abuser **de**	⎰ convenir **à** ▶ **54**	parer **à**	recourir **à**
accéder **à**	⎱ convenir **de**	parler **de**	remédier **à**
adhérer **à**	croire **à**, **en** ▶ **57**	⎰ participer **à**	renoncer **à**
agréer **à**	dépendre **de**	⎱ participer **de**	répugner **à**
appartenir **à**	déroger **à**	parvenir **à**	résister **à**
approcher **de**	douter **de**	plaire **à**	ressembler **à**
attenter **à**	équivaloir **à**	procéder **à**	ressortir **à** ▶ **167**
bénéficier **de**	incomber **à**	⎰ profiter **à**	songer **à**
collaborer **à**	jouir **de**	⎱ profiter **de**	subvenir **à** ▶ **177**
consister **à**, **en**	nuire **à**	protester **de**	succéder **à**
contribuer **à**	obéir **à**	raffoler **de**	veiller **à**…

Un verbe peut avoir plusieurs prépositions et différents sens.

> *Les stagiaires ont participé **au** projet.* « prendre part »
> *Ce thème participe à la fois **de** la comédie et **du** drame.* « relever »

RETENEZ

• Les verbes transitifs **directs** peuvent avoir pour complément d'objet un infinitif. Celui-ci doit être parfois introduit par *de*. Ne les confondez pas avec les transitifs indirects : quand on remplace l'infinitif par un nom ou un pronom, *de* disparaît.
Comparez :

> *Ils cessèrent **de** <u>jouer</u>.*
> et *Ils cessèrent <u>leur jeu</u>.*
> *On lui a proposé **d'**<u>occuper</u> le poste vacant.*
> et *On lui a proposé <u>un nouveau poste</u>.*

• Pour choisir un pronom, il faut identifier la construction du verbe : les pronoms compléments sont différents selon que le verbe est transitif direct ou indirect.
Comparez :

> *Il me dit <u>qqch</u>.* ⟹ *Il me **le** dit.* et *Ce **qu'**il me dit.*
> *Il me parle de <u>qqch</u>.* ⟹ *Il m'**en** parle.* et *Ce **dont** il me parle.*

• Deux verbes ont parfois des sens voisins, mais des constructions différentes, d'où de nombreuses confusions.
Comparez :

transitif direct	transitif indirect
pallier un inconvénient *se rappeler qqch.* *tenter **de** (+ inf.)*	*parer **à** un inconvénient* *se souvenir **de** qqch.* ▶ **163** *tendre **à*** ▶ **183**

De même : *empêcher qqn **de** faire qqch.*
et *interdire **à** qqn **de** faire qqch.* ▶ **81**

POUR ALLER PLUS LOIN

• Certains verbes **transitifs directs** admettent, en plus de leur COD, un autre complément introduit par une préposition ; ce complément désigne la personne, la chose à qui est destinée l'action : on l'appelle *le complément d'objet* second* (COS).
▶ **95-2**

Donnez <u>votre réponse</u> *au directeur.*
$\qquad\qquad$ COD $\qquad\qquad$ COS

Il applique <u>tous ses soins</u> *à cette affaire.*
$\qquad\qquad\quad$ COD $\qquad\qquad$ COS

• Les verbes transitifs peuvent également s'employer sans aucun complément d'objet : c'est leur **emploi absolu**. Ne les confondez pas alors avec les verbes intransitifs (voir **2**).
Comparez :

transitif en emploi absolu	Il **chante** très bien. (on pourrait ajouter un COD : *une chanson*) Ne **doute** pas. (on pourrait ajouter un COI : *de toi*)
intransitif	Ne **viens** pas maintenant. (on ne peut pas ajouter de complément d'objet)

2 **LES VERBES INTRANSITIFS N'ONT PAS DE COMPLÉMENT D'OBJET** *Il arrive*

• Les verbes intransitifs n'acceptent pas de complément d'objet. Ils peuvent être employés seuls ou avec divers compléments circonstanciels. ▶ **95-5**

Il **arrive**.	arriver
Il **est parti** hier de Paris.	partir

• Les verbes d'état qui servent à établir le lien entre le sujet et l'attribut* sont classés parmi les verbes intransitifs.

<u>Les résultats</u> *semblent* <u>bien meilleurs</u> *cette année.*
$\quad$ SUJET $\qquad\qquad\qquad$ ATTRIBUT

Les principaux verbes d'état sont :

être	devenir	rester
sembler	paraître	demeurer…

VERBES TRANSITIFS ET INTRANSITIFS *RETENEZ*

• Les verbes pronominaux, selon leur construction, sont aussi des verbes transitifs directs, indirects ou intransitifs. ▶ **151**

transitif direct	Les enfants se **lavent**. COD
transitif direct avec objet second	Ils se **sont acheté** une maison. COS $\quad$ COD
transitif indirect	Il se **souvient** de toi. COI
intransitif	Ils se **sont enfuis** rapidement.

VERBES TRANSITIFS...   *POUR ALLER PLUS LOIN*

- Un même verbe peut offrir différentes constructions, ce qui entraîne parfois un changement de sens.
Comparez :

| transitif direct | *Il **prétend** qu'il était déjà arrivé.*
prétendre qqch. «affirmer» |
| transitif indirect | *Il **prétend au** titre de responsable.*
prétendre **à** qqch. «revendiquer» |

- Pour les **verbes impersonnels** : ▶ 191-1

EXERCICE

Donnez pour chacun des verbes soulignés le type de construction dans lequel il est employé.

1. Cela vous plaît-il ainsi ? **2.** Je vous connais depuis longtemps. **3.** Il nous a dit de revenir la semaine prochaine. **4.** Il est resté tel que je l'ai toujours connu. **5.** Vous parviendrez facilement à le convaincre. **6.** J'y pense. **7.** J'y cours.

194. VERBES EN -DRE : QUELLE TERMINAISON ?

Il attend
Il atteint

Bien que leur infinitif se termine de la même façon, les verbes en **-dre** n'ont pas tous les mêmes terminaisons au **singulier présent de l'indicatif** et de **l'impératif**. Il faut distinguer :

– les verbes se terminant par le son [ɛ̃dʀ] (verbes en *-aindre, -eindre, -oindre*) et les verbes en *-soudre* (voir **2**) ;
– tous les autres verbes (voir **1**).

1 **CAS GÉNÉRAL :**   *Il attend*
LE D DE L'INFINITIF EST MAINTENU

- Les verbes en **-dre**, sauf ceux en [ɛ̃dʀ] et ceux en *-soudre* (voir **2**), gardent le **d** pour ces quatre formes de l'indicatif et de l'impératif.

infinitif	*vendre*	*tondre*	*répandre*	*perdre*	*coudre*
présent indicatif	*je vend-s* *tu vend-s* *il vend*	*je tond-s* *tu tond-s* *il tond*	*je répand-s* *tu répand-s* *il répand*	*je perd-s* *tu perd-s* *il perd*	*je coud-s* *tu coud-s* *il coud*
impératif	*vend-s*	*tond-s*	*répand-s*	*perd-s*	*coud-s*

V

RETENEZ

- Hormis *prendre, coudre, moudre* et leurs composés, ces verbes en *-dre* gardent le *d* de l'infinitif dans **toute** la conjugaison (on l'entend aux autres temps et personnes). Ne l'oubliez pas à l'écrit même s'il ne s'entend pas à l'oral.

Comparez :

je tordais	*vous répondez*	*perdu*
je tords	*réponds*	*il perd*

- À la 3ᵉ personne, la présence du *d* de l'infinitif exclut le *t* de la terminaison. ▸ 48

Il répand.

Il répandt.

POUR ALLER PLUS LOIN

- Le verbe *asseoir* dans sa conjugaison en *-ie-* [je] prend un *d* au singulier du présent de l'indicatif et de l'impératif (ainsi que *seoir* et *messeoir* qui ne sont employés qu'à la 3ᵉ personne).

Assieds-toi, je reviens tout de suite.
Cela vous sied à merveille.

2 **VERBES EN [ɛ̃dʀ] ET EN -SOUDRE :**   *Il atteint*
LE D DE L'INFINITIF DISPARAÎT

- Les verbes en [ɛ̃dʀ] (il y en a une trentaine) et ceux en *-soudre* (trois : *absoudre, dissoudre* et *résoudre*) ne gardent **pas le** *d* au singulier présent de l'indicatif et de l'impératif. Ces verbes ont donc les terminaisons normales de ces formes (*-s, -s, -t*).

infinitif	*craindre*	*peindre*	*joindre*	*résoudre*
présent indicatif	*je crain-s*	*je pein-s*	*je join-s*	*je résou-s*
	tu crain-s	*tu pein-s*	*tu join-s*	*tu résou-s*
	il crain-t	*il pein-t*	*il join-t*	*il résou-t*
impératif	*crain-s*	*pein-s*	*join-s*	*résou-s*

RETENEZ

- Ces verbes ne gardent le *d* de l'infinitif que **s'il s'entend** (c'est-à-dire uniquement au futur et au conditionnel). Partout ailleurs, il disparaît de la conjugaison.

je craindrai | *je peindrai* | *je résoudrai*

EXERCICE

Mettez les verbes en -dre au présent de l'indicatif ou à l'impératif.

1. Je le *(plaindre)*, le pauvre ! **2.** Le cordonnier *(recoudre)* même les cuirs les plus épais. **3.** *(Rejoindre)*-nous dès que tu as un moment. **4.** Ce chien est très doux, il ne *(mordre)* pas. **5.** Demande-lui conseil, il *(résoudre)* tous les problèmes. **6.** Il *(feindre)* toujours de ne rien comprendre. **7.** *(Répondre)* correctement à la question que l'on te pose. **8.** Cela *(atteindre)* des sommes considérables. **9.** Il *(attendre)* une réponse du ministère.

195. VERBES EN -ÉER

Toutes les choses qu'il a créées

• Il n'y a pas d'hésitation à avoir !
Les verbes en **-éer** se conjuguent comme les autres verbes du premier groupe : on ajoute les terminaisons de ces verbes (▶ **48**) au radical (qui pour ces verbes se termine par *é* : *cré-er, agré-er...*).
Comparez :

	présent ind.	imparfait ind.	part. p. fém. sing.
aim-er **cré**-er	il aim-**e** il cré-**e**	vous aim-**iez** vous cré-**iez**	aim-**ée** cré-**ée**

RETENEZ

• Deux *é* sont rarement l'un à la suite de l'autre. Ainsi des graphies telles que *créé*, *créée* peuvent nous sembler étranges : ce sont pourtant les formes qui conviennent.

• Les verbes en **-éer** sont :

créer	gréer	suppléer
et recréer	*et* maugréer	
procréer	agréer	

EXERCICE

Mettez les verbes en -éer à la forme qui convient.

1. En agissant ainsi, vous vous *(créer)* des ennuis inutiles. **2.** Sa demande doit être au préalable *(agréer)* par le service du personnel. **3.** Il faut que vous *(suppléer)* votre collègue en cas de besoin. **4.** Il *(maugréer)* toute la journée. **5.** Ces histoires *(créer)* de toutes pièces lui servaient d'alibi.

196. VERBES EN -ETER ET -ELER

Il achète – Il décachette
Il ficelle – Il cisèle

• La plupart des verbes en **-eter** [əte] et en **-eler** [əle] marquent le changement de [ə] en [ɛ] devant un *e* muet avec une **consonne double**. ▶ **52**
Comparez :

[ə]	[ɛ]
nous jetons	je jette
il a appelé	vous appellerez
en décachetant	ils décachettent

RETENEZ

• Quelques verbes ne doublent pas la consonne mais prennent un **accent grave** sur le *e* ; ils gardent alors un seul *t* ou un seul *l*.

[ə]	[ɛ]
acheter	il achète
peler	il pèle

Les plus courants sont :

acheter (*et* racheter)   celer (*et* déceler, receler)
crocheter   ciseler
fileter   démanteler
fureter   écarteler
haleter   geler (*et* congeler, dégeler...)
                               marteler
                               modeler
                               peler

• Ne confondez pas la conjugaison de ces verbes avec la conjugaison des verbes en *-ler*, ou *-ter*. Dans les verbes en **-eler** ou **-eter,** le *e* (quand il est muet) n'est pas toujours articulé à l'oral, mais il existe et se retrouve à l'écrit dans **toute** la conjugaison.
Comparez :

dicter   [dikte]   ⇒ *il dicte*   [dikt]
étiqueter   [etikte]   ⇒ *il étiquette*   [etikɛt]
                                      et non [etikt]

parler   [paʀle]   ⇒ *vous parlerez*   [paʀlʀe]
carreler   [kaʀle]   ⇒ *vous carrellerez* [kaʀɛlʀe]
                                      et non [kaʀlʀe]

POUR ALLER PLUS LOIN

• L'orthographe de ces verbes a longtemps été fluctuante et divergeait fréquemment d'un dictionnaire à l'autre au siècle dernier. Par exemple, Littré voulait que l'on écrive : *il halette* et *il étiquète*.

EXERCICE

Mettez les verbes en -eler *ou* -eter *à la forme qui convient.*

1. Qui me (*racheter*, futur) cette antiquité ? **2.** On (*décacheter*, futur) l'enveloppe en présence d'un huissier de justice. **3.** Te (*rappeler*)-tu le jour où nous nous sommes rencontrés ? **4.** Veux-tu que je te (*peler*) une orange ? **5.** (*Épeler*)-moi l'orthographe de ton nom. **6.** S'ils (*déceler*) qui (*receler*) les faux billets, ils (*démanteler*, futur) le réseau de malfaiteurs. **7.** Je m'(*atteler*) à la tâche dès que j'aurai fini cet exercice **8.** Que (*projeter*) ils de faire dans les six prochains mois ? **9.** Nous (*rejeter*) toute proposition qui ne nous semblera pas sensée. **10.** Le chien (*haleter*) après sa longue course dans les champs. **11.** Elle (*feuilleter*) le livre que nous lui avons offert. **12.** Les architectes (*remodeler*) le paysage urbain de cette région. **13.** Ne (*décongeler*) pas tous les légumes. **14.** Sans doute (*renouveler*)-ils le contrat quand ils auront pris connaissance de tels résultats.

197. VERBES EN -IER

J'aimerais que vous ne l'oubliez pas

- Il n'y a pas d'hésitation à avoir !

Les verbes en **-ier** se conjuguent comme les autres verbes du premier groupe : on ajoute au radical (qui se termine par *i* : *cri-er, appréci-er*) les terminaisons habituelles (▶ 48) – notamment *-ions* et *-iez* à l'imparfait de l'indicatif et au présent du subjonctif.

Comparez :

	imparfait de l'indicatif	présent du subjonctif
chant-er	*Autrefois, nous chant-**ions**.* *Autrefois, vous chant-**iez**.*	*Il faut que nous chant-**ions**.* *Il faut que vous chant-**iez**.*
appréci-er	*Autrefois, nous appréci-**ions**.* *Autrefois, vous appréci-**iez**.*	*Il faut que nous appréci-**ions**.* *Il faut que vous appréci-**iez**.*

RETENEZ

- Le français connaît peu de cas de redoublement de voyelles (contrairement à ce qui se passe pour les consonnes).

Des graphies telles que *criiez, appréciions...* peuvent donc nous sembler étranges. Pourtant, elles sont tout à fait normales et doivent bien être distinguées des formes du présent de l'indicatif : *vous appréci-ez, nous cri-ons.*

- Au futur, veillez à ne pas oublier le *e* qui ne s'entend pas.

▶ 72

vous crierez – vous apprécierez

POUR ALLER PLUS LOIN

- À l'oral, la distinction est moins nette.

Comparez :

Vous criez. [kʀije]
Vous criiez. [kʀijje]

- *Rire* et *sourire* ont aussi *ii* dans leur conjugaison à l'imparfait de l'indicatif et au présent du subjonctif.

Quand nous étions ensemble, nous riions d'un rien.

EXERCICE

Mettez les verbes en -ier à la forme qui convient.

1. Nous ferons en sorte que vous *(bénéficier)* des mêmes avantages que vos prédécesseurs. **2.** Si vous le souhaitez, nous vous *(associer, futur)* à notre projet. **3.** Il faudrait que nous *(publier)* le livre avant la rentrée scolaire. **4.** Et si nous lui *(confier, imparfait)* cette partie du travail ? **5.** Nous n'*(envier)* pas ceux qui doivent rester.

V

198. VERBES EN -OUDRE

Celles qui cousent
Celles qui moulent

- On distingue trois familles de verbes en **-oudre** :
- **coudre** (et *découdre, recoudre*),
- **moudre** (et *remoudre*),
- **résoudre**, **absoudre** et **dissoudre** (appelés «verbes en *-soudre*»).

- Ces verbes du 3ᵉ groupe sont difficiles à conjuguer parce qu'ils ont plusieurs radicaux (▸ 47) et qu'ils se comportent différemment pour leur terminaison au singulier présent de l'indicatif. Cependant, on peut retenir quelques principes.

R E T E N E Z

- Au singulier présent de l'indicatif, **coudre** et **moudre** gardent le **d** du radical, **résoudre** le perd. ▸ 194

je coud-**s**	je moud-**s**	je résou-**s**
tu coud-**s**	tu moud-**s**	tu résou-**s**
il cou**d**	il mou**d**	il résou-**t**

- **Cous-**, **moul-** et **résolv-** sont les radicaux dominants de *coudre, moudre* et *résoudre*. Comme pour la plupart des verbes (▸ 47), le radical de la 1ʳᵉ personne du pluriel *(nous cous-ons, nous moul-ons, nous résolv-ons)* sert à former toutes les formes de l'imparfait de l'indicatif, toutes celles du présent du subjonctif ainsi que le participe présent.

  il résolvait – ils moulaient – qu'elle couse – qu'ils résolvent – moulant…

- Au futur et au conditionnel, les trois verbes ont un radical proche de l'infinitif **coudr-**, **moudr-** et **résoudr-**.

  je moudrais – il résoudra – tu recoudras…

- *Résoudre* a pour participe passé *résolu, résolue*. Quant aux participes passés des verbes *absoudre* et *dissoudre*, ils ont des formes particulières qu'il ne faut pas confondre avec les adjectifs.

	participe passé	adjectif
absoudre	*abs**ous**, absou**te***	*absolu, -ue* «total»
dissoudre	*diss**ous**, dissou**te***	*dissolu, -ue* «débauché»

*Le nouveau président a diss**ous** l'assemblée.*
et non   *…a ~~dissolu~~…*
*Le curé a abs**ous** les pénitents.*

P O U R   A L L E R   P L U S   L O I N

- Ce sont aussi les radicaux **cous-** et **moul-** qui servent à former le participe passé et le passé simple.

passé composé	*j'ai cousu*	*j'ai moulu*
passé simple	*il cousit*	*il moulut*

Résoudre a ***résol-*** pour radical au passé simple; la voyelle est en ***u.*** ▶ **137**

> *Nous résolûmes de rebrousser chemin.*

Les formes du passé simple ne sont pas très courantes.

• Remarquez l'absence de concordance entre la terminaison du masculin (en **-s**) et la forme du féminin (en **-te**) pour *absous / absoute* et *dissous / dissoute*.

EXERCICE

Complétez les phrases suivantes en mettant le verbe en -oudre à la forme voulue.

1. Il faut que tu *(recoudre,* présent du subjonctif) ces chemises. **2.** C'est une question qu'on *(résoudre,* présent de l'indicatif) sans problème. **3.** C'est une question que nous *(résoudre,* passé simple) la semaine dernière. **4.** Elle *(coudre,* imparfait) tous les vêtements de ses enfants. **5.** L'acide a *(dissoudre,* participe passé) le métal. **6.** Plus jamais ce meunier ne *(moudre,* futur) de blé. **7.** Il faut que nous *(résoudre,* subjonctif) l'énigme.

199. VERBES EN -YER

Il paie ceux qu'il emploie

• Les verbes en **-yer** [je] sont des verbes du 1er groupe. Ils ont donc les terminaisons des verbes de ce groupe (▶ **48**). Il ne faut pas les confondre avec les verbes du 3e groupe.

Comparez :

1er groupe en -yer		3e groupe	
employer	j'emploi-e	croire	je croi-s
payer	tu pai-es	paraître	tu parai-s
s'ennuyer	il s'ennui-e	nuire	il nui-t

• Dans les verbes en **-ayer**, **-oyer**, **-uyer**, le **y** devient **i** s'il se trouve devant un **e** muet*.

i suivi d'un e muet		y suivi d'une voyelle non muette	
j'appui-	e	nous appuy-	ons
ils appui-	ent	vous appuy-	ez
pai-	e	pay-	ez
que tu essui-	es	que nous essuy-	ions
qu'ils essui-	ent	que vous essuy-	iez
je côtoi-	erai	je côtoy-	ais
je côtoi-	erais	il côtoy-	a

RETENEZ

• Contrairement à la plupart des verbes du 1er groupe, les verbes en **-yer** ont un radical au futur qui ne correspond pas exactement à l'infinitif.

essuyer ⇒ *Il essuiera.* et non *Il ~~essuyera~~.*

• N'oubliez pas le *e* muet (▶ **72**) **sauf** pour *envoyer* et *renvoyer* qui changent de radical.

       il appuiera – il appuierait

mais   *j'enverrai – j'enverrais*   et non *j'~~envoirai~~*

• Aux 1ʳᵉ et 2ᵉ personnes du pluriel (*nous, vous*) de l'imparfait de l'indicatif et du présent du subjonctif, n'oubliez pas le *i* après le *y*.

Nous rayions ce qui était faux.
Il faut que vous essayiez.

• Seules les formes avec *y* se prononcent [j]. ▶ **204**

POUR ALLER PLUS LOIN

• Les mots de la même famille suivent également la règle de l'alternance *y/i* selon que l'on entend [j] ou pas.

aboyer   [abwaje]
aboyeur   [abwajœʀ]
aboiement   [abwamã]

• Les verbes en **-ayer** peuvent garder le *y* devant le *e* des désinences. On entend alors le son [j].

Il paye. [pɛj]   ou   *Il paie.* [pɛ]
Il balayera.   ou   *Il balaiera.*

• Les verbes en **-eyer** (peu nombreux et peu courants) gardent le *y* et le son [j] dans toute la conjugaison.

La voile faseye. [fasɛj]
= la voile bat au vent.

EXERCICE

Mettez les verbes en -yer à la forme voulue.

1. Si vous *(festoyer)* toute la nuit, vous ne vous *(ennuyer)* pas.
2. N'*(essayer)* pas de l'approcher, tu l'*(effrayer, futur)*. **3.** Il *(payer)* dès demain celui qui *(balayer)*, *(nettoyer)* et *(essuyer)* la pièce.
4. Toutes ces pierres précieuses qui *(flamboyer)*.

200. VINGT : AVEC OU SANS S ?

Vingt ans
Quatre-vingts ans

1 **AVEC S**   *Ses quatre-vingts ans*

• *Vingt* prend un *s* **seulement** dans *quatre-vingts* s'il n'est suivi **d'aucun** autre déterminant numéral. ▶ **127**

*Il a eu quatre-**vingts** ans hier et elle quatre-**vingt**-dix.*
*Une augmentation de cent quatre-**vingts** pour cent.*
*Nous avons obtenu plus de quatre-**vingt** mille signatures.*
*Quatre-**vingts** millions de francs.*
(million est un nom et non un adjectif numéral.)

RETENEZ

• Quand *quatre-vingt* a la valeur d'un ordinal (pour marquer le numéro que portent une page, une année... ▸ **127**), il ne prend **jamais** de *s*.

*Que nous ont apporté les années quatre-**vingt** au point de vue littéraire ?*
*Il a ouvert son livre à la page quatre-**vingt**.*

2 **SANS S** *Ses vingt ans*

• Dans les autres cas, *vingt* ne prend **jamais** de *s*.
*On a fêté ses **vingt** ans hier.*
*Un livre de trois cent **vingt** pages.*
*Cela s'est passé il y a **vingt**-quatre heures.*
*Ils sont **vingt**.*

RETENEZ

• Puisque *vingt* s'écrit sans *s*, il ne peut y avoir de liaison en [z].

Vingt élèves. [vɛ̃telɛv]   et non [vɛ̃zelɛv]

EXERCICE

Mettez vingt *au pluriel s'il y a lieu.*

1. Cela vous coûtera *quatre-vingt...* ou *quatre-vingt...-dix francs.*
2. Ils ont battu le record du tour du monde en *quatre-vingt...* jours.
3. Ce ne sont pas les *vingt...* francs que ça t'a coûté qui vont te ruiner ! **4.** Il a tiré le numéro *quatre-vingt...* .

201. VOIR ou VOIRE ?

Il faudrait leur écrire,
voire aller les voir

Ne confondez pas ces deux homonymes* qui appartiennent à des classes grammaticales différentes.

1 **VOIR, VERBE** *Va le voir*

• *Voir*, sans *e*, est le verbe. Pensez aux autres verbes en *-voir* : émouvoir, promouvoir...
*Il t'appelle, va le **voir**.*
*Je ne suis pas convaincu du résultat : je demande à **voir**.*

2 VOIRE, CONJONCTION

Deux, voire trois

• **Voire**, avec *e,* est une conjonction* : elle signifie «et même».
On l'emploie pour marquer une certaine gradation, pour annoncer
quelque chose de plus fort, de plus important.

*Cela vous demandera des semaines de travail, **voire des mois.***
= des semaines de travail, et même des mois.

POUR ALLER PLUS LOIN

• **Voire** s'emploie très fréquemment suivi de *même*, et ce depuis
le début du XVIIᵉ siècle.

*J'en ai vu quelques-uns, **voire même** plusieurs.*
Sachez cependant que certains correcteurs n'acceptent pas la
redondance.

EXERCICE

Remplacer les pointillés par voir *ou* voire *selon le cas.*

1. Il faut réorganiser, … récrire entièrement le texte. **2.** Je n'ai pas
envie de le … pour l'instant. **3.** Cela n'a rien à … avec notre sujet.
4. Quelle complicité, … quelle amitié les unit donc!

202. VOIR, PRÉVOIR ET POURVOIR : QUELLE CONJUGAISON ?

Il verra
Il prévoira
Il pourvut

• **Prévoir** et **pourvoir** ont des conjugaisons proches de celle de
voir. Il faut cependant retenir les divergences :
– **prévoir** se conjugue comme **voir, sauf** au futur (et donc au
conditionnel) qui se forme sur l'infinitif : *prévoir-*.
– **pourvoir** se conjugue comme **prévoir, sauf** au passé simple
(et donc à l'imparfait du subjonctif, mais peu usité), où la voyelle
est en *u*.
Comparez :

présent	imparfait	subjonctif	p. simple	futur
je vois	tu voyais	qu'il voie	il vit	il **verra**
je prévois	tu prévoyais	qu'il prévoie	il prévit	il **prévoira**
je pourvois	tu pourvoyais	qu'il pourvoie	il **pourvut**	il **pourvoira**

*Il nous a affirmé qu'il **prévoirait** assez pour nous tous.*
*Ils **pourvurent** aux besoins de leurs parents de longues années.*

R E T E N E Z

- Aux deux 1res personnes du pluriel, n'oubliez pas le *i* des terminaisons *-ions* et *-iez* de l'imparfait de l'indicatif et du présent du subjonctif.

  Nous prévoyions pour hier de gros orages qui finalement n'ont pas éclaté.

  Il faut que vous voyiez cela, c'est très intéressant.

- Le son [j] ne termine jamais ces verbes. ▶ **204**

  Ils voient tout cela d'un bon œil.

      [vwa]   et non   [v̶w̶a̶j̶]

  Il faut que je prévoie en quantité suffisante.

          [pʀevwa]   et non   [p̶ʀ̶e̶v̶w̶a̶j̶]

E X E R C I C E

Mettez les verbes entre parenthèses à la forme qui convient.

1. Vous (*prévoir*, futur) un vêtement de pluie pour la sortie. **2.** Nous ne (*voir*, imparfait) rien à cause du brouillard. **3.** Il (*se pourvoir*, passé simple) de quelques provisions et partit à l'aventure. **4.** Il faudrait qu'ils se (*voir*, subjonctif) plus souvent. **5.** Bien qu'il (*prévoir*, subjonctif) souvent tout, il n'avait pas pensé à cette éventualité. **6.** Il nous a assuré qu'il (*pourvoir*, conditionnel) aux besoins de la famille.

203. LA LETTRE Y : OÙ METTRE UN Y ?

La synonymie et l'antonymie

1 LE Y DANS LES MOTS D'ORIGINE GRECQUE

Synonyme

- Comme son nom l'indique («*i* grec»), le *y* se trouve dans un grand nombre de mots d'origine grecque qui s'écrivaient avec υ «upsilon».

   rythme, étymologie, analyse, cycle, type, cylindre, paroxysme, style, tympan, mythe…

Il figure ainsi dans de nombreux préfixes, suffixes ou éléments (▸ 119) scientifiques.

	sens	exemples
dys-	«mauvais»	**dys**fonctionnement, **dys**lexique…
gyn-	«femme»	**gyn**écologie…
gyro-	«tourner»	**gyro**phare, **gyro**scope…
hydr(o)-	«eau»	**hydro**phile, **hydro**gène…
hyper-	«sur»	**hyper**tension, **hyper**bole…
hypo-	«sous»	**hypo**tension, **hypo**calorique…
mytho-	«récit, fable»	**mytho**logie, **mytho**mane…
-onyme	«nom»	ant**onyme**, pseud**onyme**…
-phyll-	«feuille»	chloro**phylle**…
poly-	«plusieurs»	**poly**copier, **poly**gone…
psych-	«esprit»	**psych**ologie, **psych**iatrie…
pyr(o)-	«feu»	**pyro**manie, **pyro**gravure…
sy(n)-	«avec»	**syn**onyme, **sym**pathie…
xylo-	«bois»	**xylo**phone…

RETENEZ

- D'autres suffixes et préfixes s'écrivent eux avec un *i* et non un *y* :
- les préfixes **bi-**, **tri-** viennent du latin.

   bicyclette, **tri**gonométrie…

- l'élément **-phil-** «aimer» vient d'un verbe grec qui s'écrivait avec ι «iota».

   philosophie, xéno**phil**e…

- retenez l'orthographe du suffixe **-ique**.

   psycholog**ique**, fantast**ique**, dynam**ique**…

• Distinguez bien :

hypo- «sous»
dys- «mauvais»
un mythe «légende»
un satyre
«divinité mythologique»
ou «homme obscène».

hippo- «cheval»
dis- «séparé»
une mite «insecte»
une satire «critique»

2 LE Y TRADUIT LE SON [j]   *Yaourt*

• On trouve un *y* :
– à l'initiale des mots commençant par le son [j].
yaourt, yeux, yoga, yacht, youpi, Yémen...
– après une autre voyelle.

crayon	[kʀɛjɔ̃]	*coyote*	[kɔjɔt]
mayonnaise	[majɔnɛz]	*tuyau*	[tɥijo]
aboyer	[abwaje]	*gruyère*	[gʀyjɛʀ]

RETENEZ

• Dans une même famille de mots, *y* fait place à *i*, dès lors que le son [j] disparaît.
Comparez :

crayon ⇒ *craie*
ennuyant ⇒ *ennui*
joyeux ⇒ *joie*

C'est notamment le cas dans la conjugaison des verbes. ▶ 204

nous appuyons [apɥijɔ̃]
ils appuient [apɥi]

POUR ALLER PLUS LOIN

• Dans trois mots, *y* après voyelle ne traduit pas [j] mais [i].
pays [pɛi] – *abbaye* [abɛi] – *puy* [pɥi]

3 DANS LES MOTS D'ORIGINE ANGLAISE: *Rugby*
HOBBY, PONEY...

• Le *y* est la finale des mots empruntés à l'anglais se terminant :
– par le son [i].
baby, hobby, lobby, rugby, lady, body, whisky, nursery, car-ferry, curry, penalty, sexy...
– par le son [ɛ].
hockey, jockey, colley, jersey, poney...
fair-play, spray, tramway...

EXERCICE

Complétez les mots suivants en remplaçant les pointillés par i *ou* y.

1. Ph...lanthrope. **2.** Ka...ak. **3.** ...o...o. **4.** Bab...-s...tter.
5. Ps...chose. **6.** Cherr... . **7.** D...nam...que. **8.** R...thm...que.
9. H...poténuse. **10.** H...ppodrome.

204. Y OU I : LE SON [j] DANS LA CONJUGAISON ?

Soyez là
Qu'il soit là

- On observe dans le radical de certains verbes une alternance entre *i* et *y*, qui influe sur la présence ou l'absence du son [j]. Comparez :

Il faut que tu me croies.	[kʀwa]
Il faut que vous me croyiez.	[kʀwaje]

Cette alternance vaut pour les verbes dont l'impératif pluriel est en *-yons, -yez*, c'est-à-dire :

– tous les verbes en *-yer*. ▶ 199
– *être, avoir, asseoir, voir* (et *prévoir, pourvoir...* ▶ 202), *fuir* (et *s'enfuir*), *croire, traire* (et *extraire, soustraire...*) et *braire*.

- Le radical s'écrit :
– avec *y* quand *y* est suivi par une voyelle autre que *e* muet ;
– avec *i* quand *i* est suivi d'une consonne ou d'un *e* muet.
Comparez :

y + voyelle non muette		son [j]	*i* + consonne ou *e* muet		pas de son [j]
il prévoy-	ait	[jɛ]	*il prévoi-*	t	[wa]
nous essuy-	ons	[jɔ̃]	*tu croi-*	s	[wa]
en ay-	ant	[jɑ̃]	*qu'il essui-*	e	[ɥi]
que vous pay-	iez	[jje]	*qu'ils ai-*	ent	[ɛ]
			nous fui-	rons	[ɥiʀɔ̃]
			vous essui-	erez	[ɥiʀe]

RETENEZ

- Seuls les verbes en *-ayer* peuvent garder le *y* et le son [j] devant *e* muet. ▶ 199

- Le son [j] **ne termine jamais** ces verbes. N'ajoutez donc ni son [j] ni *y* au présent de l'indicatif, de l'impératif ou du subjonctif.

Ils ne nous croient pas.	[kʀwa]	et non	[kʀwaj]
Envoie-lui des fleurs.	[ɑ̃vwa]	et non	[ɑ̃vwaj]
À condition que tu sois là.	[swa]	et non	[swaj]

EXERCICE

Écrivez le verbe entre parenthèses à la forme voulue.

1 Pourvu qu'elle *(être)* là demain. **2.** Il faut absolument que vous *(voir)* cela avant votre départ. **3.** Les lecteurs *(croire)* ce qu'écrivent les journalistes. **4.** Il réussira à condition que vous *(prévoir)* une solution de secours. **5.** Je doute qu'il *(avoir)* raison. **6.** Qu'il *(envoyer)* sa réponse le plus rapidement possible. **7.** *(Envoyer)* votre réponse le plus rapidement possible. **8.** Il faut tout d'abord qu'il *(extraire)* les idées principales du texte. **9.** Rien de plus triste que des gens qui *(broyer)* du noir toute la journée. **10.** Tais-toi et ne les *(distraire)* pas pendant qu'ils travaillent.

AVOIR

indicatif		subjonctif
présent	*passé composé*	*présent*
j' ai	j' ai eu	que j' aie
tu as	tu as eu	que tu aies
il a	il a eu	qu'il ait
ns avons	ns avons eu	que ns ayons
vs avez	vs avez eu	que vs ayez
ils ont	ils ont eu	qu'ils aient
futur	*futur antérieur*	*imparfait*
j' aurai	j' aurai eu	que j' eusse
tu auras	tu auras eu	que tu eusses
il aura	il aura eu	qu'il eût
ns aurons	ns aurons eu	que ns eussions
vs aurez	vs aurez eu	que vs eussiez
ils auront	ils auront eu	qu'ils eussent
imparfait	*plus-que-parfait*	*passé*
j' avais	j' avais eu	que j' aie eu
tu avais	tu avais eu	que tu aies eu
il avait	il avait eu	qu'il ait eu
ns avions	ns avions eu	que ns ayons eu
vs aviez	vs aviez eu	que vs ayez eu
ils avaient	ils avaient eu	qu'ils aient eu
passé simple	*passé antérieur*	*plus-que-parfait*
j' eus	j' eus eu	que j' eusse eu
tu eus	tu eus eu	que tu eusses eu
il eut	il eut eu	qu'il eût eu
ns eûmes	ns eûmes eu	que ns eussions eu
vs eûtes	vs eûtes eu	que vs eussiez eu
ils eurent	ils eurent eu	qu'ils eussent eu

conditionnel		
présent	*passé 1re forme*	*passé 2e forme*
j' aurais	j' aurais eu	j' eusse eu
tu aurais	tu aurais eu	tu eusses eu
il aurait	il aurait eu	il eût eu
ns aurions	ns aurions eu	ns eussions eu
vs auriez	vs auriez eu	vs eussiez eu
ils auraient	ils auraient eu	ils eussent eu

impératif		infinitif	
présent	*passé*	*présent*	*passé*
aie	aie eu	avoir	avoir eu
ayons	ayons eu		
ayez	ayez eu		

participe		
présent	*passé*	*passé composé*
ayant	eu	ayant eu

ÊTRE

indicatif		subjonctif
présent	*passé composé*	*présent*
je suis	j' ai été	que je sois
tu es	tu as été	que tu sois
il est	il a été	qu'il soit
ns sommes	ns avons été	que ns soyons
vs êtes	vs avez été	que vs soyez
ils sont	ils ont été	qu'ils soient
futur	*futur antérieur*	*imparfait*
je serai	j' aurai été	que je fusse
tu seras	tu auras été	que tu fusses
il sera	il aura été	qu'il fût
ns serons	ns aurons été	que ns fussions
vs serez	vs aurez été	que vs fussiez
ils seront	ils auront été	qu'ils fussent
imparfait	*plus-que-parfait*	*passé*
j' étais	j' avais été	que j' aie été
tu étais	tu avais été	que tu aies été
il était	il avait été	qu'il ait été
ns étions	ns avions été	que ns ayons été
vs étiez	vs aviez été	que vs ayez été
ils étaient	ils avaient été	qu'ils aient été
passé simple	*passé antérieur*	*plus-que-parfait*
je fus	j' eus été	que j' eusse été
tu fus	tu eus été	que tu eusses été
il fut	il eut été	qu'il eût été
ns fûmes	ns eûmes été	que ns eussions été
vs fûtes	vs eûtes été	que vs eussiez été
ils furent	ils eurent été	qu'ils eussent été

conditionnel		
présent	*passé 1re forme*	*passé 2e forme*
je serais	j' aurais été	j' eusse été
tu serais	tu aurais été	tu eusses été
il serait	il aurait été	il eût été
ns serions	ns aurions été	ns eussions été
vs seriez	vs auriez été	vs eussiez été
ils seraient	ils auraient été	ils eussent été

impératif		infinitif	
présent	*passé*	*présent*	*passé*
sois	aie été	être	avoir été
soyons	ayons été		
soyez	ayez été		

participe		
présent	*passé*	*passé composé*
étant	été	ayant été

ALLER

indicatif		subjonctif
présent	*passé composé*	*présent*
je vais	je suis allé	que j' aille
tu vas	tu es allé	que tu ailles
il va	il est allé	qu'il aille
ns allons	ns sommes allés	que ns allions
vs allez	vs êtes allés	que vs alliez
ils vont	ils sont allés	qu'ils aillent
futur	*futur antérieur*	*imparfait*
j' irai	je serai allé	que j' allasse
tu iras	tu seras allé	que tu allasses
il ira	il sera allé	qu'il allât
ns irons	ns serons allés	que ns allassions
vs irez	vs serez allés	que vs allassiez
ils iront	ils seront allés	qu'ils allassent
imparfait	*plus-que-parfait*	*passé*
j' allais	j' étais allé	que je sois allé
tu allais	tu étais allé	que tu sois allé
il allait	il était allé	qu'il soit allé
ns allions	ns étions allés	que ns soyons allés
vs alliez	vs étiez allés	que vs soyez allés
ils allaient	ils étaient allés	qu'ils soient allés
passé simple	*passé antérieur*	*plus-que-parfait*
j' allai	je fus allé	que je fusse allé
tu allas	tu fus allé	que tu fusses allé
il alla	il fut allé	qu'il fût allé
ns allâmes	ns fûmes allés	que ns fussions allés
vs allâtes	vs fûtes allés	que vs fussiez allés
ils allèrent	ils furent allés	qu'ils fussent allés

conditionnel		
présent	*passé 1re forme*	*passé 2e forme*
j' irais	je serais allé	je fusse allé
tu irais	tu serais allé	tu fusses allé
il irait	il serait allé	il fût allé
ns irions	ns serions allés	ns fussions allés
vs iriez	vs seriez allés	vs fussiez allés
ils iraient	ils seraient allés	ils fussent allés

impératif		infinitif	
présent	*passé*	*présent*	*passé*
va	sois allé	aller	être allé
allons	soyons allés		
allez	soyez allés		

participe		
présent	*passé*	*passé composé*
allant	allé	étant allé

Solutions du test
(pp. 3-4)

Si votre réponse est fausse ou si vous avez hésité, reportez-vous à l'article correspondant. Nous vous conseillons également de lire l'article si vous ne savez pas justifier votre réponse.

		Articles
1.	Le chapitre conclut que le monde évolue sans cesse.	43
2.	On n'en aura pas avant lundi.	112
3.	Ils ont dû acheter une autre voiture.	4
4.	Il s'agit d'exemples peu banals.	12
5.	Évidemment, il a réponse à tout.	14
6.	Je n'ai rien vu. Moi non plus.	18
7.	Que faites-vous ici ?	24
8.	Nous vous rappellerons quand nous aurons fini.	52
9.	Il viendra dans une demi-heure.	62
10.	Ils vous répondront eux-mêmes.	115
11.	Cela fait partie des joies du métier.	133
12.	Quoi qu'il dise, on le croit.	160
13.	Est-ce qu'il est venu ?	188
14.	Quand pense-t-elle arriver ?	180
15.	Il atteint son but. Elle attend son bus.	194
16.	Nous recevons toute l'affection dont nous avons besoin.	70
17.	Je voudrais des pommes. Donnez-m'en deux kilos.	84
18.	L'argument qu'il évoque est convaincant.	90
19.	Aucun des élèves n'a échoué à l'examen.	17
20.	De toute façon cela serait revenu au même.	19
21.	Il était censé arriver cet après-midi.	32
22.	Elle s'est permis de le solliciter.	134
23.	Il leur dira leurs quatre vérités.	111
24.	Il nous fit de nombreux éloges.	100
25.	Madame le ministre.	99
26.	Dis-moi ce qu'il fait.	106
27.	Un ton infantile et un comportement puéril.	108
28.	Rien n'y fera : il ne veut rien entendre.	112
29.	Ce jeune Allemand connaît très bien le français.	113
30.	Apporte-lui des fleurs : tu lui feras plaisir.	131
31.	Sécurité et sobriété vont de pair.	132
32.	Les étudiants désirant s'inscrire passeront me voir.	16
33.	Préviens-moi s'il arrive.	173
34.	Les soi-disant spécialistes…	175
35.	Vingt et un, vingt-deux.	187
36.	Le commerçant étiquette le matin tous ses produits.	196

T.S.V.P. ⇒

37.	Que faut-il faire pour que vous appréc**iiez** ce travail ?	**197**
38.	Grâce à ses lectures, il a acqu**is**…	**5**
39.	Il ne veut s'engager sous aucun prétexte.	**125**
40.	Je ne sais pas **quelle** est sa position sur le sujet.	**155**
41.	D'ici **quelque** temps, vous pourrez sortir.	**156**
42.	C'est le seul évènement **que** je me rappelle bien.	**163**
43.	Elle est arrivée **toute** pensive et **tout** ennuyée.	**184**
44.	Ces **inn**ombrables exploits sont i**n**ouïs.	**51**
45.	Les pare-soleil de la voiture.	**121**
46.	Les œuvres **auxquelles** il fait allusion…	**110**
47.	A-t-elle les yeux bleu**s** ou vert clair ?	**55**
48.	Parmi les participants, combien ont bien répondu ?	**178**
49.	Cela **tend** à prouver notre bonne foi.	**183**
50.	Si j'**avais** su, je serais venu plus tôt.	**172**

CORRIGÉS
DES EXERCICES

■ **1** 1. chez – 2. chez le – 3. chez le – 4. chez – 5. à

■ **2** 1. de : introduit le nom *parents* – 2. à : renforce le possessif *votre* – 3. de : introduit le pronom indéfini *tous* – 4. de : introduit le nom *auteur* – 5. à : introduit le pronom personnel *soi*

■ **3** 1. bêtes – 2. a déjà ; cela à – 3. voilà ; forêt où ; promenés – 4. a ; psychiatre – 5. où ; votre ; nôtre a dû – 6. où a ; à ; ou a – 7. dus à – 8. ça ; déjà ; çà ; là

■ **4** 1. arrivâmes (passé simple 1re pers. plur.) ; reconnut – 2. eût (conditionnel passé 3e pers. du sing.) ; cru – 3. paraît (*i* devant *t*) ; dû (participe passé masc. sing.) – 4. fut ; fît (imparf. du subj.) – 5. plaît (*i* devant *t*) – 6. connais ; mue – 7. connaît (*i* devant *t*) ; mû (participe passé masc. sing.) – 8. accrue – 9. reconnaître (*i* devant *t*)

■ **5** 1. acquerront – 2. requièrent – 3. a acquis – 4. s'enquérait – 5. acquit – 6. acquis

■ **6** 1. rapides (adj. à valeur d'adj.) ; vite (adv. à valeur d'adv.) – 2. ensemble (adv. à valeur d'adj.) – 3. haut et clair (adj. à valeur d'adv.) – 4. meilleur (adj. à valeur d'adv.) – 5. folle (adj. à valeur d'adv.)

■ **7** 1. à faire – 2. affaire – 3. affaire – 4. à faire – 5. à faire

■ **8** 1. affliger (attrister) – 2. infligent (donnent) – 3. afflige (désole) – 4. affligeriez (peineriez) – 5. infligent (administrent) – 6. inflige (impose)

■ **9** 1. de ; S'il s'est agi de moi – 2. dont ; ce dont il s'est agi – 3. de ; lorsqu'il s'est agi de partir – 4. de cela qu' *ou* ce dont ; si c'est de cela qu'il s'est agi *ou* si c'est cela dont il s'est agi

■ 10

```
1
G
O
U        2
         B         3
4 É V E N T A I L S
  E      U         O
  R      X         U
  N                P
5 V A N T A U X    I
  I                R
  L      6 D É T A I L S
  S                U
7 T R A V A U X
```

■ 11

A. 1. fatigué – 2. grande – 3. vieille – 4. sérieuses
B. 1. Elle est fière de ses fils – 2. Elle a le même air fier que ses fils

■ 12 1. bals estivaux – 2. terminaux – 3. récitals – 4. moraux – 5. virginals – 6. virginaux – 7. prénuptiaux – 8. prud'homaux; tribunaux commerciaux

■ 13 1. rapporter – 2. amené – 3. apporter (ici *eau* = carafe d'eau) – 4. emporter

■ 14 1. pesant ⇒ pesamment – 2. indépendant ⇒ indépendamment – 3. nonchalant ⇒ nonchalamment – 4. suffisant ⇒ suffisamment – 5. étonnant ⇒ étonnamment – 6. apparent ⇒ apparemment – 7. savant ⇒ savamment – 8. différent ⇒ différemment – 9. évident ⇒ évidemment

■ 15 1. abracadabrante – 2. indulgents – 3. appétissantes – 4. effervescent – 5. adhérents – 6. résidents – 7. exigeant

■ 16 1. en sortant (gérondif) – 2. suivants (adjectif) – 3. correspondants (nom); habitant (participe présent) – 4. étudiants (nom) désirant (participe présent) – 5. méfiante (adjectif) – 6. se méfiant (participe présent) – 7. resplendissante (adjectif) *ou* resplendissant (participe présent).

■ 17 1. Il n'a fourni aucun effort ce trimestre. 2. Il n'y avait aucunes victuailles dans les boutiques. 3. Aucun n'est venu. 4. Il n'accepterait cela sous aucun prétexte. 5. On n'en a plus aucun en réserve.

■ 18 1. non plus – 2. aussi – 3. non plus – 4. non plus – 5. non plus – 6. aussi – 7. aussi

■ 19 1. est – 2. avais; serais – 3. a – 4. sont – 5. est – 6. ont; sont – 7. a; est

■ 20 1. mieux – 2. mieux – 3. *pas possible (renforcement)* – 4. mieux – 5. *pas possible (renforcement)*

■ 21 1. de meilleure humeur – 2. un meilleur repas – 3. Il faisait meilleur hier. – 4. meilleure route – 5. est meilleur – 6. de meilleure heure – 7. Il fait meilleur vivre ici. – 8. de meilleur goût

■ 22 1. bous – 2. bouillent – 3. bouillirais – 4. bouille – 5. bout – 6. bouillira

■ 23 1. Travaillez pour obtenir de meilleurs résultats. – 2. Il viendra pour que tu ne sois pas seule. – 3. Il s'appuie contre le mur afin de ne pas tomber.

■ 24 1. ça – 2. commençaient – 3. conçu; façon – 4. efforçons-nous – 5. fiançailles; reçus – 6. agaçant – 7. ça – 8. maçon; commerçant

■ 25

■ 26 1. irrévocable – 2. remarquable – 3. confiscable – 4. inattaquable – 5. sécable – 6. impratiquable

■ 27 1. claquage – 2. trucage – 3. démarquage – 4. décalquage – 5. déblocage

■ 28 1. communicants – 2. trafiquants – 3. vaquant – 4. vacant – 5. suffocante – 6. convainquant – 7. pratiquant

■ **29** 1. car j'ai beaucoup de choses à faire – 2. Le combat cessa faute de combattants. – 3. Comme les salaires n'ont pas augmenté, le pouvoir d'achat a diminué. – 4. Vous pouvez compter sur notre soutien. Nous avons en effet confiance dans votre projet. – 5. Sa grimace l'a fait rire.
D'autres solutions sont possibles.

■ **30** 1. ce sont – 2. c'est – 3. ce sont – 4. c'est – 5. c'est *ou* ce sont

■ **31** 1. ceux – 2. celles; celles – 3. les élections – 4. celles qui sont

■ **32** 1. censé – 2. sensé – 3. sensée – 4. censé

■ **33** 1. (non multiplié) cent – 2. (multiplié par *cinq*) cents – 3. (ordinal) cent – 4. (multiplié par *trois*) – 5. (non multiplié) cent – 6. (ordinal) cent – 7. (suivi d'un autre nombre) cent

■ **34** 1. session – 2. session – 3. cession – 4. session – 5. cession

■ **35** Il a 2 fils et 4 filles. Chaque fils a 2 enfants. Les 2 filles aînées ont 1 garçon chacune et les 2 plus jeunes filles ont chacune 1 fille et 1 garçon. Sachant que chaque dimanche ses enfants viennent déjeuner chacun avec leurs enfants, quel est le menu du repas?

■ **36** 1. ses – 2. notre – 3. vous avez – 4. ce qu'il a

■ **37** 1. beau – 2. entendu – 3. important – 4. le – 5. le – 6. fait

■ **38** 1. ces jours-ci – 2. par là – 3. ci-joint – 4. là-bas – 5. à ce moment-là – 6. par-ci par-là – 7. restez là

■ **39** 1. adjectif – 2. locution pronominale – 3. pronom relatif – 4. pronom personnel – 5. verbe – 6. locution adverbiale – 7. conjonction de subordination – 8. locution adverbiale – 9. pronom indéfini – 10. conjonction de subordination

■ **40** 1. (tout) aussi froid – 2. un (bien) moindre défaut *ou* un (bien) plus petit défaut – 3. *impossible, car* comble *contient une idée d'achèvement* – 4. (infiniment) meilleur – 5. (tout) aussi loin – 6. (encore) plus

mauvais *ou* pire – 7. (beaucoup) moins bien – 8. *impossible, car* vide *contient une idée d'achèvement* – 9. *impossible, car* préférée *contient une idée de comparaison*

■ **41** 1. compréhensible – 2. compréhensive – 3. compréhensible – 4. compréhensibles – 5. compréhensifs

■ **42** 1. Malgré ses nombreuses ressources, le pays n'arrive pas à surmonter la crise. – 2. Bien qu'ils arrosent régulièrement, le gazon ne pousse pas. – 3. Il refuse mon projet. J'avais pourtant des arguments très convaincants. – 4. Ils ne l'ont pas pris bien qu'il ait beaucoup d'expérience.
D'autres solutions sont possibles.

■ **43** 1. inclut – 2. évoluent – 3. évaluèrent – 4. exclurent – 5. contribue – 6. dévaluerait; conclurait – 7. constituent – 8. exclu

■ **44** 1. Si les ventes n'augmentent pas, nos bénéfices vont baisser. – 2. En cas de désaccord, vous pouvez intenter un procès. – 3. Au cas où je ne serais pas chez moi, laissez un message sur mon répondeur. – 4. Même si certaines difficultés apparaissent, il ne faut pas se décourager.
D'autres solutions sont possibles.

■ **45** 1. conjectures – 2. conjoncture – 3. conjoncturelles – 4. conjoncture – 5. conjectures – 6. conjecturales

■ **47**

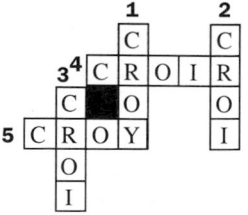

Même radical:
pour **1** et **5**
pour **2** et **3**

■ **48** 1. riions – 2. inclut; attribue – 3. réveille; laisse-le; reposer – 4. lit – 5. lie

■ **49**

temps composé et mode	temps et mode de l'auxiliaire	*partir* 1re pers. sing.
plus-que-parfait (indicatif)	*imparfait (indic.)*	*j'étais parti*
passé 1re forme (cond.)	*présent (cond.)*	*je serais parti*
futur antérieur (indic.)	*futur (indic.)*	*je serai parti*
passé (subjonctif)	*présent (subj.)*	*que je sois parti*
passé antérieur (indic.)	*passé simple (indic.)*	*je fus parti*
plus-que-parfait (subj.)	*imparfait (subj.)*	*que je fusse parti*
passé (impér.)	*présent (impér.)*	*sois parti*

■ **50** 1. il n'a donc pas pu venir – 2. de sorte que la prochaine fois nous pourrons jouer – 3. de manière à la voir – 4. pour bien faire – 5. de sorte que je ne suis plus au courant de rien *D'autres solutions sont possibles.*

■ **51**

■ **52** 1. renouvellement – 2. étiquette – 3. comprenne – 4. Rappelez-vous – 5. renouvelable

■ **53** 1. plupart; regards; brouillard – 2. sort; essor – 3. gigot; encore; chaud; fumant; servi; plat; argent; hachis

■ **54** 1. Ils convenaient enfin de l'extrême difficulté du sujet. – 2. La date dont vous avez (*ou* dont vous êtes) convenu avec mon collègue me convient parfaitement. – 3. Qu'elle me téléphone si cela lui convient. – 4. Les problèmes auxquels ce type de solution convient ne sont pas nombreux.

■ **55** 1. vert tilleul – 2. roses; orange – 3. châtains; châtain clair – 4. rouges – 5. vermeille – 6. écarlates – 7. violettes et indigo – 8. marron; roses; orange et brique; fauves; vieil or

■ **56** 1. recourrons – 2. concourent – 3. discouraient – 4. accourez – 5. parcourrait – 6. coure

■ **57** 1. croire sa version – 2. croire en la présence, à la présence – 3. croire l'un en l'autre – 4. croire la déposition, croire à la déposition – 5. ils croiront à son innocence

■ **58** 1. davantage – 2. d'avantages – 3. davantage – 4. davantage – 5. d'avantage

■ **59** 1. bulletin pour votre abonnement ⇒ bulletin d'abonnement – 2. une pile constituée par des documents ⇒ pile de documents – 3. crayons pour la couleur ⇒ crayons de couleur – 4. techniques servant à la production ⇒ techniques de production – 5. cette œuvre du domaine de l'art ⇒ cette œuvre d'art – 6. le chiffre concernant les affaires ⇒ le chiffre d'affaires

■ **60** 1. de jour en jour – 2. de ville en ville – 3. d'année en année

■ **61** 1. décerné – 2. discerner – 3. discerner – 4. décerner

■ **62** 1. à demi endormis (loc. adv.) – 2. deux centimètres et demi (expression *et demi*) – 3. trois heures et demie (expression *et demi*) – 4. une demi-bouteille (nom composé) – 5. à demi pleine (loc. adv.) – 6. à demi-tarif (nom composé)

■ **63** 1. dénué – 2. dénudé (ici, *d'un béret basque* est compl. du v. *coiffer*) – 3. dénudés ; dénués – 4. dénué

■ **64** 1. désintéressement – 2. désintérêt – 3. désintérêt – 4. désintéressement

65 1. différencie – 2. différé – 3. diffèrent – 4. se différencier

66 1. différend – 2. différend – 3. différent – 4. différents

67 1. Ses origines sont différentes des miennes – 2. Ce style diffère de celui du siècle précédent – 3. Ils ont agi différemment des autres – 4. Son avis est différent du mien.
D'autres solutions sont possibles.

68 1. contredisez – 2. dites – 3. prédisez – 4. maudissez

69 Tu m'as écrit que Pierre et toi étiez arrivés la veille. Tu m'as raconté qu'il faisait un temps magnifique. Tu m'as expliqué que vous aviez retrouvé son frère et tes deux sœurs. Tu m'as annoncé qu'ils repartiraient le lendemain et que vous, vous resteriez peut-être jusqu'à la semaine suivante.

70 1. J'aperçois une femme dont le chapeau est bleu. – 2. Il a deux enfants dont un est marié. – 3. L'affaire dont il est question dans les journaux nous préoccupe. – 4. Ils ont acheté une maison dans le jardin de laquelle il y a un cerisier. – 5. Le cinéaste dont on voit le film sur tous les écrans a reçu une récompense. – 6. Le succès dont nous tenons la qualité du travail pour responsable est garanti.

71 1. accès; étage; réservé; personnel – 2. récolte; semé – 3. sème; blés – 4. prévenu; précédé – 5. récitait; fièrement; poème; étudié

72 1. voirie – 2. attribuera – 3. boulevard – 4. dénouement – 5. conclurait – 6. tuerie

73 1. effroi; envoi; courroie; voie; éternité – 2. orties; pluie; génies; soucis – 3. tribu; rue; bru; vertus – 4. oliveraies; duché; quantité; jetée

74 1. éclairer – 2. éclaircir – 3. éclairer – 4. éclaircir

75

e	v	ã	t	e
ʃ	a	ɔ	R	
e	l	i	R	ɔ̃
l	y	t	ã	

On lit verticalement :
échelle
valut
en
[it] = *intrus*
torrent
héron

76 1. infractions – 2. effraction – 3. effraction – 4. infraction

77 1. S'il; qu'aujourd'hui; jusqu'où – 2. Le yacht; presque entièrement – 3. puisqu'il – 4. d'Amiens; de huit minutes

78 1. élucidé – 2. éluder – 3. éluder – 4. élucider

79 1. immigrés – 2. émigré – 3. immigration – 4. émigrés

80 1. éminents – 2. imminente – 3. éminent – 4. imminente – 5. imminence

81 1. Je l'ai empêché de revenir. 2. Le café m'empêche de dormir. 3. Il faut l'empêcher de recommencer.

82 1. empreinte – 2. emprunt – 3. empreint – 4. empreinte – 5. emprunts

83 1. duplicatas *ou* duplicata – 2. gloria – 3. spaghettis – 4. cameramans *ou* cameramen – 5. matchs *ou* matches – 6. litchis

84 1. d'en effacer la trace – 2. Réfléchissez-y bien – 3. et j'en prends soin – 4. j'y étais habitué; je n'en ai plus l'habitude – 5. Soucie-t'en davantage – 6. Acceptes-en simplement les conséquences

86 1. entrain – 2. en train – 3. en train – 4. en train – 5. entrain

87 A. 1. une; général – 2. cette – 3. Quelle; il; soucié
B. 1. On parle des pigeons en tant qu'espèce zoologique. – 2. Valeur d'adjectif renforçant *pigeon* «dupe» (sens figuré)

88 1. Recherchons secrétaire parlant allemand ou anglais. – 2. Il s'intéresse à cette question et cherche à la résoudre. – 3. Ceux qui vivent près des villes ou dans les villes prennent les transports en commun ou leur voiture. – 4. Il faut apprendre à lire et à compter. – 5. Quand il fait nuit ou qu'il y a du brouillard, il faut mettre ses feux de croisement

90 1. invoquant (alléguant) – 2. évoquée (signalée) – 3. invoque (prétexte) – 4. invoquée (avancée) – 5. évoquer (rappeler)

■ **91** 1. fait (suivi d'un infinitif) – 2. fait (*se* = à eux ≠ COD) – 3. faite (se = COD) – 4. faite (*qu'* = la réputation; COD placé avant le participe) – 5. faite (*qu'* = la porte; COD placé avant le participe); fait (suivi d'un infinitif) – 6. fait (pas de COD qui précède) – 7. fait (locution)

■ **92** 1. Lucienne – 2. Frédérique – 3. Bérangère – 4. Claude – 5. Denise – 6. Fernande – 7. Martine – 8. Yvonne

■ **93** 1. pécuniaires – 2. financière – 3. pécuniaire

■ **94** 1. foi – 2. foie – 3. foi – 4. fois – 5. fois; foi – 6. foi

■ **95**

verbe de la proposition principale : *furent accueillis*

sujet : *ils*

complément circonstanciel : *Quand Yamna et les autres arrivèrent dans la ville à la recherche du tombeau de saint Moulay Idriss Zarhoun*

complément d'agent : *par une nuée de gamins qui les prirent pour des touristes d'un genre nouveau, des étrangers qui se seraient déguisés en Marocains pour passer inaperçus*

quand : terme de liaison, introduit la proposition *Yamna et les autres ... Zarhoun*, qui est complément de *furent accueillis*

dans la ville : complément circonstanciel du verbe *arrivèrent*

du tombeau de saint Moulay Idriss Zarhoun : complément du nom *recherche*

qui : sujet du verbe *prirent*

les : COD du verbe *prirent*

pour des touristes : attribut du COD *les*

se : COD de *déguiser*

■ **96** 1. fond (finalement) – 2. fonds (patrimoine) – 3. fonds (biens) – 4. fond (essentiel) – 5. fond (profondeur) – 6. fonds (capital) – 7. fonds – 8. fond (arrière-plan) – 9. fonds (capital) – 10. fond (arrière-plan)

■ **97** 1. draguer, dragage – 2. langage, languette – 3. cataloguer, catalogage, catalogueur – 4. navigation, navigateur, navigant (adj. ou nom), navigable –

5. élégant, élégamment – 6. vigoureux, vigoureusement – 7. périgourdin, Périgueux – 8. rugosité, rugueusement – 9. baguer, baguage, baguier

■ **99** 1. le seul témoin – 2. la victime; obligée – 3. gynécologues femmes ou les gynécologues hommes – 4. le vainqueur – 5. un ministre femme

■ **100** 1. Toutes – 2. la manche usée – 3. un astérisque – 4. le plus grand éloge lui fut fait – 5. l'exode rural – 6. Toutes ces alluvions; déposées – 7. Quelle; aucune

■ **101** 1. rythme (origine grecque) – 2. habiter – 3. théologie (*théo* - : élément grec «Dieu») – 4. antipathique (*path*- : élément grec «souffrir») – 5. chorale (origine grecque) – 6. colère – 7. hameau (*h* aspiré) – 8. hormis (composé *hors* + *mettre*) – 9. onéreux – 10. inhabituel – 11. urbanisme – 12. cahier (sépare *a* et *i*)

■ **102** 1. de – 2. à – 3. en – 4. y – 5. à quoi – 6. dont

■ **103** 1. hôtesse – 2. hôte – 3. hôtesse – 4. hôte

■ **104** 1. influencer l'opinion – 2. influent sur son avenir – 3. avoir de l'influence sur ceux qui – 4. influencer mon choix

■ **105** 1. à – 2. pour – 3. à – 4. d' – 5. à

■ **106** 1. J'ignore combien d'années il faut pour réaliser cet ouvrage. 2. Je ne sais pas s'ils sont tous prévenus. 3. Je me demande si le Parlement acceptera les propositions du gouvernement. 4. Je sais ce qui a provoqué ces mouvements de protestation. 5. Dis-moi ce que tu fais pendant les grandes vacances.

■ **107**

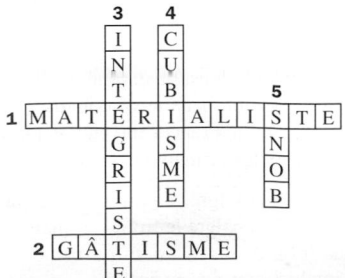

■ **108** 1. générale; annuelle; bénévoles; utiles – 2. rural; agricole; fidèle; ancestrales – 3. infantile; puéril

■ **109** 1. *laissées* : COD *les* = les clefs, placé avant le participe – 2. *laissé* : *se* = COD de *attendrir* et non sujet de *attendrir* (elle a laissé quelqu'un attendrir "elle") – 3. *laissé* : participe employé avec *avoir*, COD après le participe – 4. *laissé* : *me* = COS, (j'ai laissé dire "à moi") et pas de COD avant *laissé* – 5. *laissés* : *les*, sujet de *entrer* est aussi COD de *laisser* – 6. *laissé* : participe employé avec *avoir*, COD après le participe – 7. *laissés* : *les*, sujet de *prendre* est aussi COD de *laisser* – 8. *laissée* : *s'* = elle est sujet de *aller* (elle a laissé "elle" aller.

■ **110** 1. auxquelles – 2. laquelle – 3. desquels – 4. duquel

■ **111** 1. leurs (possessif) – 2. leur (pron. pers.); leur (pron. pers.) – 3. leurs (possessif) – 4. les leurs (possessif) – 5. leur (pron. pers.) – 6. leur (pron. pers.) – 7. leur (possessif) – 8. Leurs (possessif); leur (pron. pers.)

■ **112** 1. plein air – 2. rien n'y fait – 3. On n'en a jamais vu – 4. cet avis – 5. *phrase correcte* – 6. On n'aura pas – 7. Quand on fait; on n'arrive pas – 8. Qu'attend-il – 9. Joyeux anniversaire

■ **113** Chers Parents, Nous sommes bien arrivés aux États-Unis. Les paysages américains ne cessent de nous surprendre par leur immensité : canyons, lacs, plaines et montagnes s'étendent à perte de vue ! Nous avons longé l'Atlantique avant de rejoindre une réserve indienne. Le sort de ces Indiens est particulièrement triste d'autant plus que ni le président ni le Congrès ne semblent s'y intéresser : jamais l'État n'est intervenu en leur faveur. Des journaux aussi connus que *Le Monde* en France ont publié plusieurs articles… mais en vain.

■ **114** 1. Malgré l'évolution de la science – 2. malgré le froid – 3. malgré ses nombreuses occupations – 4. malgré son âge avancé

■ **115** 1. mêmes (adjectif) – 2. même (adverbe) – 3. mêmes (dans un pronom) – 4. les mêmes (dans un pronom) – 5. même (adverbe)

■ **116** 1. deux mille un francs – 2. mille et une choses à faire – 3. mille – 4. six mille

■ **117** 1. Il s'est trompé en réécrivant le texte. 2. Mon travail terminé, j'ai pu sortir. 3. Il faut utiliser les expressions figurant en haut de la page. 4. Je lui ai demandé de venir. 5. Je te remercie de m'avoir raccompagné.

■ **118** 1. Je souhaite qu'il soit là pour notre fête. 2. Dépêche-toi, il ne faut pas que tu perdes trop de temps. 3. Si je devais recommencer, je n'hésiterais pas une seconde. 4. Qu'il vienne me voir s'il veut.

■ **120** 1E. bioéthique (*contient un élément*) – 2J. café-théâtre (*en remplacement de* et) – 3I. compte rendu – 4B. électrochoc (*contient un élément*) – 5G. gentilhomme (*ne s'analyse plus*) – 6H. grand-père (*prend un sens particulier*) – 7K. longue-vue (*prend un sens particulier*) – 8C. mademoiselle (*ne s'analyse plus*) – 9A. sans-abri (*changement de nature grammaticale*) – 10F. savoir-faire (*changement de nature grammaticale*) – 11D. sous-entendre

■ **121** 1. des chaises longues (= des chaises qui sont longues) – 2. des traits d'union (= des traits pour l'union) – 3. des tondeuses à gazon (= des tondeuses pour le gazon) – 4. des wagons-restaurants (des wagons et restaurants)– 5. des pare-choc(s) (= qui parent le(s) choc(s)) – 6. des cessez-le-feu – 7. des chauves-souris (= des souris chauves) – 8. des bien-être – 9. des années-lumière (= des années de lumière)

■ **122** 1. fais-le toi-même – 2. faites-moi confiance – 3. il vous suffit de retirer les billets – 4. il fallait être à l'heure – 5. laissez-le répondre – 6. Ils auraient dû passer par ce chemin *D'autres solutions sont possibles.*

■ **123** Les responsables syndicaux ont alerté les salariés : «Nous appréhendons que la direction **ne** procède à de nouveaux licenciements. En cette période de crise, comment ne pas craindre que cela se produise ? Certains d'entre vous seront peut-être mutés sans que leur responsable les prévienne. Nous doutons que le plan social soit fait en faveur des salariés et nous voulons empêcher que le personnel **ne** subisse les conséquences d'une mauvaise gestion. Nous proposons une journée de grève à moins qu'il **ne** faille envisager des actions plus radicales. Quoi qu'il en soit, il faut agir avant qu'il **ne** soit trop tard.»

■ **124** 1. Il ne s'intéresse qu'à elle (= il s'intéresse seulement à elle) – 2. Cela ne regarde que vous (= cela regarde juste vous) – 3. Il ne fait que de la voile pendant les vacances (= il fait uniquement de la voile…) – 4. Il ne fait de la voile que pendant les vacances (= il fait de la voile seulement pendant les vacances) – 5. Rien qu'eux deux pourront partir (= seuls eux deux pourront partir).
D'autres solutions pour les équivalents sont possibles.

■ **125** 1. Il n'a pas eu beaucoup de chance (= il n'a guère eu de chance) – 2. Je n'ai vu personne entrer (≠ j'ai vu quelqu'un ne pas entrer) – 3. N'as-tu rien compris ? (≠ n'as tu pas tout compris ?) – 4. Je n'en ai plus (≠ je n'en ai pas encore) – 5. Qui n'a pas encore répondu ? – 6. Il ne souhaite pas partir *ou* Il souhaite ne pas partir (≠ il ne souhaite pas ne pas partir).

■ **126** 1. Il ne ressemble ni à son père ni à sa mère. 2. Elle ne prend pas le train ni le bus pour aller travailler. 3. Je ne comprends ni ne parle l'anglais. 4. Il ne fait ni chaud, ni sec, ni beau.
D'autres solutions sont possibles selon que l'on choisit de répéter ni *devant chaque groupe ou non :* Il ne ressemble pas à son père ni à sa mère…

■ **127** 1. trente-six chandelles – 2. quatre jeudis – 3. mille et une nuits – 4. septième ciel – 5. premiers – 6. trois quarts

■ **128** 1. œils-de-chat ; œils-de-perdrix – 2. yeux – 3. trompe-l'œil – 4. du même œil

■ **129** 1. valeur indéfinie, générale ; *servi ; soi-même* – 2. tu – 3. nous – 4. valeur indéfinie, générale ; *vous* – 5. valeur indéfinie, personne indéterminée – 6. valeur indéfinie, générale ; *son* – 7. nous ; *parties ; nous.*

■ **131** 1. Obéissez-leur. – 2. Peser 100 g de farine. – 3. Qu'ils soient là à l'heure. – 4. Interdit aux véhicules à moteur. – 5. Rends-la-lui.

■ **132** 1. paires – 2. pair – 3. pair – 4. pair – 5. paire – 6. pair

■ **133** 1. parti – 2. partie – 3. partis – 4. partie – 5. parti – 6. partie – 7. partie

■ **134 Titre** : cessé (*qu'* = *lettres* est COD de *écrire* et non de *cessé*) – 1. écrit (employé avec *avoir*, COD placé après le participe) – 2. écrite (*se* = COS ; COD *qu'* = *lettre* placé avant l'auxiliaire) – 3. écrites (COD *lettres* placé avant l'auxiliaire) – 4. écrites (COD *que* = *lettres* placé avant l'auxiliaire) – 5. écrit (*se* = à *eux* = COS) – 6. écrit (COD = *en*) – 7. écrit (*se* = à *eux* = COS) – 8. écrites (COD *les* = *lettres* placé avant l'auxiliaire) – 9. écrites (participe employé sans auxiliaire) – 10. écrites (COD *lettres* placé avant l'auxiliaire) – 11. écrites (COD *lettres* placé avant l'auxiliaire) – 12. écrites (passif) – 13. demandé (*lettre* est COD de *écrire* et non de *demandé*).

■ **135** 1. fini ; entrepris – 2. sorti ; permis ; sortis – 3. déduit ; transmis – 4. nui – 5. souri ; conquis – 6. redit ; interdit – 7. tressailli ; surpris – 8. lui – 9. pourri ; subi – 10. agi

■ **136** 1. résolu – 2. déçu – 3. fallu – 4. exclu – 5. inclus – 6. conçu – 7. crû – 8. cru – 9. dû

■ **137** 1. Lorsqu'il revint, nous nous mîmes à table. 2. Ils prirent le train de 17 h. 3. Les enquêteurs conclurent au suicide. 4. Ses peines s'enfuirent dès qu'elle aperçut ton sourire. 5. Quand j'entrai, tout le monde se tut.

■ **138** 1. Il a passé – 2. Quand je suis passé – 3. Ces évènements se sont passés – 4. Vous avez passé – 5. Quand le Père-Noël est-il passé ? – 6. Il a passé

■ **139** 1. personnifier – 2. personnaliser – 3. personnalisation – 4. personnifie – 5. personnaliser; personnifiait – 6. personnifiés

■ **140** 1. attentionné – 2. rencontrée; la – 3. priées; elles – 4. satisfait; plaint – 5. plaintes; elles – 6. il

■ **141** 1. pire – 2. pis – 3. pire *ou* pis (*il n'y a rien de*) – 4. pire

■ **143** 1. plus tôt (avant) – 2. plutôt (au lieu de) – 3. plus tôt (avant) – 4. plutôt (en fait) – 5. plus tôt (avant) – 6. plus tôt (avant) – 7. plus tôt (sitôt… que)

■ **144** 1. Du point de vue de la théorie (en ce qui concerne la théorie) – 2. Du point de vue théorique – 3. au point de vue de la ponctualité (des progrès quant à la ponctualité) – 4. la question de l'organisation

■ **145** 1 . (fin de phrase) – 2 ; (deux phrases indépendantes unies par un lien de sens) – 3 : (explication) – 4 , (coordination sans conj.) – 5 , (coordination sans conj.) – 6 . (point d'abréviation) – 7 , (début de l'apposition) – 8 , (fin de l'apposition) – 9 : (annonce une citation) – 10 « (début de la citation) – 11 , (fin d'une proposition mise en relief) – 12 . (fin de la phrase) – 13 » (fin de la citation) – 14 ! (phrase exclamative)

■ **146** 1. ses (= les fautes du texte) ou vos (= les fautes de vous) – 2. leur (renseignements) – 3. ses (famille) – 4. siens – 5. son (auteur)

■ **147** 1. possibles – 2. possible – 3. possible – 4. possibles *ou* possible

■ **148 A.** coller, collable, incollable, décollable, collage, colleur, décoller, collant…
B. 1. Après la découverte de ce nouveau vaccin – 2. pour le nettoyage des tapis – 3. rapidement – 4. À cause de la discontinuité de nos ventes – 5. à un dysfonctionnement

■ **149** 1. prêt à – 2. près de – 3. prête à – 4. près de – 5. prêts à – 6. près d'

■ **150** 1. elle – 2. nous; nous – 3. s'; s' – 4. nous – 5. lui

■ **151** 1. réfléchi : COS – 2. passif –

3. réciproque : COD *ou* réfléchi : COD (= le violoniste accorde «lui-même», pour que son violon soit juste) – 4. réciproque : COD – 5. passif – 6. essentiellement pronominal – 7. passif – 8. essentiellement pronominal

■ **152** 1. quant – 2. quand – 3. quant – 4. quand – 5. quant – 6. quand

■ **153** 1. pourtant – 2. enfin – 3. au moins – 4. malgré tout – 5. oser faire ça – 6. même s'il exagérait – 7. là

■ **154 A.** 1. conjonction de subordination – 2. conjonction de subordination – 3. pronom relatif ayant pour antécédent *question*, COD de *soulever* – 4. adverbe interrogatif – 5. pronom relatif ayant pour antécédent *ce*, COD de *attendre* – 6. pronom relatif ayant pour antécédent *ce*, sujet réel de *arriver* – 7. conjonction de subordination (mis pour *comme*)
B. 1. Si j'ai fini mon travail et **que** tu as besoin de moi, je pourrai venir. 2. Bien qu'il pleuve et **qu'**il soit malade, il sort. 3. Lorsque j'aurai le temps et **que** j'aurai de l'argent, je voyagerai.

■ **155** 1. quelle – 2. qu'elle – 3. Quelle – 4. qu'elles – 5. Quelles – 6. qu'elle *ou* qu'elles – 7. qu'elle

■ **156** 1. quelque peine (un peu de peine) – 2. quelques instants (plusieurs instants) – 3. quelque temps (locution figée : un certain temps); quelques jours (plusieurs jours) – 4. quelques échantillons (plusieurs échantillons) – 5. quelque trente années (environ trente années)

■ **157** 1. Quelles que – 2. quelles que – 3. Quelques – 4. quelque

■ **158** 1. qu'il – 2. qui l' – 3. qu'il – 4. qui l' – 5. qu'il attend (c'est lui qui attend quelque chose) *ou* qui l'attend (ce qui va lui arriver) – 6. qui – 7. qu'il – 8. qui *ou* qu'il (même sens) – 9. qui

■ **159** 1. Sur quoi compte-t-il?; Je me demande sur quoi il compte; C'est ce sur quoi il compte – 2. Sur qui compte-t-il?; Je me demande sur qui il compte; C'est toi sur qui il compte *ou* C'est sur toi qu'il compte – 3. À quoi s'intéresse-t-il?; Je me demande à quoi il s'intéresse; C'est ce à quoi il s'intéresse – 4. De quoi a-t-il besoin?; Je me demande de quoi il a besoin; C'est ce dont il a besoin

■ **160** 1. quoi que – 2. Quoiqu' – 3. quoi qu' – 4. quoique – 5. quoiqu' – 6. quoi que – 7. quoi que (= Pierre peut vivre n'importe quelle situation, il est heureux) – 8. quoique (= bien que Pierre habite tout près, je suis sans nouvelles)

■ **161** 1. herbivores – 2. froideur – 3. réservoirs; laboratoire; observatoire – 4. chlorure – 5. tubulaire

■ **162** 1. raisonner – 2. résonnent – 3. résonner – 4. raisonner

■ **163** 1. s'il se rappelait cet épisode; il ne s'en souvenait plus – 2. m'a prié de m'en souvenir – 3. Te souviens-tu de ce film; le seul que je me rappelle; je me le rappelle encore très bien – 4. se souvient-elle de son enfance – 5. rappelle-le-toi

■ **164** 1. rares – 2. rares – 3. rares

■ **165**

	R									
R	É	O	R	I	E	N	T	E	R	
	I		E						E	
R	E	M	A	N	I	E	R		D	
E	P		O			A			O	
C	R		U			V			U	
R	É	D	I	T	E	R			B	
D	M		R			O			L	
E	E					I			E	
R	R					R			R	

■ **166** 1. familier (lexique *au courant*, syntaxe : absence de *ne*) ⇒ L'auteur semble ne pas savoir cela. – 2. soutenu (lexique *point*) ⇒ Il ne faut pas craindre le pire. – 3. familier (lexique *avoir marre*) ⇒ Il ne supporte plus cette vie *ou* Cette vie l'exaspère. – 4. familier (syntaxe : pas d'inversion dans l'interrogation) ⇒ Que veut-il? – 5. soutenu (style imagé) ⇒ Ils ont eu de la chance.

■ **167** 1. ressortissait pas à – 2. ressort du – 3. ressortit à – 4. ressort

■ **168** 1. cailloux – 2. jeux – 3. sarraus

■ **169** 1. sans intérêts – 2. sans crainte – 3. sans distinction – 4. sans faute – 5. sans doute – 6. sans manches

■ **170** 1. jamais fait semblant d'être malade – 2. Pourquoi faire semblant de tout connaître – 3. Ne faites pas semblant d'avoir oublié – 4. Elle fait toujours semblant de n'avoir rien vu

■ **171** 1. seuls les résultats – 2. seule moi (féminin, car *autorisée*) – 3. Moi seule – 4. seuls son frère et sa sœur – 5. seul un expert – 6. seuls … trois candidats

■ **172** 1. vivait – 2. acceptera *ou* accepterait – 3. craignez – 4. craigniez – 4. n'avait pas encore pris; il aurait pu

■ **173** 1. s'ils – 2. s'il – 3. si elle – 4. s'il – 5. Si, ils...

■ **174** 1. soi (on) – 2. lui (il) – 3. lui (chacun) – 4. lui (le feu)

■ **175** 1. soi-disant; *prétendue* – 2. soi-disant; *à ce qu'il paraît* – 3. soi-disant; *supposé* – 4. soi-disant; *prétendues*

■ **176** 1. aie terminé (il faut + subj.) – 2. puisse (relative) – 3. lises (sujet réel dans une tournure impersonnelle) – 4. fais (du moment + ind.) – 5. soit (relative, irréel) – 6. Soit (locution) – 7. fasse (proposition sujet) – 8. partes (avant que + subj.); a donné (après que + ind.) – 9. ait (verbe exprimant la crainte)

■ **177** 1. subvenir – 2. survenue – 3. subvient

■ **178** 1. Combien d'exemplaires ont été vendus? – 2. Quels sont les billets gagnants? – 3. Par qui le formulaire doit-il être complété? *ou* Par qui doit être complété le formulaire? – 4. Dans quelles conditions travaille le personnel? *ou* Dans quelles conditions le personnel travaille-t-il? – 5. Quel homme a eu le courage de refuser? – 6. Qu'as-tu obtenu? – 7. Que nous ont apporté ces découvertes?

■ **179** 1. la plus accueillante que nous ayons visitée – 2. le plus exigeant de tous – 3. le plus vite parmi les élèves réagissent le plus vite –

4. les meilleurs que nous ayons jamais eus – 5. le plus fidèlement possible
De nombreuses autres solutions sont possibles pour le complément.

■ **180** 1. Qui emploie-t-il ? – 2. Prend-elle du sucre… – 3. Prendra-t-elle… – 4. Comment peut-on… – 5. Aussi arriva-t-il – 6. Peut-être espère-t-elle… – 7. Espérait-elle…

■ **181** 1. si tant est – 2 en tant; en tant – 3. tant qu'à – 4. tant soit peu

■ **182** 1. telle – 2. telle – 3. telles – 4. tels – 5. telle ou telle – 6. tels – 7. telle – 8. telles qu'elles – 9. tels quels – 10. telle qu'elle – 11. telles *ou* tels

■ **183** 1. tenterons de – 2. tend à – 3. tend à – 4. tentant de

■ **184** **A.** 1. tout (déterminant) – 2. toutes (déterminant) – 3. toute (adverbe); tout (adverbe) – 4. toute (déterminant) – 5. toute (déterminant) – 6. tout (pronom) – 7. tout à l'heure (adverbe dans une locution adverbiale) *ou* tous (pronom) – 8. tout (pronom) – 9. tout (adverbe) – 10. tout (adverbe) – 11. tout (adverbe)
B. 1. Tous sans exception sont contents – 2. Ils sont très contents

■ **185** 1. tout (adverbe) – 2. toute (déterminant) – 3. tout (adverbe) – 4. toute (déterminant) – 5. tout (adverbe) – 6. toute (déterminant)

■ **187** 1. relie le verbe au pronom – 2. terme du lexique – 3. marque la coordination (*et*) – 4. employé avec *ci* – 5. relie le verbe au pronom – 6. marque la coordination (*et* dans les numéraux)

■ **188** 1. Croyez-vous – 2. Y a-t-il – 3. Mets-toi – 4. Faut-il – 5. A-t-elle – 6. achète-t'en – 7. souhaitons-nous – 8. se sont-ils – 9. Est-ce que

■ **189** 1. balalaïka – 2. inculpés et coïnculpés – 3. suraiguës – 4. continuité; contiguïté – 5. glaïeuls – 6. exiguïté – 7. hais; haï – 8. baïonnettes; Bayonne – 9. bizarroïde; inouï – 10. gaéliques

■ **190** 1. adjectif, classe variable : s'accorde avec *chaînes* – 2. pronom, classe variable : a le genre de son anté-

cédent *supermarchés,* pluriel dû au sens – 3. préposition, classe invariable – 4. déterminant possessif, classe variable : s'accorde en genre et en nombre avec *rayons,* en personne avec *supermarchés* – 5. pronom, classe variable : a le genre de son antécédent *supermarché* et le singulier exigé par le sens – 6. adjectif, classe variable : s'accorde en genre et en nombre avec *dessous* – 7. nom, classe variable : de genre masculin, pluriel dû au sens – 8. verbe, classe variable : s'accorde en personne et en nombre avec son sujet *magasin* – 9. pronom, classe variable : a le genre de son antécédent *magasin,* le singulier est dû au sens

■ **192** 1. peut : sujet *on*; figure : sujet *la conclusion*; avons remis : sujet *ma collègue et moi.* – 2. font : sujet *beaucoup de nos observations*; se justifient : sujet *la plupart.* – 3. reste : *il (trois jours* = sujet réel); oblige : sujet *cela* – 4. avaient reconnue : sujet *tous mes amis présents*; avait reconnus : sujet *elle*

■ **193** 1. verbe transitif indirect – 2. verbe transitif direct – 3. verbe transitif direct; verbe intransitif – 4. verbe intransitif (verbe d'état) – 5. verbe transitif indirect; verbe transitif direct – 6. verbe transitif indirect – 7. verbe intransitif

■ **194** 1. plains – 2. recoud – 3. Rejoins – 4. mord – 5. résout – 6. feint – 7. réponds – 8. atteint – 9. attend

■ **195** 1. créez – 2. agréée – 3. suppléiez – 4. maugrée – 5. créées

■ **196** 1. rachètera – 2. décachettera – 3. rappelles – 4. pèle – 5. Épelle – 6. décèlent; recèle; démantèleront – 7. attellerai – 8. projettent – 9. rejetterons – 10. halète – 11. feuillette – 12. remodèlent – 13. décongèle – 14. renouvelleront

■ **197** 1. bénéficiiez – 2. associerons – 3. publiions – 4. confiions – 5. envions

■ **198** 1. recouses – 2. résout – 3. résolûmes – 4. cousait – 5. dissous – 6. moudra – 7. résolvions

■ **199** 1. festoyez ; ennuierez – 2. essaie (*ou* essaye); effraieras (*ou* effrayeras) – 3. paiera (*ou* payera); balaiera (*ou* balayera); nettoiera ; essuiera – 4. flamboient

■ **200** 1. quatre-vingts ; quatre-vingt-dix – 2. quatre-vingts – 3. vingt – 4. quatre-vingt (ordinal)

■ **201** 1. voire – 2. voir – 3. voir – 4. voire

■ **202** 1. prévoirez – 2. voyions – 3. pourvut – 4. voient – 5. prévoie – 6. pourvoirait

■ **203** 1. philanthrope – 2. kayak – 3. yoyo – 4. baby-sitter – 5. psychose – 6. cherry – 7. dynamique – 8. rythmique – 9. hypoténuse – 10. hippodrome

■ **204** 1. soit – 2. voyiez – 3. croient – 4. prévoyiez – 5. ait – 6. envoie – 7. Envoyez – 8. extraie – 9. broient – 10. distrais

LEXIQUE

N.B. : Nous avons rassemblé ici les définitions des principaux termes utilisés dans l'ouvrage. De nombreuses difficultés gagnent à être expliquées à l'aide des classes grammaticales (▶ **39**) et des fonctions (▶ **95**).

ABSOLU

Emploi absolu : emploi d'un verbe transitif sans complément d'objet. Ex. : *Il chante très bien. Ne doute pas.* Il faut bien distinguer le verbe transitif en emploi absolu et le verbe intransitif qui, lui, n'a jamais de complément d'**objet***. Ex. : *Il arrive demain* (on ne peut pas ajouter de complément d'objet, alors que l'on pourrait avoir : *Il chante une chanson. Ne doute pas de toi*).

ACTIVE

Voix active : construction de phrase dans laquelle le sujet du verbe fait l'action. Ex. : *Le journaliste a écrit un article sur la question* (par opposition à la voix passive* *L'article a été écrit par ce journaliste*).

ANIMÉ

Les noms d'animés représentent des personnes ou des animaux par opposition aux noms d'inanimés*. La distinction *animé/inanimé* peut être déterminante pour le choix du pronom *(Je pense à lui / J'y pense)*, le choix d'une préposition *(Je vais chez le docteur / au cabinet médical)*...

ANTÉCÉDENT

Mot pour lequel est mis un pronom. Ex. : *Paul écoute Pierre qui lui parle.* (*Paul* : antécédent du pronom personnel *lui* ; *Pierre* : antécédent du pronom relatif *qui*).

APPOSITION

Fonction du nom (ou du groupe nominal), du pronom qui apporte une précision sur la nature ou la qualité du nom auquel il se rapporte. Ex. : *Une étude sur la ville de Marseille. Pierre, spécialiste de la question, saura vous répondre. Vous viendrez vous-mêmes le chercher.* Contrairement aux autres types de compléments, l'apposition désigne toujours le même être ou la même chose que le nom auquel elle se rapporte. Comparez : *La ville de Marseille* (apposition : la ville = Marseille) et *Le frère de Paul* (compl. de nom : Paul ≠ son frère).

ASPIRÉ

h **aspiré** : qui se trouve à l'initiale d'un mot et qui se traduit par une impossibilité de liaison et d'élision. Ex. : *le hérisson* [ləʀisɔ̃], *les hérissons* [leeʀisɔ̃]. – ▶ **101**, **muet***

ATTRIBUT

Fonction de l'adjectif ou du groupe nominal qui exprime une qualité, une manière d'être, une dénomination... du nom auquel il se rapporte. Ex. : *La maison est ancienne* (ancienne : attr. du suj. *maison*); *J'ai trouvé cette idée très bonne* (bonne : attr. du COD *idée*). Il est relié au sujet par le verbe *être* (ou un verbe* d'état) et au COD par un verbe transitif direct (▶ **193**) qui exprime une opinion, un jugement, un changement *(trouver, juger, nommer...)*. Il y a un lien d'identité ou de qualité entre le sujet (ou le COD) et l'attribut. Ex. : *Paul est professeur* (attr. : Paul = le professeur). Ne confondez pas l'attribut et le COD (qui ne peut suivre un verbe d'état, qui n'est pas en relation d'identité ou de qualité avec le sujet). Ex. : *Paul voit le professeur.* (COD : Paul ≠ le professeur).

CIRCONSTANCIEL

Qui apporte une information liée aux circonstances (lieu, temps, manière, but, cause...) de l'action. Le **complément circonstanciel** est un adverbe (Ex. : *Nous partirons demain.*) ou un groupe nominal, le plus souvent introduit par une préposition (Ex. : *Nous partirons après son exposé.*). La **proposition circonstancielle** est une subordonnée introduite par une conjonction (Ex. : *Nous partirons quand il aura terminé son exposé.*). Les compléments et propositions circonstanciels peuvent souvent être supprimés ou déplacés sans porter atteinte à la structure de la phrase.

COLLECTIF

Nom commun qui désigne un ensemble d'unités. Ex. : *personnel* «ensemble des personnes travaillant dans une entreprise».

COMPOSÉ

Mot composé : association de mots, d'éléments* constituant un tout qui a sa propre définition. Ex. : *porte-feuille* (2 mots), *pomme de terre* (3 mots), *biochimie* (1 élément + 1 mot), *bibliothèque* (2 éléments).

CONJONCTION DE COORDINATION

Mot qui sert à relier deux mots ou groupes de mots de même fonction syntaxique. Ex. : *Il arrive aujourd'hui ou demain.* La conjonction, par son sens, établit un lien logique entre les deux éléments : *et* (addition), *ou* (choix), *car* (explication)… – ▶ **88** et ▶ **126**

CONJONCTION DE SUBORDINATION

Mot qui introduit une proposition subordonnée. Tout comme la **préposition***, elle marque un lien de dépendance (entre la subordonnée et la principale). Ex. : *Si elle téléphone, dis-lui que j'arrive.* Mis à part *que*, les conjonctions de subordination expriment un lien sémantique entre la principale et la subordonnée : *quand* (temps), *si* (condition), *quoique* (concession)…

CONJONCTIVE

Proposition subordonnée* introduite par une conjonction* de subordination. Ex. : *Je veux qu'elle vienne.* La conjonction n'a pas de fonction dans la subordonnée (contrairement au pronom relatif dans une **relative***).

DÉCLARATIVE

Phrase dans laquelle le locuteur affirme quelque chose. Ex. : *Pierre est sage.* Par opposition à l'**interrogative** où l'on pose une question *(Pierre est-il sage ?)*, l'**impérative** où l'on donne un ordre *(Sois sage.)* et l'**exclamative** où l'on marque une prise de position, un sentiment… par rapport à son énoncé *(Qu'il est sage !)*.

DÉMONSTRATIF

Déterminant *(ce, cet, cette, ces)*, pronom *(celui, celle, ceux, celles)* qui sert à «montrer» la personne ou la chose dont on parle.

DÉRIVÉ

Mot créé à partir d'un mot ou d'un radical à l'aide d'un suffixe* et/ou d'un préfixe*. Ex. : *Imbattable* dérivé de *battre.* – ▶ **148**

DÉTERMINANT

Mot qui accompagne le nom et dont la présence (notamment dans le groupe sujet) est le plus souvent obligatoire. Ex. : *Les enfants sont arrivés.* On ne dira pas : *Enfants sont arrivés.* Les principaux déterminants sont : les articles *(le, un, du…)*, les possessifs *(mon, ton…)*, les démonstratifs *(ce…)*, les indéfinis *(plusieurs, chaque, tout…)*, les cardinaux *(deux…)*.

ÉLÉMENT

Unité lexicale qui porte en elle un sens précis, formée à partir d'un mot emprunté à une autre langue (latin, grec…). L'élément ne peut fonctionner de façon autonome. Ex. : *bio-, -thèque…* Les éléments se combinent entre eux ou à des mots pour former un mot composé*. Ex. : *une biblio/thèque, une bio/graphie.* – ▶ **119**, **préfixe***, **suffixe***

ÉLISION

Disparition à l'oral d'une voyelle devant une autre voyelle. – ▶ **77**

ELLIPSE

Omission d'un ou plusieurs termes. Ex. : *Il est plus grand que Paul* pour *… que Paul est grand.*

ÉPITHÈTE

Mot ou groupe de mots qui qualifie un nom. Elle le suit ou le précède directement et sa présence n'est pas obligatoire. L'épithète peut être un adjectif (Ex. : *des accords secrets*), un participe passé (Ex. : *des accords écrits*) ou un participe présent (Ex. : *un shampooing démêlant*).

• **Épithète détachée :** épithète qui apporte une information supplémentaire. Elle est séparée du nom auquel elle se rapporte soit par sa place, soit par la ponctuation. Ex. : *Claire et bien timbrée, sa voix retentissait.*

EXCLAMATIVE
(voir **DÉCLARATIVE***)

HIATUS

Succession de deux sons-voyelles. Ex. : *chahut* [ʃay], *si on veut* [siɔ̃vø].

HOMOGRAPHE

Se dit de mots dont l'orthographe est identique, indépendamment de leur prononciation. Ex. : *boucher* (verbe) et *le boucher* (nom); *elles couvent* [kuv] et *le couvent* [kuvɑ̃].
– **homonyme***

HOMONYME

Se dit de mots dont la prononciation est identique, indépendamment de leur orthographe. Ex. : *boucher* (verbe) et *le boucher* (nom); *acquis* (adjectif) et *un acquit* (nom).
– homographe*

IMPÉRATIVE
(voir **DÉCLARATIVE***)

IMPERSONNEL

• **Tournure impersonnelle** : construction du verbe employé avec le sujet* apparent *il* ne désignant, ne représentant rien. Comparez : *Trois élèves manquent à l'appel* et *Il manque trois élèves.* On parle aussi de *tournure impersonnelle* pour le présentatif* *c'est* (▶ **30**).
Certains verbes dits *verbes impersonnels* ne s'emploient qu'en tournure impersonnelle *(falloir : il faut*, verbes de météorologie : *il pleut, il neige...).* – ▶ **191**

• **Mode impersonnel** : mode pour lequel il n'y a pas de conjugaison en personne (infinitif : *chanter),* par opposition aux **modes personnels** où la conjugaison se fait en personne (indicatif : *je chante, tu chantes, il chante...)* – ▶ **117** et **118**

INANIMÉ

Les noms d'inanimés représentent des choses, des objets, des idées... par opposition aux noms d'animés*. La distinction *inanimé/animé* peut être déterminante pour le choix du pronom *(J'y pense /Je pense à lui),* d'une préposition *(Je vais à la boucherie /chez le boucher...).*

INTERROGATIF

Déterminant *(quel, lequel, combien de...),* pronom *(qui, que, quoi, lequel...),* adverbe *(pourquoi, comment...)* servant à poser les questions. Ex. : *Qui a appelé aujourd'hui ? Je ne sais pas combien de temps il a travaillé.*

INTERROGATIVE
(voir **DÉCLARATIVE***)

LOCUTION

Suite fixe de mots formant une unité de sens et pour laquelle le choix des constituants ne se fait pas librement. Comparez : *avoir recours à* (seule possibilité) et *avoir une maison, une grande maison, plusieurs maisons...*

• **Locution verbale, conjonctive, adjective...** : locution ayant la valeur grammaticale d'un verbe, d'une conjonction, d'un adjectif... Comparez : *avoir l'air* et *paraître ; au cas où* et *si ; bon marché* et *cher.*

• On parle de **locution figée** quand on envisage la locution plutôt du point de vue du vocabulaire, de son sens. Ex. : *la bête à bon Dieu.*

MUET

• *e* **muet** : *e* qui se prononce [ə] *(prévenir* [pʀevəniʀ]) ou qui ne se prononce pas *(fée* [fe], *bouleverser* [bulvɛʀse]). Même s'il ne se fait pas entendre, un *e* muet peut changer la prononciation d'un mot. Ex. : *tout* [tu] et *toute* [tut]. – ▶ **72** et ▶ **73**

• *h* **muet** : *h* qui se trouve à l'initiale d'un mot et qui n'a aucune valeur phonétique. Ex. : *l'honneur* [lɔnœʀ], *les honneurs* [lezɔnœʀ]. – ▶ **101**, aspiré*

OBJET

Complément d'objet : mot ou groupe de mots se rapportant au verbe et désignant l'être ou la chose sur lesquels porte l'action exprimée par le verbe. On distingue trois types de compléments d'objet.

• **Complément d'objet direct (COD),** relié directement au verbe, sans préposition. Il répond à la question *Que ? Qui ? Qu'est-ce que ? Qui est-ce que ?* Il devient le sujet lorsque la phrase peut être mise à la voix passive*. Ex. : *La direction a engagé un jeune diplômé.*

• **Complément d'objet indirect (COI),** introduit par une préposition. Il répond à la question *À quoi ? De quoi ? Sur quoi ? À qui ?* selon la préposition imposée par la construction du verbe auquel il se rattache. Ex. : *Les bénéfices dépendent de la conjoncture.*

• **Complément d'objet second (COS)** : complément introduit par une préposition et qui accompagne un verbe également construit avec un COD. *Nous adapterons les exercices à leur niveau.*

Remarques :
– Ne confondez pas les COI introduits par la préposition *de (Il doute de tout :* de quoi doute-t-il?) et les COD commençant par l'article partitif *de, de la, de l' (Il vend de tout :* que vend-il?).

– Les pronoms personnels qui précèdent le verbe ne sont pas introduits par une préposition, qu'ils soient COD (*Tu me vois* = tu vois «moi»), COI (*Cela me convient* = cela convient «à moi») ou COS (*Il me convient du temps* = il laisse du temps «à moi»).
– Les infinitifs COD peuvent, eux, être introduits par une préposition (*de* ou *à*). Ex. : *Je lui ai demandé de venir* (demander qqch.).

PARTICIPIALE

Proposition subordonnée dont le verbe est au mode participe (passé ou présent). Ex. : *Le temps aidant, vous oublierez. La question élucidée, nous pourrons aborder le point suivant.* Notez que le sujet de la participiale est différent de celui de la principale.

PASSIF

Voix passive : construction de phrase dans laquelle le sujet du verbe subit l'action. Ex. : *L'article a été écrit par ce journaliste* (par opposition à la voix active* : *Le journaliste a écrit un article sur la question*). Le passif se construit avec *être* conjugué et le participe passé du verbe (*est écrit, était écrit, a été écrit...*). Le complément d'agent (introduit par *par,* parfois par *de*) représente celui qui fait l'action.

POSSESSEUR

Personne (plus rarement chose) qui possède, avec laquelle est établie la relation marquée par un possessif*. Le possessif s'accorde en personne avec le possesseur. Ex. : *Pierre et son livre ; moi et mon livre.* – ▶ **146**, **possessif***.

POSSESSIF

Déterminant, pronom qui marque l'appartenance (*Mon livre, le mien*) ou une simple relation d'une chose, d'un fait à une personne (*Votre arrivée, la vôtre*) – ▶ **146**, **possesseur***.

PRÉFIXE

Unité dont le sens est plus ou moins précis, qui précède le radical. Ex. : *dé-, pré-, re-...* – ▶ **148**, **dérivé***, **élément***, **suffixe***.

PRÉPOSITION

Mot qui introduit un nom (ou un groupe nominal), un pronom ou un infinitif (parfois aussi une relative*).

Tout comme la conjonction* de subordination, la préposition sert à marquer un lien de dépendance (entre un groupe et le mot, le plus souvent nom ou verbe, dont ce groupe dépend). Ex. : *Tous les jours de la semaine prochaine.*

PRÉSENTATIF

Mot ou groupe de mots dont la fonction est de mettre en relief* un élément de la phrase. Ex. : *Voici les éléments dont nous avons besoin. Ce sont les éléments dont nous avons besoin.* – mise en **relief***

PRINCIPALE

Proposition dont dépend une proposition **subordonnée***. Ex. : *Je sais qu'il part demain.*

PRONOM

Le pronom est un mot qui peut se substituer à un nom mais contrairement au nom, il n'a pas de définition en soi (on ne peut donner de définition à *il, tout...*).
Les principaux pronoms sont : les pronoms personnels *(je, me, moi...),* les possessifs *(le mien, le tien...),* les démonstratifs *(celui, celle...),* les indéfinis *(plusieurs, chacun, tout...),* les relatifs *(qui, que, quoi, lequel...).*
Le pronom peut avoir deux rôles :
• Il **nomme** une personne qui participe à la communication (*Viens-tu avec nous ?*), ou des personnes, des choses non déterminées (*Tout est bien qui finit bien*). Dans ce cas, le pronom ne remplace aucun autre terme.
• Il **représente** un mot ou un groupe de mots (appelé antécédent*) mentionné ailleurs dans le texte. Ex. : *Paul a vu Pierre et Jacques avec qui il a pris rendez-vous.*

REGISTRE

Ensemble des caractères de la langue propres à un type de communication ou à un milieu culturel ou social. Le registre dit *soutenu* ou *littéraire* est utilisé dans les textes littéraires, les écrits solennels... On parle aussi de niveau de langue. – ▶ **166**

RELATIF (voir RELATIVE*)

RELATIVE

Proposition subordonnée* introduite par un **pronom relatif** (par opposition à la conjonctive* introduite par une conjonction* de subordination).

Le pronom relatif *(qui, que, quoi, dont, où)* a toujours une fonction (sujet, complément...) dans la relative. Ex.: *Le livre que je lis me passionne (que je lis*: relative, compl. de *livre*; *que*: pron. relatif, COD de *lire).*

RELIEF

Mise en relief: procédé par lequel on donne de l'importance à un mot (ou groupe de mots) en l'annonçant par exemple avec le présentatif* *c'est...* (*C'est moi qui ai écrit cela, c'est cela que j'ai écrit*), ou en le déplaçant et en le reprenant par un pronom (*Cela, je l'ai écrit. Moi, j'ai écrit cela*). – **présentatif***

SUBORDONNÉE

Proposition qui a un lien de dépendance (sujet, complément...) avec un terme de la principale* (verbe ou nom). Ex.: *Je sais qu'il part demain.* (prop. sub. COD de *savoir*).
On la distingue de la proposition **indépendante** qui, elle, ne dépend d'aucun autre terme. – **relative***, **conjonctive***, **participiale***

SUFFIXE

Unité dont le sens est plus ou moins précis, qui suit le radical. Ex.: *-tion (obtention), -able (calculable)...* – ▸ **148**, **élément***, **préfixe***.

SUJET

Mot ou groupe de mots qui se rapporte au verbe et qui répond à la question *Qui? Qui est-ce qui? Qu'est-ce qui?* Le sujet détermine l'accord du verbe. – ▸ **192**
• **Sujet apparent**: *il* dans les tournures impersonnelles*, par opposition au **sujet réel** (appelé aussi *sujet logique*) qui peut être exprimé, mais qui ne commande pas l'accord. Ex.: *Il reste quelques gouttes.*

TRONCATION

Création d'un mot par suppression d'une ou de plusieurs syllabes du mot initial. Ex.: *fac* pour *faculté.*

VERBE D'ÉTAT

Verbe qui fait le lien entre le sujet et l'attribut*. Les plus fréquents sont *être, demeurer, rester, sembler, paraître...*

Abréviations

adj.	: adjectif	**conj.**	: conjonction	**p.**	: passé
adv.	: adverbe		*ou* conjonctive	**part.**	: participe
ant.	: antérieur	**dém.**	: démonstratif	**pers.**	: personne
antéc.	: antécédent	**dét.**	: déterminant	**plur.**	: pluriel
art.	: article	**fém.**	: féminin	**poss.**	: possessif
CC	: complément	**fut.**	: futur	**prép.**	: préposition
	circonstanciel	**GN**	: groupe	**prés.**	: présent
COD	: complément		nominal	**princ.**	: principale
	d'objet direct	**GV**	: groupe verbal	**pron.**	: pronom
COI	: complément	**imp.**	: imparfait	**prop.**	: proposition
	d'objet	**impér.**	: impératif	**rel.**	: relative
	indirect	**ind.**	: indicatif	**sing.**	: singulier
COS	: complément	**inf.**	: infinitif	**sub.**	: subordonnée
	d'objet second	**loc.**	: locution	**subj.**	: subjonctif
comp.	: composé	**masc.**	: masculin	**suj.**	: sujet
cond.	: conditionnel	**n.**	: nom	**v.**	: verbe

INDEX

N.B. : Les numéros renvoient aux pages. Nous avons signalé en couleur les difficultés qui donnent lieu à un article spécifique.

état de : ~ (+ sing. ou
+ plur.) 103
etc. 144
étiqueter 123, 339
s'étonner 299
étranger (mots ~s) 135
être : auxiliaire dans
les temps com-
posés 30; *c'est* ou
ce sont 48; conju-
gaison 351; alter-
nance *y/i* 349
étymologie 347
évènement 121
éviter que : et *ne*
explétif 210
évoquer 144
ex- «extérieur» 132;
«ancien» 205
excellent : orthographe
24
excepter : part. passé
233
exception : *sans* ~ 290
exclure : conjugaison
74, 236
exclusivement 211
exigeant 25
exiger 299
exigu 321
exode 168
explétif : *ne* ~ 209
extraire : conjugaison,
alternance *y/i* 349
extrêmement 305

F

façon : *sans* ~ 291;
de ~ *à ce que, de*
~ *à, de* ~ *que* 38,
85, 299
facteur 247
faire : part. passé 146;
conjugaison 82
fait : *du fait que* 299
falloir 299, 327
familier (registre ~) 285
fantasme 172
fatal : pluriel 21
fatigant 27, 164
fatiguant 27, 164
faute : *sans* ~ 291;
~ *de quoi* 275

fauve 97
faux : accord 14;
féminin 149
favori : orthographe
92, 151
féminin : des noms et
des adjectifs 148
festival : pluriel 21
feu : pluriel 289
fileter : conjugaison 339
fin : accord 14
final : pluriel 21; ~
ou *finale* 182
financier 152
foi 153, 125
foie 153, 125
fois 153
fol 151, 190
*fonctions grammati-
cales* 154
fond 161
fonds 161
fonts 162
forme négative 213
formes en -ant :
accord 25
fort 14, 305
fossoyeur 166
fou amoureux,
~ *furieux* : accord
14
foule : accord du
verbe 332
fourmi 125
fractions 217; accord
du verbe 332
frais 149
franc 149
fréquent 24
fuir : conjugaison,
alternance *y/i* 349
fureter : conjugaison
339
fût-ce 49
futur 223, 293

G

-g- ou *-gu-* 163
gageure 123
gaieté 123
garance 97
garde : *prendre* ~ 299
gardénal : pluriel 21

gars 149
gavial : pluriel 21
geler : conjugaison 339
gemmail : pluriel 18
gène 8
gêne 8
génie 125, 166
genou : pluriel 290
genre 165; des noms
animés 165; des
noms inanimés
167; grammatical
165; naturel 165
gentilhomme : pluriel
206, 244
germinal : pluriel 21
gérondif 26, 199
gésir : conjugaison 11
glacial : pluriel 21
glaire 168
glu 125
gourmet 166
grâce à 45
graffiti : pluriel 136
grand ouvert : accord
14
granule 168
grec : féminin 40, 150
gréer : conjugaison
338
grenat 97
groupes : conjugaison
78
-gu- ou *-g-* 163
guadeloupéen 164
guano 164
guère : négation 212;
comparatif 69
guillemets 251

H

h : mots avec ~ 170
habitude 172
habituer 172
haïr : tréma 10, 321
haleter : conjugaison
339
haricot 170
haut 14
hémisphère 168
hibou : pluriel 290
hippo- 348
histoire de 38

MAQUETTE
Atelier JMH / Christine Godefroy

PHOTOCOMPOSITION
Abbaye N.-D. de Melleray
C.C.S.O.M. Atelier d'arts graphiques
44520 La Meilleraye-de-Bretagne

Imprimé en France par l'Imprimerie Hérissey à Évreux (Eure)
Dépôt légal : 18846 - Mai 2002 — N° d'impression : 92152